América del Sur

PEARSON ALWAYS LEARNING

¡Anda! Curso Intermedio

Volume 1

Third Custom Edition for Indiana University

Taken from:
¡Anda! Curso Intermedio
by Audrey L. Heining-Boynton, Jean W. Leloup, and Glynis S. Cowell

¡Anda! Curso Intermedio, Second Edition
by Audrey L. Heining-Boynton, Jean W. Leloup, and Glynis S. Cowell

Taken from:

¡Anda! Curso Intermedio
by Audrey L. Heining-Boynton, Jean W. Leloup, and Glynis S. Cowell

Published by Prentice Hall
Upper Saddle River, New Jersey 07458

¡Anda! Curso, Intermedio, Second Edition
by Audrey L. Heining-Boynton, Jean W. Leloup, and Glynis S. Cowell

Published by Prentice Hall

This special edition published in cooperation with Pearson Learning Solutions.

Pearson Learning Solutions, 501 Boylston Street, Suite 900, Boston, MA 02116
A Pearson Education Company
www.pearsoned.com

Printed in the United States of America

1 2 3 4 5 6 7 8 9 10 V092 17 16 15 14 13

000200010271728765

MM

ISBN 10: 1-269-19435-6
ISBN 13: 978-1-269-19435-8

BRIEF CONTENTS

FIRST

	Capítulo Preliminar A Para empezar	Capítulo 1 Así somos	Capítulo 2 El tiempo libre
Vocabulary sections		1 El aspecto físico y la personalidad 3 Algunos estados 5 La familia	1 Algunos deportes 3 Algunos pasatiempos
Review grammar	Selected elementary topics, see page 3.	• Direct and indirect object pronouns, personal *a*, and reflexive pronouns	• Formal *(Ud./Uds.)* and informal *(tú)* **commands** • **Present subjunctive** (regular, irregular, and stem-changing verbs)
Grammar sections		2 Verbs similar to ***gustar*** 4 **Present perfect indicative**	2 *Nosotros/as* **commands** 4 The subjunctive in **noun clauses:** expressing hopes, desires, and requests
Culture	**Notas culturales:** El español: lengua de millones **Perfiles:** ¿Quién habla español? **Notas culturales:** La influencia del español en los Estados Unidos	**Notas culturales:** ¿Hay un latino típico? **Perfiles:** Familias hispanas **Vistazo cultural:** Los hispanos en los Estados Unidos	**Notas culturales:** La Vuelta al Táchira **Perfiles:** Campeones famosos del mundo hispano **Vistazo cultural:** Deportes y pasatiempos en la cultura mexicana
Escucha		**Estrategia:** Anticipating and predicting content to assist in guessing meaning	**Estrategia:** Listening for the gist
¡Conversemos!		**Estrategias comunicativas:** Greetings and farewells	**Estrategias comunicativas:** Expressing pardon, requesting clarification, and checking comprehension
Escribe		**Estrategia:** Process writing (Part 1): Organizing ideas (*Product:* personal profile)	**Estrategia:** Process writing (Part 2): Linking words (*Product*: blog commentary)
Laberinto peligroso		**Lectura:** *¿Periodistas en peligro?* **Estrategia:** Pre-reading techniques: Schemata, cognates, predicting, and guessing **Video:** *¿Puede ser?*	**Lectura:** *Búsquedas* **Estrategia:** Scanning and skimming; reading for the gist **Video:** *¿Qué te ocurre, Celia?*

SEMESTER

Capítulo 3 Hogar, dulce hogar	Capítulo 4 ¡Celebremos!	Capítulo 5 Viajando por aquí y por allá	Capítulo 6 ¡Sí, lo sé!
1 Los materiales de la casa y sus alrededores 2 Dentro del hogar: la sala, la cocina y el dormitorio	1 Las celebraciones y los eventos de la vida 2 La comida y la cocina 3 Más comida	1 Los viajes 2 Viajando por coche 4 Las vacaciones 5 La tecnología y la informática 7 Las acciones relacionadas con la tecnología	**Reviewing strategies**
• **Preterit** (stem-changing verbs) • **Imperfect**	• The **preterit** and the **imperfect** • *Hacer* with time expressions	• *Por* and *para* • The **preterit** and the **imperfect** (cont.)	Recycling of **Capítulo Preliminar A** to **Capítulo 5**
3 Subjunctive in **noun clauses:** expressing feelings, emotions, and doubts	4 **Present perfect subjunctive**	3 Relative pronouns: *que* and *quien* 6 Subjunctive in **adjective clauses:** indefinite and nonexistent antecedents	
Notas culturales: El mejoramiento de la casa **Perfiles:** La importancia de la casa y de su construcción **Vistazo cultural:** Las casas en España	**Notas culturales:** El Día de los Muertos **Perfiles:** Grandes cocineros del mundo hispano **Vistazo cultural:** Tradiciones de Guatemala, Honduras y El Salvador	**Notas culturales:** El fin del mundo y los glaciares en cinco días **Perfiles:** Viajando hacia el futuro **Vistazo cultural:** Un viaje por mundos diferentes en Nicaragua, Costa Rica y Panamá	**Cultura**
Estrategia: Listening for the main ideas	**Estrategia:** Listening for details	**Estrategia:** Listening for specific information	
Estrategias comunicativas: Extending, accepting, and declining invitations	**Estrategias comunicativas:** Asking for and giving directions	**Estrategias comunicativas:** Asking for input and expressing emotions	
Estrategia: Process writing (Part 3): Supporting details (*Product:* ideal house description)	**Estrategia:** Process writing (Part 4): Sequencing events (*Product:* magazine article on celebrations)	**Estrategia:** Peer editing (*Product:* peer-edited writing sample)	
Lectura: *Planes importantes* **Estrategia:** Establishing a purpose for reading; determining the main idea **Video:** *Una nota misteriosa*	**Lectura:** *Colaboradores, competidores y sospechosos* **Estrategia:** Identifying details and supporting elements **Video:** *¿Mágica o malvada?*	**Lectura:** *Cómplices, crónicas, mapas y ladrones* **Estrategia:** Using a dictionary **Video:** *¿Somos sospechosos?*	Recap of Episodios 1–5

SECOND

	Capítulo Preliminar B Introducciones y repasos	Capítulo 7 Bienvenidos a mi mundo	Capítulo 8 La vida profesional
Vocabulary sections	**Capítulo Preliminar A** **Capítulo 1** **Capítulo 2** **Capítulo 3** **Capítulo 4** **Capítulo 5**	1 Algunas tiendas y algunos lugares en la ciudad 3 Algunos artículos en las tiendas	1 Algunas profesiones 3 Más profesiones 5 Una entrevista 7 El mundo de los negocios
Review grammar		• *Ser* and *estar* (a second look) • **Present progressive**	• Adjectives used as nouns • Demonstrative adjectives
Grammar sections		2 The subjunctive in **adverbial clauses:** expressing time, place, manner, and purpose 4 **Progressive** tenses: the imperfect: *andar*, *continuar*, *seguir*, *ir*, and *venir*	2 **Future** 4 **Conditional**
Culture		**Notas culturales:** La ropa como símbolo cultural **Perfiles:** Algunos diseñadores y creadores **Vistazo cultural:** Algunos lugares y productos en las ciudades de Chile y Paraguay	**Notas culturales:** La etiqueta del negocio latino **Perfiles:** El trabajo y los negocios **Vistazo cultural:** Algunos negocios y profesiones en Argentina y Uruguay
Escucha		**Estrategia:** Determining setting and purpose	**Estrategia:** Repeating/ paraphrasing what you hear
¡Conversemos!		**Estrategias comunicativas:** Conversing on the phone and expressing agreement (Part 1)	**Estrategias comunicativas:** Expressing good wishes, regret, comfort, or sympathy
Escribe		**Estrategia:** Using a dictionary (*Product:* op-ed)	**Estrategia:** Greetings and closings in letters (*Product:* cover letter/letter of introduction [for a job interview])
Laberinto peligroso		**Lectura:** *¿Casualidades o conexiones?* **Estrategia:** Identifying elements of texts: Tone and voice **Video:** *¡Trazando rutas y conexiones!*	**Lectura:** *Complicaciones en el caso* **Estrategia:** Checking comprehension and determining/adjusting reading rate **Video:** *¿Estoy arrestado?*

SEMESTER

Capítulo 9 ¿Es arte?	Capítulo 10 Un planeta para todos	Capítulo 11 Hay que cuidarnos	Capítulo 12 Y por fin, ¡lo sé!
1 El arte visual 3 La artesanía 4 La música y el teatro 6 El cine y la televisión	1 El medio ambiente 4 Algunos animales 6 Algunos términos geográficos	1 La cara y el cuerpo humano 4 La atención médica 6 Algunos síntomas, condiciones y enfermedades	**Reviewing strategies**
• Comparisons (of equality and inequality) • The superlative	• Prepositions and prepositional pronouns • The infinitive after prepositions	• **Reflexive** verbs • Affirmative and negative expressions	Recycling of **Capítulo 7** to **Capítulo 11**
2 A review of the **Subjunctive:** The subjunctive in noun, adjective, and adverbial clauses 5 *If* clauses in the present (Part 1)	2 The **past subjunctive** 3 The **past perfect (pluperfect) subjunctive** 5 *If* clauses in the past (Part 2)	2 The impersonal *se* 3 Reciprocal *nos* and *se* 5 *Se* for unplanned occurrences 7 The passive voice	
Notas culturales: El Museo del Oro en Bogotá, Colombia **Perfiles:** El arte como expresión personal **Vistazo cultural:** El arte de Perú, Bolivia y Ecuador	**Notas culturales:** *Amigos del Medio Ambiente* **Perfiles:** Algunas personas con una conciencia ambiental **Vistazo cultural:** La naturaleza y la geografía de Colombia y Venezuela	**Notas culturales:** La medicina tradicional o alternativa **Perfiles:** Algunas personas innovadoras en el campo de la medicina **Vistazo cultural:** La medicina y la salud en Cuba, Puerto Rico y la República Dominicana	**Cultura**
Estrategia: Making inferences from what you hear	**Estrategia:** Listening in different contexts	**Estrategia:** Commenting on what you heard	
Estrategias comunicativas: Clarifying and using circumlocution	**Estrategias comunicativas:** Expressing agreement (Part 2), disagreement, or surprise	**Estrategias comunicativas:** Pausing, suggesting an alternative, and expressing disbelief	
Estrategia: Introductions and conclusions in writing (*Product:* short story)	**Estrategia:** More on linking sentences (*Product:* essay persuading local community to participate in an environmental project)	**Estrategia:** Determining audience and purpose (*Product:* video script)	
Lectura: *Sola y preocupada* **Estrategia:** Making inferences: Reading between the lines **Video:** *Desaparecidos*	**Lectura:** *En peligro de extinción* **Estrategia:** Identifying characteristics of different text types **Video:** *¡Alto! ¡Tire el arma!*	**Lectura:** *¿Caso cerrado?* **Estrategia:** Assessing a passage, responding, and giving an opinion **Video:** *Atando cabos*	Recap of Episodios 7–11

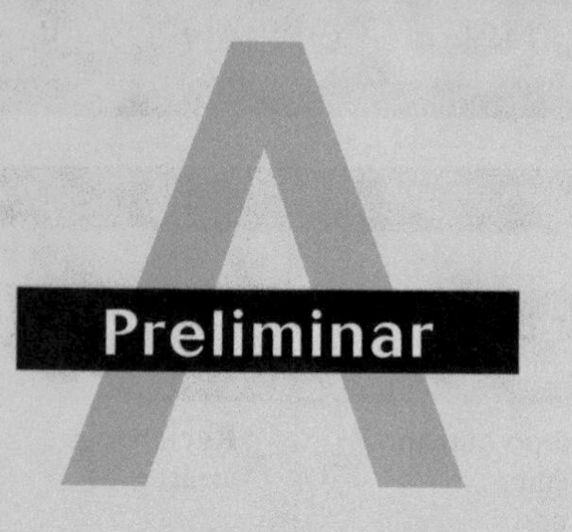

Para empezar

Los 10 países con la mayor cantidad de hispanohablantes	
País	Número de hablantes
México	108.700.891
Colombia	44.379.598
EE.UU.	44.300.000
España	40.448.191
Argentina	40.301.927
Perú	28.674.757
Venezuela	26.023.528
Chile	16.284.741
Ecuador	13.755.680
Guatemala	12.728.111

You are about to continue your exciting journey of acquiring the Spanish language and learning more about Hispanic cultures.

	OBJETIVOS	CONTENIDOS	
Comunicación	• To describe yourself and others • To share information on familiar topics employing a wide array of verbs • To express your likes and dislikes	1 Gender of nouns 2 Singular and plural nouns 3 Definite and indefinite articles 4 Descriptive adjectives 5 Possessive adjectives 6 Present indicative of regular verbs 7 Some irregular verbs 8 Stem-changing verbs 9 Reflexive constructions 10 A review of *ser* versus *estar* 11 The verb *gustar*	4 5 6 7 11 14 15 19 22 25 28
Cultura	• To give at least two reasons why it is important to study and be able to communicate in Spanish • To name the continents and countries where Spanish is spoken	**Notas culturales** *El español: lengua de millones* **Perfiles** *¿Quién habla español?* **Notas culturales** *La influencia del español en los Estados Unidos*	 10 19 29

PREGUNTAS

1 How might Spanish play a role in your future?
2 What are your goals for this course?
3 What do you need to do to realize your goals?

Learning a language is a skill much like learning to ski or to play a musical instrument. Developing these skills takes practice and commitment.

Learning another language involves many steps and considerations. Research indicates that successful language learners are willing to take risks and experiment with the language. To acquire a high level of Spanish proficiency, you need to keep trying and risk making mistakes, knowing that practice will garner results.

Why are **you** studying Spanish? Many of you realize the importance of being able to communicate in languages in addition to English. ***¡Anda! Curso intermedio*** will guide you through a review of basic concepts and provide you with the additional key essentials for becoming a successful Spanish language learner. Our goal is the same as yours: to prepare you to use and to enjoy Spanish throughout your adulthood in your professional and personal lives.

Comunicación

Estrategia

Each of you comes to this course with a variety of different Spanish learning experiences. This preliminary chapter is designed to provide you with a quick review of a few basic Spanish grammar concepts. If you need additional practice, go to *MySpanishLab™*.

REPASO

1. El masculino y el femenino

You will remember that in Spanish, all nouns (people, places, things, and ideas) have a gender; they are either **masculine** or **feminine.** Review the following rules, and remember that if a noun does not belong to any of the following categories, you must memorize the gender as you learn that noun.

El abuelo y las tías

1. Most words ending in **-a** are feminine.

   la palabra, la computadora, la casa, la pintura

   Some exceptions: **el día, el mapa,** and words of Greek origin ending in **-ma** such as **el problema, el programa,** and **el drama.**

2. Most words ending in **-o** are masculine.

   el libro, el número, el párrafo, el hermano

   Some exceptions: **la foto** (*photo*), **la mano** (*hand*), **la moto** (*motorcycle*)

Fíjate

La foto and *la moto* are shortened forms for *la fotografía* and *la motocicleta.*

3. Words ending in **-ción** (equivalent to the English *-tion*) and **-sión** (equivalent to the English *-sion*) are feminine.

   la televisión, la discusión, la información, la lección

4. Words ending in **-dad** or **-tad** (equivalent to the English *-ty*) are feminine.

   la ciudad, la libertad, la universidad, la comunidad

Fíjate

Words that look alike and have the same meaning in both English and Spanish, such as *identidad* and *diccionario*, are known as *cognates*. Use cognates to help you decipher meaning and to form words.

A-1 ¿Recuerdas?

Indiquen si las siguientes palabras son masculinas **(M)** o femeninas **(F)**. **¡OJO!** Hay algunas excepciones. Túrnense (*Take turns*).

1. ___ recepción
2. ___ drama
3. ___ sistema
4. ___ año
5. ___ brazo
6. ___ diccionario
7. ___ tía
8. ___ manzana
9. ___ mano
10. ___ identidad
11. ___ nacionalidad
12. ___ avión
13. ___ bolso
14. ___ blusa
15. ___ senadora

Estrategia

Make educated guesses about the meaning of unknown words, and you will be a more successful Spanish learner!

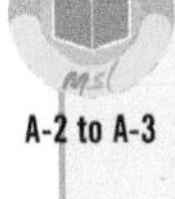

A-2 to A-3

2, 3

REPASO

2. El singular y el plural

Review the following simple rules to pluralize singular nouns and adjectives in Spanish.

Raúl tiene dos primas y Jorge tiene una prima.

1. If the word ends in a vowel, add **-s.**
   casa → casas   año → años   pie → pies
2. If the word ends in a consonant, add **-es.**
   usted → ustedes   lección → lecciones   joven → jóvenes
3. If the word ends in **-z**, change the **z** to **c** and add **-es.**
   lápiz → lápices   feliz → felices

Fíjate

Remember that in Spanish, written accents on vowels are used to distinguish word meaning or when a word is "breaking" a pronunciation rule. Words ending in a vowel or in the consonants *n* or *s* are stressed on the next-to-the-last syllable, and all the rest are stressed on the last syllable. Any words not following these rules need written accent marks. For example, words ending in *-sión* and *-ción* need the accent mark to enforce the stress on the last syllable, but these words lose their accent mark in the plural because they no longer "break" the pronunciation rule. The same reasoning applies to *joven* → *jóvenes* but in reverse.

A-2 Les toca a ustedes

Indiquen la forma plural de las siguientes palabras. Túrnense.

1. el día
2. la semana
3. el joven
4. la discusión
5. la computadora
6. la mesa
7. la profesora
8. la puerta
9. la televisión
10. el gobernador
11. el abuelo
12. el lápiz
13. la ciudad
14. el autobús
15. la calle

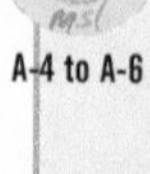

A-4 to A-6

1

REPASO

3. Los artículos definidos e indefinidos

Remember that like English, Spanish has two kinds of articles, **definite** and **indefinite.** The **definite article** in English is *the;* the **indefinite articles** are *a, an*, and *some.*

- In Spanish, articles and other adjectives mirror the gender (*masculine* or *feminine*) and number (*singular* or *plural*) of the nouns they accompany. For example, an article referring to a singular masculine noun must also be singular and masculine. Note the forms of the articles in the following charts.

Eduardo tiene una hermana. La hermana de Eduardo se llama Adriana.

Los artículos definidos

el estudiante	*the student* (male)	los estudiantes	*the students* (males/males and females)
la estudiante	*the student* (female)	las estudiantes	*the students* (females)

Los artículos indefinidos

un estudiante	*a/one student* (male)	unos estudiantes	*some students* (males/males and females)
una estudiante	*a/one student* (female)	unas estudiantes	*some students* (females)

1. **Definite articles** are used to refer to **the** person, place, thing, or idea.

   La clase es pequeña este año. — *The class is small this year.*

2. **Indefinite articles** are used to refer to **a** or **some** person, place, thing, or idea.

   Ella tiene **una** tía chilena y **unos** tíos dominicanos. — *She has a Chilean aunt and some Dominican aunts and uncles.*

A·3 Vamos a practicar

Túrnense para añadir el artículo definido (**el/la**) y el artículo indefinido (**un/una**) a las siguientes palabras.

1. ______ hermano
2. ______ grupos
3. ______ fiestas
4. ______ playa
5. ______ queso
6. ______ cuadernos
7. ______ suéter
8. ______ diente
9. ______ parques
10. ______ senadora
11. ______ actriz
12. ______ pan
13. ______ camas
14. ______ aventura
15. ______ pájaros

A-7 to A-8

Guide 3, 4

REPASO

4. Los adjetivos descriptivos

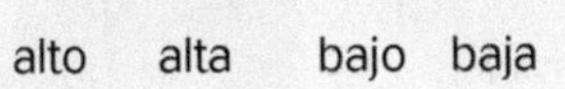

guapo guapa

delgado delgada gordo gorda

débil fuerte

inteligente

joven mayor

pobre rico rica

You will recall that **descriptive adjectives** are words that describe people, places, things, and ideas. In English, adjectives usually come before the words (nouns) they describe (e.g., *red* car), but in Spanish, they usually follow the word (e.g., **coche *rojo***).

1. Adjectives in Spanish agree with the noun they modify in number (*singular* or *plural*) and in gender (*masculine* or *feminine*).

> **Fíjate**
>
> When the word *y* comes directly before a word beginning with *i* or *hi,* it changes to *e: padres e hijos.* Likewise, when *o* comes immediately before a word beginning with *o* or *ho* it changes to *u: setenta u ochenta.*

Javier es un **chico** cómico.	*Javier is a funny boy.*
Isabel es una **chica** cómica.	*Isabel is a funny girl.*
Javier e Isabel son unos **chicos** cómicos.	*Javier and Isabel are (some) funny children.*

2. A descriptive adjective can also directly follow the verb **ser**. When it does, it still agrees with the noun to which it refers, which is the subject in this case.

Javier es cómico.	*Javier is funny.*
Isabel es cómica.	*Isabel is funny.*
Javier e Isabel son cómicos.	*Javier and Isabel are funny.*

¡Anda! Curso elemental, Capítulo Preliminar A, El verbo *ser*; Capítulo 1, Los adjetivos descriptivos; El verbo *tener*, Apéndice 3.

A-4 ¿Cómo son?

Describan a las siguientes personas usando por lo menos **dos** adjetivos descriptivos. Túrnense.

MODELO *Eva Longoria Parker es baja y muy guapa.*

Eva Longoria Parker

Estrategia

Now that you have read the first review grammar points, review the vocabulary on the family as well as some descriptive adjectives that you have learned in your previous Spanish classes. You may also wish to quickly review the forms of *ser* and *tener* before you do the next activities.

PERSONA	DESCRIPCIÓN:	PERSONA	DESCRIPCIÓN:	PERSONA(S)	DESCRIPCIÓN:
1. Hernán Crespo		3. Shakira		5. Yao Ming y Shaquille O'Neal	
2. Juanes		4. Oprah Winfrey		6. Hector Elizondo	

A 5 ¿Cuáles son sus cualidades?

Piensa en las cualidades de tu mejor amigo/a y las de una persona que no te gusta mucho. Escribe **tres** oraciones que describan a estas personas y comparte tu lista con un/a compañero/a.

MODELO

MI MEJOR AMIGO/A	LA PERSONA QUE NO ME GUSTA
1. *Es simpático/a.*	1. *No es paciente.*

A 6 ¿Es cierto o falso?

Describe a **cinco** personas famosas. Tu compañero/a va a reaccionar a tus descripciones diciendo **Es verdad** (*It's true*) o **No es verdad** (*It's not true*). Si tu compañero/a no está de acuerdo con tus descripciones, debe corregirlas.

MODELO E1: *LeBron James es alto, fuerte, simpático, inteligente y muy rico.*

E2: *Sí, es verdad. LeBron James es alto, fuerte, simpático, inteligente y muy rico.*

¡Anda! Curso elemental, Capítulo 1, La familia, Apéndice 2.

Estrategia

When you are working with a partner, listen carefully to help him or her. Give your partner encouragement when he or she expresses something correctly and creatively; help with corrections when needed.

A 7 ¿Cómo eres?

Ahora vas a conocer a tus compañeros de clase.

Paso 1 Descríbete a ti mismo/a a un/a compañero/a y luego descríbele miembros de tu familia.

MODELO *Me llamo Katie. Soy joven, muy inteligente y alta. También soy cómica. Tengo dos hermanas. Las dos son inteligentes. Mi hermana Emily es alta y muy guapa. Mi otra hermana, Rebecca, es guapa también...*

Paso 2 Escribe una lista de sus semejanzas y de sus diferencias.

MODELO *Tasha y yo somos jóvenes, altas y muy inteligentes. Nuestras familias son cómicas, simpáticas y pacientes. Tasha no tiene hermanos...*

Paso 3 Ahora circula por la clase y preséntate a otros miembros de la clase, compartiendo la información sobre tu familia y tú. Habla con por lo menos **cinco** estudiantes que no conozcas.

Notas culturales

El español: lengua de millones

¿Por qué estudiamos español? Bueno, hay muchas razones. El español es la lengua oficial de veintiún países del mundo:

Argentina	Costa Rica	España	México	Perú	Venezuela
Bolivia	Cuba	Guatemala	Nicaragua	Puerto Rico	
Chile	Ecuador	Guinea Ecuatorial	Panamá	La República Dominicana	
Colombia	El Salvador	Honduras	Paraguay	Uruguay	

También figura como lengua importante en muchos otros países como Andorra, Belice, las Islas Filipinas, Gibraltar y Marruecos. Así, ¡el español es una lengua importante en cuatro continentes! Y por supuesto, la presencia del español en los Estados Unidos es enorme. Hay más de cuarenta y cuatro millones de hispanos viviendo en este país de una población total de 303.1 millones de personas. Con esta población, los EE.UU. es uno de los países con mayor número de hispanohablantes del mundo. Con tantos vecinos hispanohablantes en el mundo y en tu propio país, ¿por qué *no* estudiarías español?

Preguntas

1. ¿En qué países se habla español como lengua oficial? ¿En qué continentes figura el español como lengua importante?
2. Describe la presencia del español en los EE.UU.
3. ¿Por qué es importante para ti estudiar español?

El mundo hispanohablante

A-10 to A-11

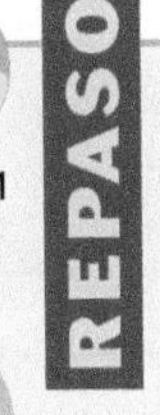

4, 17

REPASO

5. Los adjetivos posesivos

Review the following chart about expressing possession.

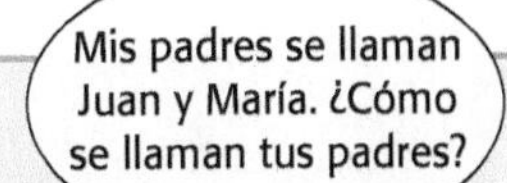

Los adjetivos posesivos			
mi, mis	*my*	**nuestro/a/os/as**	*our*
tu, tus	*your*	**vuestro/a/os/as**	*your*
su, sus	*his, her, its, your* (form.)	**su, sus**	*their, your* (form.)

Please note:

1. Possessive adjectives agree in form with the person, place, or thing possessed, *not with the possessor.* They agree in number (*singular* or *plural*), and in addition, **nuestro** and **vuestro** indicate gender (*masculine* or *feminine*).
2. The possessive adjectives **tu** and **tus** (*your*) refer to someone with whom you are familiar and/or on a first-name basis. **Su** and **sus** (*your*) are used to describe people you would call *Ud./Uds.* (that is, people you treat more formally and with whom you are perhaps not on a first-name basis). Use **su/sus** (*their*) also when expressing possession with *ellos* and *ellas*.

mi hermano	*my brother*	**mis** hermanos	*my brothers/siblings*
tu primo	*your cousin*	**tus** primos	*your cousins*
su tía	*her/his/your aunt*	**sus** tías	*her/his/your aunts*
nuestra familia	*our family*	**nuestras** familias	*our families*
vuestra mamá	*your mom*	**vuestras** mamás	*your moms*
su hija	*your/their daughter*	**sus** hijas	*your/their daughters*

Nuestros abuelos tienen dos hijos. — *Our grandparents have two sons.*
Sus hijos son José y Andrés. — *Their sons are José and Andrés.*

3. In Spanish, you can also show possession expressing the equivalent of the English (*of*) *mine, yours, his, hers, ours, theirs*.

Singular		Plural		
Masculine	Feminine	Masculine	Feminine	
mío	**mía**	**míos**	**mías**	*mine*
tuyo	**tuya**	**tuyos**	**tuyas**	*yours* (fam.)
suyo	**suya**	**suyos**	**suyas**	*his, hers, yours* (form.)
nuestro	**nuestra**	**nuestros**	**nuestras**	*ours*
vuestro	**vuestra**	**vuestros**	**vuestras**	*yours* (fam.)
suyo	**suya**	**suyos**	**suyas**	*theirs, yours* (form.)

Fíjate

Possessive adjectives can also become pronouns when they replace a noun. *El mío funciona bien* means *Mine* (pronoun) *works well*, with *mine* referring to refrigerator.

Study the examples below.

Mi refrigerador funciona bien.	**El refrigerador mío** funciona bien.	**El mío** funciona bien.
Nuestros sofás cuestan mucho.	**Los sofás nuestros** cuestan mucho.	**Los nuestros** cuestan mucho.
¿Cuánto cuestan **tus** lámparas?	¿Cuánto cuestan **las lámparas tuyas**?	¿Cuánto cuestan **las tuyas**?
Sus muebles son caros.	**Los muebles suyos** son caros.	**Los suyos** son caros.

Note that the third person forms (**suyo/a/os/as**) can have more than one meaning. To avoid confusion, you can use:

article + *noun* + de + *subject pronoun:*
el coche suyo = el coche de él/ella/Ud./ellos/ellas/Uds.
his/her/your/their/your (plural) *car*

A 8 ¿Quién pertenece a quién?

Take turns supplying the correct possessive adjectives for the family members listed.

MODELO E1: (*our*) papás
E2: *nuestros papás*

1. (*your*/familiar) novia
2. (*my*) hermanos
3. (*our*) mamá
4. (*your*/formal) tío
5. (*her*) amiga
6. (*his*) hermanas

A 9 Relaciones familiares

Take turns completing the paragraph about Eduardo's family relationships, from Sonia's point of view.

Yo soy Sonia. Eduardo es (1) ________ primo. Antonio y Adriana son (2) ________ primos también (*also*). (3) ________ padres, Pedro y Rosario, son (4) ________ tíos. (5) ________ padres se llaman Enrique y Francisca. (6) Además (*Furthermore*), ________ amiga Pilar es como (*like*) parte de (7) (*our*) ________ familia.

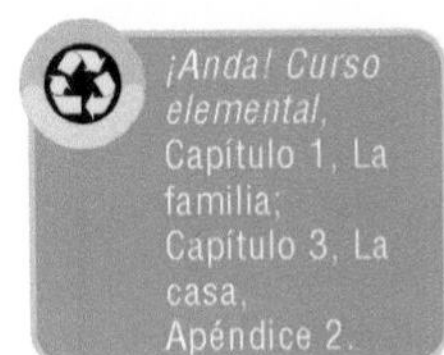

¡Anda! Curso elemental, Capítulo 1, La familia; Capítulo 3, La casa, Apéndice 2.

A-10 Tu familia

Hablen de sus familias o de una de las familias que aparecen en las fotos. También hablen de sus casas usando **los adjetivos posesivos.** Túrnense.

MODELO *En mi familia somos cuatro personas. Mi padre se llama Ben y mi madre Dorothy. En algunas fotos hay muchas personas en las familias, pero mi familia es pequeña. La casa de la foto es blanca y la mía es azul. Mi casa es pequeña, pero la suya es grande…*

A-12 to A-14

7, 11, 13, 14

REPASO

6. Presente indicativo de verbos regulares

You will remember that Spanish has three groups of verbs that are categorized by the ending of the **infinitive.** Remember that an infinitive is expressed in English by the word *to: to have, to be,* and *to speak* are all infinitive forms of English verbs. Spanish infinitives end in **-ar, -er,** or **-ir.** Look at the following charts.

Verbos que terminan en *-ar*

bailar	*to dance*	**lleg**ar	*to arrive*
cantar	*to sing*	**necesit**ar	*to need*
cocinar	*to cook*	**prepar**ar	*to prepare; to get ready*
comprar	*to buy*	**pregunt**ar	*to ask (a question)*
contestar	*to answer*	**regres**ar	*to return*
enseñar	*to teach; to show*	**termin**ar	*to finish; to end*
esperar	*to wait for; to hope*	**tom**ar	*to take; to drink*
estudiar	*to study*	**trabaj**ar	*to work*
hablar	*to speak*	**us**ar	*to use*

A las 6:30, Mario **espera** el autobús y **regresa** a su apartamento.

Verbos que terminan en *-er*

aprender	*to learn*	**corr**er	*to run*
beber	*to drink*	**cre**er	*to believe*
comer	*to eat*	**deb**er **(+ inf.)**	*should; must*
comprender	*to understand*	**le**er	*to read*

Verbos que terminan en *-ir*

abrir	*to open*	**describ**ir	*to describe*	**recib**ir	*to receive*
compartir	*to share*	**escrib**ir	*to write*	**viv**ir	*to live*

1. To express ongoing activities or actions, use the present indicative.

   Mario **lee** en la biblioteca. { *Mario reads in the library.* / *Mario is reading in the library.* }

2. You can also use the present indicative to express future events.

   Mario **regresa** mañana. *Mario is coming back tomorrow.*

3. Remember that to form the present indicative, drop the **-ar**, **-er**, or **-ir** ending from the infinitive and add the appropriate ending. Follow this simple pattern with regular verbs.

	hablar	comer	vivir
yo	hablo	como	vivo
tú	hablas	comes	vives
él, ella, Ud.	habla	come	vive
nosotros/as	hablamos	comemos	vivimos
vosotros/as	habláis	coméis	vivís
ellos/as, Uds.	hablan	comen	viven

A 11 Vamos a practicar

Tomen **diez** papelitos *(small pieces of paper)* y en cada papelito escriban un sustantivo *(noun)* y un pronombre personal (**yo, tú, él,** etc.) diferente. Luego, tomen **cinco** papelitos y escriban un **verbo** en el **infinitivo** en cada uno de los papelitos. Túrnense para escoger un papelito de cada categoría y dar la forma correcta de cada verbo y sustantivo/pronombre juntos. Cada persona debe dar la forma correcta de por lo menos **cinco** verbos.

MODELO INFINITIVE: *preguntar*
PRONOUN OR NOUN: *mi madre*
E1: *mi madre pregunta*

A 12 Dime quién, dónde y cuándo

Mira las tres columnas, y con un bolígrafo conecta cada pronombre con una actividad y con un lugar para crear **cinco** oraciones. Luego, comparte tus oraciones con un/a compañero/a.

MODELO nosotros/ver una película/el cine
Nosotros vemos una película en el cine.

PRONOMBRE	ACTIVIDAD	LUGAR
yo	comer el almuerzo	la clase de inglés
nosotros/as	leer muchas novelas	el centro comercial
ellos/as	necesitar una calculadora	la cafetería
ella	comprar un libro	la clase de matemáticas
tú	usar un diccionario bilingüe	el cine
Uds.	comprar un suéter	la clase de español
él	ver una película	la librería

A-15 to A-16

13, 14

REPASO

7. Algunos verbos irregulares

You will recall that not all verbs follow the same pattern as regular verbs in the present indicative. What follows are the most common irregular verbs that you have learned.

	dar (*to give*)	**conocer** (*to know; to be acquainted with*)	**estar** (*to be*)	**hacer** (*to do; to make*)	**poner** (*to put; to place*)
yo	doy	conozco	estoy	hago	pongo
tú	das	conoces	estás	haces	pones
él, ella, Ud.	da	conoce	está	hace	pone
nosotros/as	damos	conocemos	estamos	hacemos	ponemos
vosotros/as	dais	conocéis	estáis	hacéis	ponéis
ellos/as, Uds.	dan	conocen	están	hacen	ponen

	salir (*to leave; to go out*)	**traer** (*to bring*)	**ver** (*to see*)	**ir** (*to go*)	**ser** (*to be*)
yo	salgo	traigo	veo	voy	soy
tú	sales	traes	ves	vas	eres
él, ella, Ud.	sale	trae	ve	va	es
nosotros/as	salimos	traemos	vemos	vamos	somos
vosotros/as	salís	traéis	veis	vais	sois
ellos/as, Uds.	salen	traen	ven	van	son

Estrategia

Memorizing information is easier to do when the information is arranged in chunks. You will remember that the *yo* forms of some present tense verbs end in *go,* such as *salgo, traigo,* and *pongo.* Reviewing the information as a chunk of *go* verbs may make it easier to remember.

	decir (*to say; to tell*)	**oír** (*to hear*)	**venir** (*to come*)	**tener** (*to have*)
yo	digo	oigo	vengo	tengo
tú	dices	oyes	vienes	tienes
él, ella, Ud.	dice	oye	viene	tiene
nosotros/as	decimos	oímos	venimos	tenemos
vosotros/as	decís	oís	venís	tenéis
ellos/as, Uds.	dicen	oyen	vienen	tienen

Estrategia

Organize these review verbs in your notebook. Note whether the verb is regular or irregular, what it means in English, if any of the forms have accents, and if any other verbs follow this pattern. You might want to highlight or color code the verbs that follow a pattern. This strategy will serve you well when you begin to learn new verbs in *Capítulo 1.*

A 13 La ruleta

Escuchen mientras su profesor/a les explica el juego de *la ruleta*.

1. traer
2. querer
3. decir
4. poner
5. hacer
6. ver
7. conocer
8. venir
9. oír
10. dar
11. poder
12. salir

A 14 Otras combinaciones

Completa los siguientes pasos.

Paso 1 Escribe una oración con cada (*each*) verbo, combinando elementos de las tres columnas.

MODELO (A) nosotros, (B) (no) hacer, (C) en el gimnasio
Nosotros hacemos ejercicio en el gimnasio.

A	B	C
Uds.	(no) hacer	estudiar matemáticas
mamá y papá	(no) ver	películas cómicas
yo	(no) conocer	en el gimnasio
tú	(no) poner	muchos libros a clase
el/la profesor/a	(no) querer	la mesa para la cena
nosotros/as	(no) salir	bien el arte de México
ellos/ellas	(no) traer	de casa los sábados

Paso 2 En grupos de tres, lean las oraciones y corrijan (*correct*) los errores.

Paso 3 Escriban juntos (*together*) **dos** oraciones nuevas y compártanlas (*share them*) con la clase.

¡Anda! Curso elemental, Capítulo 2, La formación de preguntas y las palabras interrogativas, Apéndice 3.

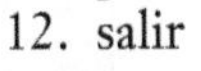

A 15 Firma aquí

Completen los siguientes pasos.

Paso 1 Circula por la clase haciéndoles preguntas a tus compañeros de clase, usando las siguientes frases. Los compañeros que responden **sí** a las preguntas deben firmar el cuadro.

MODELO venir a clase todos los días
E1: *Bethany, ¿vienes a clase todos los días?*
E2: *No, no vengo a clase todos los días.*

Estrategia

Now that you have focused on talking about yourself, you can talk about other people: the things your siblings, your roommate, your parents, or your significant other do. This will give you practice using other verb forms, and you can be creative in your answers!

E1: *Gayle, ¿vienes a clase todos los días?*
E3: *Sí, vengo a clase todos los días.*
E1: *Muy bien. Firma aquí, por favor.* ___Gayle___

¿Quién...?	Firma
1. ver una película todas las noches	
2. hacer la tarea todos los días	
3. salir con los amigos los jueves por la noche	
4. estar cansado/a hoy	
5. conocer Puerto Rico	
6. poder estudiar con muchas personas	
7. querer ser cantante	
8. venir a clase todos los días	

Paso 2 Comparte los resultados con la clase.

MODELO *Joe ve una película todas las noches. Chad y Toni están cansados hoy…*

¡Anda! Curso elemental, Capítulo 2, Los deportes y los pasatiempos, Apéndice 2.

A 16 Entrevista

Completen los siguientes pasos.

Paso 1 Hazle estas preguntas a un/a compañero/a. Luego, túrnense.

1. ¿Qué deportes y pasatiempos te gustan? ¿Con quién haces ejercicio?
2. ¿Cuándo ves la televisión? ¿Cuál es tu programa favorito?
3. ¿Qué persona famosa te gusta? ¿Por qué?
4. ¿Con quién sales los fines de semana? ¿Qué hacen ustedes?
5. ¿Qué quieres ser (o hacer) en el futuro?

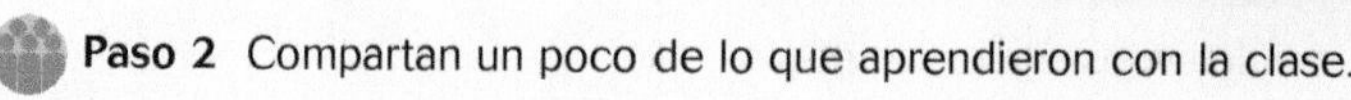

Paso 2 Compartan un poco de lo que aprendieron con la clase.

MODELO *Mi compañero sale los fines de semana con sus amigos y no hace ejercicio...*

Fíjate

Part of the fun of learning another language is getting to know other people. Your instructor structures your class so that you have many opportunities to work with different classmates. *¡Anda!* also provides activities that allow you to get to know each other better and encourage you to share that information with other members of the class.

SAM A-17

PERFILES

¿Quién habla español?

La actriz hondureña **America Ferrera** (n. 1984) habla inglés y español y es famosa por "Ugly Betty".

La nicaragüense **Violeta Chamorro** (n. 1929) fue presidenta (1990–1996), y trabaja como periodista y activista.

El arquitecto español **Santiago Calatrava** (n. 1951) hace edificios y esculturas famosos.

El panameño **Rubén Blades** (n. 1948) canta música salsa y es un activista social y político.

SAM A-18 to A-22

REPASO

8. Los verbos con cambio de raíz

In your previous Spanish classes, you learned a variety of common irregular verbs that are known as **stem-changing verbs.** Please review the following charts.

Change e → ie			
cerrar (*to close*)			
Singular		**Plural**	
yo	cierro	nosotros/as	cerramos
tú	cierras	vosotros/as	cerráis
él, ella, Ud.	cierra	ellos/as, Uds.	cierran

Other verbs like **cerrar (e → ie)** are:

comenzar	*to begin*	**mentir**	*to lie*	**perder**	*to lose; to waste*
empezar	*to begin*	**recomendar**	*to recommend*	**preferir**	*to prefer*
entender	*to understand*	**pensar**	*to think*	**querer**	*to want; to love*

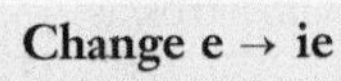

Change e → i			
pedir (*to ask for*)			
Singular		**Plural**	
yo	pido	nosotros/as	pedimos
tú	pides	vosotros/as	pedís
él, ella, Ud.	pide	ellos/as, Uds.	piden

Other verbs like **pedir** (**e** → **i**) are:

repetir *to repeat*
servir *to serve*
seguir* *to follow; to continue (doing something)*

*Note: The **yo** form of **seguir** is **sigo.**

Change o → ue			
encontrar (*to find*)			
Singular		**Plural**	
yo	encuentro	nosotros/as	encontramos
tú	encuentras	vosotros/as	encontráis
él, ella, Ud.	encuentra	ellos/as, Uds.	encuentran

Other verbs like **encontrar** (**o** → **ue**) are:

almorzar *to have lunch*
costar *to cost*
dormir *to sleep*
mostrar *to show*
morir *to die*
poder *to be able to*
recordar *to remember*
volver *to return*

Another common stem-changing verb that you learned is **jugar.**

Fíjate

The verb *jugar* is the only verb that falls into the *u-ue* category.

Change u → ue			
jugar (**u** → **ue**) (*to play*)			
Singular		**Plural**	
yo	juego	nosotros/as	jugamos
tú	juegas	vosotros/as	jugáis
él, ella, Ud.	juega	ellos/as, Uds.	juegan

To summarize...

1. What is a rule that you can make regarding all four groups (**e** → **ie, e** → **i, o** → **ue,** and **u** → **ue**) of stem-changing verbs and their forms?
2. With what group of stem-changing verbs would you place each of the following verbs?

demostrar *to demonstrate*
devolver *to return (an object)*
encerrar *to enclose*
perseguir *to chase*

Check your answers to the preceding questions in Appendix 1.

Fíjate

Some Spanish verbs, like English verbs, have prefixes (parts that are attached to the beginning of the verb). The verb *tener* has prefixes that form other verbs such as *obtener* (to obtain), *contener* (to contain), *mantener* (to maintain), and those verbs are formed just like *tener* (*obtengo, contienes, mantiene*, etc.) The verbs *seguir* and *volver* are the roots for other verbs such as *conseguir* (to get) and *devolver* (to return).

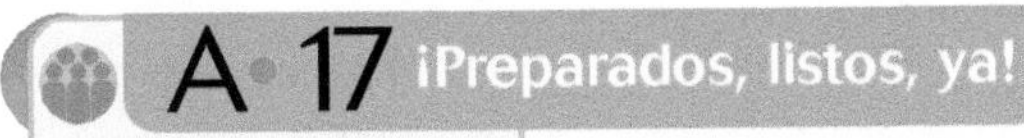

A 17 ¡Preparados, listos, ya!

Escuchen mientras su profesor/a les explica esta actividad.

MODELO cerrar

tú	E1: *cierras*	yo	E4: *cierro*
nosotros	E2: *cerramos*	Uds.	E5: *cierran*
ella	E3: *cierra*	ellos	E6: *cierran*

Estrategia

When working in pairs or groups, it is imperative that you make every effort to speak only Spanish. Because you will be learning from each other, use the following expressions as ways of interacting with each other and making suggestions, helpful comments, and corrections:

(No) Estoy de acuerdo. I agree. / I don't agree. ***Creo que es...*** I think it is... ***¿No debería ser...?*** Shouldn't it be...?

A 18 ¿Conoces bien a tu compañero/a de clase?

Túrnense para hacerse las preguntas de esta entrevista.

1. ¿Entiendes a tu profesor/a cuando habla español?
2. ¿A qué hora comienzas la tarea los lunes?
3. ¿Prefieres estudiar por la noche o por la mañana?
4. ¿Pierdes tus lápices o bolígrafos frecuentemente?
5. Generalmente, ¿con quién almuerzas?

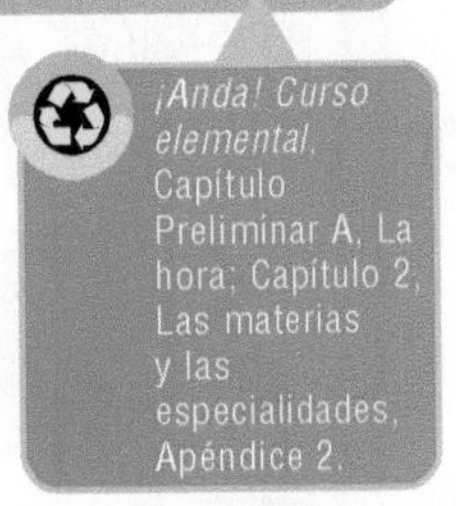

¡Anda! Curso elemental, Capítulo Preliminar A, La hora; Capítulo 2, Las materias y las especialidades, Apéndice 2.

A 19 Firma aquí

Completen los siguientes pasos.

Paso 1 Circula por la clase haciéndoles preguntas a tus compañeros de clase, usando las siguientes frases. Los compañeros que responden **sí** a las preguntas deben firmar el cuadro.

MODELO siempre perder la tarea

E1: *Ashley, ¿siempre pierdes la tarea?*

E2: *No, no pierdo la tarea. Soy muy organizada.*

E1: *Alex, ¿siempre pierdes la tarea?*

E3: *Sí, siempre pierdo mi tarea.*

E1: *Muy bien. Firma aquí, por favor.* ___Alex___

¿Quién...?	Firma
1. siempre perder la tarea	
2. almorzar en *McDonalds* a menudo	
3. querer visitar Centroamérica	
4. siempre entender al/a la profesor/a de español	
5. jugar muy bien al tenis	
6. preferir dormir hasta el mediodía	
7. querer ser cantante	
8. volver tarde a casa a menudo	

Paso 2 Comparte los resultados con la clase.

MODELO *Alex siempre pierde la tarea y David quiere visitar Costa Rica...*

A-23 to A-25

Guide G

25, 26

REPASO

9. Las construcciones reflexivas

When the subject both performs and receives the action of the verb, a **reflexive verb** and **pronoun** are used.

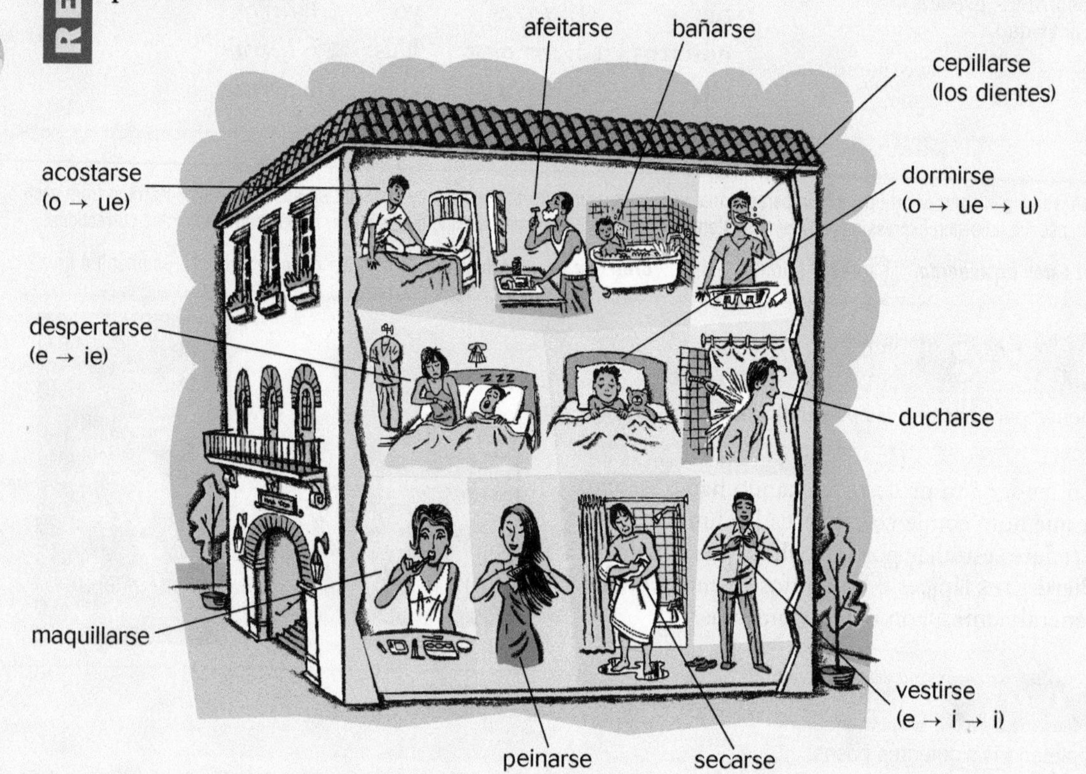

Reflexive pronouns

Siempre	**me** divierto	en las fiestas.	*I always enjoy myself at parties.*
Siempre	**te** diviertes	en las fiestas.	*You always enjoy yourself at parties.*
Siempre	**se** divierte	en las fiestas.	*He/She always enjoys himself/herself at parties.*
Siempre	**nos** divertimos	en las fiestas.	*We always enjoy ourselves at parties.*
Siempre	**os** divertís	en las fiestas.	*You (all) always enjoy yourselves at parties.*
Siempre	**se** divierten	en las fiestas.	*They/you (all) always enjoy themselves/yourselves at parties.*

Reflexive pronouns:

1. precede a conjugated verb.
2. can be attached to infinitives and present participles (**-ando, -iendo**).

Me voy a levantar.
Voy a levantar**me.**
} *I am going to get up.*

¿**Se** van a levantar esta mañana?
¿Van a levantar**se** esta mañana?
} *Are they going to get up this morning?*

¡**Nos** estamos levantando!
¡Estamos levantándo**nos**! } *We are getting up!*

Algunos verbos reflexivos

acordarse de (o-ue)	*to remember*	**ponerse (la ropa)**	*to put on (one's clothes)*
callarse	*to become/to keep quiet*	**ponerse (nervioso/a)**	*to become (nervous)*
divertirse (e-ie-i)	*to enjoy oneself; to have fun*	**quedarse**	*to stay; to remain*
irse	*to go away; to leave*	**quitarse (la ropa)**	*to take off (one's clothes)*
lavarse	*to wash oneself*	**reunirse**	*to get together; to meet*
levantarse	*to get up; to stand up*	**sentarse (e-ie)**	*to sit down*
llamarse	*to be called/named*	**sentirse (e-ie-i)**	*to feel*

Fíjate

Many verbs can be used both reflexively or non-reflexively: e.g., *ir* to go; *irse* to leave; *dormir* to sleep; *dormirse* to fall asleep. Also consider examples such as *Manolo lava el coche* versus *Manolo se lava.* Why is the verb not reflexive *(lavar)* in the first sentence? Why is it reflexive *(lavarse)* in the second sentence?

Estrategia

Remember that stem-changing verbs have the irregularities given in parentheses. For example, when you see *sentirse (e-ie-i)* you know that this infinitive is a stem-changing verb, that the first *e* in the infinitive changes to *ie* in the present indicative, and that the *e* changes to *i* in the third person singular and plural of the preterit.

A-20 El juego de la pelota

En grupos de cuatro a seis estudiantes, van a tirar (*throw*) una pelota de papel. Turnándose, una persona del grupo nombra uno de los verbos reflexivos y un sujeto, y luego le tira la pelota a un/a compañero/a. Si el/la compañero/a dice la forma correcta, gana un punto y tiene que continuar el juego.

MODELO E1: *ducharse... yo,* (tira la pelota)
E2: *me ducho*
E2: *vestirse... mi madre,* (tira la pelota)
E3: *mi madre se viste*
E3: *acordarse... tú,* (tira la pelota)...

A·21 Mímica

Hagan mímica (*charades*) en grupos de cuatro. Túrnense para escoger un **verbo reflexivo** para representar al grupo. El grupo tiene que adivinar qué verbo es. Sigan jugando hasta que cada estudiante represente **cuatro** verbos diferentes.

A·22 Un día en la vida de María

Paso 1 Ordena las siguientes actividades diarias de forma cronológica. Después, con un/a compañero/a, escribe **tres** oraciones detalladas sobre el día de María.

1. 
2. 
3. 
4. 
5. 
6. 

¡Anda! Curso elemental, Capítulo Preliminar A, La hora, Apéndice 2.

Paso 2 Ahora escribe por lo menos **ocho** actividades que haces normalmente y a qué hora las haces. Usa verbos reflexivos. Después, comparte tu lista con un/a compañero/a.

A·23 ¿Cuál es tu rutina diaria?

Circula por la clase para entrevistar a varios/as compañeros/as según el modelo.

MODELO E1: *¿A qué hora te despiertas?*
E2: *Me despierto a las siete.*
E1: *Yo no. Me despierto a las siete y media.*

1. ¿A qué hora te despiertas y a qué hora te levantas?
2. ¿Prefieres ducharte o bañarte?, ¿A qué hora?
3. ¿Qué haces para divertirte?
4. ¿A qué hora te acuestas?
5. ¿...? (*Crea tu propia pregunta.*)

 A 24 ¿Conoces bien a tus compañeros?

Trabajen en grupos de cuatro para hacer esta actividad.

Paso 1 Un/a compañero/a debe salir de la sala de clase por un minuto. Los otros estudiantes escriben **cinco** preguntas sobre la vida diaria del compañero, usando los verbos reflexivos.

MODELO *¿A qué hora te despiertas? ¿Te duchas todos los días?*

Paso 2 Antes de entrar el/la compañero/a, el grupo de estudiantes debe adivinar cuáles van a ser las respuestas a esas preguntas.

MODELO *Probablemente nuestro compañero se despierta a las siete.*

Paso 3 Entra el/la compañero/a y los otros le hacen las preguntas.

Paso 4 Comparen las respuestas del grupo con las del compañero. ¿Tienen razón? Pueden repetir la actividad con los otros miembros del grupo.

A-26 to A-28

REPASO

10. Repaso de *ser* y *estar*

You learned two Spanish verbs that mean *to be* in English. These verbs, **estar** and **ser**, are contrasted below.

1. **Estar** (estoy, estás, está, estamos, estáis, están) is used:
   - **to describe non-inherent physical or personality characteristics, or to indicate a state**

     Elena **está** enferma hoy. — *Elena is sick today.*

     Leo y Ligia **están** cansados. — *Leo and Ligia are tired.*
   - **to describe the location of people or places**

     El cine **está** en la calle 8. — *The movie theatre is on 8th Street.*

     Estamos en el restaurante. ¿Dónde **estás** tú? — *We're at the restaurant. Where are you?*
   - **with the present participle (-ando, -iendo) to create the *present progressive***

     ¡**Están** bailando mucho! — *They are dancing a lot!*

     Estamos esperándola. — *We are waiting for her.*
2. **Ser** (soy, eres, es, somos, sois, son) is used:
   - **to describe inherent physical or personality characteristics**

     Guillermo **es** inteligente. — *Guillermo is intelligent.*

     Las casas **son** pequeñas. — *The houses are small.*
   - **to explain who or what someone or something is**

     La Dra. García **es** profesora de literatura. — *Dr. García is a literature professor.*

     Mary **es** mi hermana. — *Mary is my sister.*

- **to tell time or to tell when or where an event takes place**

¿Qué hora **es**?	*What time is it?*
Son las nueve.	*It's nine o'clock.*
Mi clase de español **es** a las ocho y **es** en Peabody Hall.	*My Spanish class is at eight o'clock and is in Peabody Hall.*

- **to tell where someone is from and to express nationality**

Somos de Cuba. **Somos** cubanos.	*We are from Cuba. We are Cuban.*

Compare the following sentences and answer the questions below.

Su hermano es simpático.
Su hermano está enfermo.

1. Why do you use a form of **ser** in the first sentence?
2. Why do you use a form of **estar** in the second sentence?

 Check your answers to the preceding questions in Appendix 1.

- You will learn several more uses for **estar** and **ser** by the end of ***¡Anda! Curso intermedio.***

A 25 ¡A jugar!

Vamos a practicar **ser** y **estar.**

Paso 1 Hagan una lista con dos columnas. Escriban **ser** en una columna y **estar** en la otra. Su profesor/a les va a dar tres minutos para escribir todas las oraciones que puedan con **ser** y **estar.**

Paso 2 Cuando terminen, formen grupos de cuatro para comprobar (*check*) sus oraciones. ¿Cuántas tienen correctas?

A 26 ¿Quiénes son Pilar y Eduardo?

Pilar y Eduardo son estudiantes bilingües en una universidad de los Estados Unidos.

Paso 1 Túrnense para completar el siguiente párrafo con la forma correcta de **estar** o **ser** para conocerlos mejor.

(1) ______ las siete y media de la mañana. Pilar (2) ______ cansada y un poco enferma pero tiene que darse prisa porque su clase de periodismo (3) ______ a las ocho. Por suerte (*Luckily*) su apartamento no (4) ______ muy lejos de la universidad. Eduardo (5) ______ otro estudiante de la misma universidad. Toma la misma clase que Pilar, pero no la conoce. (6) ______ un hombre alto, inteligente y muy simpático. Le gusta estudiar. Sus abuelos (7) ______ de Perú y él (8) ______ tratando de mantener y respetar su cultura. Hoy no se siente muy bien; (9) ______ un poco enfermo. Los estudiantes ya (10) ______ en la clase. Pilar y Eduardo (11) ______ corriendo para llegar a tiempo. Los dos (12) ______ muy puntuales y no les gusta llegar tarde.

Paso 2 Expliquen por qué usaron (*you used*) **ser** or **estar** en el párrafo del **Paso 1**.

MODELO 1. *Son*, telling time

A 27 Quiero conocerte mejor

Túrnense para hacerse y contestar las siguientes preguntas.

1. ¿De dónde eres?
2. ¿Cómo eres?
3. ¿Cómo estás hoy?
4. ¿A qué hora son tus clases?
5. ¿Cómo es tu casa?
6. ¿Dónde está tu casa?
7. ¿De qué color es tu casa?
8. ¿Dónde está tu residencia?
9. ¿Cómo es tu residencia?
10. ¿Cuál es tu color favorito?
11. Describe a la persona más importante para ti.
12. ¿Dónde está él/ella ahora?

Estrategia

Concentrate on spelling all words correctly. For example, make sure you put accent marks where they belong with forms of *estar* and other words that take accent marks. If necessary, review the rules regarding accent marks on page 5 of this chapter in the student note. If you are a visual learner, try color-coding the words that have accents or writing the accents in a different color to call attention to that form of the verb.

A 28 Somos iguales

Completen los siguientes pasos.

Paso 1 Dibujen tres círculos, como los del modelo, y entrevístense para averiguar en qué son similares y en qué son diferentes. En el círculo del centro, escriban oraciones usando **ser** y **estar** sobre lo que tienen en común. En los otros círculos, escriban en qué son diferentes.

MODELO E1: *¿Cuál es tu color favorito?*
E2: *Mi color favorito es el azul.*
E1: *Mi color favorito es el azul también.*
(E1/E2 writes: *Nuestro color favorito es el azul.*)

Paso 2 Comparen sus dibujos (*drawings*) con los dibujos de sus compañeros de clase. ¿Qué tienen en común?

A-29 to A-30

REPASO

11. El verbo *gustar*

You will remember that the verb **gustar** is used to express likes and dislikes. **Gustar** functions differently from other verbs you have studied so far.

- The person, thing, or idea that is liked is the *subject* (S) of the sentence.
- The person (or persons) who like(s) another person, thing, or idea is the *indirect object* (IO).

Fíjate

Remember that *mi* means my and *mí* means me.

Consider the examples below.

	IO	S			IO	S	
(A mí)	**me**	gusta la playa.	*I like the beach.*	(A nosotros/as)	**nos**	gusta la playa.	*We like the beach.*
(A ti)	**te**	gusta la playa.	*You like the beach.*	(A vosotros/as)	**os**	gusta la playa.	*You (all) like the beach.*
(A él)	**le**	gusta la playa.	*He likes the beach.*	(A ellos/as)	**les**	gusta la playa.	*They like the beach.*
(A ella)	**le**	gusta la playa.	*She likes the beach.*	(A Uds.)	**les**	gusta la playa.	*You (all) like the beach.*
(A Ud.)	**le**	gusta la playa.	*You like the beach.*				

Note the following:

1. The construction **a + pronoun** (*a mí, a ti, a él,* etc.) or **a + noun** is optional most of the time. It is used for clarification or emphasis. Clarification of **le gusta** and **les gusta** is especially important since the indirect object pronouns **le** and **les** can refer to different people (*him, her, you, them, you all*).

   A él le gusta la música clásica. (clarification) — *He likes classical music.*

   A Ana le gusta la música clásica. (clarification) — *Ana likes classical music.*

2. Use the plural form **gustan** when what is liked (the subject of the sentence) is plural.

   Me gusta **el traje.** → Me gustan **los trajes.**

   I like the suit. — *I like the suits.*

3. To express the idea that one likes *to do* something, **gustar** is followed by an infinitive. In that case you always use the singular **gusta,** even when you use more than one infinitive in the sentence:

   Me gusta ir de compras por la noche. — *I like to go shopping at night.*

   A Juan **le gusta ir** de compras y **salir** con sus amigos. — *Juan likes to go shopping and to go out with friends.*

In summary:

1. To say you like or dislike one thing, what form of **gustar** do you use?
2. To say you like or dislike more than one thing, what form of **gustar** do you use?
3. Which words in the examples mean *I? You? He/She? You (all)? They? We?*
4. If a verb is needed after **gusta/gustan,** what form of the verb do you use?

A Check your answers to the preceding questions in Appendix 1.

A-29 ¿Qué te gusta?

Completen los siguientes pasos.

Paso 1 Decidan si les gustan las siguientes cosas. Túrnense.

MODELO los lunes

E1: *No me gustan los lunes.*

E2: *A mí tampoco me gustan los lunes.*

> **Fíjate**
> To express "me too", you use *también;* to express "me neither", use *tampoco.*

1. la cafetería
2. los viernes
3. vivir en una residencia
4. las ciencias
5. aprender idiomas
6. cocinar comida mexicana
7. bailar la salsa
8. las novelas de Ernest Hemingway

¡Anda! Curso elemental, Capítulo 2, La formación de preguntas y las palabras interrogativas, Apéndice 3.

Paso 2 Ahora hazles preguntas de las categorías del **Paso 1** a otros compañeros de clase.

MODELO E1: *¿Te gusta el español?*

E2: *Sí, me gusta el español.*

E1: *¿Les gustan los lunes?*

E2 & E3: *No, no nos gustan los lunes.*

> **Estrategia**
> Remember, if you answer negatively, you will need to say *no* twice.

Notas culturales

A-31

La influencia del español en los Estados Unidos

Desde la época de los conquistadores, el español ha tenido una influencia muy fuerte en los EE.UU., y esta influencia sigue hoy en día. Muchas ciudades y lugares geográficos se reconocen por sus nombres hispanos del tiempo colonial: El Álamo, El Paso, Las Vegas, Boca Ratón, Santa Fe, San Francisco y Los Ángeles, por mencionar algunos. También, hay varios estados con nombres derivados de la lengua o herencia española: Colorado, Montana, Florida, California y Nevada. La población hispanohablante de los EE.UU. es

44 millones (Población hispana)

303 millones (Población estadounidense)

Población hispana de los EE.UU.: 2008

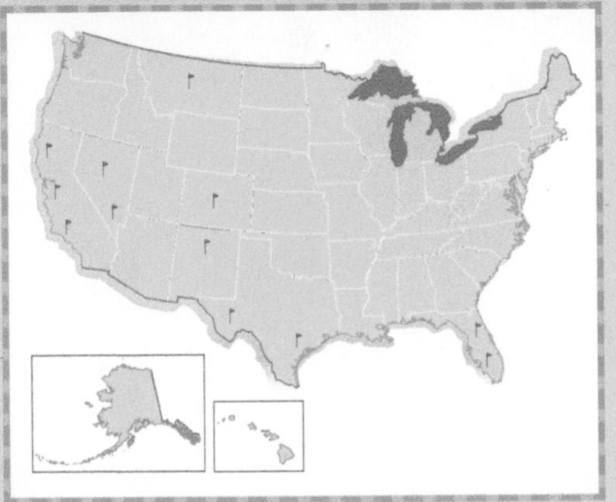

cada día más numerosa y tiene un gran poder económico también. Por eso, hay muchas emisoras de radio (¡más de 680!) y varias cadenas de televisión (como Telemundo, Univisión, América TeVe, Mega TV, etc.) con programación en español que compiten por la atención del público.

Preguntas

1. ¿Dónde se ve la influencia del español en la geografía de los EE.UU.?
2. ¿Qué poder económico tienen los hispanohablantes en los EE.UU.? ¿Por qué?
3. ¿Cuántas emisoras de radio para hispanohablantes hay en los EE.UU.? ¿Qué significa esto?

Y por fin, ¿cómo andas?

Each of the coming chapters of ***¡Anda! Curso intermedio*** will have three self-check sections for you to assess your progress. One *¿Cómo andas?* (*How are you doing?*) section will appear approximately halfway through each chapter. At the end of the chapter you will find *Y por fin, ¿cómo andas?* (*Finally, how are you doing?*). Use the checklists as a measure of all that you have learned in the chapter. Place a check in the *Feel confident* column of the topics you feel you know; a check in the *Need to Review* column of those that you need to practice more. Be sure to go back and practice those concepts that you determine you personally need to review. Practice is key to your success!

Having completed this chapter, I now can...

	Feel Confident	Need to Review
Comunicación		
• use articles and adjectives correctly. (pp. 6, 7, 11)	❑	❑
• communicate on familiar topics using the present indicative. (pp. 14, 15, 19)	❑	❑
• use **ser** and **estar** to express meaningful ideas. (p. 25)	❑	❑
• express likes and dislikes. (p. 28)	❑	❑
Cultura		
• give at least two reasons why it is important to study Spanish and identify famous Spanish-speaking people. (pp. 10, 19)	❑	❑
• name the continents and countries where Spanish is spoken and discuss the influence of Spanish in the United States. (pp. 10, 19)	❑	❑

Estrategia

The *¿Cómo andas?* and *Por fin, ¿cómo andas?* sections are designed to help you assess your understanding of specific concepts. In *Capítulo Preliminar A*, there is one opportunity for you to reflect on how well you understand the concepts. Beginning with *Capítulo 1*, you will find three opportunities in each chapter to stop and reflect on what you have learned. These checklists help you become accountable for your own learning and determine what you need to review. Use them also as a way to communicate with your instructor about any concepts you still need to review. Additionally, you might use your checklist as a way to guide your studies with a peer group or peer tutor. If you need to review a particular concept, more practice is available at the *¡Anda! Curso intermedio* web site.

¿Cómo eres? ¿Cómo es tu familia? ¿Cómo te ven otras personas? Todos tenemos características personales y físicas que compartimos y que nos diferencian. ¡Vamos a explorarlas!

Así somos

	OBJETIVOS	CONTENIDOS
Comunicación	• To describe yourself and others in detail • To use verbs like **gustar** to express feelings and reactions • To anticipate and predict content and guess meaning when listening to a conversation • To speak and write about past events • To indicate what someone *has* done • To share information about your family • To employ appropriate expressions when greeting and saying good-bye • To use the strategy of *mapping* to organize ideas before writing	
Cultura	• To examine stereotypes and the idea of a "typical Latino" • To discuss well-known families • To describe famous Hispanic families and family events	
Laberinto peligroso	• To use pre-reading techniques of predicting and guessing, as well as using schemata and cognates to aid in comprehension of a text • To meet the three protagonists in the continuing mystery story, *Laberinto peligroso* • To learn from the video more about how the lives of the protagonists intertwine	

Una familia con varias generaciones

PREGUNTAS

1 ¿Cómo son las personas que aparecen en la foto?

2 Compara esta familia con la tuya.

3 ¿Cómo eres tú?

Comunicación

- Describing oneself and others
- Expressing likes and dislikes
- Sharing past events

VOCABULARIO 1 El aspecto físico y la personalidad

SAM 1-1 to 1-3

¡Anda! Curso elemental, Capítulo 1, Los adjetivos descriptivos, Apéndice 3; Capítulo 2, Emociones y estados; Capítulo 9, El cuerpo humano, Apéndice 2.

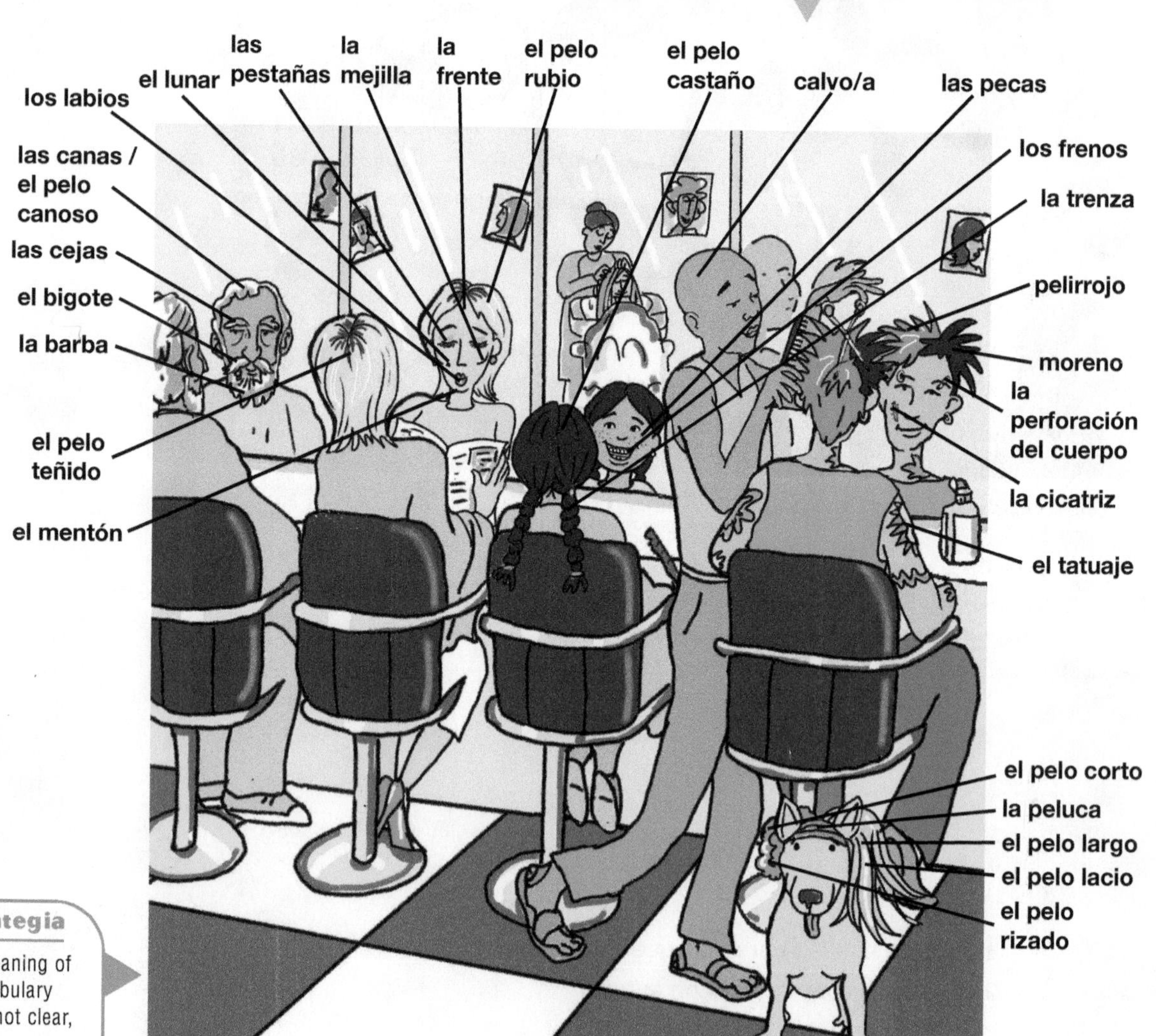

Estrategia

If the meaning of any vocabulary word is not clear, verify the definition in the *Vocabulario activo* at the end of this chapter.

El aspecto físico	***Physical appearance***
la apariencia	*appearance*
la piel	*skin*
La personalidad	***Personality***
cuidadoso/a	*careful*
despistado/a	*absentminded, scatterbrained*
educado/a	*polite*
flojo/a	*lazy*
generoso/a	*generous*
grosero/a	*rude*
honesto/a	*honest*
pesado/a	*dull, tedious*
raro/a	*strange*
sencillo/a	*modest, simple*
sensible	*sensitive*
tacaño/a	*cheap*
terco/a	*stubborn*
Palabras útiles	***Useful words***
discapacitado/a	*physically/psychologically handicapped*

Querido diario:

Nueva ciudad... ¿qué tal una nueva Celia? A ver, el color del pelo. Sí, puedo cambiarlo. Me gustan los cambios. O puedo vestirme de negro... No sé... tengo que pensarlo bien porque necesito un cambio.

Preguntas

1. ¿De quién es el diario?
2. ¿Por qué quiere cambiar su apariencia?
3. ¿Qué cambios considera?

1-4 to 1-7

20, 26, 34

REPASO

Los pronombres de complemento directo e indirecto

In Celia's diary entry, you see a variety of pronouns, e.g., **cambiar*lo*, *me* gustan, vestir*me*.** These are examples of **direct object** and **indirect object.** In **Capítulo Preliminar A,** you reviewed reflexive pronouns and verbs. Here is a brief review of these two types of pronouns.

LOS PRONOMBRES DE COMPLEMENTO **DIRECTO**		LOS PRONOMBRES DE COMPLEMENTO **INDIRECTO**	
Direct object pronouns tell *what* or *who* receives the action of the verb. They replace direct object nouns and are used to avoid repetition.		Indirect object pronouns tell *to whom* or *for whom* something is done or given.	
me	*me*	**me**	*to/for me*
te	*you*	**te**	*to/for you*
lo, la	*him/her/you/it*	**le (se)**	*to/for him/her/you*
nos	*us*	**nos**	*to/for us*
os	*you (all)*	**os**	*to/for you (all)*
los, las	*them/you (all)*	**les (se)**	*to/for them/you (all)*

Note these examples:

Explícamelo. *Explain it to me.*
¿No me lo vas a explicar? *Aren't you going to explain it to me?*
Estoy explicándotelo ahora. *I am explaining it to you now.*
Es que no me oyes. *It's that you're not hearing me.*

Estrategia

Additional information regarding direct objects: To identify the direct object in a sentence, ask yourself this question: *Who/What does the subject (insert verb)?* For example, for the sentence *"Necesito un coche nuevo,"* you would ask: *"What do I need?" A new car* is what is needed (the direct object). Finally, When direct objects refer to *people*, you must use the personal **a.** Notice the difference between the following sentences: *Visito el museo*, BUT *Visito **a** Juan.*

Fíjate

Object and reflexive pronouns are also attached at the end of affirmative commands: e.g., *Explícamelo, Diviértete.* You will review commands in *Capítulo 2.*

For a complete review, refer to **Capítulo 9** of ***¡Anda! Curso elemental*** in Appendix 3.

¡Anda! Curso elemental, Capítulo Preliminar A, El verbo *ser*; Capítulo 1, Los adjetivos descriptivos; Capítulo 5, Los pronombres de complemento directo y la "a" personal, Apéndice 3; Capítulo 9, El cuerpo humano, Apéndice 2.

Estrategia

¡Anda! has provided you with reviewing and recycling references to help guide your continuous review of previously learned material. Make sure to consult the indicated pages if you need to refresh your memory about this or any future recycled topics.

1-1 ¿Cómo son?

Miren los tres dibujos y completen los siguientes pasos.

1. 

2. 

3. 

Paso 1 Haz una lista de por lo menos **seis** características físicas de las personas que aparecen en los dibujos.

MODELO La mujer joven:
1. *es rubia*

Paso 2 Escribe una descripción de cada persona que aparece en los dibujos y compártela con un/a compañero/a.

MODELO *La mujer es joven y rubia con una frente alta. No tiene pecas…*

1-2 ¿Qué tenemos en común?

Con tu compañero/a, descríbanse, dando por lo menos **ocho** características. Después, hagan un diagrama de Venn. Escriban las características que tienen en común en el medio y sus características distintas en los otros círculos.

MODELO
E1: *Soy extrovertida.*
E2: *Yo también soy extrovertido.*
E1: *Soy desorganizada.*
E2: *Yo no. Yo soy organizado…*

Estrategia

Remember when using adjectives to make them agree in gender and number. E.g., if you are a male, you are *extrovertido;* if you are a female, you are *extrovertida;* when talking about both of you, two males or a male and a female are *extrovertidos;* two females are *extrovertidas.*

1·3 ¿Algún día?

Gloria y Marta están caminando por la calle y se paran para observar a un grupo de jóvenes. Completa la conversación entre Gloria y Marta usando los pronombres de complemento directo (sección A) e indirecto (sección B).

(SECCIÓN A)

GLORIA: ¡Mira Marta! ¡Qué chico tan atractivo!

MARTA: ¿Atractivo? A mí me da miedo… ¿Ves todos sus tatuajes?

GLORIA: Sí, (1) ________ veo y (2) ________ encuentro muy interesantes.

MARTA: ¡No (3) ________ puedo mirar! ¡Son horribles! ¿Y esa chica? También (4) ________ encuentras interesante? ¿Con todas esas perforaciones en el cuerpo y el pelo teñido de azul?

GLORIA: ¿Dónde está? No (5) ________ veo.... ¡Ah! ¡Sí! Yo también quiero teñirme el pelo. ¿Y tú? ¿Te (6) ________ tiñes normalmente?

(SECCIÓN B)

MARTA: Sí, pero (7) ________ gustan los colores naturales. A mi madre no (8) ________ gustan los colores brillantes y no quiero (9) dar ________ un disgusto…

GLORIA: ¡Pero Marta! ¡Ya tienes 24 años! ¡No debes preocuparte por las cosas que (10) ________ gustan o no al resto de la gente! Ahora mismo vamos a la peluquería y (11) ________ dices a los estilistas que quieres teñirte el pelo de rojo. ¡Vamos!

1·4

Túrnense para hacerse y contestar las siguientes preguntas usando el pronombre de complemento directo o indirecto correcto.

MODELO E1: ¿Cómo es tu hombre/mujer ideal?

E2: Mi hombre ideal es muy simpático y honesto. Tiene el pelo corto, pero no lo tiene rizado. También tiene barba, pero no la lleva descuidada.

1. ¿Cómo son tus padres físicamente? ¿Te pareces más a tu padre o a tu madre? ¿Por qué?
2. ¿Te gustan los tatuajes? ¿Tienen tú o tus amigos un tatuaje? ¿Dónde? ¿Quién lo diseñó?
3. ¿Llevabas frenos cuando eras niño/a? ¿Y tus amigos?
4. ¿Cómo es tu pareja ideal? ¿Qué características físicas y de personalidad te gustan más? ¿Por qué?

1-5 ¿Estás interesado/a?

Pareja.com te ayuda a encontrar a esa persona ideal. Completa los siguientes pasos.

Paso 1 Completa el formulario para ultilizar el servicio. Después, compara tu información con la de tus compañeros en grupos de cuatro para saber qué tienen ustedes en común.

¡Anda! Curso elemental, Capítulo Preliminar A. Los números 0–30; Capítulo 1. Los números 31–100; Capítulo 2. Emociones y estados; Capítulo 2. Los deportes y los pasatiempos; Capítulo 5. El mundo de la música; Capítulo 9. El cuerpo humano, Apéndice 2; Capítulo 1. Los adjetivos descriptivos; Capítulo 9. Las expresiones afirmativas y negativas, Apéndice 3.

¿Estás buscando pareja? . . . para ayudarte a encontrar tu pareja ideal, necesitamos que completes el siguiente formulario:

PAREJA.COM

Nombre ____________________
Dirección de e-mail ____________________
Sexo: ___ hombre ___ mujer

¿CÓMO ERES?
Edad: ___
Ojos: ___ verdes ___ azules ___ castaños
Pelo: ___ rubio ___ castaño ___ moreno ___ pelirrojo ___ teñido ___ calvo ___ canoso
Carácter: ___ organizado/a ___ serio/a ___ callado/a ___ sensible ___ honesto/a ___ tímido/a ___ interesante ___ simpático/a ___ gastador/a ___ chistoso/a ___ extrovertido/a ___ humilde
Inteligencia: ___ alta ___ normal ___ baja
¿Hablas español? ___ muy bien ___ un poco ___ no
¿Hablas otras lenguas? ___ sí ___ no

TRABAJO: ___ sí ___ no **Licencia de conducir:** ___ sí ___ no

PASATIEMPOS
Viajar: ___ sí ___ no **Leer:** ___ sí ___ no
Deportes: ___ fútbol ___ básquetbol ___ coches/motos ___ natación ___ atletismo ___ gimnasia ___ artes marciales ___ esquí ___ deportes acuáticos ___ golf ___ fútbol americano ___ tenis ___ boxeo ___ ciclismo ___ patinaje ___ otros deportes ___ no me gusta hacer deporte
Fin de semana ideal: ___ cine/teatro ___ ir a la discoteca ___ ir a restaurantes ___ montaña ___ playa ___ ir de compras
Música preferida: ___ clásica ___ pop rock en general ___ de los años 60–70 ___ de los años 80 ___ jazz ___ rock duro/heavy ___ salsa/música latina ___ New Age ___ tradicional/popular ___ No me gusta la música
¿Sabes cocinar? ___ sí ___ no

HORÓSCOPO: ___ Aries ___ Tauro ___ Géminis ___ Cáncer ___ Leo ___ Virgo ___ Libra ___ Escorpio ___ Sagitario ___ Capricornio ___ Acuario ___ Piscis

NOTAS ADICIONALES:
____
____

PAREJA.COM

Paso 2 Escribe por lo menos **cuatro** oraciones sobre tu hombre/mujer ideal. Usa por lo menos **cuatro** descripciones de características físicas y personales de él o ella.

MODELO *Mi hombre/mujer ideal...*

Paso 3 Ahora haz una descripción de ti mismo/a. Usa por lo menos **cuatro** descripciones de características físicas y personales tuyas. Después, comparte las descripciones con un/a compañero/a.

MODELO *Mi apariencia no es nada extraordinaria. No tengo ni bigote ni barba. Soy callado y un poco serio. No soy grosero...*

GRAMÁTICA 2 Algunos verbos como *gustar*

In **Capítulo Preliminar A,** you reviewed the verb **gustar.**
Some other verbs that have a similar structure to **gustar** in Spanish are:

- **caer bien/mal** — *to like/to dislike someone*
  A Javier **le cae** muy **bien** Pilar. — *Javier likes Pilar a lot.*
  Me caen mal las personas egoístas. — *I dislike self-centered people.*
- **parecer** — *to seem, to appear*
  Me parece que José tiene un carácter agresivo. — *It seems to me that José has an aggressive personality.*
  ¿Qué **te parece** este vestido? — *How do you like this dress? (How does this dress seem to you?)*
- **interesar** — *to interest*
  A ellos **les interesa** mucho la cirugía plástica. — *They are very interested in plastic surgery. / Plastic surgery interests them a lot.*
  ¿A quién **le interesa** sólo el aspecto físico de las personas? — *Who is only interested in a person's physical characteristics?*
- **quedar** — *to have something left*
  Nos queda un dólar. — *We have one dollar left.*
  Me quedan dos años para graduarme. — *I have two more years (left) until I graduate.*
- **faltar** — *to need, to lack*
  Me faltan dos dólares (Necesito dos dólares). — *I need two dollars.*
  Me faltan dos cursos para graduarme. (Necesito dos cursos para graduarme). — *I still need two courses to graduate.*

Additional verbs like **gustar** include:

encantar	*to adore, to enchant*	**importar**	*to matter; to bother*
fascinar	*to fascinate*	**molestar**	*to bother*

1-6 Combinaciones

Usando elementos de las tres columnas, escribe **seis** oraciones diferentes. Después, comparte las oraciones con un/a compañero/a. Túrnense.

MODELO a mí fascinar estudiar español
A mí me fascina estudiar español.

A	B	C
a mí	(no) caer bien/mal	el fútbol americano
a mis amigos	(no) importar	los bigotes
a mi hermano y a mí	(no) fascinar	un amigo despistado
a ti	(no) parecer bien/mal	cinco dólares
a mis padres	(no) quedar	los profesores chistosos
a usted	(no) faltar	estudiar español

1-7 Sus opiniones

Los psicólogos nos dicen que formamos opiniones al mirar a una persona. Es hora de dar sus opiniones e impresiones. Usen los siguientes verbos:

(no) caer bien/mal (no) encantar (no) fascinar (no) interesar

Paso 1 Túrnense para compartir sus opiniones sobre las personas que aparecen en las fotos.

MODELO *No me cae bien la mjuer con los tatuajes. Es muy seria.*

Paso 2 Repite lo que tu compañero/a dijo.

MODELO *A mi compañero de clase no le cae bien la mjuer con los tatuajes porque es muy seria.*

1-8 Firma aquí

Busca a un/a compañero/a de clase que pueda responder **sí** a las siguientes preguntas. Al responder afirmativamente, la persona necesita firmar el cuadro.

MODELO ¿A quién...? fascinar el cine
E1: *Ana, ¿te fascina el cine?*
E2: *No, no me fascina el cine. Prefiero ir al teatro.*
E1: *Tom, ¿te fascina el cine?*
E3: *Sí, me fascina el cine.*
E1: *Muy bien. Firma aquí, por favor.*
E3: Tom

¿A quién...?	Firma
1. caer bien Brad Pitt y Angelina Jolie	Lauren
2. fascinar el cine	Jordan
3. parecer bien estudiar los fines de semana	Melynie
4. molestar limpiar la casa	Jack
5. interesar las ciencias	Hannah
6. importar tener mucho dinero	Eliza

Notas culturales

SAM 1-10

¿Hay un latino típico?

¿Cómo puede ser? Los hispanos son un producto de las civilizaciones europeas, indígenas, africanas y asiáticas: una rica mezcla (*mixture*) de muchos grupos diferentes. Hay latinos de pelo castaño, piel oscura y ojos negros, y también los hay de pelo rubio, piel blanca y ojos azules. Y la comida latina es tan variada como la gente. Comer en un restaurante mexicano en España es tan exótico como hacerlo en Argentina. Para los españoles, es un restaurante étnico con comida típica de México —igual (*the same*) que para nosotros aquí en los Estados Unidos.

Muchas veces la gente conoce sólo a una o a dos personas de habla española y piensa que *todos* son iguales. En realidad, todos tienen su propia cultura y muchas veces una gran variedad de características físicas y personales. ¿Hay un *latino* típico? Del mismo modo, también podemos preguntarnos: ¿hay un *estadounidense* típico?

Preguntas

1. ¿Los hispanohablantes son una mezcla de qué civilizaciones?
2. ¿Los estadounidenses son una mezcla de qué civilizaciones?
3. ¿Por qué es imposible describir a un estadounidense y a un latino típico?

1-9 ¿Qué te parece?

Entrevista a **tres** compañeros de clase para descubrir más información sobre ellos.

1. ¿Cuántos años te faltan para graduarte?
2. ¿Qué tipo de profesor/a te cae bien? (e.g., personalidad, características, etc.)
3. A tu profesor/a, ¿qué le gusta además de su carrera?
4. ¿Qué te fascina hacer en tu tiempo libre?
5. ¿Qué les interesa a tus amigos?, ¿a tus padres?

1-10 A conocerlo/a mejor

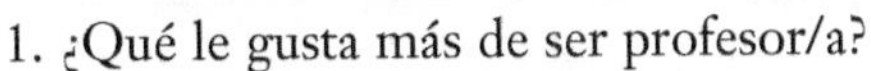

¿Conocen bien a su profesor/a? Adivinen (*Guess*) sus posibles respuestas a las siguientes preguntas. Después, su profesor/a les va a dar las respuestas verdaderas.

¡Anda! Curso elemental, Capítulo 1, Los adjetivos descriptivos, Apéndice 3; Capítulo 2, Emociones y estados, Los deportes, y los pasatiempos; Capítulo 5, El mundo de la música, El mundo del cine, Apéndice 2.

1. ¿Qué le gusta más de ser profesor/a?
2. ¿Qué cualidades le parecen buenas en un estudiante?
3. ¿Le interesa viajar a un país hispano este verano? ¿A dónde le interesa ir?
4. ¿Qué le fascina hacer en su tiempo libre?
5. ¿Qué aspectos no le encantan de la vida universitaria?

CW eBook

ESCUCHA

SAM 1-11 to 1-13

ESTRATEGIA Anticipating and predicting content to assist in guessing meaning

There are many ways that we can **anticipate** what we are going to hear before we even hear it! For example, we may be walking past the television and see an image of two people about to kiss. We can **predict** that we will probably hear tender words between two people in love. If we hear two children crying, we can perhaps **anticipate** words of a confrontation or that they have been injured. Then, based on the context, we can **guess the meaning** of unknown or unfamiliar words. Using *visual* and *sound cues* is important to help **predict/anticipate content. Guessing** meaning is an equally important tool to help us determine what we hear.

1•11

Antes de escuchar

A Adriana le encanta ver un programa de televisión sobre solteros que buscan a su pareja ideal. El programa se llama "Una cita inolvidable" (*An Unforgettable Date*).

La soltera (*bachelorette*) les va a hacer preguntas a los tres solteros para averiguar cómo son y cómo es su mujer ideal.

Basándote en el dibujo, ¿cómo crees que son estos hombres? Describe a cada uno.

Soltero #1 ____________________
Soltero #2 ____________________
Soltero #3 ____________________

1•12

A escuchar

CD 1
Track 1

Escucha el programa de televisión.

Paso 1 La primera vez que lo escuches, trata de predecir las respuestas de cada soltero. Escoge la palabra que mejor describe a cada soltero.

Soltero #1:	a. sensible	b. presumido	c. callado
Soltero #2:	a. grosero	b. tímido	c. introvertido
Soltero #3:	a. egoísta	b. gastador	c. agradable

Paso 2 La segunda vez, adivina lo que significan las siguientes palabras.

Soltero #1: reino, espejito
Soltero #2: salón
Soltero #3: conviene

1•13

Después de escuchar

Escucha por tercera vez y haz una lista de todas las palabras que describan a cada soltero. Luego, compara tu lista con la de un/a compañero/a.

¿Cómo andas?

Having completed the first **Comunicación**, I now can...

	Feel Confident	**Need to Review**
• describe myself and others (p. 34)	❑	❑
• use direct object, indirect object, and reflexive pronouns correctly (p. 36)	❑	❑
• express opinions using verbs formed similarly to *gustar* verbs (p. 40)	❑	❑
• examine cultural stereotypes (p. 42)	❑	❑
• listen to anticipate and predict content to assist in guessing meaning (p. 43)	❑	❑

Comunicación

- Describing yourself and others
- Expressing results
- Expressing what *has* happened

3 VOCABULARIO Algunos estados

SAM 1-14 to 1-15

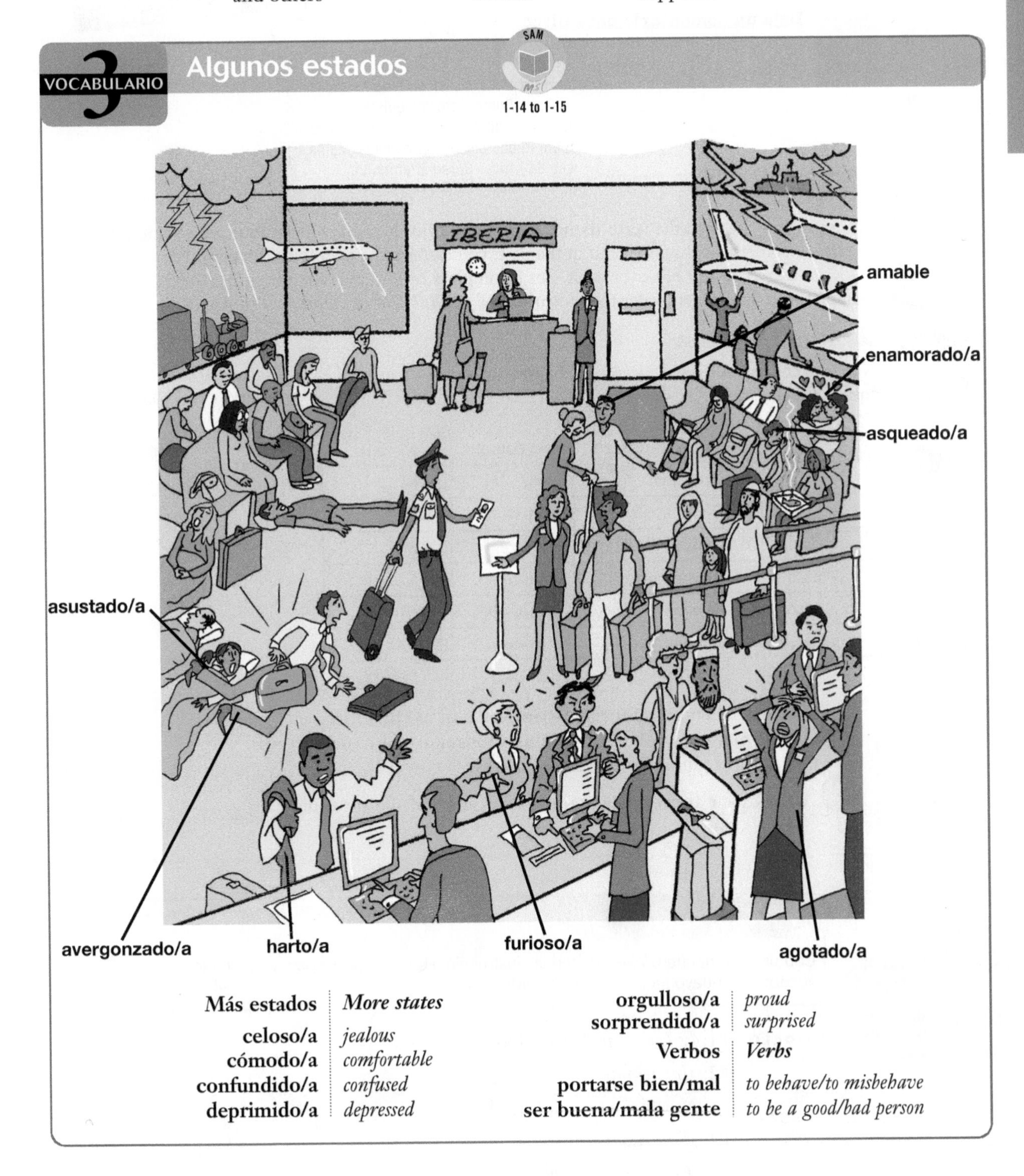

Más estados	*More states*
celoso/a	*jealous*
cómodo/a	*comfortable*
confundido/a	*confused*
deprimido/a	*depressed*
orgulloso/a	*proud*
sorprendido/a	*surprised*

Verbos	*Verbs*
portarse bien/mal	*to behave/to misbehave*
ser buena/mala gente	*to be a good/bad person*

El parloteo de Cisco

Hoy me llamó Javier, que enseña en la universidad. Me invitó a hablar con su clase de periodismo. Me dijo que quiere una persona organizada y seria pero extrovertida; pues, así soy yo. Voy a explicarles cómo es ser periodista e investigador.

Deja un comentario para Cisco:

Fíjate

Cisco va a escribir en su blog en cada capítulo. Como lector/bloguista, puedes leerlo y publicar un comentario sobre lo que Cisco escribe en la página web de *¡Anda! Curso intermedio.*

REPASO

El pretérito

In Cisco's blog, he used the verbs **llamó, invitó,** and **dijo.** Remember that to express something you did or something that occurred in the past, you can use the **pretérito** (*preterit*). What follows is a brief review of the preterit. For a complete review, including irregular forms, examples, and verb charts, refer to **Capítulo 7** of ***¡Anda! Curso elemental*** in Appendix 3.

1-16 to 1-18

Los verbos regulares

Note the endings for regular verbs in the **pretérito** and answer the questions that follow.

Fíjate

Additional irregular preterits will be reviewed in *Capítulo 3.*

35

	-ar: comprar	-er: comer	-ir: vivir
yo	compré	comí	viví
tú	compraste	comiste	viviste
él, ella, Ud.	compró	comió	vivió
nosotros/as	compramos	comimos	vivimos
vosotros/as	comprasteis	comisteis	vivisteis
ellos/as, Uds.	compraron	comieron	vivieron

1. What are the endings for regular **-ar** verbs in the preterit?
2. What do you notice about the endings for regular **-er** and **-ir** verbs?
3. What forms require written accent marks?

Check your answers to the preceding questions in Appendix 1.

1-14 La pirámide

Con un/a compañero/a, escuchen las instrucciones de su profesor/a y practiquen el vocabulario nuevo jugando a la pirámide.

MODELO E1: *Es lo opuesto de* aburrido.
E2: *¿Interesante?*
E1: *No, empieza con la letra* d.
E2: *¿Divertido?*
E1: *¡Correcto! ¡Excelente!*

1-15 Asociación libre

¿Qué emociones asocian con las siguientes situaciones? Túrnense para crear oraciones.

MODELO antes de un examen

E1: *Me siento confundido.*

E2: *Me siento confiada.*

1. estar en un grupo de personas que no conoces bien
2. trabajar con una persona floja
3. estudiar para un examen de matemáticas
4. estar con la persona que más quieres
5. después de terminar la tarea para la clase de español

Estrategia

You are asked to create sentences about *what happened yesterday* in actividad **1-16.**

1-16 La televisión nos controla

Estamos bombardeados con información sobre la gente famosa en la televisión. Túrnense para crear oraciones sobre lo que vieron ayer. Usen **el pretérito.**

MODELO 50 Cent / estrenar (*show for first time*) / tatuajes / nuevo

50 Cent estrenó unos tatuajes nuevos.

1. Donald Trump / comprar / peluca / diferente
2. Christina Aguilera / revelar / perforación nueva
3. Cristina Saralegui / discutir / algo muy serio
4. Los niños de Angelina Jolie y Brad Pitt / portarse / mal
5. Al Pacino / mostrar / cicatriz / grande

¡Anda! Curso elemental, Capítulo 8, Las construcciones reflexivas, Apéndice 3.

1-17 De niño/a

Tenemos muchos recuerdos sobre las cosas que nos pasaron de niños.

Paso 1 Entrevista a **cuatro personas** para saber a quiénes les pasaron los siguientes sucesos (*events*).

MODELO ¿Quién...? Romperse (*break*) una pierna

E1: *¿Te rompiste una pierna?*

E2: *No, no me la rompí, pero me rompí un brazo esquiando.*

¿QUIÉN...?	E1	E2	E3	E4
1. aprender a montar en bicicleta solo/la				
2. comer demasiados caramelos y enfermarse				
3. terminar su primer libro antes de ir al kinder				
4. romperse (break) una pierna				
5. romper un juguete de su hermano/a o mejor amigo/a				

Paso 2 Comparte las respuestas de tus compañeros con los otros estudiantes de la clase.

MODELO *Cuando eran niños, Mayra y Carmen se cayeron de sus bicicletas. Mayra se hizo daño pero Carmen no...*

1-18 Mi mejor característica

Un periodista te entrevista para el nuevo programa de televisión *¡Tipazo!* para averiguar tus mejores características. Contesta y justifica tu respuesta. Túrnense.

MODELO E1: *¿Nos puedes decir cuáles son tus mejores características?*
E2: *Una de mis mejores características es que soy una persona generosa —con mi dinero, con mi tiempo y con mis emociones...*

El presente perfecto de indicativo

1-19 to 1-21 55, 56

¿Has oído los comentarios chistosos de Jorge?
No, pero me han dicho que son muy divertidos.

In Spanish, as in English, the **present perfect** is used to refer to what someone ***has*** or ***has not*** **done.**

*I **have met** the man of my dreams.*	**He conocido** al hombre de mis sueños.
I am totally in love.	¡Estoy completamente enamorada!

- In Spanish, the *present perfect*, **el presente perfecto de indicativo,** is formed with the present form of the verb ***haber*** and the **past participle.**

* **Note:** In the present perfect, the past participle does **not** agree in number and gender with the subject.

	Present tense of *haber*	Past participle **-ar:** hablar	**-er:** conocer	**-ir:** decidir
yo	**he**	habl**ado**	conoc**ido**	decid**ido**
tú	**has**	habl**ado**	conoc**ido**	decid**ido**
él/ella/Ud.	**ha**	habl**ado**	conoc**ido**	decid**ido**
nosotros/as	**hemos**	habl**ado**	conoc**ido**	decid**ido**
vosotros/as	**habéis**	habl**ado**	conoc**ido**	decid**ido**
ellos/ellas/Uds.	**han**	habl**ado**	conoc**ido**	decid**ido**

¿**Te has acostado** ya?	*Have you gone to bed already?*
No **hemos conocido** a toda tu familia todavía.	*We haven't met everyone in your family yet.*
Mi madre **ha decidido** no teñirse el pelo.	*My mother has decided not to dye her hair.*
¿Le **has contado** el incidente a tu padre?	*Have you told your father about the incident?*
En todas sus películas **ha tenido** pinta de loco.	*In all of his movies he has looked like a crazy person.*
Nuestros sobrinos nunca **se han portado** muy bien.	*Our nephews have never behaved very well.*

- Some past participles have irregular forms. These are some of them:

Infinitivo	**Participio**	
abrir *(to open)*	**abierto**	*He abierto la puerta.*
escribir *(to write)*	**escrito**	*Te han escrito un e-mail.*
decir *(to say)*	**dicho**	*Mis padres siempre me han dicho la verdad.*
hacer *(to do; to make)*	**hecho**	*¿Has hecho la tarea para hoy?*
morir *(to die)*	**muerto**	*Su perro ha muerto.*
poner *(to put; to place)*	**puesto**	*He puesto tus libros en la mesa.*
resolver *(to solve)*	**resuelto**	*Mi profesora ha resuelto el problema.*
romper *(to break)*	**roto**	*He roto mis lentes.*
ver *(to see; to watch)*	**visto**	*¿Has visto el tatuaje de Juan?*
volver *(to return)*	**vuelto**	*Mis padres han vuelto de su viaje a Lima.*

- Finally, object and reflexive pronouns (**me, te, lo, la, nos, los, las, le, les, se**) *always* come **before** the form of **haber.**

No me lo han dicho.	*They haven't told me about it.*
Se ha ido.	*She has left.*
¿Nos las has traído?	*Have you brought them for us?*

1-19 Batalla

Haz un cuadro de **nueve** espacios. Llénalos con **nueve** verbos diferentes con las formas indicadas en el **presente perfecto de indicativo.** Pregúntense si tienen los siguientes verbos. La primera persona con tres **X** gana. Repitan el juego.

acabar (yo)	conocer (ella)	dar (nosotros)	decir (tú)
hacer (ellas)	oír (yo)	poner (Ud.)	querer (Uds.)
salir (nosotros)	traer (yo)	venir (ella)	ver (ellas)

MODELO E1: ¿Tienes *has dicho*?
E2: No, no tengo *has dicho*. ¿Tienes *ha venido*?
E1: Sí, tengo *ha venido*...

1-20 Así es él

Gabriela tiene la oportunidad de ver a su amigo Ignacio. Hace mucho tiempo que no lo ha visto. Túrnense para completar la conversación entre ellos con el **presente perfecto de indicativo.**

GABRIELA: ¡Hola, Ignacio! ¿Qué tal (1. estar) ____________? ¡Cuánto tiempo! Tú no (2. cambiar) ____________ en absoluto. Te ves igual. ¿Qué (3. estar) ____________ haciendo?

IGNACIO: ¡Es obvio que tú no (4. hablar) ____________ con mi mamá! Se lo está diciendo a todos porque está muy orgullosa: hace seis meses que trabajo como consejero de jóvenes. Otros dos colegas nuevos y yo (5. conocer) ____________ a mucha gente interesante en estos últimos meses. Por ejemplo, (6. tener) ____________ que aconsejar (*counsel*) a jóvenes que no (7. portarse) ____________ bien en la escuela, a otros que (8. ser) ____________ flojos en sus trabajos y a otros que (9. tener) ____________ problemas en casa. El trabajo es difícil pero me fascina. ¿Qué (10. hacer) ____________ tú?

GABRIELA: Yo escribo artículos para nuestro periódico en los que (11. poder) ____________ utilizar todo lo que aprendí en mis clases de psicología. Los otros reporteros y yo (12. escribir) ____________ historias sobre gente amable, generosa y honesta. Hoy vas a leer un reportaje de dos de mis colegas que (13. resolver) ____________ un crimen de unas personas que (14. maltratar) han maltratado a unas personas mayores en varias ocasiones. ¡Qué mundo es este! ¿Verdad?

IGNACIO: Es verdad, Gabriela. Oye, ¡mira! Allí está José Luis. No lo (15. ver) ____________ en por lo menos seis meses. Oye, José Luis, ven acá. Tanto tiempo...

1-21 Un día típico para ti

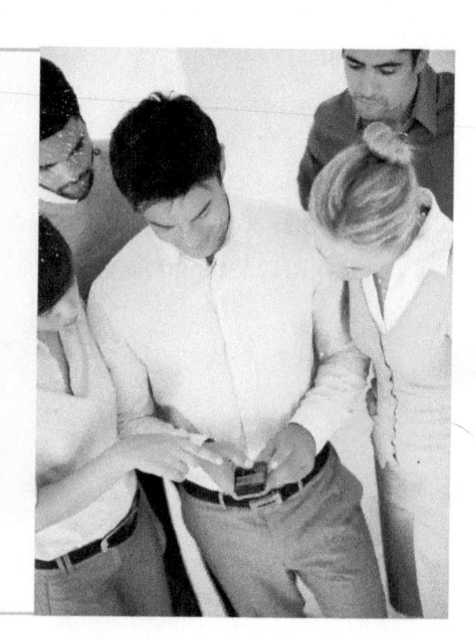

Todos los días ocurren muchas cosas y siempre hay mucho que hacer.

Paso 1 Túrnense para decir lo que ha pasado y lo que no ha pasado hoy.

1. ¿Has arreglado tu cuarto?
2. ¿Has terminado la tarea para mañana?
3. ¿Tus amigos te han escrito un e-mail?
4. ¿Tú y tus amigos han almorzado ya?
5. ¿Has ido a la biblioteca hoy?

Paso 2 Prepara un resumen de sus respuestas para compartir con los otros estudiantes de la clase.

MODELO *Clara y yo hemos arreglado nuestros cuartos pero nuestros compañeros no han lavado los platos...*

1·22 ¿Cómo lo han pasado?

Todo el mundo reacciona de manera diferente en situaciones distintas. Túrnense para explicar cómo han reaccionado estas personas en las siguientes situaciones. Pueden usar los verbos de la lista.

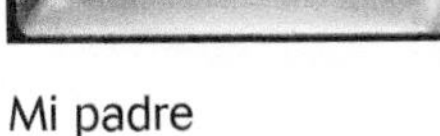

¡Anda! Curso elemental, Capítulo 8. Las construcciones reflexivas, Apéndice 3.

¡Anda! Curso intermedio, Capítulo Preliminar A, pág. 2.

Mi padre

Mis padres

Yo

Mis mejores amigos y yo

divertirse	enojarse	agotarse	confundirse
enamorarse	asustarse	avergonzarse	sorprenderse

Estrategia

Words that are related or similar but are different parts of speech are known as *word families*. For example, the verb *avergonzarse* is like *avergonzado/a*, which you have learned. What do you think *avergonzarse* means, based on the meaning of *avergonzado/a*? Using the concept of word families will help you increase your vocabulary.

MODELO *Mis mejores amigos y yo nos hemos divertido mucho cuando hemos ido a los parques de atracciones. Hemos comido mucho y...*

1·23 Así soy yo

Si te describieras (*If you were to describe yourself*) a una persona que no te conociera (*didn't know you*), ¿qué dirías? (*what would you say?*) ¿Qué has hecho en tu vida? ¿Cómo has sido? ¿Qué te ha interesado? ¿Qué te ha fascinado? ¿Qué tipo de personas te han caído bien o mal? Descríbete en por lo menos **ocho** oraciones usando el **presente perfecto de indicativo.** Después, comparte la descripción con **cinco** compañeros.

MODELO *Siempre he sido una persona muy generosa con mi tiempo y mi dinero. No me han caído bien las personas flojas...*

VOCABULARIO 5 La familia

SAM 1-22 to 1-23

¡Anda! Curso elemental, Capítulo 1, La familia, Apéndice 2.

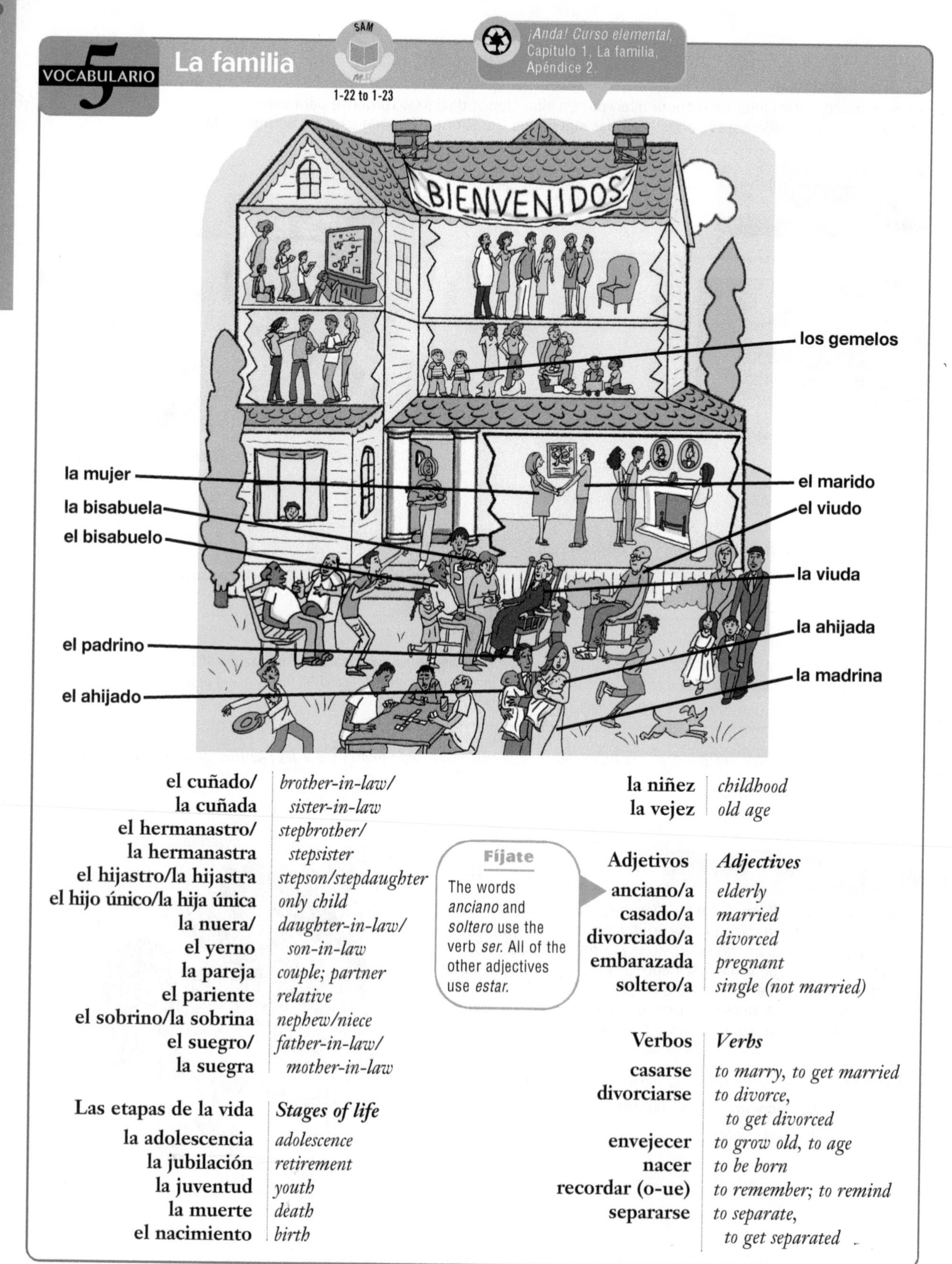

el cuñado/ la cuñada	*brother-in-law/ sister-in-law*
el hermanastro/ la hermanastra	*stepbrother/ stepsister*
el hijastro/la hijastra	*stepson/stepdaughter*
el hijo único/la hija única	*only child*
la nuera/ el yerno	*daughter-in-law/ son-in-law*
la pareja	*couple; partner*
el pariente	*relative*
el sobrino/la sobrina	*nephew/niece*
el suegro/ la suegra	*father-in-law/ mother-in-law*

Las etapas de la vida	***Stages of life***
la adolescencia	*adolescence*
la jubilación	*retirement*
la juventud	*youth*
la muerte	*death*
el nacimiento	*birth*
la niñez	*childhood*
la vejez	*old age*

Fíjate

The words *anciano* and *soltero* use the verb *ser*. All of the other adjectives use *estar*.

Adjetivos	***Adjectives***
anciano/a	*elderly*
casado/a	*married*
divorciado/a	*divorced*
embarazada	*pregnant*
soltero/a	*single (not married)*

Verbos	***Verbs***
casarse	*to marry, to get married*
divorciarse	*to divorce, to get divorced*
envejecer	*to grow old, to age*
nacer	*to be born*
recordar (o-ue)	*to remember; to remind*
separarse	*to separate, to get separated*

1·24 ¿Quiénes son?

Túrnense para describir las relaciones entre las siguientes personas. Usen todo el vocabulario nuevo posible en las descripciones.

MODELO *Mariela es la nuera de Luis y Gloria y la hija de...*

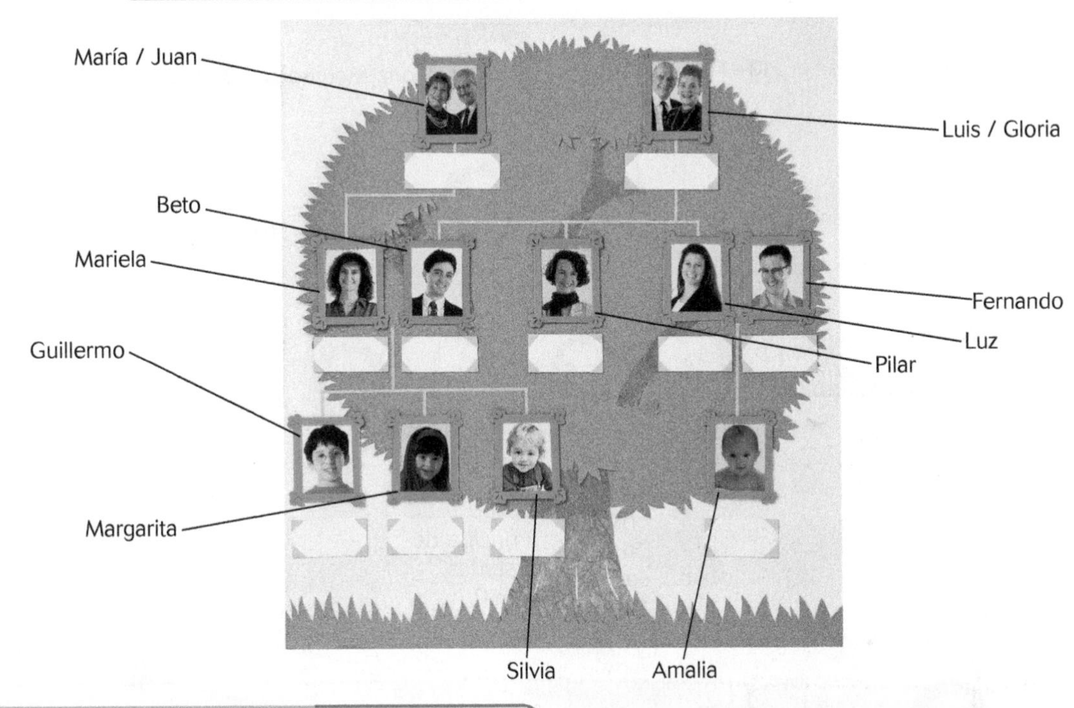

1·25 Seamos creativos

Este verano, Alberto se reunió con su familia en Puerto Vallarta. Túrnense para hacerle preguntas (E1) y formar las respuestas de Alberto (E2) usando el **pretérito.**

¡Anda! Curso elemental, Capítulo 1, La familia, Apéndice 2; Capítulo 2, La formación de preguntas y las palabras interrogativas; Capítulo 8, Las construcciones reflexivas, Apéndice 3.

MODELO nacer / bisabuelos (Buenos Aires, Argentina)

E1: *¿Dónde nacieron tus bisabuelos?*

E2: *Mis bisabuelos nacieron en Buenos Aires, Argentina.*

1. tus suegros / divorciarse (sí, en mayo)
2. separarse / el año pasado (hermana y su marido)
3. compartir (Uds.) / historias / la juventud (sí)
4. nietos / pasar mucho tiempo (en la casa / los abuelos)
5. pasarlo bien / los parientes (sí, muy bien)

1·26 Un poco personal

Túrnense para hacerse las siguientes preguntas sobre sus familias y sus parientes.

MODELO ¿Cómo se llaman tus ahijados?

E1: *No tengo ahijados.*

E2: *Yo sí tengo una ahijada; se llama Mariela.*

1. ¿Cuándo y dónde naciste?
2. ¿Cuándo y dónde nacieron tus padres, tus abuelos y tus bisabuelos?
3. ¿Tienes hermanastros?, ¿cuántos?
4. ¿Eres hijo/a único/a?
5. ¿Conoces a un/a hijo/a único/a?

1-27 La familia real

Túrnense para describir a la familia real española usando el árbol geneológico parcial. Incluye por lo menos **cinco** personas y relaciones entre las tres generaciones.

MODELO E1: *El rey de España, Juan Carlos I, nació en el año 1938. Es hijo de Juan de Borbón y Mercedes. Se casó con…*

E2: *Juan de Borbón es el abuelo de…*

D. Juan de Borbón, 1913–1993

Doña Mercedes, 1910–2000

Rey Juan Carlos, 1938

Reina Sofía, 1938

Infanta Elena Duquesa de Lugo, 1963

Infanta Cristina Duquesa de Palma, 1965

Felipe Príncipe de Asturias, 1968

Leticia Princesa de Asturias, 1972

1-28 A ver si encuentras…

Es hora de entrevistar.

Paso 1 Forma preguntas en **el pretérito** según el modelo.

MODELO conocer a tus bisabuelos

E1: *¿Conociste a tus bisabuelos?*

Paso 2 Busca a algún/alguna compañero/a que responda (*answers*) afirmativamente.

MODELO E1: *¿Conociste a tus bisabuelos?*

E2: *No, no conocí a mis bisabuelos.*

E1: *¿Conociste a tus bisabuelos?*

E3: *Sí, conocí a mis bisabuelos.*

E1: *Bueno, firma aquí, por favor.*

E3: ____Janet____

recibir una herencia *(inheritance)* monetaria de tus bisabuelos ______	divorciarse unos amigos el año pasado ______	aprender algo importante de tus abuelos ______
casarse el año pasado ______	nacer en otro estado ______	visitar a tus primos la semana pasada ______
divertirse durante la niñez ______	ir de vacaciones con tus parientes el año pasado ______	conocer a tus bisabuelos ______

PERFILES

SAM 1-24

Familias hispanas

La familia es muy importante en la cultura hispana. Frecuentemente, es el centro de muchas actividades sociales y culturales. Siempre ha sido el núcleo de apoyo (support) *para el individuo hispano. Aquí tienes diferentes representantes de la familia hispana.*

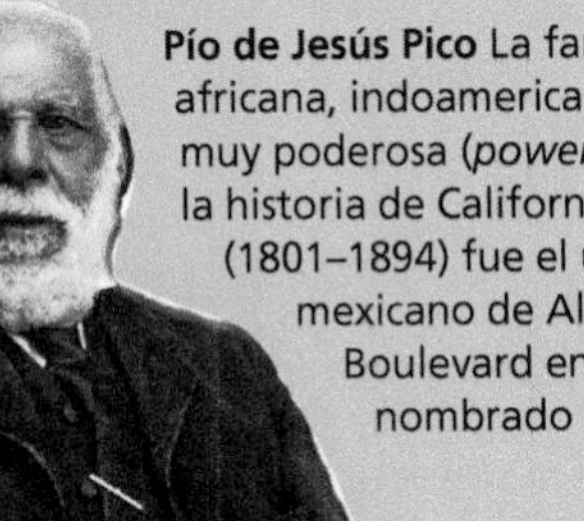

Pío de Jesús Pico La familia Pico —con sangre africana, indoamericana y europea— fue muy poderosa (*powerful*) políticamente en la historia de California. Pío de Jesús Pico (1801–1894) fue el último gobernador mexicano de Alta California. El Pico Boulevard en Los Ángeles fue nombrado en su honor.

Isabel Allende (n. 1942) pasó su niñez en Chile. Es una de las autoras latinas más conocidas; emplea elementos del realismo mágico en sus novelas. Ha vivido en diferentes países y ahora vive en los Estados Unidos. Algunas de sus obras se basan en sus experiencias familiares. Su tío fue Salvador Allende, el presidente de Chile entre los años 1970 y 1973.

Lorenzo Zambrano Treviño (n. 1945) figura en la lista de *Forbes* de los hombres más ricos del mundo. Desde el año 1995 es el presidente de la compañía mexicana CEMEX, fundada por su abuelo y productora importante de cemento. El Sr. Zambrano empezó a trabajar en CEMEX en el año 1968 y ha trabajado en muchos puestos diferentes en la compañía.

Preguntas

1. ¿Por qué son importantes estas personas?
2. ¿Qué papel tiene la familia para estas personas?
3. Compara tu familia con una de éstas. ¿En qué son semejantes y en qué son diferentes?

1-29 ¡Feliz cumpleaños!

¿Has ido a una fiesta de cumpleaños recientemente? ¿Hablaste con unos parientes? Selecciona (¡o inventa!) a dos personas de tu familia y descríbele a un/a compañero/a lo que descubriste sobre sus vidas. Usa la obra de Carmen Lomas Garza, *Cumpleaños de Lala y Tudi*, para inspirarte (*inspire you*). Debes usar **el pretérito** cuando puedas.

MODELO *El cumpleaños de mi ahijado fue el mes pasado. Me dijeron que mi hermanastro Jorge empezó un trabajo nuevo hace dos meses…*

1-25 to 1-26

¡Conversemos!

ESTRATEGIAS COMUNICATIVAS Employing greetings and farewells

You have already learned basic greetings and farewells such as **Hola, ¿Cómo estás?,** and **Hasta luego.** Here are some additional expressions.

¡Anda! Curso elemental, Capítulo Preliminar A, Saludos, despedidas y presentaciones, Apéndice 2.

Saludos	Greetings
■ **¿Cómo / Qué tal amaneció usted / amaneciste?**	*How are you this morning?*
■ **(Muy) Buenas.**	*Hello.*
■ **¡(Qué) Gusto de verlo/la/te!**	*How nice to see you!*
■ **¿Qué hay (de nuevo)?**	*What's up / new?*
■ **¿Qué me cuenta/s?**	*What do you say? / What's up?*

Despedidas	Farewells
■ **Chao.**	*Bye.*
■ **Cuídese / Cuídate.**	*Take care.*
■ **Gusto en verlo/la/te.**	*Nice to see you.*
■ **Hasta la próxima.**	*Till next time.*
■ **Nos vemos.**	*See you. (literally, "we'll see each other")*
■ **Saludos a (nombre) / a todos por su/tu casa.**	*Say hi to (name) / everyone at home.*
■ **Que le/te vaya bien.**	*Take care.*

CD 1
Track 2

1-30 Diálogos

Escucha los diálogos y contesta las siguientes preguntas.

1. ¿Cómo se saludan y se despiden Nines y Amalia, dos amigas?
2. ¿Cómo se saludan las Sras. Valdés y Lobo, dos personas que no se conocen muy bien?
3. ¿Qué otros saludos y despedidas usan Víctor y Paco, otros amigos?

1-31 ¿Cómo nos saludamos y cómo nos despedimos?

Miren las fotos y decidan qué tipo de saludo o despedida es apropiado para cada situación. Luego, inventen un mini-diálogo entre las personas de cada foto para saludarse o despedirse.

1·32 Saludos y despedidas

En grupos de tres, seleccionen una de las siguientes situaciones y escriban un diálogo con un minimo de **diez** oraciones.

1. Unos amigos se encuentran con la novia de uno de ellos en la calle.
2. Otro estudiante y tú llegan a la casa de tu profesor/a de español para cenar y conocen a su pareja por primera vez.
3. Te preparas para salir de la casa de tus tíos después de una visita.
4. Ves a dos vecinos, los saludas, y después de hablar unos minutos, te vas.

1·33 Una entrevista

Eres presidente del club de aficionades *(fans)* de una estrella de rock y vas a entrevistarlo durante su gira en tu ciudad. Un estudiante hace el papel del presidente y el otro es la estrella de rock. Escriban un diálogo entre ustedes con un saludo y **cuatro** preguntas sobre lo que el músico ha hecho en su gira, lo que le fascina de ser músico y una despedida.

MODELO E1: *Muy buenas.*
E2: *¿Qué hay?*
E1: *¿Dónde ha cantado en la gira?*
E2: *He cantado en las ciudades de…*
E1: *¿Qué le gusta más de su vida como músico?*
E2: *Me fascina el dinero, me encanta cantar y me han caído bien los aficionados como tú…*

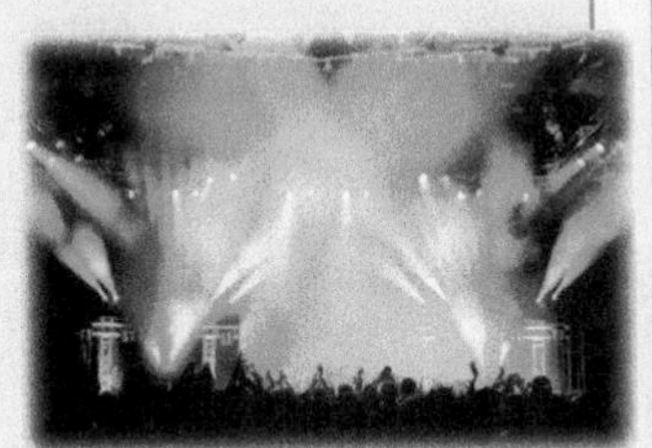

1·34 Su historia

En grupos de tres, miren las fotos e inventen una historia de por lo menos **ocho** oraciones sobre cada grupo. Luego, creen un diálogo entre ellos. Incluyan saludos y despedidas apropiados y la siguiente información.

1. una descripción de su apariencia física y de su personalidades
2. la relación entre sí (*among them*)
3. algo que han hecho juntos

MODELO *La foto es de tres generaciones de una familia: abuela, madre, e hija / nieta…*

ESCRIBE

Good writing is the result of a process involving several steps; it does not just happen. The process approach allows the writer to concentrate on one step at a time, eventually putting them all together to achieve the final product. Each chapter in ***¡Anda! Curso intermedio*** will focus on a different skill in the writing process.

ESTRATEGIA **Process writing (Part 1): Organizing ideas**

Organizing ideas around a subject brings them together into a coherent, whole unit for writing. The technique of *mapping* (drawing a graphic organizer showing relationships and/or connections among ideas, concepts, themes, etc.) can help you organize your ideas into logical categories that you can then use to begin writing. Try using a map graphic such as the one shown below to organize your thoughts before you begin. First, decide on and label your categories. Then begin to fill in your map with details expanding or explaining each category.

1•35 Antes de escribir

Tu escuela secundaria va a tener una reunión y te ha pedido un perfil personal para el libro de recuerdos. De esta manera te puedes reconectar con los compañeros que comparten (*share*) tus intereses.

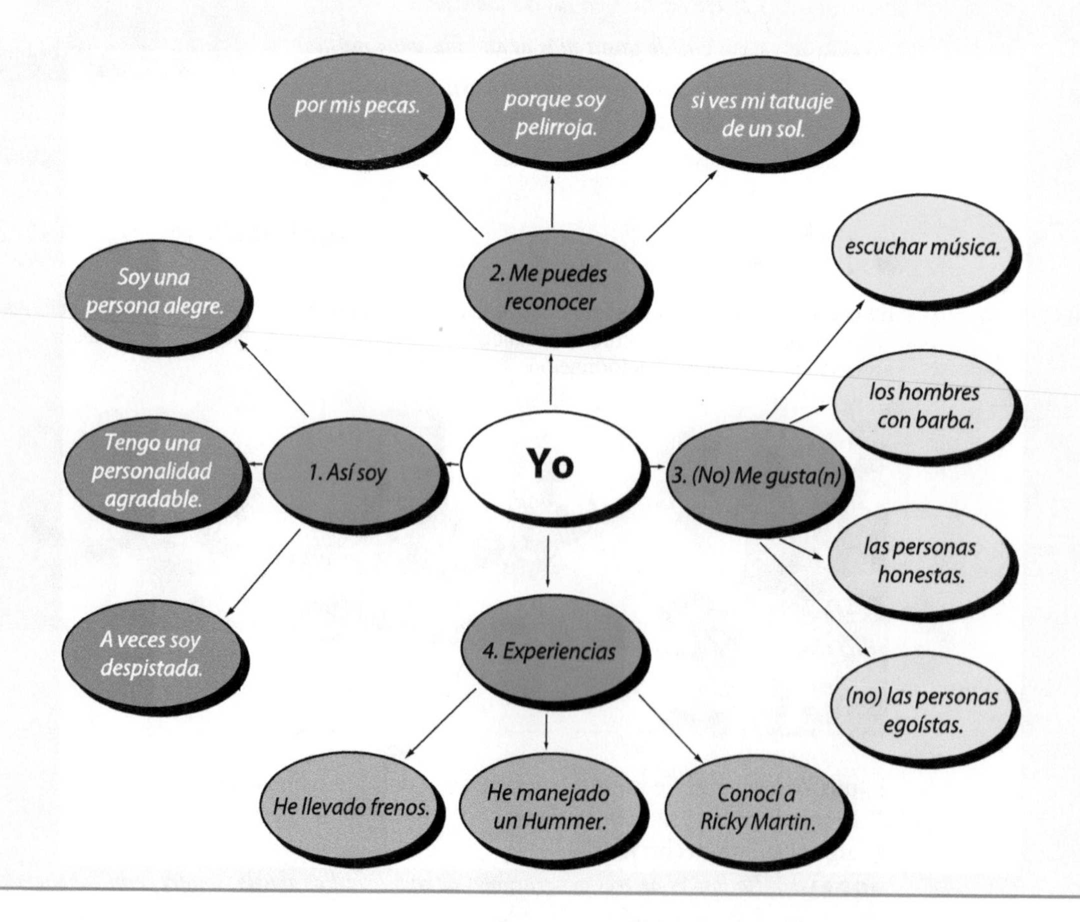

1. Primero, decide sobre las categorías descriptivas que vas a usar (por ejemplo, características físicas, de personalidad, tu edad, los gustos que te describen mejor). Escribe nombres para cada categoría en tu mapa. Puedes usar las categorías sugeridas en el modelo en los círculos rojos o algunas similares.
2. Luego, haz una lista de tus características, según (*according to*) las categorías, y escribe una oración para cada una. Pon estas oraciones en el mapa, bajo la categoría apropiada y en los círculos apropiados.

1•36 A escribir

Ahora, usando los grupos de características que has hecho en el mapa y las oraciones relacionadas, elabora tu perfil personal. Puedes mencionar algunos detalles de tu familia si quieres. Tu párrafo debe tener por lo menos **seis** oraciones. Hay que usar **por lo menos dos verbos en el pretérito** y **por lo menos dos verbos en el presente perfecto.**

Usa palabras de transición para conectar tus ideas: Además (in addition), sin embargo (however), también, pero, finalmente, porque, y, por un lado (on the one hand), por otro lado (on the other).

MODELO *Soy Juana. Nací en California y tengo veinticuatro años; no estoy casada porque todavía soy joven…*

1•37 Después de escribir

Entrégale el perfil personal a tu profesor/a. Quizás tu profesor/a lo va a leer a la clase para ver si tus compañeros pueden identificarte.

¿Cómo andas?

Having completed the second **Comunicación,** I now can…

	Feel Confident	**Need to Review**
• use physical and personal descriptions to identify people (p. 45)	❑	❑
• share past events (p. 46)	❑	❑
• express what *has* happened in the recent past (p. 48)	❑	❑
• identify some notable Hispanic families and individuals (p. 55)	❑	❑
• use appropriate greetings and expressions of farewell (p. 56)	❑	❑
• use mapping to organize ideas before writing (p. 58)	❑	❑

Vistazo cultural

Lic. Anita Paulino Pavía,
Socióloga

Los hispanos en los Estados Unidos

Trabajo como socióloga en la ciudad de Chicago. Mi empleo me fascina porque hablo con personas hispanas. Estudio sus características, su cultura y su vida diaria. Vamos a explorar algunos ejemplos de la cultura hispana individual y familiar aquí en los Estados Unidos.

Los Premios Herencia Hispana

Estos premios fueron creados en el año 1987 y la ceremonia de premiación (*awards ceremony*) se celebra cada septiembre en el Kennedy Center en Washington, D.C. Los premios rinden homenaje a muchas personas hispanas que han tenido una gran influencia positiva en los Estados Unidos. Las personas premiadas han sido de muchos campos diversos e incluyen líderes de la juventud.

La familia López

La familia López de Texas es *la primera familia* de taekwondo de los Estados Unidos. De herencia nicaragüense, los tres hermanos, Steven, Mark y Diana han practicado el deporte desde la niñez. Los tres hermanos ganaron medallas en los Juegos Olímpicos en el año 2008 en Beijing. Su hermano mayor, Jean, es su entrenador (*trainer*) y está muy orgulloso de su familia.

Óscar Hijuelos

Óscar Hijuelos es hijo de inmigrantes cubanos. Nació en Nueva York en el año 1951 y ahora escribe novelas con temas familiares. Ha ganado varios premios como el Premio Pulitzer por su novela *The Mambo Kings Play Songs of Love* en el año 1990; fue el primer hispano en ganar este premio.

El Mes de la Herencia Hispana

El Mes de la Herencia Hispana se celebra del 15 de septiembre hasta el 15 de octubre. Las celebraciones tienen lugar en ciudades por todas partes de los Estados Unidos.

El Festival de la Calle Ocho

Cada marzo, hay un festival enorme en la Calle Ocho de la Pequeña Habana de Miami. En veintitrés cuadras (*blocks*) de la ciudad la gran población cubana celebra allí su herencia cultural con comida, baile, música y actividades para los niños y toda la familia.

El Paseo del Río en San Antonio, Texas

Los domingos, la familia puede pasar unas horas agradables en *El Paseo del Río*. Es muy popular hacer una caminata por el paseo. A las familias les encanta andar, pasear en barco, comer en un restaurante al lado del río o simplemente sentarse y mirar a las personas que pasean por allí.

Preguntas

1. Selecciona a una de las familias de las fotos aquí o en la sección de *Perfiles* y descríbela. ¿Cómo es similar y cómo es diferente a tu familia?
2. ¿Cuál de los eventos culturales te gusta más? ¿Por qué?
3. ¿Cuáles son algunas cosas que haces con tu familia?

Laberinto peligroso

EPISODIO 1

lectura

1-33 to 1-35

ESTRATEGIA **Pre-reading techniques: Schemata, cognates, predicting, and guessing**

Even before you begin to read something, you are already using many clues that help you understand the passage. For example, by focusing on titles and subtitles and also on any pictures and illustrations and their captions, you begin to guess what the passage might contain. You can also use cognates (words that look like English words and mean the same) and your prior knowledge of the world (schemata) to aid in your predictions.

En el primer episodio de *Laberinto peligroso,* vas a conocer a Javier, a Cisco y a Celia, tres periodistas que se conocen y que están viviendo en la misma ciudad. Ellos todavía no lo saben, pero están a punto de empezar una gran aventura ¡pero puede ser una aventura muy peligrosa!

1-38 **Antes de leer.** Completa los siguientes pasos.

Paso 1 Mira el título del episodio. Si no sabes el significado de las palabras, consulta el diccionario.

Paso 2 Subraya los cognados que aparecen en el primer párrafo.

Paso 3 Usando los cognados que has identificado y el título, crea una hipótesis sobre el episodio. ¿Qué piensas que va a pasar?

DÍA 1

¿Periodistas en peligro?

CD 1
Track 3

Javier quería sorprender a sus estudiantes. A todos les interesaba mucho el tema del seminario —los reportajes de investigación— pero Javier pensaba que las clases eran demasiado teóricas. Estaba harto de aburrir a sus estudiantes. Cuando aceptó el trabajo como profesor, fue porque le encantaba ser periodista y porque quería tener un impacto en el mundo. Pero sus clases no le parecían interesantes y quería enseñarlas mejor. Después de reflexionar mucho, llegó a una conclusión: a sus estudiantes les hacía falta una perspectiva más práctica y, por eso, Javier decidió invitar a unos periodistas a la clase para formar un panel de expertos.

Estaba seguro de que su amiga Celia lo iba a ayudar. Acababa de llegar a la ciudad y Javier iba a almorzar con ella ese mismo día. Sabía que la oportunidad también le podía interesar a Cisco, un columnista importante que era muy buena gente. Javier decidió llamarlo por teléfono.

—Aló. —Cisco contestó el teléfono con un tono de voz que mostraba que estaba agotado.

—Hola, Cisco, soy Javier. ¿Estás bien? —le preguntó Javier, preocupado.

—Sí, Javier. —respondió Cisco con un tono más alegre. —Simplemente he tenido muchos obstáculos y dificultades con una de mis investigaciones. Me ha frustrado un poco. ¿Qué tal tú?
—Bien, aunque he estado muy ocupado con el seminario que estoy enseñando en la universidad. Por eso te llamo; quiero pedirte un favor.
—¿Qué necesitas?
—Ya sabes que respeto mucho tu trabajo y que me encanta tu columna —dijo Javier con un tono más serio. —Quiero que vengas al seminario para hablar sobre tu columna y las investigaciones que haces. Sé que tienes muchas anécdotas interesantes para contar. ¿Qué te parece?
—Me parece muy interesante. Me encanta participar en ese tipo de actividades. Claro que te ayudo.
—Muchísimas gracias, Cisco. ¿Te puedo llamar dentro de unos días para hablar de los detalles?
—Muy bien. Hablamos entonces. Hasta luego, Javier.
—Adiós, Cisco, y gracias de nuevo.

Después de hablar con Cisco, Javier salió para almorzar con Celia. Cuando entró en el café, Celia ya estaba allí.
—Perdóname por llegar tarde, Celia. ¿Llevas mucho tiempo esperándome?
—No, Javier. Hace cinco minutos que llegué. Siéntate. ¿Qué tal estás?
—¿Qué tal estás tú? ¡Cuánto me alegro de tenerte cerca!
—Estoy bien y muy contenta con mi decisión de vivir aquí durante una temporada.° Estaba tan harta de mi trabajo; realmente necesitaba un descanso.
—¿Qué vas a hacer? ¿Tienes muchos planes? —le preguntó Javier.
—No, tengo muy pocos planes. Voy a hacer investigaciones para unos proyectos, y voy a intentar descansar. —respondió Celia.
—¿La ex-agente federal que siempre ha necesitado estar trabajando ahora quiere "descansar"? ¡No lo creo!
—Créetelo. He cambiado mucho desde mis días con el FBI. Pero no he venido aquí para hablar de eso. Cuéntame cosas de ti. ¿Qué tal va el seminario?
—Bien, pero va a ir mejor gracias a ti; como eres tan buena amiga, me vas a hacer un gran favor.
—¿Ah, sí? ¿Y qué favor es? —preguntó Celia en un tono insinuante.°
—Vas a venir al seminario como experta invitada para hablar de tus experiencias como investigadora y como periodista. ¿Te gusta la idea?
—Me parece muy bien. Puedes contar conmigo.

temporada: a while; period of time

insinuante: flirtatious

Mientras Javier y Celia continuaron conversando y almorzando, Cisco llegó al café al otro lado de la calle y se sentó con una amiga. En ese café, había un hombre que miraba a Javier y a Celia y también a Cisco. Mientras los observaba, sacó un cuchillo.

1-39 Después de leer. Contesta las siguientes preguntas.

1. ¿Cómo se llaman los personajes principales del episodio? ¿Qué sabemos de ellos?
2. ¿Crees que Javier y Cisco son amigos o conocidos? ¿Piensas que Javier y Celia son amigos o conocidos?
3. ¿Cuál(es) de los personajes ha(n) tenido problemas en su trabajo? ¿Qué tipo de problemas ha(n) tenido? ¿Tiene(n) soluciones?

4. ¿Por cuánto tiempo va a estar Celia en la ciudad?, ¿Qué planes tiene?
5. ¿Qué ocurrió en el restaurante?

video

En la primera lectura conociste a los tres periodistas que van a ser los personajes principales de *Laberinto peligroso*. En el primer episodio del video, vas a conocerlos un poco más en el contexto del seminario de Javier.

1-40 Antes del video. ¿Has ido alguna vez a una conferencia con un panel de expertos? ¿En qué tipo de lugares hacen las conferencias así? ¿Cómo empiezan normalmente?

Antes de ver el video, contesta las siguientes preguntas.

1. ¿Piensas que los periodistas están en peligro? ¿Por qué?
2. ¿Por qué crees que el hombre del restaurante sacó el cuchillo?
3. El video tiene lugar en el seminario que enseña Javier. ¿Qué piensas que vas a descubrir sobre los personajes y sobre su situación?

... me gusta mucho tu nuevo corte de pelo, te queda muy bien.

Me cae muy bien Emilio. Es muy simpático; no es nada presumido sino muy sencillo.

También trabajé en un restaurante, en un spa, y he escrito unas novelas... he hecho un poco de todo.

¿Puede ser?

Episodio 1

1-41 Después del video. Completa los siguientes pasos para describir a los personajes principales.

Paso 1 Completa cada columna con la información que aprendiste de la lectura y en el video.

JAVIER	CISCO	CELIA
1. *es periodista*	1. *es periodista*	1. *es periodista*
2. *es profesor*	2. *es fuerte*	2. *tiene el pelo largo*
3. ...	3. ...	3. ...

Paso 2 Ahora escribe una descripción de un párrafo sobre uno de los personajes.

Y por fin, ¿cómo andas?

Each chapter will end with a checklist like the one that follows. This is the third time in the chapter that you are given the opportunity to check your progress. Use the checklist to measure what you have learned in the chapter. Place a check in the *Feel Confident* column of the topics you feel you know, and a check in the *Need to Review* column for the topics that you need to practice more.

Having completed this chapter, I now can...

	Feel Confident	Need to Review
Comunicación		
• describe myself and others. (p. 34)	❑	❑
• use verbs formed similarly to **gustar.** (p. 40)	❑	❑
• discuss events in the past. (p. 46)	❑	❑
• express what *has happened.* (p. 48)	❑	❑
• predict and anticipate content from context and guess meaning when listening. (p. 43)	❑	❑
• share information about family members. (p. 52)	❑	❑
• greet and say good-bye to someone. (p. 56)	❑	❑
• use the pre-writing skill of mapping to organize ideas for writing. (p. 58)	❑	❑
Cultura		
• examine stereotypes. (p. 42)	❑	❑
• identify and share details about some well-known Spanish families. (p. 55)	❑	❑
• share information about Hispanic families and events in the United States. (p. 60)	❑	❑
Laberinto peligroso		
• use schemata, cognates, predicting and guessing to aid in reading comprehension. (p. 62)	❑	❑
• describe Javier, Celia, and Cisco, and list details about them. (p. 63)	❑	❑
• hypothesize about the man with the knife. (p. 64)	❑	❑

VOCABULARIO ACTIVO

CD 1
Tracks 4-14

La cabeza y la cara	Head and face
la apariencia	*appearance*
la barba	*beard*
el bigote	*moustache*
las canas	*gray hair*
las cejas	*eyebrows*
la frente	*forehead*
los labios	*lips*
el lunar	*beauty mark, mole*
la mejilla	*cheek*
el mentón	*chin*
las pestañas	*eyelashes*
la piel	*skin*

El pelo	Hair
calvo/a	*bald*
castaño	*brunette, brown*
pelo: canoso, corto, largo, lacio, moreno, rizado	*hair: gray, short, long, straight, black, curly*
pelirrojo/a	*redhead*
rubio/a	*blond*
pelo teñido	*dyed*

Características notables	Notable characteristics
la cicatriz	*scar*
los frenos	*braces*
las pecas	*freckles*
la peluca	*wig*
la perforación del cuerpo	*body piercing*
el tatuaje	*tattoo*
la trenza	*braid*

Características personales	Personal characteristics
agradable	*agreeable, pleasant*
alegre	*happy, cheerful*
callado/a	*quiet*
chistoso/a	*funny*
cuidadoso/a	*careful*
(des)organizado/a	*(dis)organized*
despistado/a	*absentminded, scatterbrained*
educado/a / maleducado/a	*polite / impolite, rude*
egoísta	*selfish*
extrovertido/a / introvertido/a	*extroverted / introverted*
flojo/a	*lazy*
gastador/a	*extravagant, wasteful*
generoso/a	*generous*
grosero/a	*rude*
honesto/a	*honest*
pesado/a	*dull, tedious*
presumido/a	*conceited, arrogant*
raro/a	*strange*
sencillo/a	*modest; simple*
sensible	*sensitive*
serio/a	*serious*
tacaño/a	*cheap*
terco/a	*stubborn*
tímido/a	*shy*

Palabras útiles	Useful words
discapacitado/a	*physically/psychologically handicapped*

Algunos estados	Some states
agotado/a	*exhausted*
amable	*nice*
asqueado/a	*disgusted*
asustado/a	*frightened*
avergonzado/a	*embarrassed, ashamed*
celoso/a	*jealous*
cómodo/a	*comfortable*
confundido/a	*confused*
deprimido/a	*depressed*
enamorado/a	*in love*
enojado/a	*angry*
furioso/a	*furious*
harto/a	*fed up*
orgulloso/a	*proud*
sorprendido/a	*surprised*

Verbos *Verbs*

portarse bien/mal	*to behave/to misbehave*
ser buena/mala gente	*to be a good/bad person*

La familia *Family*

el ahijado/la ahijada	*godson/goddaughter*
el bisabuelo/ la bisabuela	*great-grandfather/ great-grandmother*
el cuñado/la cuñada	*brother-in-law/sister-in-law*
los gemelos	*twins*
el hermanastro/ la hermanastra	*stepbrother/stepsister*
el hijastro/la hijastra	*stepson/stepdaughter*
el hijo único/ la hija única	*only child*
la madrina/el padrino	*godmother/godfather*
el marido	*husband*
la mujer	*wife*
el nieto/la nieta	*grandson/granddaughter*
la nuera/el yerno	*daughter-in-law/son-in-law*
la pareja	*couple; partner*
el pariente	*relative*
el sobrino/la sobrina	*nephew/niece*
el suegro/la suegra	*father-in-law/mother-in-law*

Las etapas de la vida *Stages of life*

la adolescencia	*adolescence*
la jubilación	*retirement*
la juventud	*youth*
la muerte	*death*
el nacimiento	*birth*
la niñez	*childhood*
la vejez	*old age*
el viudo/la viuda	*widower/widow*

Adjetivos *Adjectives*

anciano/a	*elderly*
casado/a	*married*
divorciado/a	*divorced*
embarazada	*pregnant*
soltero/a	*single (not married)*

Verbos *Verbs*

casarse	*to marry, to get married*
divorciarse	*to divorce, to get divorced*
envejecer	*to grow old, to age*
nacer	*to be born*
recordar (o-ue)	*to remember; to remind*
separarse	*to separate, to get separated*

El tiempo libre

A la gente le gustan los pasatiempos y los deportes que son tan variados como las personas mismas (*themselves*). El fútbol y el béisbol, por ejemplo, son deportes muy populares en los países hispanohablantes. Para muchos, son deportes para practicar y hacer ejercicio, y para otros son pasatiempos para observar y disfrutar (*enjoy*). Hay deportes y pasatiempos para todos los gustos.

¡A divertirnos!

PREGUNTAS

1 ¿Cuáles son tus deportes y pasatiempos favoritos?
2 ¿Cuándo y dónde puedes practicarlos?
3 ¿Cuáles son los deportes más populares en los EE.UU.? ¿Qué deportes se practican en los EE.UU. y en los países hispanos?

Comunicación

- Sharing about pastimes
- Expressing choices and desires

VOCABULARIO 1 Algunos pasatiempos

SAM 2-18 to 2-19

¡Anda! Curso elemental, Capítulo 2, Los deportes y los pasatiempos, Apéndice 2.

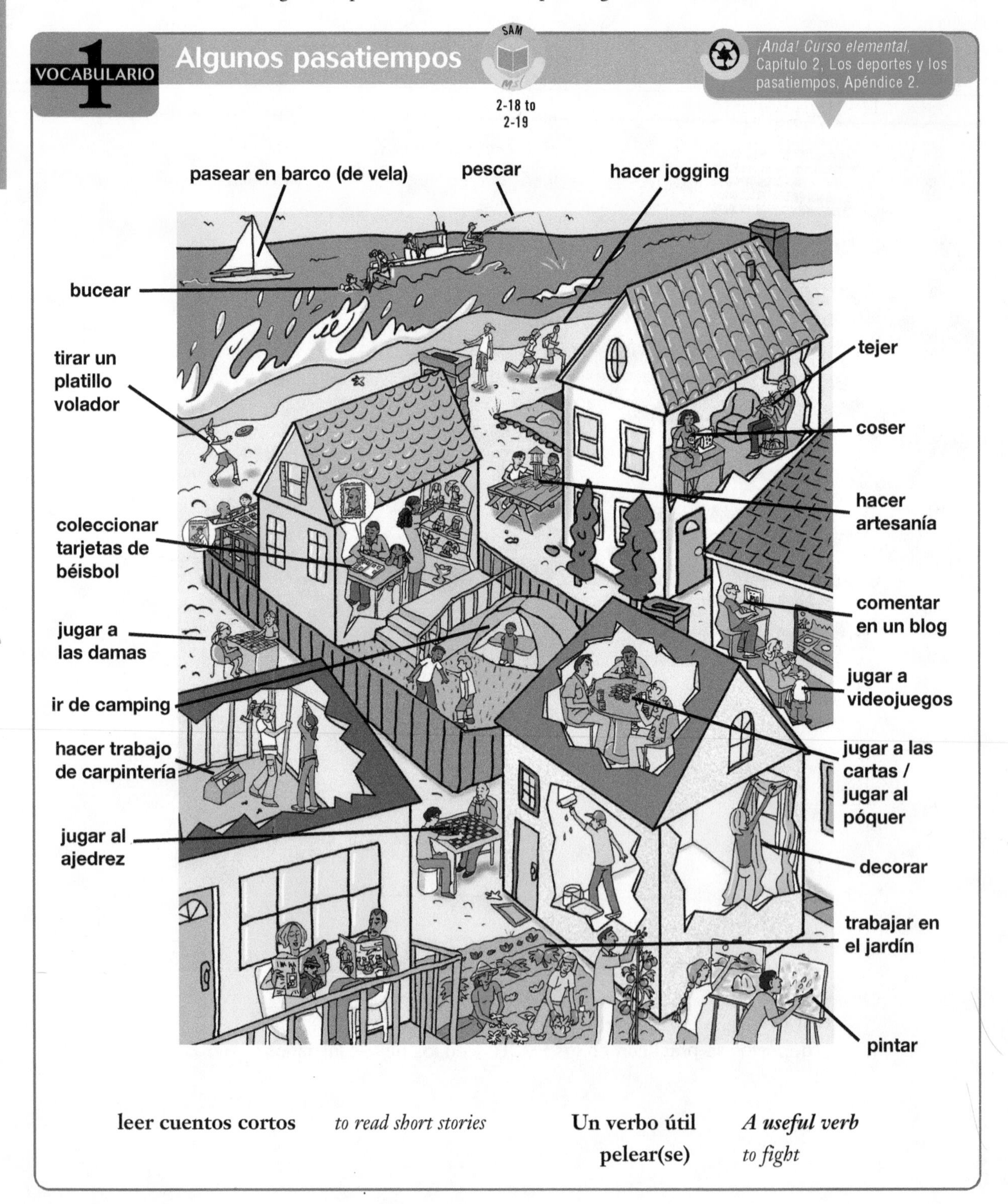

leer cuentos cortos	*to read short stories*	**Un verbo útil**	***A useful verb***
		pelear(se)	*to fight*

1 GRAMÁTICA El subjuntivo

11-20 to 11-24

46, 51

Es una lástima que no quieran reciclar el plástico, el vidrio, el aluminio y el papel.

In Spanish, *tenses* such as the present, past, and future are grouped under two different moods, the **indicative** mood and the **subjunctive** mood.

Indicative mood	Subjunctive mood
Present	Present
Past	Past
Future	Future

Up to this point you have studied tenses grouped under the *indicative* mood (with the exception of commands) to report what happened, is happening, or will happen. The *subjunctive* mood, on the other hand, is used to express doubt, insecurity, influence, opinion, feelings, hope, wishes, or desires that can be happening now, have happened in the past, or will happen in the future. In this chapter you will learn the present tense of the *subjunctive mood.*

Present subjunctive

To form the subjunctive, take the **yo** form of the present indicative, drop the final **-o,** and add the following endings.

> **Fíjate**
>
> You are already somewhat familiar with the subjunctive forms from your practice with *Ud.* (*¡Estudie!*) and negative *tú* (*¡No hables!*) commands.

Present indicative	*yo* form		Present subjunctive
estudiar	estudiø	+ e	**estudie**
comer	comø	+ a	**coma**
vivir	vivø	+ a	**viva**

	estudiar	comer	vivir
yo	estudie	coma	viva
tú	estudies	comas	vivas
él, ella, Ud.	estudie	coma	viva
nosotros/as	estudiemos	comamos	vivamos
vosotros/as	estudiéis	comáis	viváis
ellos/as, Uds.	estudien	coman	vivan

Irregular forms

- Verbs with irregular **yo** forms mantain this irregularity in all forms of the present subjunctive. Note the following examples.

	conocer	hacer	poner	venir
yo	conozca	haga	ponga	venga
tú	conozcas	hagas	pongas	vengas
él, ella, Ud.	conozca	haga	ponga	venga
nosotros/as	conozcamos	hagamos	pongamos	vengamos
vosotros/as	conozcáis	hagáis	pongáis	vengáis
ellos/as, Uds.	conozcan	hagan	pongan	vengan

- Verbs ending in **-car, -gar,** and **-zar** have a spelling change in all present subjunctive forms, in order to maintain the sound of the infinitive.

		Present indicative	Present subjunctive
buscar	**c → qu**	**yo** busco	busque
pagar	**g → gu**	**yo** pago	pague
empezar	**z → c**	**yo** empiezo	empiece

	buscar	pagar	empezar
yo	busque	pague	empiece
tú	busques	pagues	empieces
él, ella, Ud.	busque	pague	empiece
nosotros/as	busquemos	paguemos	empecemos
vosotros/as	busquéis	paguéis	empecéis
ellos/as, Uds.	busquen	paguen	empiecen

Stem-changing verbs

In the present subjunctive, stem-changing **-ar** and **-er** verbs make the same vowel change that they do in the present indicative: **e → ie** and **o → ue.**

	pensar (e → ie)	**poder (o → ue)**
yo	piense	pueda
tú	pienses	puedas
él, ella, Ud.	piense	pueda
nosotros/as	pensemos	podamos
vosotros/as	penséis	podáis
ellos/as, Uds.	piensen	puedan

The pattern is different with the **-ir** stem-changing verbs. In addition to their usual changes of **e → ie, e → i,** and **o → ue,** in the **nosotros** and **vosotros** forms the stem vowels change **ie → i** and **ue → u.**

	sentir (e → ie, i)	**dormir (o → ue, u)**
yo	sienta	duerma
tú	sientas	duermas
él, ella, Ud.	sienta	duerma
nosotros/as	sintamos	durmamos
vosotros/as	sintáis	durmáis
ellos/as, Uds.	sientan	duerman

The **e → i** stem-changing verbs keep the change in all forms.

	pedir (e → i, i)
yo	pida
tú	pidas
él, ella, Ud.	pida
nosotros/as	pidamos
vosotros/as	pidáis
ellos/as, Uds.	pidan

Irregular verbs in the present subjunctive

- The following verbs are irregular in the subjunctive.

	dar	**estar**	**saber**	**ser**	**ir**
yo	dé	esté	sepa	sea	vaya
tú	des	estés	sepas	seas	vayas
él, ella, Ud.	dé	esté	sepa	sea	vaya
nosotros/as	demos	estemos	sepamos	seamos	vayamos
vosotros/as	deis	estéis	sepáis	seáis	vayáis
ellos/as, Uds.	den	estén	sepan	sean	vayan

Dar has a written accent on the first- and third-person singular forms **(dé)** to distinguish it from the preposition **de.** All forms of **estar,** except the **nosotros** form, have a written accent in the present subjunctive.

2-1 ¡Practiquemos!

La práctica hace maestros. Completa los siguientes pasos.

Paso 1 Para cada palabra o expresión en la lista, escoge la foto que le corresponde. Túrnense.

a. 

b. 

c. 

d. 

e. 

f. 

g. 

h. 

1. ____ bucear
2. ____ pasear en barco
3. ____ tejer
4. ____ tirar un platillo volador
5. ____ coleccionar sellos
6. ____ jugar al ajedrez
7. ____ coser
8. ____ trabajar en el jardín

Paso 2 Túrnense para practicar diferentes formas de los **ocho** verbos del **Paso 1** en **el presente del subjuntivo,** usando **quizás.**

MODELO E1: jugar al ajedrez / yo
E2: *Quizás juegue al ajedrez.*
E2: jugar al ajedrez / nosotros
E1: *Quizás juguemos al ajedrez.*

Fíjate

Remember that you are familiar with the subjunctive forms from your practice with *Ud.* *(¡Estudie!)* and negative *tú (¡No hables!)* commands!

2-2 Deseos

Túrnense para crear oraciones sobre los deseos de las siguientes personas.

MODELO Ojalá / nosotros / decorar / la cocina / el próximo año.
Ojalá nosotros decoremos la cocina el próximo año.

1. Quizás / ellos / bucear / este junio.
2. Ojalá / mis hijos / coleccionar tarjetas de béisbol / como yo.
3. Ojalá / tú / poder jugar al ajedrez / con tu familia.
4. Tal vez / Inés / tejer / un suéter.
5. Quizás / tú y yo / pasear en barco de vela / este verano.
6. Tal vez / Raúl / jugar al póquer / en Las Vegas.
7. Quizás / yo / ir de camping / este otoño.
8. Ojalá / tú / leer este libro de espías.

Fíjate

The expression *Ojalá (que)* comes from the Arabic expression that means "May it be Allah's will." *Tal vez* and *Quizás* also take the subjunctive but do not use the word *que.*

¡Anda! Curso elemental, Capítulo 2, Los deportes y los pasatiempos; Capítulo 3, La casa, Apéndice 2.

2-3 ¿Qué quiero decir?

Completa las siguientes oraciones usando **el subjuntivo.** Después, compara tus oraciones con las de un/a compañero/a.

MODELO Para ser un buen jugador de ajedrez, es importante que...
Para ser un buen jugador de ajedrez, es importante que tú te enfoques más en el juego.

1. Para vivir una vida más sana, es importante que mis amigos y yo...
2. Después de salir de mis clases, es raro que yo...
3. Antes de ir de camping, es probable que mi amigo...
4. Si tengo tiempo mañana, es posible que...
5. Para decorar bien una casa, es preferible que tú...
6. Si decides coleccionar tarjetas de béisbol, es mejor que...
7. Este año es imposible que mis padres...
8. Ojalá que mis amigos...

2-4 Nuestras preferencias

Completa el cuadro con tus preferencias. Usa las expresiones **Es posible que...** y **Es poco probable que...** Compara tus respuestas con un/a compañero/a. ¿Qué preferencias tienen en común?

coleccionar sellos	coser	comentar en un blog
decorar	hacer artesanía	hacer jogging
hacer trabajo de carpintería	ir de camping	jugar a las damas
leer cuentos cortos	pescar	pintar
trabajar en el jardín	tejer	tirar un platillo volador

CON AMIGOS Y FAMILIARES	SOLO/A	SI LLUEVE
1. *Es poco probable que juguemos a las damas.*	1.	1.
2.	2.	2.
3.	3.	3.
4.	4.	4.
5.	5.	5.
6.	6.	6.
7.	7.	7.
8.	8.	8.

¡Anda! Curso intermedio, Capítulo 1, El presente perfecto de indicativo, pág. 48.

2-5 ¿Dónde están?

Juana y su familia decidieron pasar las vacaciones en casa. Hay mucho que hacer pero el problema es que ella no sabe cómo divertirse. Tampoco sabe dónde están los otros miembros de la familia. Túrnense para dar sugerencias de qué hacen las siguientes personas.

MODELO No sé dónde está mi esposo, pero le fascina el agua.

E1: *Tal vez esté pescando.*

E2: *Sí, o quizás esté buceando.*

1. No sé dónde están mis hijos, pero les gustan las computadoras.
2. Mi prima Gloria ha desaparecido. Se cree una editora de *House Beautiful.*
3. Mi abuelo tiene ochenta años. Ha tenido una vida muy activa, pero ahora le molestan mucho las piernas.
4. Siempre me ha gustado crear cosas con las manos, pero no sé qué hacer.

2-6 ¿Probable o poco probable?

Entrevista a los compañeros de clase para saber para quiénes es probable y para quiénes es poco probable cada una de las siguientes acciones. Escribe el nombre de la persona y la letra **P** para "probable" y **PP** para "poco probable".

MODELO jugar a las cartas

TÚ: *Felipe, ¿es probable que juegues a las cartas esta noche?*

E1: *No, es poco probable que juegue a las cartas. Comento en un blog todas las noches.*

ES PROBABLE O POCO PROBABLE QUE...		
jugar a las cartas *Felipe PP*	coleccionar tarjetas de béisbol ________	tejer ________
tocar un instrumento ________	comentar en un blog ________	hacer trabajo de carpintería ________
nadar ________	decorar tu dormitorio ________	ir de excursión ________
ir de camping ________	tirar un platillo volador ________	dar clases de golf ________

2-7 Mentimos a veces

Escribe **cinco** oraciones sobre ti mismo/a (*yourself*) usando el vocabulario de **Los pasatiempos** y **el subjuntivo.** Una de las oraciones debe ser verdadera y **cuatro** deben ser mentiras (*lies*). Tu compañero/a tiene que adivinar cuáles son mentiras y cuál es verdadera. Túrnense.

MODELO E1: *Es probable que yo juegue al ajedrez todos los días.*
E2: *No. Es improbable que juegues al ajedrez todos los días. Creo que es una mentira...*

GRAMÁTICA 2 El subjuntivo para expresar pedidos (*requests*), mandatos y deseos

A. There are a variety of different situations in which you need to use the **subjunctive.**

- Sometimes, you may want to ***recommend*** something to or ***request*** something from someone in a less demanding way than using a command.

Note the examples below.

No te recomiendo **que** hagas más ejercicio. — *I don't recommend **that** you exercise more.*

- You ***express wishes*** in the same way:

Deseo **que** mis padres me regalen tarjetas de béisbol. — *I wish **that** my parents would give me baseball cards.*

Espero que estés contento —no quiero pelear contigo hoy. — *I hope **that** you are happy— I don't want to fight with you today.*

Es preferible que pintes la casa y que no vayas a pescar este fin de semana.

- You may also ***report on others' requests, recommendations, or wishes***:

José y Gregorio quieren **que** sus padres les compren videojuegos. — *José and Gregorio want their parents to buy them video games.*

Gloria y Yolanda esperan **que** sus esposos no vayan a pescar este fin de semana. — *Gloria and Yolanda hope **that** their husbands will not go fishing this weekend.*

Javier no quiere **que** Pilar haga jogging por la noche. — *Javier doesn't want Pilar to jog/go jogging at night.*

Sonia les recomienda **que** jueguen al póquer. — *Sonia recommends **that** they play poker.*

B. When ***wishing or hoping something for oneself,*** and **the subject does not change,** you must **use the infinitive, NOT the subjunctive.**

Quieren ir de camping este fin de semana. — *They want to go camping this weekend.*

Espera tejer un suéter pronto. — *She hopes to knit a sweater soon.*

Deseo trabajar en el jardín esta tarde. — *I want to work in the garden this afternoon.*

- Some verbs used to express **requests, commands,** and **wishes** are:

aconsejar	*to recommend; to advise*	**preferir (e-ie-i)**	*to prefer*
desear	*to wish*	**prohibir**	*to prohibit*
esperar	*to hope*	**proponer**	*to suggest; to propose*
exigir	*to demand*	**querer (e-ie)**	*to want; to wish*
insistir (en)	*to insist*	**recomendar (e-ie)**	*to recommend*
necesitar	*to need*	**rogar (o-ue)**	*to beg*
pedir (e-i-i)	*to ask (for); to request*	**sugerir (e-ie-i)**	*to suggest*

- The following are some common impersonal expressions that also express **requests, commands,** and **desires:**

Es importante que	*It is important (that)*	**Es necesario que**	*It's necessary (that)*
Es mejor que	*It's better (that)*	**Es preferible que**	*It's preferable (that)*
ojalá (que)	*I wish*		

Estrategia

Educational researchers have found that it is *always* important for you to state grammar rules orally, in your own words. Correctly stating the rules demonstrates that you are on the road to using the grammar concept(s) correctly in your speaking and writing.

Based on the sentences on page 77,

1. In **Part A**, how many verbs are in each sample sentence?
2. Which verb is in the present indicative: the verb in blue or the one in red?
3. Which verb is in the present subjunctive: the verb in blue or the one in red?
4. Is there a different subject for each verb?
5. What word joins the two distinct parts of the sentence?
6. State a rule for the use of the subjunctive in the sentences from **Part A.**
7. State a rule for the sentences in **Part B.**

Ⓐ Check your answers to the preceding questions in Appendix 1.

¡Anda! Curso elemental, Capítulo 2, Presente indicativo de verbos regulares; Capítulo 3, Algunos verbos irregulares; Capítulo 4, Los verbos con cambio de raíz, Apéndice 3.

2-8 La práctica hace maestros

Su instructor/a les va a explicar una actividad para practicar la formación del subjuntivo. ¡Diviértanse!

2·9 Más práctica

En grupos de tres, practiquen más el subjuntivo. Tiren una pelota de "koosh" o un papel en forma de una pelota. Usen los verbos y los (pro)nombres siguientes con las expresiones impersonales **Es preferible, Es importante, Es necesario,** y creen oraciones breves.

Tomás y Carlos / comprar	ellas / vivir	los dos chicos / perder
nosotros / saber	tú / comenzar	tú / querer
Susana / escribir	Víctor y yo / esperar	nosotros / dormir
Gabriela y Héctor / encontrar	yo / servir	yo / ser
nuestros profesores / repetir	tú / volver	tú / poder
Paola / ponerse	los estudiantes / sentarse	tú / tener

MODELO nosotros/dormir

Es importante que durmamos ocho horas.

(Tírale la pelota a un/a compañero/a, quien crea otra oración, etc.)

2·10 Amas de casa desesperadas

Cada barrio tiene sus historias. Descubre las opiniones y un poco de las historias de las personas que viven en la Calle Glicina (*Wisteria*). Túrnense para crear oraciones con **el subjuntivo.**

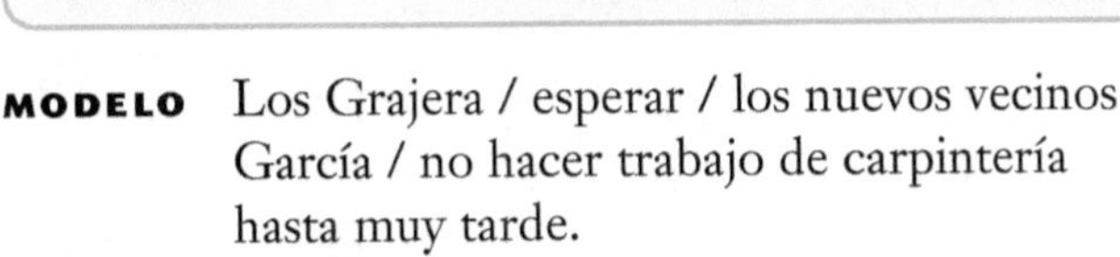

MODELO Los Grajera / esperar / los nuevos vecinos García / no hacer trabajo de carpintería hasta muy tarde.

Los Grajera esperan que los nuevos vecinos García no hagan trabajo de carpintería hasta muy tarde.

1. El Sr. Vargas / preferir / su mujer / no coleccionar estatuillas.
2. La Sra. Vargas / desear / su esposo / no jugar al póquer.
3. Los jóvenes Vargas / rogar / sus padres / pintar sus dormitorios / negro y morado.
4. Silvia Hernández / proponer / yo / tirar un platillo volador / con ella / mañana.
5. Muchos padres / decir / es preferible / sus niños / hacer artesanía afuera / y / no jugar a videojuegos / en casa.

2-11 Rafael Nadal

Ustedes son grandes aficionados (*fans*) del famoso tenista español. Lean la información sobre Rafael Nadal y túrnense para terminar las siguientes oraciones.

MODELO Recomendamos que los aficionados...
Recomendamos que los aficionados miren el torneo Australian Open en la tele.

1. Es deseable que Rafael...
2. Mi amigo/a y yo esperamos que...
3. Los aficionados esperan que...
4. Recomendamos que los aficionados...
5. Los otros jugadores de tenis profesionales exigen que...
6. Prefiero que Rafael...
7. Su entrenador le propone que...
8. Los árbitros le ruegan al público que...
9. Ojalá que...
10. Tal vez...

Nacionalidad:	España (Mallorca)
Fecha de nacimiento:	3 de junio de 1986
Residencia:	Manacor, Mallorca, España
Familia:	Sebastián, Ana María y una hermana menor llamada María Isabel
Profesional desde:	2001
Entrenador:	Toni Nadal (tío)
Comida favorita:	Mariscos y la pasta
Pasatiempos preferidos:	Jugar con el PlayStation, fútbol, golf, pescar, salir con amigos para ir a fiestas y al cine
Equipo favorito:	Real Madrid
Películas favoritas:	*Gladiator, Titanic*
Próximo torneo:	Australian Open

Fíjate

Real Madrid is a professional soccer team from Madrid, Spain.

2-12 Tus consejos

Siempre tenemos deseos y consejos para los demás.

Paso 1 Expresa tus deseos para las siguientes personas. Termina cada oración usando el **vocabulario nuevo** cuando sea posible y usa **un verbo diferente** para cada situación.

MODELO A TUS PADRES O FAMILIARES / Recomendamos que...
Recomendamos que coleccionen sellos. Es un pasatiempo interesante.

A TUS PADRES O FAMILIARES	A TI	A TU PROFESOR/A	A TU MEJOR AMIGO/A
1. Recomendamos que...	1. Es preferible que...	1. Espero que...	1. Es importante que...
2. Siempre exigimos que...	2. Es necesario que...	2. Nosotros deseamos que...	2. Te aconsejo que...
3. Sugiero que...	3. No es importante que...	3. Los estudiantes ruegan que...	3. Espero que...
4. Quiero que...	4. Mis amigos no sugieren que...	4. Propongo que...	4. Prefiero que...

Paso 2 Compara tus recomendaciones con las de un/a compañero/a.

PERFILES

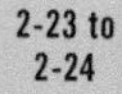

2-23 to 2-24

Campeones famosos del mundo hispano

Hay deportes y pasatiempos para todos los gustos. Aquí hay tres campeones muy admirados por sus aficionados.

José Raúl Capablanca (1888–1942) nació en Cuba y fue un prodigio del juego de ajedrez, por lo que muchos aficionados del juego se refieren a él como "el Mozart del ajedrez". Reinó como campeón mundial del ajedrez entre los años 1921 y 1927. Hoy en día se celebra el Torneo Internacional Capablanca en Memoriam; es uno de los torneos ajedrecísticos más importantes del mundo hispano.

José Alberto Pujols Alcántara (n. 1980) es de la República Dominicana. Emigró a los Estados Unidos con su familia y empezó a jugar al béisbol. Por muchos años jugó la posición de primera base para los St. Louis Cardinals en las grandes ligas y en el año 2012 empezó a jugar para los Angels de Los Ángeles. Es un jugador fenomenal; algunos lo comparan con el famoso jugador Lou Gehrig. En su primer año lo nombraron novato *(rookie)* del año en la Liga Nacional y también ha sido designado el jugador del año varias veces.

Lionel Messi (n. 1987) es un futbolista argentino que juega en el equipo FC Barcelona en España. Actualmente es considerado uno de los mejores jugadores y delanteros *(forwards)* del mundo. Es ganador del Balón de Oro y del premio *FIFA World Player* dos veces. Quizás sea el nuevo Maradona.

Fíjate

Diego Armando Maradona is a former soccer player from Argentina and is considered one of the best players in the history of the sport.

Preguntas

1. ¿Qué deportes o pasatiempos se representan aquí?
2. ¿Con quién se compara a cada campeón?
3. Probablemente, ¿qué recomiendan estos campeones que otros atletas y deportistas hagan para tener éxito?

2-13 Lorena Ochoa nos recomienda...

Lorena Ochoa, una de las mejores jugadoras de golf del mundo, nos está dando consejos de cómo mejorar nuestras habilidades en el juego de golf. Usen los siguientes verbos con el subjuntivo para crear sus consejos.

Lorena Ochoa

MODELO no jugar con expertos al empezar a jugar / a los novicios

Les aconsejo (recomiendo, sugiero, etc.) que los novicios no jueguen con expertos.

1. nunca dejar de mirar la pelota / a ti
2. comprar pelotas buenas / a tu amiga
3. mantener limpios los palos / a tu profesor/a
4. llevar lentes de sol / a tus tíos
5. darle a la pelota suavemente / a los jugadores

¡Anda! Curso elemental, Capítulo 3, Los quehaceres de la casa; Capítulo 4, Los lugares; Capítulo 10, Los medios de transporte, Apéndice 2.

2-14 Recomiendo que...

Hagan sus comentarios y sugerencias para cada situación. Usen por lo menos **cuatro** oraciones diferentes para cada una.

¡Anda! Curso intermedio, Capítulo 1, La personalidad, pág. 34.

Estrategia

For actividad **2-14,** note that for scenarios 2 through 4 you are directed to review certain chapters of *¡Anda! Curso elemental.* There, you will be reminded of helpful vocabulary you have learned that is appropriate to incorporate here. This vocabulary can be found in Appendix 2.

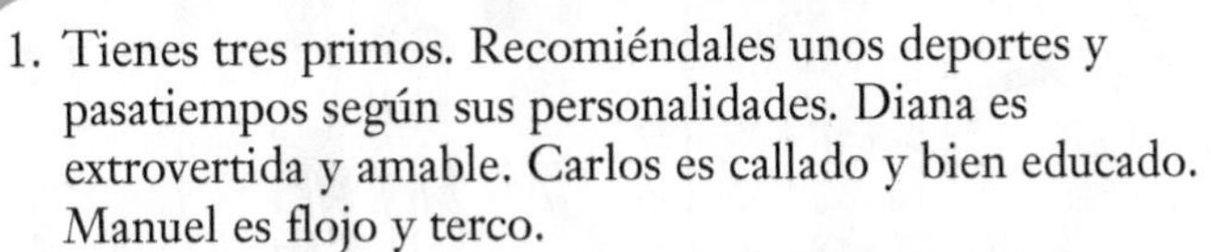

1. Tienes tres primos. Recomiéndales unos deportes y pasatiempos según sus personalidades. Diana es extrovertida y amable. Carlos es callado y bien educado. Manuel es flojo y terco.
2. Un amigo quiere comprar un Rolls Royce nuevo.
3. Tus amigos viven de una manera muy desorganizada.
4. Unos amigos van a viajar a Suramérica.

Comunicación

- Sharing information about sports
- Giving instructions, advising, or suggesting that something be done

VOCABULARIO 3 Algunos deportes

SAM 2-1 to 2-3

¡Anda! Curso elemental, Capítulo 2, Los deportes y los pasatiempos, Apéndice 2.

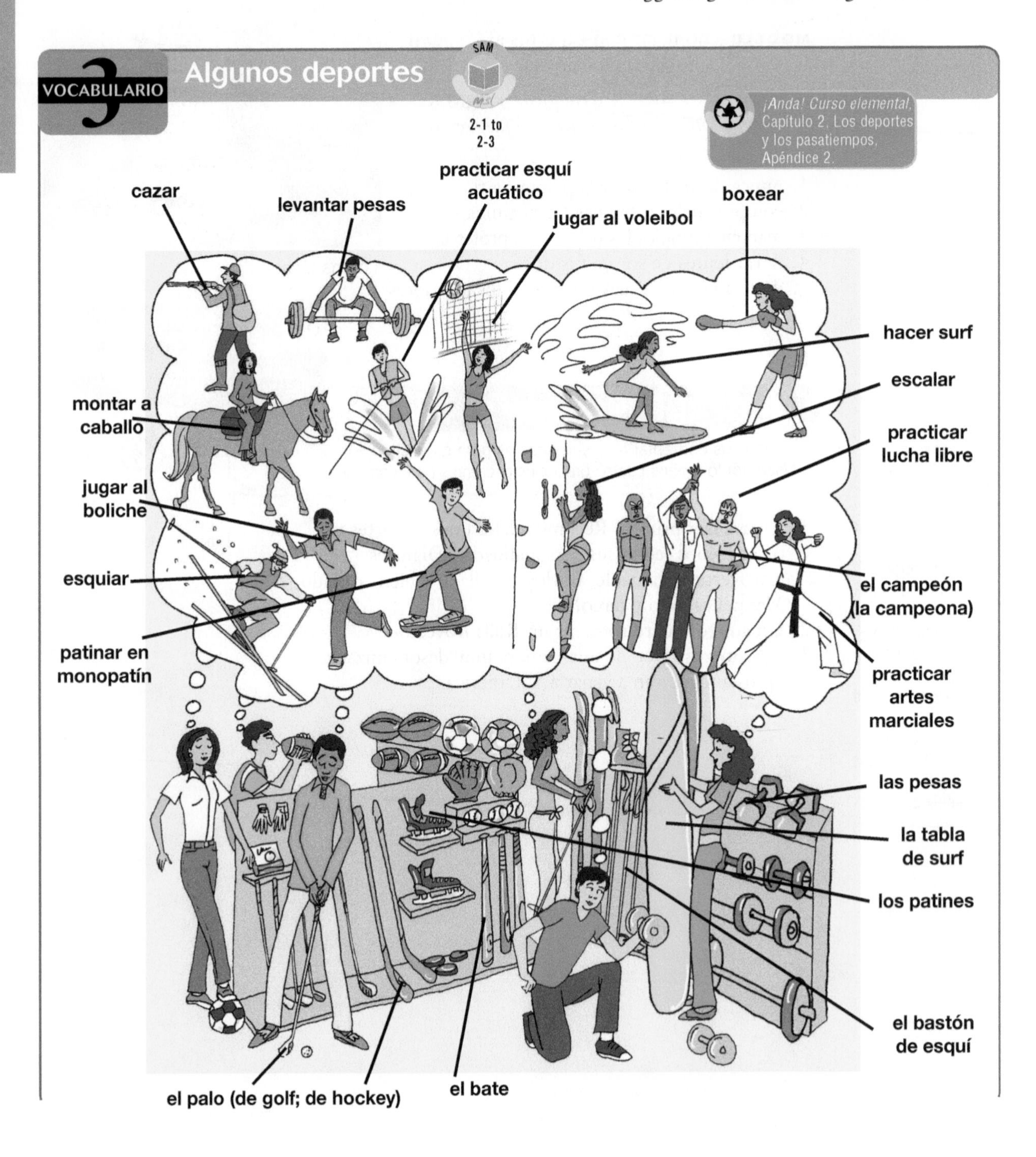

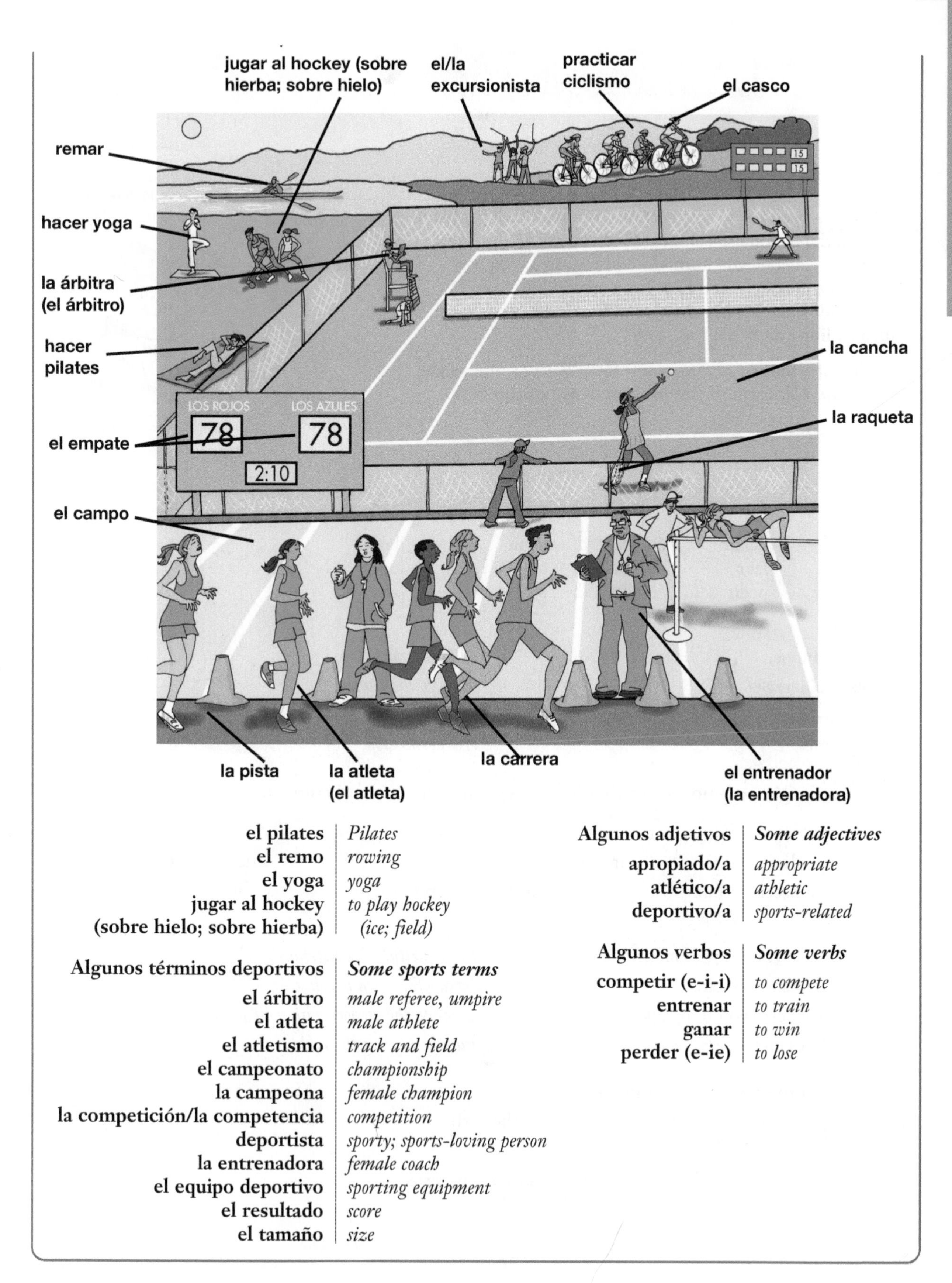

el pilates	*Pilates*
el remo	*rowing*
el yoga	*yoga*
jugar al hockey (sobre hielo; sobre hierba)	*to play hockey (ice; field)*

Algunos términos deportivos	***Some sports terms***
el árbitro	*male referee, umpire*
el atleta	*male athlete*
el atletismo	*track and field*
el campeonato	*championship*
la campeona	*female champion*
la competición/la competencia	*competition*
deportista	*sporty; sports-loving person*
la entrenadora	*female coach*
el equipo deportivo	*sporting equipment*
el resultado	*score*
el tamaño	*size*

Algunos adjetivos	***Some adjectives***
apropiado/a	*appropriate*
atlético/a	*athletic*
deportivo/a	*sports-related*

Algunos verbos	***Some verbs***
competir (e-i-i)	*to compete*
entrenar	*to train*
ganar	*to win*
perder (e-ie)	*to lose*

Los mandatos informales

10-12 to 10-16 52

When you need to give instructions, advise, or ask people to do something, you use commands. If you are addressing a friend or someone you normally address as **tú,** you use informal commands. You have been responding to **tú** commands since the beginning of ***¡Anda!*****: escucha, escribe, abre tu libro en la página...,** etc.

1. **The affirmative *tú* command form is the same as the *él, ella, Ud.* form of the present tense of the verb:**

Infinitive		Present tense	Affirmative *tú* command
llen**ar**	él, ella, Ud.	llen**a**	llen**a**
le**er**	él, ella, Ud.	le**e**	le**e**
ped**ir**	él, ella, Ud.	pid**e**	pid**e**

Llen**a** el tanque. — *Fill the tank.*

Dobl**a** a la derecha. — *Turn to the right.*

Conduc**e** con cuidado. — *Drive carefully.*

Pid**e** permiso. — *Ask permission.*

There are eight common verbs that have irregular affirmative *tú* commands:

decir	**di**	ir	**ve**	salir	**sal**	tener	**ten**
hacer	**haz**	poner	**pon**	ser	**sé**	venir	**ven**

Sé respetuoso con los peatones. — *Be respectful of pedestrians.*

Ten cuidado al conducir. — *Be careful when driving.*

Ven al aeropuerto con tu pasaporte. — *Come to the airport with your passport.*

Pon las llaves en la mesa. — *Put the keys on the table.*

2. **To form the negative *tú* commands:**
   1. Take the **yo** form of the present tense of the verb.
   2. Drop the **-o** ending.
   3. Add ***-es*** for **-ar** verbs, and add ***-as*** for **-er** and **-ir** verbs.

Infinitive	Present tense		Negative *tú* command
llen**ar**	yo llen**ø**	+ es	no llen**es**
le**er**	yo le**ø**	+ as	no le**as**
ped**ir**	yo pid**ø**	+ as	no pid**as**

No llen**es** el tanque. *Don't fill the tank.*

No dobl**es** a la derecha. *Don't turn to the right.*

No conduzc**as** muy rápido. *Don't drive very fast.*

No pid**as** permiso. *Don't ask permission.*

Verbs ending in **-car, -gar,** and **-zar** have a spelling change in the negative **tú** command. These spelling changes are needed to preserve the sound of the infinitive ending.

Infinitive	Present tense		Negative *tú* command
sa**car**	yo sa**co**	**c → qu**	no sa**qu**es
lle**gar**	yo lle**go**	**g → gu**	no lle**gu**es
empe**zar**	yo empie**zo**	**z → c**	no empie**c**es

3. Object and reflexive pronouns are used with *tú* commands in the following ways.

a. They are *attached* to the end of *affirmative* commands. When the command is made up of more than two syllables after the pronoun(s) is/are attached, a written accent mark is placed over the stressed vowel.

Se pinchó una llanta. **¡Cámbiamela!** *I got a flat tire. Change it for me!*

Tu bicicleta no funciona. **Revísala.** *Your bike does not work. Check it.*

Me gusta tu coche. **Préstamelo.** *I like your car. Loan it to me.*

Llegamos tarde. ¡**Estaciónate,** por favor! *We are late. Park, please!*

b. They are placed *before negative* **tú** commands.

No se nos pinchó una llanta. *We don't have a flat tire.*
¡No **me la** cambies! *Don't change it for me!*

Tu bicicleta funciona. *Your bicycle works.*
No **la** vendas. *Don't sell it.*

No me gusta ese coche. *I don't like that car.*
No **me lo** compres. *Don't buy it for me.*

Llegamos tarde. *We are late.*
No **te** estaciones aquí, por favor. *Do not park here, please.*

Los mandatos formales

10-17 to 10-20 52

When you need to influence others by making a request, giving advice, or giving orders to people you normally treat as **Ud.** or **Uds.,** you are going to use a different set of commands: **Ud.** and **Uds.** commands. The forms of these commands are similar to the negative **tú** command forms.

1. **To form the *Ud.* and *Uds.* commands:**
   1. Take the **yo** form of the present tense of the verb.
   2. Drop the **-o** ending.
   3. Add ***-e(n)*** for **-ar** verbs, and add ***-a(n)*** for **-er** and **-ir** verbs.

Infinitive	Present tense		*Ud.* commands	*Uds.* commands
limpi**ar**	yo limpiø	+ e(n)	(no) limpie	(no) limpien
le**er**	yo leø	+ a(n)	(no) lea	(no) lean
ped**ir**	yo pidø	+ a(n)	(no) pida	(no) pidan

Llene el tanque. **Llénelo.** — *Fill up the tank. Fill it.*
No limpie el parabrisas. **No lo limpie.** — *Don't clean the windshield. Don't clean it.*
Conduzca el camión para su tío. **Condúzcalo.** — *Drive the truck for your uncle. Drive it.*
No ponga esa gasolina cara en el coche. — *Don't put that expensive gasoline in the car.*
No la ponga en el coche. — *Don't put it in the car.*
Traiga su licencia. **Tráigala.** — *Bring your license. Bring it.*
No busquen sus llaves. **No las busquen.** — *Don't look for your keys. Don't look for them.*

1. Where do the object pronouns appear in affirmative commands? In negative commands? In what order?
2. Why are there written accents on some of the commands and not on others?

Check your answers to the preceding questions in Appendix 1.

2. **Verbs ending in *-car*, *-gar*, and *-zar* have a spelling change in the *Ud.* and *Uds.* commands. These spelling changes are needed to preserve the sound of the infinitive ending.**

Infinitive	Present tense		*Ud. /Uds.* commands
sacar	yo saco	**c → qu**	saque(n)
llegar	yo llego	**g → gu**	llegue(n)
empezar	yo empiezo	**z → c**	empiece(n)

3. **These verbs also have irregular forms for the *Ud./Uds.* commands:**

dar	**dé(n)**	ir	**vaya(n)**	ser	**sea(n)**
estar	**esté(n)**	saber	**sepa(n)**		

4. Finally, compare the forms of the *tú* and *Ud./Uds.* commands:

	***Tú* commands**		***Ud./Uds.* commands**	
	affirmative	**negative**	**affirmative**	**negative**
hablar	habla	no hables	hable(n)	no hable(n)
comer	come	no comas	coma(n)	no coma(n)
pedir	pide	no pidas	pida(n)	no pida(n)

Estrategia

When learning vocabulary, study the list and quickly begin to eliminate the words you already know and the others that you can learn quickly. Focus on the remaining words and phrases for more concentrated study.

2-15 ¿Va o no va?

Completen los siguientes pasos.

Paso 1 Escojan la palabra que no pertenece a cada uno de los siguientes grupos. Túrnense.

1. el atletismo, la carrera, la pista, el boliche
2. el árbitro, la tabla de surf, la raqueta, el bate
3. el entrenador, la cancha, el atleta, el campeón
4. la pista, el palo, los patines, las pesas
5. la pelota, la cancha, el tamaño, la raqueta

¡Anda! Curso elemental, Capítulo 2, Los deportes y los pasatiempos, Apéndice 2.

Paso 2 Expliquen por qué la palabra que escogieron no pertenece.

2-16 El entrenador

Túrnense para darles instrucciones a unos atletas, usando **los mandatos informales.**

Paso 1 Diles lo que deben hacer.

MODELO esquiar / en los Andes
Esquía en los Andes.

1. practicar artes marciales / para tener más equilibrio
2. patinar en monopatín / con un casco
3. hacer surf / con un profesional
4. jugar al boliche / los sábados con nosotros
5. repetir / los ejercicios con pesas ligeras (*light*)
6. ir / a ver la competición del atletismo
7. comer carbohidratos / antes de boxear
8. poner / las pelotas en la cesta (*basket*)
9. buscar / los bates en el campo
10. dormir / ocho horas cada noche

Estrategia

Remember that stem-changing verbs in the present indicative will usually reflect those changes in the *Ud.*, *Uds.*, and *tú* commands. What are the commands for *cerrar, servir,* and *dormir*?

Paso 2 Ahora diles lo que no deben hacer.

MODELO esquiar / en los Andes
No esquíes en los Andes.

¡Anda! Curso elemental, Capítulo 2, Los deportes y los pasatiempos, Apéndice 2.

2-17 Los deportes en la UCA

El semestre que viene, vas a estudiar en la UCA (Universidad Católica Argentina). Tienen un gran programa deportivo y quieres participar.

Paso 1 Completa el formulario.

UNIVERSIDAD CATÓLICA ARGENTINA

Complete el siguiente formulario para recibir información detallada de las actividades deportivas a realizarse durante el año escolar.

fútbol
___ novicio
___ recreativo
___ competitivo

polo
___ novicio
___ recreativo
___ competitivo

tenis
___ novicio
___ recreativo
___ competitivo

hockey
___ novicio
___ recreativo
___ competitivo

voleibol
___ novicio
___ recreativo
___ competitivo

golf
___ novicio
___ recreativo
___ competitivo

básquetbol
___ novicio
___ recreativo
___ competitivo

escuela montaña (escalar)
___ novicio
___ recreativo
___ competitivo

Paso 2 Comparte el formulario con tus compañeros en grupos de tres o cuatro. ¿Van a participar en los mismos deportes? ¿En qué deportes son novicios? ¿En qué deportes están al nivel recreativo?, ¿nivel competitivo? Luego, formen **cuatro mandatos informales** para animarlos o desanimarlos.

MODELO E1: *Joe, no juegues al fútbol. Practica el remo conmigo.*
E2: *Sarah, juega al voleibol conmigo. No escales la montaña…*

Fíjate

Remember to say "with me," you say *conmigo*.

Fíjate

You see in the directions to **2-18** the word *primito,* meaning *little cousin.* The endings *ito/a/s* mean *small/little/cute/endearing.* How would you say *my little female cousin? Her little house? Our little books?*

¡Anda! Curso intermedio, Capítulo 1, Review of direct object pronouns, pág. 36.

2-18 Te toca a ti

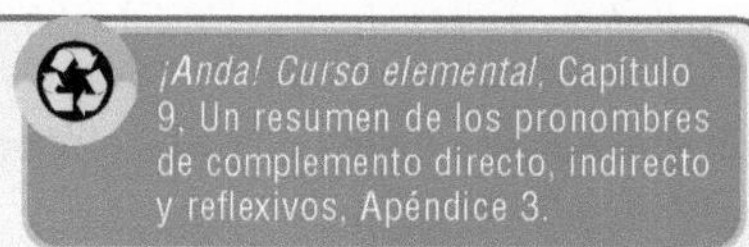

Tienen un primito bien atlético. Túrnense para contestar sus preguntas. En sus respuestas, deben usar **los pronombres de complemento directo.**

MODELO ¿Puedo escalar el estante de libros? (No)
No, no lo escales.

1. ¿Puedo usar tus patines? (No)
2. ¿Puedo levantar las pesas grandes? (Sí)
3. ¿Puedo ponerme tu casco para patinar en monopatín? (No)
4. ¿Puedo practicar artes marciales en tu garaje? (Sí)
5. ¿Puedo comprar unas pelotas de tenis? (Sí)

2-19 Cosas para hacer y no hacer

Túrnense para formar **mandatos formales afirmativos y negativos** con las siguientes palabras.

MODELO el bastón de esquí (Ud.)
Busque el bastón de esquí. No compre bastones de esquí nuevos...

1. los palos de golf (Ud.)
2. la lucha libre (Uds.)
3. el casco (Uds.)
4. las pesas (Ud.)
5. el equipo (Uds.)
6. la árbitro (Ud.)

¡Anda! Curso elemental, Capítulo 2, Los deportes y los pasatiempos; Capítulo 7, La comida; Capítulo 9, El cuerpo humano, Apéndice 2.

2-20 Sus consejos

Antonia Novello, de Fajardo, Puerto Rico, fue la primera mujer y la primera hispana en ocupar el puesto de Cirujana General de los Estados Unidos (1990–1993). En una conferencia reciente, le da consejos al público sobre cómo vivir una vida sana y segura. Formen por lo menos **cinco mandatos formales afirmativos** y **tres negativos** que ella podría (*could*) dar.

MODELO *Es importante ser activo y es necesario usar el equipo deportivo adecuado. Por ejemplo, compren un casco bueno para practicar ciclismo...*

Antonia Novello

¡Anda! Curso elemental, Capítulo 2, Los deportes y los pasatiempos, Apéndice 2.

2-21 Un deporte para cada quien

Túrnense para darles consejos a unos jóvenes que quieren ponerse en forma.

MODELO Nos gustan los animales.
Pues, monten a caballo.

1. Nos gusta la nieve.
2. Nos gustan las bicicletas.
3. Nos gustan las montañas.
4. Nos gusta el hielo.
5. Nos gusta el agua.
6. Nos gusta el gimnasio.

Estrategia

Remember to use the *Ud./Uds.* forms with people you do not know well or with whom you are not on a first-name basis. Guests in a hotel would fall into this category.

2-22 El Centro Turístico de Punta Cana

¡Qué suerte! Tienen la oportunidad de trabajar durante un verano en un centro turístico muy exclusivo en la República Dominicana. Túrnense para ayudar a los huéspedes (*guests*) a escoger el deporte perfecto.

Fíjate

Miguel Indurain is a Spanish cyclist, winner of numerous races including the prestigious Tour de France. Many consider him the best Spanish athlete of all time and one of the greatest in cycling history.

MODELO Soy una persona muy enérgica y quiero hacer algo para aliviar el estrés.
Pues, practique artes marciales.

1. Admiro mucho a Lance Armstrong y a Miguel Indurain.
2. No me gusta jugar en equipo.
3. Me siento muy joven y me gusta el peligro (*danger*).
4. No soy muy fuerte.
5. Traje una raqueta.
6. Me gusta correr.

Punta Cana

¡Anda! Curso elemental, Capítulo 2, Los deportes y los pasatiempos; Capítulo 4, Los lugares; Capítulo 5, El mundo de la música, El mundo del cine, Apéndice 2.

2-23 Vengan a vernos

Escriban un anuncio de publicidad para el Centro Turístico de Punta Cana. Usen por lo menos **ocho mandatos formales**. ¡Sean creativos!

MODELO *¡Señoras y señores! Vengan al Centro Turístico de Punta Cana para pasar siete días estupendos con nosotros. Por ejemplo, jueguen al béisbol y usen el mismo bate que usó Sammy Sosa. También…*

GRAMÁTICA 4 Los mandatos de *nosotros/as*

¡Esquiemos! ¡Cacemos!

In the ***Repaso*** section, we revisited the **tú** and **Ud. /Uds.** commands. Whenever you wish for people to join you in doing things, you use the **nosotros** commands. These commands are the equivalent of the English *Let us/Let's...*

- The endings are the same for all regular and irregular verbs and are formed like the **Ud., Uds.,** and negative **tú** commands:

1. Take the **yo** form of the present indicative tense of the verb.
2. Drop the **-o** ending.
3. Add **-emos** for **-ar** verbs, and add **-amos** for **-er** and **-ir** verbs.

camin**ar** yo caminø + **emos** camin**emos**

	ganar	correr	vivir
nosotros	ganemos	corramos	vivamos

Mont**emos** a caballo hoy. *Let's go horseback riding today.*
Y corr**amos** en el parque. *And let's go running in the park.*

- Note that these endings do not change their form in the negative **nosotros** command.

No mont**emos** a caballo hoy. *Let's not go horseback riding today.*
Y no corr**amos** en el parque. *And let's not go running in the park.*

- Some common irregular verbs are formed as follows:

	hacer	poner	ser	traer
nosotros	hagamos	pongamos	seamos	traigamos

	decir	ir	oír	salir
nosotros	digamos	vayamos	oigamos	salgamos

No **vayamos** al partido de fútbol esta noche. *Let's not go to the soccer game tonight.*
Ha**gamos** una fiesta en casa. *Let's have a party at home.*
Sal**gamos** para el centro. *Let's go downtown.*

- Note the spelling changes for some common verbs ending in **-car, -gar,** and **-zar.**

	practicar	jugar	empezar
nosotros	practiquemos	juguemos	empecemos

Practiquemos ciclismo con toda la familia. *Let's go cycling with the whole family.*
No **juguemos** sin los niños. *Let's not play without the children.*
Empecemos el juego a las dos. *Let's start the game at two.*

- Stem changing **-ir** verbs, such as **dormir (o-ue-u)** and **competir (e-i-i)** change as follows:

	dormir (o-ue-u)		**competir (e-i-i)**	
	present	***nosotros* command**	**present**	***nosotros* command**
nosotros	dormimos	durmamos	competimos	compitamos

Durmamos más para poder jugar mejor. *Let's sleep more so that we will be able to play better.*

Compitamos contra el equipo de tu hermano. *Let's compete against your brother's team.*

- With reflexive verbs, or when adding the pronoun se, the final -s is dropped from -mos (for example, sentémonos).

Dejemos de hablar

¡**Levantémonos** y juguemos!

Comprémoselas antes de irnos a la cancha.

- As in the case of **tú** and **Ud(s).** commands, object pronouns are used with **nosotros** commands, as shown in the examples that follow. With reflexive verbs, or when adding the pronoun **se,** the final **-s** is dropped from **-mos** (for example, **sentémonos**).

Jorge, ¿dónde está tu casco? *Jorge, where is your helmet?*

Busquémoslo ahora mismo. *Let's all look for it right now.*

¿Cuándo vamos a comprar las raquetas nuevas de tenis? Comprémoslas ahora. *When are we going to buy the new tennis rackets? Let's buy them now.*

¿Las raquetas? No las compremos ahora; esperemos hasta la semana que viene. *The rackets? Let's not buy them now; let's wait until next week.*

¿Tienes el palo para Pepe? *Do you have the golf club for Pepe?*

Sí, pero no se lo demos ahora. *Yes, but let's not give it to him now.*

Dejemos de hablar. ¡Levantémonos y juguemos! *Let's stop talking. Let's get up and play!*

Ella necesita unas pelotas de tenis. *She needs some tennis balls.*

Comprémoselas antes de irnos a la cancha. *Let's buy them for her before going to the tennis court.*

1. Where are object pronouns placed when used with affirmative commands?
2. Where are object pronouns placed when used with negative commands?
3. When do you need to add a written accent mark?

Check your answers to the preceding questions in Appendix 1.

Note: Affirmative **nosotros** commands can also be expressed using the phrase **vamos a** + *infinitive*. To express "let's not" do something, the subjunctive is used.

Vamos a patinar en monopatín mañana. *Let's go skateboarding tomorrow.*

Vamos a esquiar este fin de semana. *Let's go skiing this weekend.*

No vayamos al gimnasio a levantar pesas hoy. Estoy cansada. *Let's not go to the gym to lift weights today. I'm tired.*

No vayamos al partido de hockey esta noche. *Let's not go to the hockey game tonight.*

2-24 De otra manera

Cambien los mandatos **vamos a** + *infinitivo* a **mandatos de** ***nosotros/as***. Túrnense.

MODELO

Vamos a bailar.
Bailemos.

Vamos a...

1. 

practicar lucha libre.

2. 

hacer surf.

3. 

competir contra el equipo de Tomás.

4. 

jugar al hockey.

5. 

patinar en monopatín.

6. 

escalar montañas.

7. 

montar a caballo.

8. 

esquiar.

¡Anda! Curso intermedio, Capítulo 1, Otras características personales, pág. 34.

¡Anda! Curso elemental, Capítulo 2, Los deportes y los pasatiempos, Apéndice 2.

2·25 Así somos

Hay una actividad para cada personalidad. Túrnense para sugerir actividades a las siguientes personas.

MODELO Somos deportistas.

E1: *Escalemos las montañas.*

E2: *Buena idea. Esquiemos también.*

Somos...

1. extrovertidos
2. tacaños
3. pobres
4. fuertes
5. callados
6. flojos
7. ricos
8. débiles

¡Anda! Curso intermedio, Capítulo 1, Algunos verbos como *gustar*, pág. 40.

2·26 ¿Qué hacemos?

Circula por la clase y habla con **dos** personas para poder encontrar una(s) actividad(es) que puedan hacer juntos.

MODELO YO: *A mí no me gusta hacer surf, ¿a ti Julie?*

E1: *A mí tampoco me gusta hacer surf.*

E2: *A mí sí me gusta hacer surf.*

YO: *Bueno. Lo siento, Al, pero no hagamos surf.*

ACTIVIDAD	Yo	E1 *Julie*	E2 *Al*
1. hacer surf	*no*	*no*	*sí*
2. hacer ejercicio			
3. jugar al tenis			
4. nadar			
5. patinar sobre hielo			
6. tomar el sol			
7. montar a caballo			

2-13

Notas culturales

La Vuelta al Táchira

A muchos deportistas les encanta el desafío (*challenge*) que acompaña una competencia deportiva. Investiguemos un evento que tiene lugar anualmente en el estado de Táchira en Venezuela. Se trata de una competencia de ciclismo que ocurre en el mes de enero durante la Fiesta de San Sebastián. En esta difícil competencia participan ciclistas de todo el mundo. Muchas personas creen que la Vuelta al Táchira es el evento ciclista más importante de América.

Consideremos los elementos del desafío: la distancia de la ruta es de más de 1.700 kilómetros en total. El terreno es muy montañoso. La competencia se divide en trece etapas y dura dos semanas. Y no olvidemos la rivalidad que existe en esta competencia entre los participantes colombianos y venezolanos en particular. Así que es un evento con mucha emoción y actividad.

La Vuelta al Táchira

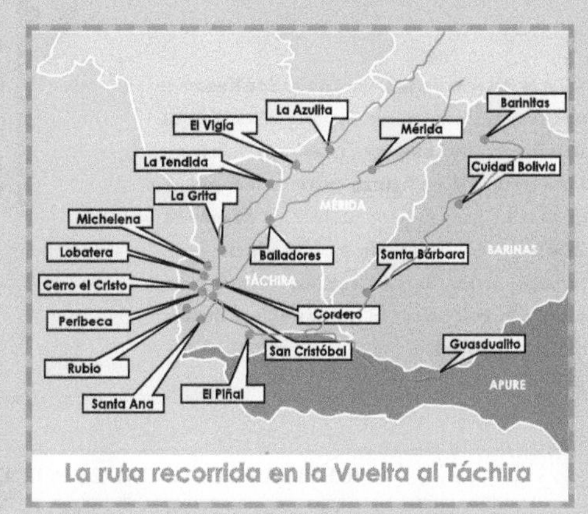

La ruta recorrida en la Vuelta al Táchira

Preguntas

1. ¿Qué tipo de deporte se practica en Táchira?
2. Describe la competencia: cuándo es, el terreno, la distancia de la ruta, etc.
3. ¿Cómo se puede preparar un participante para la Vuelta?
4. ¿Qué otras competiciones internacionales conoces?

2-27 ¡Conversemos!

Túrnense para hacer planes para el próximo fin de semana.

MODELO jugar al boliche

E1: *Me gusta jugar al boliche.*

E2: *Yo también juego al boliche.*

E1: *Entonces, juguemos al boliche este fin de semana.*

1. boxear
2. practicar artes marciales
3. ir al partido de básquetbol
4. jugar al golf
5. hacer surf
6. ser árbitro/a
7. comprar unos patines para jugar al hockey
8. ver la competición de atletismo en la tele

2·28 En el Hotel Palacio de la Luna

¡Van a pasar las vacaciones de primavera en Cancún, México —por cuatro días! Decidan cuáles de las posibles actividades quieren hacer. Después, compartan sus listas entre todos.

NUESTRAS ACTIVIDADES POR DÍA:			
lunes	**martes**	**miércoles**	**jueves**
de día: *levantemos pesas*	**de día:**	**de día:**	**de día:**
de noche: *compitamos jugando al tenis*	**de noche:**	**de noche:**	**de noche:**

2·29 ¿Qué hacemos este fin de semana?

Jamás hay suficiente tiempo durante los fines de semana. Conversen sobre las posibilidades de hacer algo con sus parientes o mejores amigos.

comer en nuestro restaurante favorito	dormir doce horas cada noche
hacer la tarea	hacer un postre
ir al partido de béisbol	viajar en barco
limpiar la casa	pasar la aspiradora
practicar el esquí acuático	salir a bailar

MODELO E1: *¿Qué quieren hacer este fin de semana? Si todos tenemos hambre, comamos en nuestro restaurante favorito.*

E2: *Buena idea; también, si tenemos tiempo el sábado por la mañana, durmamos...*

ESCUCHA

2-14 to
2-17

ESTRATEGIA **Listening for the gist**

When you are speaking with someone or listening to a description or narration, you can often understand what is being said by paying attention to the speaker's intonation, gestures, the topic being discussed, and the overall context. You do not need to understand every word, but by focusing on specific details you can get the *gist,* or main idea(s), of what is being said. You should be able to state the gist of a passage in one or two sentences.

2•30 Antes de escuchar

Describe a las personas que aparecen en la foto. ¿Dónde están? ¿De qué crees que están hablando? ¿Qué crees que van a hacer?

1. ¿Con quiénes pasas tú la mayoría de tu tiempo? ¿Qué tienes en común con esas personas?
2. ¿Cómo pasan el tiempo?
3. Generalmente, ¿qué haces los fines de semana?

2•31 A escuchar

CD 1
Track 15

Completa los siguientes pasos.

Paso 1 Lee las oraciones que aparecen a continuación. Después, escucha la conversación entre Jorge y Rafa mientras hablan de sus planes para el fin de semana. Después de escuchar, escoge la oración que mejor describe la conversación.

a. Deciden hacer un poco de todo —levantar pesas, hacer surf y esquiar.
b. Se pelean (*They fight*) porque Consuelo no va a limpiar las ventanas.
c. No pueden ponerse de acuerdo (*agree*) porque quieren hacer cosas diferentes.

Paso 2 Antes de escuchar la conversación otra vez, lee las siguientes preguntas y respuestas. Por fin, ¿qué deciden hacer Jorge y Rafa? Escoge las respuestas correctas después de escuchar.

1. ¿Cuál de estas cosas quiere hacer Jorge?
   a. esquiar b. jugar al boliche c. patinar en monopatín
2. ¿Cuál de estas cosas quiere hacer Rafa?
   a. cazar b. boxear c. montar a caballo
3. ¿Cuál es el acuerdo (*compromise*)?
   a. Primero van a limpiar la casa y después van a ir al gimnasio.
   b. Deciden estudiar, pero el próximo fin de semana van a hacer algo más activo y al aire libre.
   c. Van a hacer la compra para la semana y ayudar a Consuelo.

2•32 Después de escuchar

Mira o escucha el prognóstico del tiempo (*weather report*) en español (de la televisión, la radio o el Internet). Basándote en ese prognóstico, planea un fin de semana perfecto. Después, haz un segundo plan en caso de que cambie el tiempo (por ejemplo, si llueve).

¿Cómo andas?

Having completed the first **Comunicación**, I now can...

	Feel Confident	Need to Review
• list different sports people participate in and/or watch. (p. 84)	❑	❑
• give instructions and advice regarding sports and pastimes. (p. 89)	❑	❑
• suggest things to do using *Let's...* (p. 93)	❑	❑
• describe an international cycling competition. (p. 97)	❑	❑
• listen for and identify the gist of a conversation. (p. 100)	❑	❑

¡Conversemos!

SAM 2-25 to 2-26

ESTRATEGIAS COMUNICATIVAS

Expressing pardon, requesting clarification, and checking for comprehension

When learning a language, we often do not understand what a native speaker says the first time, or we wish to check our comprehension. Use the following phrases to help in these situations.

Para pedir perdón	*To excuse yourself*
Disculpa/Discúlpame (familiar)	*Excuse me.*
Disculpe/Discúlpeme (formal)	
Disculpen/Discúlpenme (plural)	*Pardon.*
Perdón/Perdóname (familiar)	
Perdóneme/Perdónenme (formal)	
Con permiso.	*With your permission, excuse me.*

Para pedir clarificación	*To ask for clarification*
¿Cómo?	*What?*
Repite/a, por favor.	*Repeat, please.*
¿Qué dijiste/dijo?	*What did you say?*
¿Qué quiere decir...?	*What does...mean?*
¿Qué significa...?	*What does...mean?*

CW eBook CD 1 Track 16

2·33 Diálogos

Escucha los diálogos y contesta las siguientes preguntas.

1. ¿Qué le dijo José a Josefina cuando sonó el telefóno?
2. ¿Qué dijeron Teresa y Marina al salir del metro?

2·34 Disculpa, por favor

Con un/a compañero/a de clase, usa las estrategias comunicativas que aprendiste para decidir qué debes decir en las siguientes situaciones. Más de una estrategia puede ser aceptable.

1. En un partido de fútbol donde hay mucho ruido, no oíste lo que tu amigo te dijo.
2. En el partido de béisbol, anuncian los resultados de otros partidos importantes del día, pero no entendiste lo que se dijo sobre tu equipo favorito.
3. En el mismo partido, un aficionado te explica algo complicado que un jugador hizo, usando palabras que no has escuchado antes.
4. Necesitas bajar del autobús porque has oído que la próxima parada es la tuya. Hay muchas personas delante de ti.
5. Cuando sales del autobús, le pisas (*step on*) el pie a alguien sin querer.

2·35 Adivina el deporte

Se juega en equipos. Un miembro de cada equipo selecciona una palabra (del vocabulario sobre los deportes y pasatiempos) y se la describe a su equipo sin usar ninguna palabra asociada semánticamente con la palabra. Usen las estrategias comunicativas para clarificar las pistas.

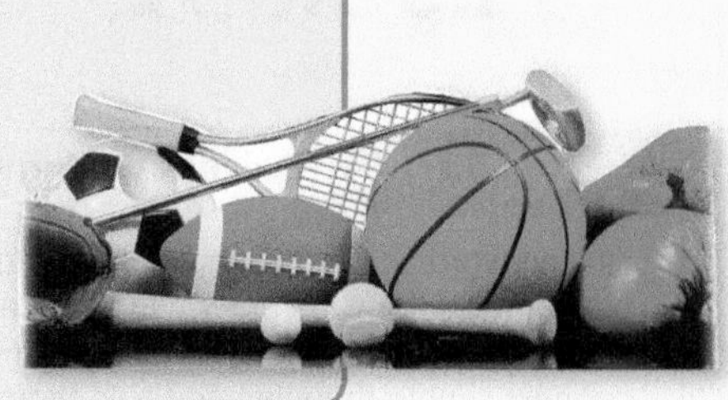

MODELO E1: *Es un deporte en que usas una raqueta.*
E2: *¿Se usa una pelota también?*

2·36 Situaciones

Ahora que sabes disculparte y pedir clarificación, con un/a compañero/a de clase, dramaticen las siguientes situaciones:

1. **E1:** Recibes una llamada telefónica de una persona que cree haber llamado a un teatro. No te deja hablar.
   E2: Llamas a un teatro para comprar boletos para un concierto de Juanes. La persona que contesta no parece ni oírte ni entenderte.

MODELO E1: *¿Aló?*
E2: *Buenos días. ¿Hablo con El Teatro de Oro? Quiero comprar unos boletos para el concierto de Juanes este viernes a las siete y media.*
E1: *Perdón. ¿Qué dijo usted? Creo que usted se equivocó.*
E2: *¿Cómo? Disculpe. Unos boletos. Quiero comprar dos boletos…*

2. **E1:** Trabajas en la ventanilla (*ticket window*) del estadio municipal. Un extranjero te hace preguntas pero no entiendes.
   E2: Eres turista y quieres comprar una entrada para ver el partido de fútbol esta tarde. Parece que el vendedor te ignora o no quiere venderte el boleto.
3. **E1:** Vas en autobús a una exhibición de lucha libre. Hay mucha gente en el pasillo y necesitas pasar porque tu parada viene pronto.
   E2: Estás en el autobús y una persona te dice algo pero no la entiendes. Pide clarificación.

Fíjate

Juanes is a successful Colombian musician. He has won many Latin Grammy awards. His real name is Juan Esteban Aristizábal Vásquez.

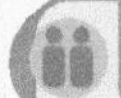

2·37 Sobre gustos no hay nada escrito

¡Tu amigo/a (un/a compañero/a de clase) han ganado un premio fabuloso! Van a pasar dos días en un hotel de lujo—¡gratis! En este hotel hay todo tipo de deportes y pasatiempos, y ustedes tienen que decidir cuáles van a practicar en su tiempo limitado. Deben hacer una lista de por lo menos **seis** de las actividades que más quieren hacer. Usen **los mandatos de *nosotros/as*** y las estrategias comunicativas.

MODELO E1: *Bueno, el primer día, levantemos pesas por la mañana. Y luego juguemos al tenis.*
E2: *Discúlpame. La verdad es que no me…*

ESCRIBE

2-27 to 2-29

ESTRATEGIA Process writing (Part 2): Linking words

Linking words can provide a smooth transition between portions of your writing so that it does not appear choppy or disjointed. Use linking words to connect simple thoughts and turn them into complex sentences. Linking words will help you communicate your ideas in a natural way, and by using these words, your writing will flow more smoothly.

Nexos	***Linking Words***
así	*thus*
cuando	*when*
o/u	*or*
pero	*but*
porque	*because*
pues	*well, since*
que, quien	*that, who*
y/e	*and*

2•38 Antes de escribir

Vas a comentar en un blog sobre una experiencia con un deporte.

1. Primero, piensa en los eventos principales de tu experiencia.
2. Después, haz una lista de los eventos que quieres mencionar; escribe una o dos oraciones descriptivas para cada evento.
3. Finalmente, conecta las oraciones con nexos donde sea necesario para que tengan más sentido.

2•39 A escribir

Escribe tu comentario de blog.

Asegúrate de que:

- hayas incluido los eventos más importantes de la experiencia deportiva.
- conecta tus pensamientos para tener más sentido.

Menciona por lo menos **cuatro** eventos que ocurrieron. Tu comentario debe contener por lo menos **seis** oraciones. Usa por lo menos **dos oraciones en el subjuntivo.**

MODELO *Mi amigo siempre quiere que vaya con él a esquiar. Así que por fin decidí intentarlo pero primero tuve que comprar los esquís y luego los bastones de esquí…*

2•40 Después de escribir

Comparte tu comentario de blog con un/a compañero/a de clase. Haz una comparación de las dos experiencias que ustedes han tenido. ¿En qué son similares y en qué son diferentes? Comunica esta información a la clase.

¿Cómo andas?

Having completed the second **Comunicación,** I now can...

	Feel Confident	Need to Review
• share about pastimes. (p. 70)	❑	❑
• express choices, preferences, and desires. (p. 77)	❑	❑
• name three Hispanic figures in sports and pastimes and explain why they are famous. (p. 82)	❑	❑
• use linking words to make writing more cohesive. (p. 104)	❑	❑

Vistazo cultural

VISTAZO CULTURAL • VISTAZO CULTURAL • VISTAZO CULTURAL • VISTAZO CULTURAL • VISTAZO CULTURAL • VISTAZO CULTURAL

Julio López Ríos, estudiante del Instituto Tecnológico y de Estudios Superiores de Monterrey, México

2-30

Vistas culturales

Deportes y pasatiempos en la cultura mexicana

Me interesa todo tipo de arte creativo relacionado con la tecnología de las computadoras. Así decidí seguir una carrera en la cual puedo combinar los dos intereses. Estudio para sacar una Licenciatura en Animación y Arte Digital. Exploremos más pasatiempos y deportes en México. Quizás un deporte o un pasatiempo pueda inspirar tu carrera.

La lucha libre

La lucha libre continúa subiendo en popularidad. Las máscaras de los deportistas de lucha libre son a la vez símbolos de la política, del mito (*myth*) histórico, del alma (*soul*) individual y de la resistencia social del pueblo. Llevar una máscara convierte al luchador en otro personaje y le da cierta libertad.

Los alebrijes

Hay muchos artistas en México que hacen artesanía, no como un pasatiempo, sino para ganarse la vida. En el estado de Oaxaca hay artesanos que trabajan con madera para hacer figuritas de animales; se llaman *alebrijes*. Los alebrijes tienen colores brillantes y están decorados con muchos detalles.

Cozumel

Hay varios lugares para bucear en México, y la costa de Cozumel es famosa en todo el mundo por todas sus atracciones. Tiene más de cien lugares oficiales del buceo. Para los aficionados a este deporte, es un paraíso marino con una gran variedad de flora y fauna.

El Parque Chapultepec

Un pasatiempo favorito en México es pasar un domingo en el Parque Chapultepec con sus diversiones: los lagos, los museos y los jardines botánicos y zoológicos. Entre los museos se encuentra el Museo Nacional de Historia en el Castillo (*Castle*) de Chapultepec. Así que los fines de semana las familias visitan el castillo y comen en el parque.

La Quebrada, Acapulco

Si te gustan los deportes difíciles, ¿has considerado el clavadismo (*cliff diving*)? El espectáculo de clavados en La Quebrada es impresionante. Los clavadistas lo hacen parecer fácil y divertido, pero definitivamente es un deporte para los profesionales. ¡De fácil no tiene nada!

Xochimilco

Los jóvenes y las familias van tradicionalmente los fines de semana a pasear unas horas al aire libre en Xochimilco. Es una serie de canales y jardines flotantes (*floating*) con *trajineras,* barcos decorados de colores brillantes. En estas trajineras se venden flores, bebidas y comida ¡y algunas tienen músicos para darles una serenata a los visitantes!

El fútbol mexicano

El fútbol es el deporte más popular en México. El equipo nacional mexicano se llama El Tricolor, conocido con cariño como "El Tri". El Estadio Azteca, localizado al suroeste de México D.F., es uno de los más grandes del mundo con más de 105,000 asientos. El Club América, un equipo mexicano popular, juega allí, igual que El Tri.

Preguntas

1. ¿Cuáles de estos deportes o pasatiempos cuestan mucho dinero para practicarlos? ¿Con cuáles se puede ganar la vida (*earn a living*)? ¿Cómo?
2. Compara el Parque Chapultepec o Xochimilco con el Paseo del Río en San Antonio (*Capítulo* 1, pág. 63).
3. ¿Cuáles de estos deportes o pasatiempos en México son semejantes y cuáles son diferentes a los de tu comunidad y tu mundo?

Laberinto peligroso

EPISODIO 2

lectura

2-31 to 2-33

ESTRATEGIA **Scanning and skimming; reading for the gist**

To improve comprehension, you can *skim* or read quickly to get the *gist* of the passage. If you are searching for specific information, you can also *scan* for that in particular.

2-41 Antes de leer Muchas veces puedes comprender mucho más de un texto si antes de leerlo con mucho cuidado y atención, lo lees de manera más superficial y rápida. También puede ser útil leer el texto en busca de información específica. Antes de leer el episodio, sigue los pasos a continuación.

1. Lee superficialmente el diálogo entre Javier y Celia para contestar las siguientes preguntas.
   - ¿Dónde estaban?
   - ¿Qué buscaban?
   - ¿De quién(es) hablaron?
2. Revisa el diálogo otra vez y busca las respuestas para las siguientes preguntas.
   - ¿Qué deporte(s) recomienda Javier que Celia practique?
   - ¿Cuál es el deporte que no quiere que practique?
3. Lee superficialmente el primer párrafo después del diálogo para contestar las siguientes preguntas.
   - ¿Dónde estaba Cisco?
   - ¿Qué buscaba?
4. Mira el último párrafo y busca la respuesta para la siguiente pregunta.
   - ¿Dónde tenía Cisco una entrevista de trabajo?

DIA5

Búsquedas

CD 1 Track 17

—¡Gracias por venir a ayudarme! —dijo Celia al llegar Javier a la tienda deportiva. Celia lo saludó con un besito° en la mejilla.

—No hay de qué. —respondió Javier, abrazándola°. —¿Qué querías comprar?

—Pues, no sé muy bien. Necesito llevar una vida más activa, pero no estoy segura qué deportes quiero practicar. —explicó Celia.

—Entiendo lo que dices. Yo también quiero hacer más ejercicio. —contestó Javier.

—Pero, ¿qué deporte? —preguntó Celia.

—Si necesitas relajarte y desconectarte de todo, como dijiste antes, te recomiendo que bucees. Yo lo hacía antes y me tranquilizaba mucho. —sugirió Javier.

—No es mala idea, pero para bucear es necesario que compre mucho equipo deportivo caro. Es preferible que encuentre un deporte más económico. Mira, aquí está la sección de materiales para escalar montañas.

little kiss
hugging her

—¡Te prohíbo que trates de escalar una montaña sola! –gritó Javier. —Es un deporte peligroso y es importante que lo practiques con otras personas.
—¡Entonces, hagámoslo tú y yo juntos! —respondió Celia con una sonrisa°. *smile*
—Eres muy graciosa, Celia. Es importante que lo practiques con gente que tenga experiencia. Nunca he escalado ninguna montaña, y no tengo muchas ganas de hacerlo.
—Muy bien, Javier, sigamos buscando. —Entonces, Celia se dirigió al otro lado de la tienda.
—Yo siempre he querido aprender a jugar al golf. Mira, estos palos están de oferta. ¿Quieres que tomemos una clase tú y yo juntos? —propuso Javier.
—Lo siento, Javier, pero a mí siempre me ha parecido un poco aburrido el golf. Y hablando de aburrimiento, ¿va mejor el seminario? ¿está más interesante? —preguntó Celia.
—Sí, realmente a mis estudiantes les encantó hablar con ustedes sobre sus experiencias. —dijo Javier.
—Ese columnista, el que compartió esas anécdotas tan raras, ¿cómo se llamaba? —preguntó Celia.
—Ah, Cisco. Ha tenido experiencias realmente singulares.
—¿Lo conoces bien? —preguntó Celia.
—Más o menos. Lo conozco porque los dos hemos trabajado como periodistas en esta ciudad durante un par de años. Ya sabes cómo es esta profesión. Me gusta mucho cómo trabaja.
—¿Es buena gente? —dijo Celia demostrando más interés.
—Sí, es amable, honesto y generoso. Eso sí, es generoso con muchas cosas pero, como todos nosotros, no es nada generoso con los resultados de sus investigaciones.
—Entiendo. —respondió Celia.
—Parece que Cisco te ha gustado. —comentó Javier.
—No, no es eso. Te he preguntado por él porque me sonaba mucho su cara°, pero por fin me he dado cuenta que no lo conocía. *he looked very familiar to me*

Mientras Javier y Celia conversaban en la tienda sobre Cisco, éste trataba de trabajar. Su investigación sobre la desaparición de las selvas tropicales le resultaba interesante, pero no podía competir con su deseo de estudiar otro tema. En la pantalla de su computadora tenía varias ventanas abiertas; algunas eran páginas web con información sobre las selvas, pero lo que captó toda su atención fueron los resultados de una búsqueda Google sobre Celia Cortez.

Cuando terminó de leer todo lo que encontró sobre ella, volvió al artículo. Tenía que escribir un artículo espectacular pronto. Después de gastar todo ese dinero intentando impresionar a su ex-novia, ahora estaba solo y tenía que pagar unas deudas°. Para obtener la información que buscaba para el artículo, era necesario infiltrarse en un laboratorio. Tenía una entrevista para un trabajo allí esa tarde y debía salir en la próxima media hora. Apagó la computadora y se preparó. Al llegar al laboratorio, lo entrevistaron°. Cisco no lo sabía, pero había un hombre que lo observaba.

debts

interviewed him

2-42 Después de leer Contesta las siguientes preguntas.

1. ¿Qué deportes consideraban Javier y Celia? ¿Por qué?
2. ¿Qué opinión tiene Javier de Cisco?
3. ¿Por qué quería Celia saber más cosas sobre Cisco?
4. ¿Por qué quería Cisco, un periodista, trabajar en un laboratorio?

5. ¿Cuáles son las diferentes búsquedas que tuvieron lugar en el episodio?
6. ¿Cuáles son las búsquedas que te parecieron más importantes? ¿Por qué crees que los personajes buscaban esas cosas?

video

2-43 Antes del video En *Búsquedas,* aprendiste que Javier y Celia querían llevar una vida más activa y sana, y que Cisco estaba tratando de escribir un artículo muy importante sobre las selvas tropicales. En el episodio del video, estos objetivos diferentes hacen que nuestros tres personajes principales acaben en el mismo lugar. Antes de ver el episodio, contesta las siguientes preguntas.

1. ¿En qué partes del mundo hay selvas tropicales? ¿Sabes qué tipo de flora y fauna tienen?
2. ¿Por qué están desapareciendo las selvas tropicales? ¿Qué podemos hacer para mejorar la situación?
3. Si desaparecen las selvas tropicales, ¿qué tipo de consecuencias va a sufrir el mundo entero?
4. ¿Qué conexiones piensas que hay entre la investigación de Cisco sobre las selvas tropicales y el trabajo en el laboratorio que quiere obtener? ¿Qué aspectos de las selvas tropicales pueden interesar a un laboratorio? ¿Por qué?

Organicemos una excursión a las montañas. Escalemos y montemos a caballo.

¿Quieres que vayamos a la charla?

No me siento muy bien.

¿Qué te ocurre, Celia?

Relájate y disfruta el video.

Episodio 2

2-44 Después del video Contesta las siguientes preguntas.

1. ¿Dónde se encontraron Javier, Celia y Cisco?
2. ¿Por qué fueron allí Javier y Celia? ¿Por qué estaba allí Cisco?
3. ¿Qué le ocurrió a Celia durante el episodio?
4. ¿Cómo reaccionó Cisco? ¿Por qué crees que Cisco reaccionó de esa manera?

Y por fin, ¿cómo andas?

Having completed this chapter, I now can...

	Feel confident	Need to review
Comunicación		
• express desires and give advice. (p. 77)	❑	❑
• discuss different sports that people participate in and/or watch. (p. 84)	❑	❑
• give instructions (commands) regarding sports and pastimes. (p. 89)	❑	❑
• suggest things to do using *Let's*... (p. 93)	❑	❑
• listen for and state the gist of a conversation. (p. 100)	❑	❑
• express or request pardon. (p. 102)	❑	❑
• request clarification and indicate when I do not understand. (p. 103)	❑	❑
• write using linking words. (p. 104)	❑	❑
• read for the gist. (p. 108)	❑	❑
Cultura		
• report on an elite athlete or player of a particular sport or activity. (p. 82)	❑	❑
• share about a famous sporting event. (p. 97)	❑	❑
• list two sport or pastime traditions of Mexico. (p. 106)	❑	❑
Laberinto peligroso		
• review the reading technique of skimming and scanning for information. (p. 108)	❑	❑
• share two details regarding Cisco's desire to work in a laboratory. (p. 110)	❑	❑
• relate Celia's and Javier's preferences for sports and pastimes, the searches that take place, and what happens to Celia at the conference. (p. 110)	❑	❑

VOCABULARIO ACTIVO

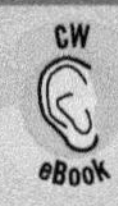

CD 1
Tracks 18-22

Algunos deportes	*Some sports*
boxear	*to box*
cazar	*to go hunting*
escalar	*to climb*
esquiar	*to ski*
hacer surf	*to surf*
jugar al boliche	*to bowl*
jugar al hockey (sobre hielo; sobre hierba)	*to play hockey (ice; field)*
jugar al voleibol	*to play volleyball*
levantar pesas	*to lift weights*
montar a caballo	*to go horseback riding*
patinar en monopatín	*to skateboard*
el pilates	*Pilates*
practicar lucha libre	*to wrestle*
practicar artes marciales	*to do martial arts*
practicar ciclismo	*to go cycling*
practicar esquí acuático	*to go waterskiing*
el remo	*rowing*
el yoga	*yoga*

Algunos términos deportivos	*Some sports terms*
el/la atleta	*athlete*
el atletismo	*track and field*
el/la árbitro	*referee; umpire*
el bastón de esquí	*ski pole*
el bate	*bat*
el campeón/la campeona	*champion*
el campeonato	*championship*
deportista	*sporty; sports-loving person*
el campo	*field*
la cancha	*court*
la carrera	*race*
el casco	*helmet*
la competición/ la competencia	*competition*
el empate	*tie*
el/la entrenador/a	*coach; trainer*
el equipo	*team*
el equipo deportivo	*sporting equipment*
el/la excursionista	*hiker*
el palo (de golf; de hockey)	*golf club; hockey stick*
los patines	*skates*
la pelota	*ball*
las pesas	*weights*
la pista	*track; rink*
la raqueta	*racket*
el resultado	*score*
la tabla de surf	*surfboard*
el tamaño	*size*

Algunos adjetivos	*Some adjectives*
apropiado/a	*appropriate*
atlético/a	*athletic*
deportivo/a	*sports-related*

Algunos verbos	*Some verbs*
competir (e-i-i)	*to compete*
entrenar	*to train*
ganar	*to win*
perder (i-ie)	*to lose*

Algunos pasatiempos	*Some pastimes*
bucear	*to scuba dive*
coleccionar...	*to collect...*
estatuillas	*figurines*
tarjetas de béisbol	*baseball cards*
sellos	*stamps*
coser	*to sew*
comentar en un blog	*to post to a blog*
decorar	*to decorate*
hacer jogging	*to jog*
hacer artesanía	*to do crafts*
hacer trabajo de carpintería	*to do woodworking*
ir de camping	*to go camping*
jugar al ajedrez	*to play chess*
jugar a las cartas	*to play cards*
jugar a las damas	*to play checkers*
jugar a videojuegos	*to play video games*
jugar al póquer	*to play poker*
leer libros de...	*to read books about...*
aventuras	*adventure*
espías	*spies*
leer cuentos cortos	*to read short stories*
pasear en barco (de vela)	*to sail*
pelear(se)	*to fight*
pescar	*to fish*
pintar	*to paint*
trabajar en el jardín	*to garden*
tejer	*to knit*
tirar un platillo volador	*to throw a frisbee, to play frisbee*

Las casas son tan diferentes como las personas que las habitan. Muchas veces depende del gusto del dueño (*owner*) y de la decoración. A veces depende del lugar en que se encuentra y su cultura. Pero en cualquier caso, cada persona necesita convertir la casa en *su* hogar.

Hogar, dulce hogar

Unas casas blancas en España

PREGUNTAS

1 ¿Cómo son estas casas? Descríbelas.
2 ¿Vives en una casa o en un apartamento? ¿Cómo es?
3 ¿Piensas que las casas son símbolos culturales del lugar en que se encuentran? Explica.

Comunicación

- Describing houses and their surroundings
- Using articles in new contexts

VOCABULARIO 1 Los materiales de la casa y sus alrededores

SAM 3-1 to 3-3

¡Anda! Curso elemental, Capítulo 3, La casa, Apéndice 2.

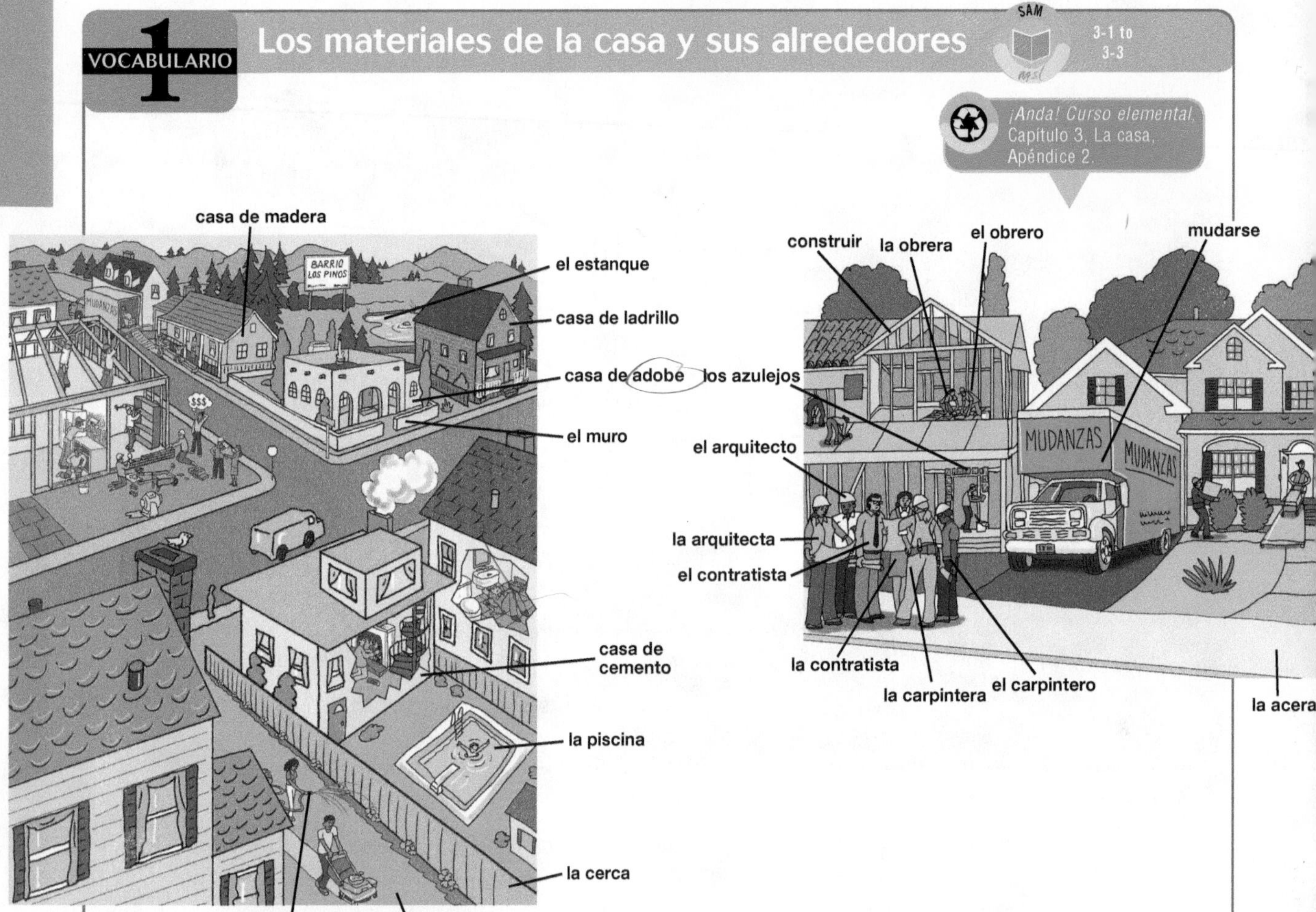

Algunos verbos	*Some verbs*
alquilar	*to rent*
añadir	*to add*
comparar con	*to compare with*
componer	*to repair; to fix an object*
gastar	*to spend; to wear out*
guardar	*to put away; to keep*
ponerse de acuerdo	*to agree; to reach an agreement*
quemar	*to burn*
reparar	*to repair*

Algunas palabras útiles	*Some useful words*
el alquiler	*rent*
el arquitecto	*male architect*
la carpintera	*female carpenter*
la contratista	*female contractor*
el/la diseñador/a	*designer*
el/la dueño/a	*owner*
la factura (mensual)	*(monthly) bill*
la hipoteca	*mortgage*
la obrera	*female worker*
el préstamo	*loan*
el presupuesto	*budget*
el yeso	*plaster*

Querido diario:

Algún día voy a tener mi propia casa. Cuando salí con Javier vi una casa preciosa de estilo hispano y me gustó mucho. Pero por el momento, estoy contenta con mi apartamento.

Preguntas

1. ¿Qué tipo de casa le gusta a Celia?
2. ¿Qué tipo de casa te gusta a ti?
3. ¿Prefieres una casa nueva o antigua? ¿Por qué?

3-4 to 3-5

35

REPASO

El pretérito: verbos con cambios de raíz y otros verbos irregulares

In Celia's diary entry, you read **salí, vi,** and **me gustó**. She used the **pretérito**. In **Capítulo 1,** we reviewed when to use this past tense as well as the regular and some irregular forms of the preterit. The following is a brief review of additional irregularities in the preterit. For a complete review, refer to **Capítulo 7** of ***¡Anda! Curso elemental*** in Appendix 3.

> **Fíjate**
>
> Remember that with *stem-changing verbs*, the first letter(s) in parentheses indicate(s) the *present-tense* spelling changes in all forms but *nosotros/vosotros*: e.g., costar (o-**ue**), cerrar (e-**ie**), etc. When there is an additional spelling change indicated in the parentheses, it corresponds with a spelling change in the *3rd person singular and plural* in the *preterit* as well as in the *present participle* (*-ando/-iendo*): e.g., dormir (o → ue → **u**).

1. Most stem-changing verbs **(o-ue)** and **(e-ie)** do not have a stem change in the **preterit.**
2. The ***-ir* stem-changing verbs** have a **spelling change** in the **third person singular** and **plural** (*Ud., él, ella, ellos, ellas, Uds.*) forms of the **preterit:**

dormir (o-ue-u)	dormí, dormiste, durmió, dormimos, dormisteis, durmieron
servir (e-i-i)	serví, serviste, sirvió, servimos, servisteis, sirvieron
divertirse (e-ie-i)	me divertí, te divertiste, se divirtió, nos divertimos, os divertisteis, se divirtieron

3. Verbs that end in *-car*, *-gar*, and *-zar* have the following **spelling changes** in the **first person (*yo*) form** of the **preterit:**

a. -car: the *c* changes to *qu*	buscar → busqué
b. -gar: the *g* changes to *gu*	pagar → pagué
c. -zar: the *z* changes to *c*	comenzar → comencé

4. Verbs that end in ***-eer*** **(e.g., leer** and **creer)** and ***-uir*** **(e.g., construir** and **contribuir)** have a **"y"** in the **third person singular** and **plural** forms: leyó/leyeron, construyó/construyeron.

> **Fíjate**
>
> Remember that the endings for regular *pretérito* verbs are:
>
> **-ar:** **-é, -aste, -ó, -amos, -asteis, -aron**
>
> **-er/-ir:** **-í, -iste, -ió, -imos, -isteis, -ieron**

Unos verbos irregulares en el préterito

7-29 to 7-33

	andar (*to walk*)	estar	tener
yo	anduve	estuve	tuve
tú	anduviste	estuviste	tuviste
él, ella, Ud.	anduvo	estuvo	tuvo
nosotros/as	anduvimos	estuvimos	tuvimos
vosotros/as	anduvisteis	estuvisteis	tuvisteis
ellos/as, Uds.	anduvieron	estuvieron	tuvieron

Ayer anduvimos diez millas.

	conducir (*to drive*)	traer	decir
yo	conduje	traje	dije
tú	condujiste	trajiste	dijiste
él, ella, Ud.	condujo	trajo	dijo
nosotros/as	condujimos	trajimos	dijimos
vosotros/as	condujisteis	trajisteis	dijisteis
ellos/as, Uds.	condujeron	trajeron	dijeron

Fíjate

Note that the third-person plural ending of *conducir, decir,* and *traer* is *-eron.*

	ir	ser
yo	fui	fui
tú	fuiste	fuiste
él, ella, Ud.	fue	fue
nosotros/as	fuimos	fuimos
vosotros/as	fuisteis	fuisteis
ellos/as, Uds.	fueron	fueron

Fíjate

Note that *ser* and *ir* have the same forms in the preterit. You must rely on the context of the sentence or conversation to determine the meaning.

	dar	ver	venir
yo	di	vi	vine
tú	diste	viste	viniste
él, ella, Ud.	dio	vio	vino
nosotros/as	dimos	vimos	vinimos
vosotros/as	disteis	visteis	vinisteis
ellos/as, Uds.	dieron	vieron	vinieron

	hacer	querer
yo	hice	quise
tú	hiciste	quisiste
él, ella, Ud.	hizo	quiso
nosotros/as	hicimos	quisimos
vosotros/as	hicisteis	quisisteis
ellos/as, Uds.	hicieron	quisieron

	poder	poner	saber
yo	pude	puse	supe
tú	pudiste	pusiste	supiste
él, ella, Ud.	pudo	puso	supo
nosotros/as	pudimos	pusimos	supimos
vosotros/as	pudisteis	pusisteis	supisteis
ellos/as, Uds.	pudieron	pusieron	supieron

—**Vimos** a mucha gente en tu fiesta. *We saw a lot of people at your party.*
—Sí, ¡y todos me **dieron** un regalo! *Yes, and everyone gave me a gift!*
—¿**Vinieron** tus tíos también? *Did your aunt and uncle come as well?*
—No, no **pudieron** venir por sus trabajos. *They couldn't come because of their jobs.*
—¡Que lástima! ¿Qué **hiciste** después de la fiesta? *What a shame! What did you do after the party?*

3-1 A organizar

Organicen el **vocabulario nuevo** poniendo las palabras en las siguientes cuatro categorías.

MATERIALES DE LA CASA	ALREDEDOR DE LA CASA	LA CONSTRUCCIÓN	LAS CONSIDERACIONES ECONÓMICAS

3-2 ¿Va o no va?

Decidan qué palabra de cada lista no va con las otras y túrnense para explicar por qué no va.

MODELO el yeso, el ladrillo, el cemento, el césped
El césped no va con las otras palabras porque no es un material para construir casas.

1. el barrio, la acera, los azulejos, la cuadra
2. la factura, el muro, el préstamo, la hipoteca
3. quemar, componer, construir, reparar
4. la carpintera, la hipoteca, el contratista, la diseñadora
5. la madera, la manguera, la piscina, el estanque

¡Anda! Curso elemental, Capítulo 3, La casa, Apéndice 2.

3-3 ¿Cuál prefieres?

Mira el dibujo de las tres casas. Decide cuál es tu favorita y prepara una lista de por lo menos **cinco** razones. Después, explícale a un/a compañero/a por qué te gusta más.

Estrategia

Remember that you can state your likes by using negative sentences. For example, *Me gusta la casa roja porque no tiene acera y a mí no me gustan las aceras.*

¡Anda! Curso elemental, Capítulo 3, La casa, Apéndice 2.

En grupos de tres, escriban **tres** oraciones en el **pretérito** para cada grupo de palabras. Después, compartan sus oraciones con otros grupos. ¡Sean creativos!

MODELO arquitecta, contratista, obrero, diseñadora

La arquitecta trabajó con un contratista nuevo. Juntos encontraron a unos obreros de mucha experiencia y construyeron la casa en seis meses. La diseñadora decoró la casa en tres semanas.

1. préstamo, hipoteca, presupuesto, factura
2. comparar con, ponerse de acuerdo, añadir, gastar
3. barrio, cuadra, cerca, estanque
4. madera, ladrillo, cemento, azulejos

¡Anda! Curso elemental, Capítulo 3, La casa; Los muebles y otros objetos de la casa; Los colores, Apéndice 2.

Completen los siguientes pasos.

Paso 1 Túrnense para describir el cuadro de Carmen Lomas Garza.

Paso 2 Descríbele tu casa, la casa de tus padres o la casa de un/a amigo/a a tu compañero/a usando por lo menos **ocho** oraciones. Debes hablar de los materiales de la casa, los alrededores y el interior de la casa.

MODELO *Me encanta la casa de mi amigo Jorge. Es una casa blanca de madera. Detrás tiene un patio de cemento donde siempre tenemos fiestas. Está en el campo y el jardín es muy bonito…*

Barbacoa para cumpleaños de Carmen Lomas Garza

Carmen Lomas Garza "Barbacoa para cumpleaños" (Birthday Party Barbecue). Alkyds on canvas, 36 x 48 inches. © 1993 Carmen Lomas Garza (reg. 1994). Photo credit: M. Lee Fatherree. Collection of Federal Reserve Bank of Dallas.

Paso 3 En por lo menos **ocho** oraciones, haz una comparación entre la casa que describiste en **Paso 2** con la casa del cuadro, *Barbacoa para cumpleaños*.

Paso 4 Repite por lo menos **tres** cosas que tu compañero/a te dijo.

¡Anda! Curso elemental, Capítulo 2, La formación de preguntas y las palabras interrogativas, Apéndice 3; Capítulo 3, La casa, Apéndice 2.

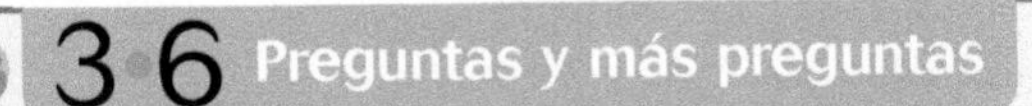

Es hora de hacerles preguntas a tus compañeros/as.

Paso 1 Escribe una lista de **ocho** preguntas que se puedan hacer, incorporando el **vocabulario nuevo** y el **pretérito.**

Paso 2 Circula por la sala de clase, haciéndoles las preguntas a diferentes compañeros/as.

MODELO E1: *¿Cortaste el césped en la casa de tus padres el verano pasado?*

E2: *No. Mis padres no tienen jardín. Viven en un apartamento. ¿Y tú?*

E1: *Sí, corté el césped muchas veces…*

ESCUCHA

3-9 to 3-11

ESTRATEGIA Listening for the main ideas

When listening for the main ideas, you are not focusing on details, but rather on the main points. For example, if you are getting ready to go to work or class and are listening to the weather report, you would probably want to know the maximum high and low temperatures in your area and whether there will be precipitation. You would not necessarily listen for what the temperature and weather conditions are on the other side of the country. *Listening for the main ideas* means focusing on the most important points. Those can be dictated based on your need for and use of the information.

3•7 Antes de escuchar

Mientras Mari Carmen limpia su casa, ella escucha (¡y también mira de vez en cuando!) el programa de televisión *¡Estamos en casa!*, en el que muestran unas casas extraordinarias de su área. A Mari Carmen le encanta el programa y mientras está limpiando le gusta imaginarse a ella y a su familia viviendo en una de esas grandes mansiones. Escribe **tres** ideas principales que puede escuchar Mari Carmen en un programa de este tipo.

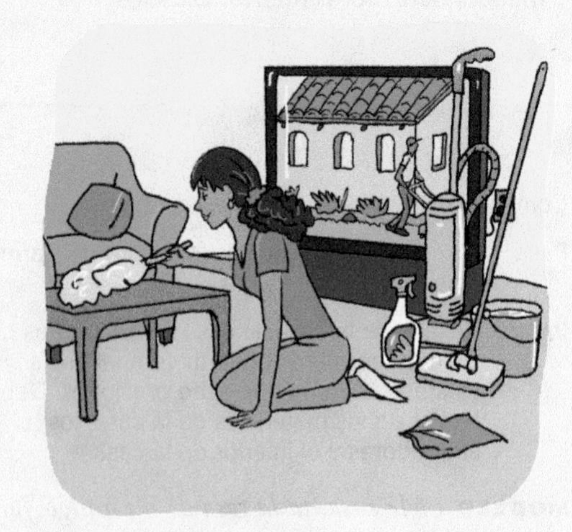

1. ______________________________
2. ______________________________
3. ______________________________

3•8 A escuchar

Escucha parte del programa *¡Estamos en casa!*

Paso 1 La primera vez que escuchas, enfócate en alguna(s) idea(s) general(es).

Paso 2 La segunda vez que escuchas, determina una o dos características de la casa, escogiendo entre las siguientes opciones.

1. La casa está en
   a. el centro de la ciudad.
   b. medio del campo.
2. La casa
   a. no es muy grande.
   b. es muy grande.

3•9 Después de escuchar

Escucha una vez más, esta vez notando otra idea principal.

¿Cómo andas?

Having completed the first **Comunicación,** I now can...

	Feel Confident	Need to Review
• describe different house construction materials, exterior decorations, and surroundings. (p. 116)	❑	❑
• report about events in the past. (p. 117)	❑	❑
• listen for and state the main ideas of a broadcast. (p. 122)	❑	❑

Comunicación

- Describing homes and their rooms
- Expressing doubts, sentiments, and emotions

VOCABULARIO 2 Dentro del hogar: la sala, la cocina y el dormitorio

SAM 3-12 to 3-16

¡Anda! Curso elemental, Capítulo 3, La casa; Los quehaceres de la casa, Apéndice 2.

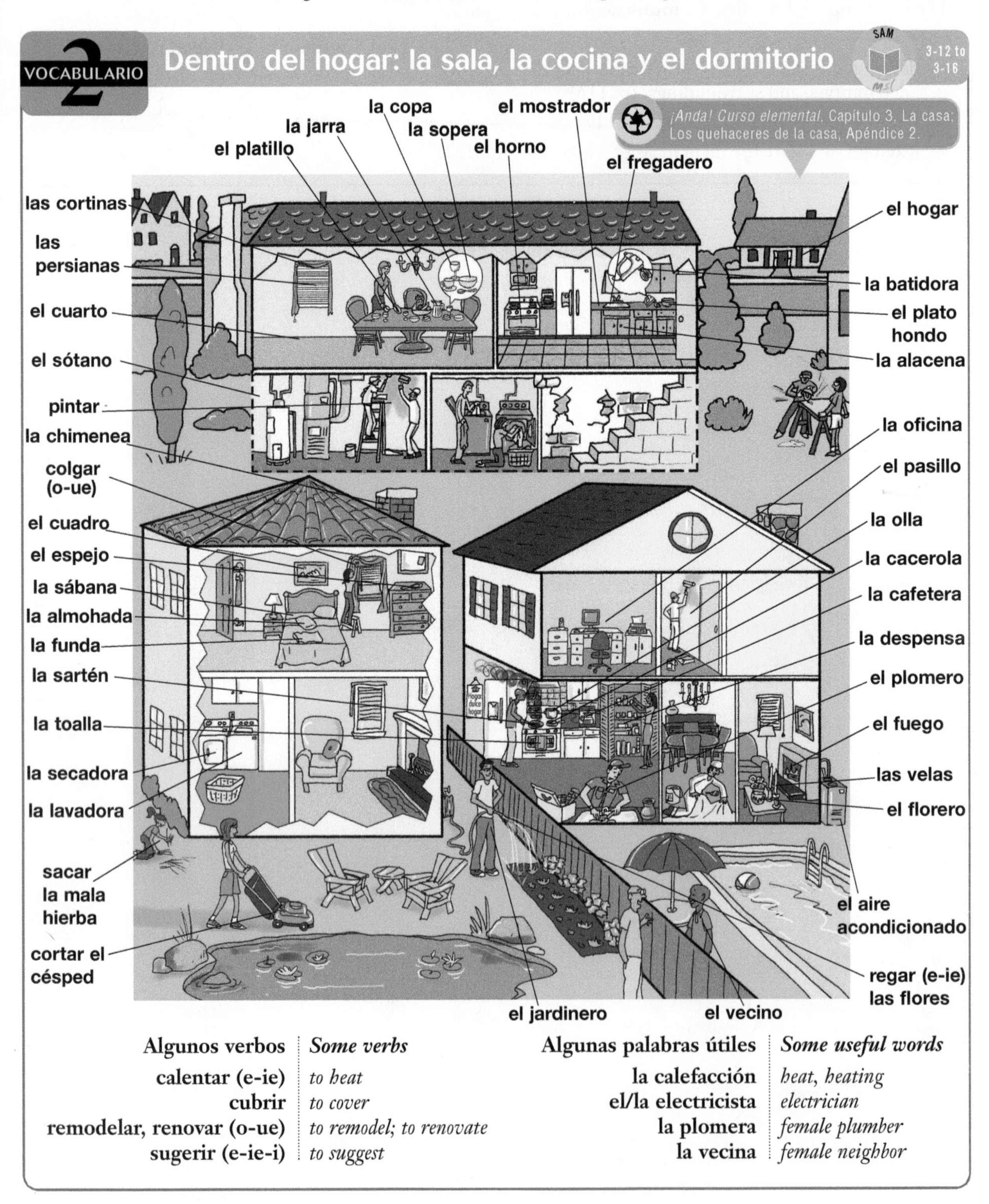

Algunos verbos	Some verbs
calentar (e-ie)	*to heat*
cubrir	*to cover*
remodelar, renovar (o-ue)	*to remodel; to renovate*
sugerir (e-ie-i)	*to suggest*

Algunas palabras útiles	Some useful words
la calefacción	*heat, heating*
el/la electricista	*electrician*
la plomera	*female plumber*
la vecina	*female neighbor*

El parloteo de Cisco

Anoche reflexionaba sobre mi cocina y decidí hacer unos cambios. Necesito un microondas nuevo y un refrigerador. Y pensaba decorar el suelo y las paredes. Esperaba hacerlo con poco dinero. ¿Me ofreces algunas sugerencias?

Deja un comentario para Cisco:

REPASO

El imperfecto

In Cisco's blog, he wrote **reflexionaba, pensaba,** and **esperaba.** You will remember that in addition to the **pretérito,** Spanish has another simple past tense, **el imperfecto.** The following is a brief review of the forms and uses of **el imperfecto.** For a complete review, refer to **Capítulo 8** of ***¡Anda! Curso elemental*** in Appendix 3.

3-17 to 3-19

The **imperfect tense** expresses ***habitual past actions, provides descriptions***, and ***describes conditions.***

36, 41

1. Verbs that end in ***-ar*** have the ***-aba*** endings.

   pintar pintaba, pintabas, pintaba, pintábamos, pintabais, pintaban

2. Verbs that end **in *-er*** and ***-ir*** have the ***-ía*** endings.

   componer componía, componías, componía, componíamos, componíais, componían

   construir construía, construías, construía, construíamos, construíais, construían

3. There are ***only three irregular verbs*** in the imperfect: ***ir, ser,*** and ***ver.***

   ir iba, ibas, iba, íbamos, ibais, iban

   ser era, eras, era, éramos, erais, eran

   ver veía, veías, veía, veíamos, veíais, veían

3-10 Buena memoria

Su profesor/a va a elegir **seis letras** del alfabeto. Después de escribirlas en la pizarra, todos los estudiantes van a escribir todas las palabras nuevas que puedan recordar que empiecen con esas letras. ¿Quién tiene la mejor memoria?

¡Anda! Curso elemental, Capítulo 3, La casa, Apéndice 2; Capítulo 11, Las preposiciones y los pronombres preposicionales, Apéndice 3.

3.11 La casa de su niñez

Miren la foto y el plano de la casa donde nació Diego Rivera el 8 de diciembre de 1886. Ahora es un museo y contiene una gran colección de obras del famoso muralista mexicano. Juntos describan la casa, usando **el imperfecto** según el modelo. ¡Sean creativos!

1. Sala
2. Dormitorio
3. Vestidor
4. Dormitorio de la Tía Vicenta
5. Dormitorio del matrimonio Rivera
6. Comedor
7. Estudio

MODELO *Cuando Diego vivía en la casa, sus padres dormían en un dormitorio que estaba enfrente del dormitorio de la tía. Creo que Diego dormía en…*

Fíjate

The words *la habitación*, *la recámara*, and *la alcoba* are common words for *el dormitorio*. Sometimes different words are used in different Spanish-speaking countries. In *¡Anda! Curso intermedio*, you are learning vocabulary that tends to be used the most universally across the Spanish-speaking world.

3.12 La casa de mi niñez

Dibuja un plano sencillo (*simple*) de la casa de tu niñez o de la de un/a amigo/a.

Paso 1 Incluye los cuartos y detalles sobre el exterior; por ejemplo, la cerca, el jardín, la piscina, etc.

Paso 2 Descríbele la casa a un/a compañero/a, usando por lo menos **ocho** oraciones en **el imperfecto.** Tu compañero/a va a dibujar lo que dices.

MODELO *La casa de mi niñez tenía una cerca de madera alrededor de la casa…*

Paso 3 Comparen los dos dibujos para ver si las describieron e interpretaron bien. Túrnense.

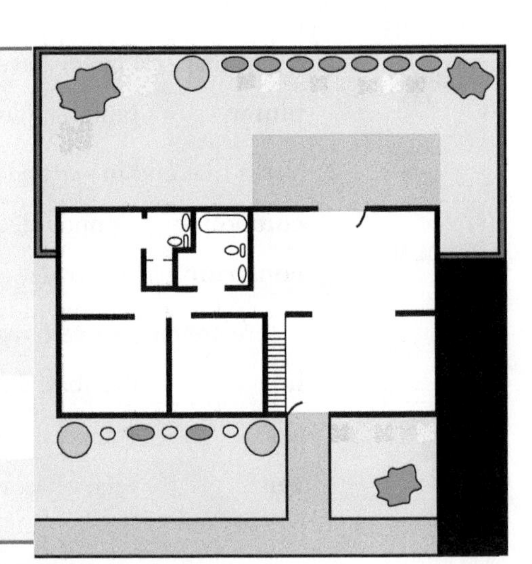

¡Anda! Curso elemental, Capítulo 3, Los colores; Capítulo 7, La comida, Apéndice 2.

3.13 ¿Y tu vida?

Piensen en su niñez y túrnense para compartir la siguiente información.

MODELO E1: *¿Qué tipo de comida guardaba tu familia en el refrigerador y en la despensa?*
E2: *Mi familia guardaba refrescos, leche, frutas, verduras y condimentos en el refrigerador. En la despensa…*

1. ¿Qué tipo de comida guardaba tu familia en el refrigerador y en la despensa?
2. ¿Cuántas almohadas necesitabas para dormir?
3. ¿De qué colores eran tus sábanas, fundas y toallas?
4. ¿Usabas cortinas o persianas?
5. ¿Tenías tocadores o nada más que armarios?
6. ¿Te permitían tus padres cocinar o usar una sartén?
7. ¿Cuántas familias vivían en tu barrio o en tu cuadra?
8. ¿Te caían bien los vecinos?

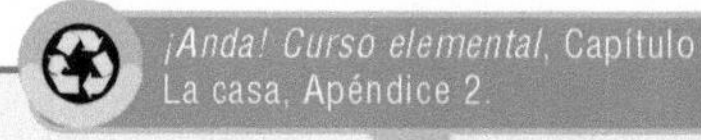

3·14 Una imagen vale...

Mira el dibujo en la página 128. Imagina que tienes que describir a alguien lo que pasaba (usando el **imperfecto**) en estas casas y sus alrededores (*surroundings*). Túrnense para crear **ocho oraciones** cada uno/a.

MODELO *Había sábanas y fundas rosadas. La casa no se calentaba con la chimenea porque hacía calor y buen tiempo...*

¡Anda! Curso intermedio, Capítulo Preliminar A, Los artículos definidos e indefinidos, pág. 6.

3·15 El mundo es un pañuelo

¿Cuánto sabes de tus compañeros/as y de sus pasados? Entrevístalos para encontrar a los que puedan contestar afirmativamente a las siguientes preguntas.

Paso 1 Usa el **imperfecto** para crear las preguntas.

MODELO *¿Tenía piscina tu casa?*

Paso 2 Pregúntaselas a tus compañeros/as de clase. Si alguien contesta que **sí**, tiene que firmar su nombre en el espacio apropiado.

MODELO E1: *¿Tenía piscina tu casa?*

E2: *Sí, mi casa tenía piscina.*

E1: *Firma aquí, por favor.*

Charlie

tu casa / tener / piscina Charlie	las casas en tu barrio / ser / de ladrillo ______	tú / componer / cosas rotas ______	tu casa / tener / un estanque ______
tus hermanos / cortar / el césped ______	tu casa / haber / azulejos ______	tu casa / haber / chimenea ______	tu familia y tú / quemar / madera en la chimenea ______
tu casa / tener / un muro enfrente ______	tú / usar / la lavadora ______	tú / guardar / cosas especiales / en tu tocador ______	tú / renovar / tu casa con la ayuda de revistas (*magazines*) ______

¡Anda! Curso intermedio, Capítulo 2, El subjuntivo para expresar pedidos, mandatos y deseos, pág. 77.

3·16 ¡La lotería!

¡Tu esposo/a y tú acaban de ganar 80.000 euros! Túrnense para describir sus planes para la renovación y la decoración de su casa antigua, usando por lo menos **ocho** oraciones.

MODELO E1: *Primero quiero que renovemos los mostradores de la cocina. Sugiero usar azulejos del sur de España.*

E2: *Buena idea. Me gusta. Quizás construyamos alacenas de madera y tal vez las pintemos blancas...*

de euros esta semana en Euromillones
¡JUEGA HOY!
No dejes que se te escapen los 15 millones que trae el bote de Euromillones.
Compra por Internet de forma fácil, cómoda y segura.
JUEGA AQUÍ

GRAMÁTICA 3 El subjuntivo para expresar sentimientos, emociones y dudas

SAM 3-20 to 3-22 Guide 46

In **Capítulo 2,** you learned about the **subjunctive** to express **volition** or **will** (commands, requests, and wishes). In Spanish, you also use the **subjunctive** to express **feelings, emotions, doubt,** and **probability.**

Fíjate

Gustar (to like) and most verbs like it (see *Capítulo* 1, p. 40) can express feelings and emotions.

Estrategia

You may want to review the present tense subjunctive forms and the sentence construction with verbs of volition on p. 77 before beginning this section.

- Some verbs and phrases used to express **feelings** and **emotions:**

alegrarse de	*to be happy (about)*	**ser una lástima**	*to be a shame*
avergonzarse de (o-ue)	*to feel (to be) ashamed of*	**sentir (e-ie-i)**	*to regret*
gustar	*to like*	**temer / tener miedo (de)**	*to fear; to be afraid (of)*
ser bueno/malo	*to be good/bad*		

Me alegro de que tengas un presupuesto. — *I'm happy that you have a budget.*

Yanet **se avergüenza de** que ella y su esposo no tengan el dinero para pagar el alquiler este mes. — *Yanet is ashamed that she and her husband do not have the money to pay the rent this month.*

Nos gusta que la casa esté bien decorada ahora. — *We like (the fact) that the house is well decorated now.*

Temo que no podamos comprarla. — *I'm afraid we cannot buy it.*

- Some verbs used to express **doubt** and **probability:**

dudar	*to doubt*	**no pensar**	*not to think*
no creer	*not to believe; not to think*	**ser dudoso**	*to be doubtful*
no estar seguro (de)	*to be uncertain*	**ser probable**	*to be probable*

Marco **no cree** que nosotros sepamos suficiente para renovar una casa. — *Marco doesn't think that we know enough to renovate a house.*

No estoy segura de que Hosun tenga un jardinero. — *I am not sure that Hosun has a gardener.*

- The verbs **creer, estar seguro de,** and **pensar** do **not** use the **subjunctive,** but rather the indicative, after **que** because they do not express doubt.

DOUBT	CERTAINTY
dudar, no creer, no estar seguro (de), no pensar	**no dudar, creer, estar seguro (de), pensar**
No creo que podamos terminar de renovar el baño para septiembre.	**Creo que** podemos terminar de renovar el baño para septiembre.
I don't believe that we can finish renovating the bathroom by September.	*I believe that we can finish renovating the bathroom by September.*
Julio **no está seguro de que** esta lavadora sea la mejor que jamás ha tenido.	Julio **está seguro de que** esta lavadora es la mejor que jamás ha tenido.
Julio is not certain that this washing machine is the best he has ever had.	*Julio is certain that this washing machine is the best he has ever had.*

- Other verbs and impersonal expressions used to express **certainty, facts, and to state information,** thus followed by a verb in the **indicative**:

ser cierto / verdad que	*to be true that*
ser obvio que	*to be obvious that*
ser evidente que	*to be evident that*
ser un hecho que	*to be a fact that*
estar claro que	*to be clear that*
indicar que	*to indicate that*

- When only one subject/group of people expressing **feelings, emotions, doubt,** or **probability** exists, you must use the **infinitive** and **NOT** the **subjunctive.**

Se alegran (de) comprar una casa en aquel barrio. *They are happy to buy a house in that neighborhood.*

Having studied the previous presentation on the subjunctive, answer the following questions:

1. In which part of the sentence do you place the verb that expresses feelings, emotions, or doubts: to the right or the left of **que?**
2. Where do you put the subjunctive form of the verb: to the right or the left of **que?**
3. What word joins the two parts of the sentence?
4. When you have only one subject/group of people and you are expressing **feelings, emotions, doubt,** or **probability,** do you use a subjunctive sentence?

Check your answers to the preceding questions in Appendix 1.

3-17 Práctica

Terminen las siguientes oraciones de manera apropiada. Tienen que decidir si necesitan usar el **subjuntivo** o el **indicativo**.

comprar	**organizar**	**pagar**	**preparar**	**querer**

MODELO Nos alegramos de que nuestros padres... / una lavadora y una secadora nuevas.

*Nos alegramos de que nuestros padres **compren** una lavadora y una secadora nuevas.*

1. Mis padres no creen que nosotros... / una casa nueva este año.
2. Dudan que yo... / la comida todos los días.
3. ¿Estás seguro de que ella siempre... / las facturas?
4. No pienso que su ahijada... / las alacenas. Es muy perezosa.
5. Creo que él... / construir un muro de cemento.

3-18 Optimista o pesimista

¡Anda!, Curso intermedio, Capítulo 1, La familia, pág. 52.

Hay optimistas y pesimistas en este mundo. ¡Hoy es tu día para jugar a ser el/la pesimista! Túrnense para responder de manera pesimista.

MODELO Creo que los platos y las copas hacen juego (*match*).

PESIMISTA: *No creo que los platos y las copas hagan juego.*

1. Creo que el sótano de mis tíos necesita reparaciones.
2. Mi madrina está remodelando su casa y no duda que los azulejos son del color correcto.
3. Los gemelos Sánchez creen que su horno calienta bien y que no necesitan uno nuevo.
4. Estoy segura de que mis primos son buenos cocineros y que nunca queman la comida.
5. Creemos que tu padrino te va a regalar una nueva casa de madera para tu cumpleaños.

3·19 Lo siento, pero lo dudo

Tu compañero/a te va a decir las siguientes oraciones y no estás de acuerdo con lo que dice. Responde con **Dudo que..., No creo que...**, etc.

MODELO E1: Mi cuñada quema la comida todos los días.
E2: *Dudo que tu cuñada queme la comida todos los días.*

1. Mi casa es tan sofisticada como la de Bill Gates.
2. Lavo las toallas, las sábanas y las fundas todos los días.
3. Nos mudamos todos los años.
4. Vivo en una casa con dos piscinas.
5. Mis padrinos tienen unos espejos de Francia del siglo XVII.

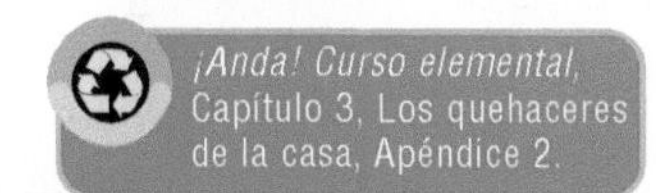

¡Anda! Curso elemental, Capítulo 3, Los quehaceres de la casa, Apéndice 2.

3·20 Mis quehaceres

Siempre hay cosas que hacer y tu compañero/a te va a ayudar. Túrnense para responder con gratitud (**me alegro, me gusta, me encanta**, etc.).

MODELO E1: *pintar el despacho*
E2: *Me alegro de que pintes el despacho.*

1. comprar la comida para la cena
2. cortar el césped
3. hacer la cama con nuevas sábanas, fundas y almohadas
4. barrer el piso
5. organizar la despensa
6. limpiar el sótano

3·21 Mis opiniones

Tus abuelos te regalan una casa antigua. Estás agradecido/a pero necesitas renovarla.

Paso 1 Escribe por lo menos **cinco** ideas que expresen **duda, sentimientos** o **emociones** sobre el proyecto.

MODELO *Voy a renovar la cocina. Primero, necesito encontrar a un buen contratista. Creo que el contratista debe tener buenas referencias. Temo que la renovación sea cara…*

Paso 2 Comparte tus ideas con **tres** compañeros para ver si se sienten como tú.

¡Anda! Curso intermedio, Capítulo 1, El aspecto físico y la personalidad, Algunos estados, pág. 34, 45.

3·22 El futuro es dudoso

Dos amigos suyos van a casarse. Expresen sus opiniones en por lo menos **cinco** oraciones sobre la boda (*wedding*) y/o su futuro. ¡Sean creativos! Después, compartan sus oraciones con sus compañeros/as.

MODELO *En el futuro, dudo que se pongan de acuerdo sobre cómo gastar el dinero. Ella es muy gastadora y él es muy tacaño. Por ejemplo, ella quiere gastar $5.000 dólares en un horno y una estufa pero él no cree que sea muy importante…*

¡Anda! Curso elemental, Capítulo 2, Los pasatiempos y los deportes; Capítulo 5, El mundo de la música, El mundo del cine, Apéndice 2.

¡Anda! Curso intermedio, Capítulo 2, Algunos deportes, pág. 84, Algunos pasatiempos, pág. 70.

3·23 Y otra cosa…

Expresa tus dudas, sentimientos y emociones con respecto a tus pasatiempos y diversiones. Comparte la información con un/a compañero/a.

MODELO *Me encanta mi familia y creo que debemos ver la televisión mucho menos y hablar mucho más. Me alegro de que tengamos tiempo para reunirnos y comer juntos pero…*

La importancia de la casa y de su construcción

*La construcción de los lugares donde la gente vive es personal y refleja los gustos y las necesidades de las personas que los van a habitar. Muchas personas se especializan en el trabajo de mejorar la casa, afuera y adentro (*inside*). Aquí tienes tres ejemplos del intento de crear un espacio agradable y útil para vivir o pasar el tiempo.*

Eduardo Xol, (n. 1966) nativo de Los Ángeles y de padres mexicanos, ha ganado fama como diseñador de exteriores y de jardines. Desde pequeño trabajó con su familia y aprendió mucho del arte de la jardinería. Ahora hace recomendaciones sobre este tema al público en el programa *Extreme Makeover Home Edition*.

Sandra Tarruella e **Isabel López** son unas diseñadoras de interiores muy conocidas en España. Recibieron el Premio FAD en el año 2004 por su diseño del interior del Hotel Omm en Barcelona y su restaurante famoso, Moo. No hay duda que sus proyectos figuran entre los más modernos y populares del país.

La civilización incaica (1438–1532) demostró mucho talento en la construcción con piedra. Sus ruinas indican que los incas eran buenos arquitectos. Sus casas y templos estaban construidos de piedras masivas que se ajustaban (*fit*) juntas unas con otras, tan perfectamente que no había necesidad de mortero (*mortar*).

Preguntas

1. ¿En qué son similares y en qué son diferentes los trabajos de las personas representadas?
2. ¿Qué es más importante para ti: el exterior o el interior de tu casa? ¿Por qué?
3. ¿Qué cuarto de tu casa te gusta más? ¿Por qué?

3-26

¡Conversemos!

ESTRATEGIAS COMUNICATIVAS Extending, accepting, and declining invitations

A good way to improve your Spanish is to spend time with Spanish speakers. To do this, you need to know how to extend, accept, or decline an invitation.

Use the expressions below when you wish to extend, accept, or decline an invitation:

Para invitar a alguien	*To extend an invitation*	Para rechazar una invitación	*To decline an invitation*
■ **Quisiera invitarte/le/les...**	*I would like to invite you (all)...*	■ **Me da mucha pena, pero...**	*I'm really sorry, but...*
■ **¿Está/s/n libre/s...?**	*Are you (all) free...?*	■ **Lo siento, pero no puedo esta vez/en esta ocasión. Tengo otro compromiso.**	*I'm sorry, but I can't this time. I have another commitment / I have other plans.*
■ **¿Podría/s/n venir...?**	*Could you (all) come...?*	■ **Nos/Me encantaría, pero...**	*We/I would love to, but...*
		■ **Lástima, pero...**	*It's a shame/pity, but...*

Para aceptar una invitación	*To accept an invitation*
■ **Nos/Me encantaría...**	*We/I would love to...*
■ **¡Claro! ¡Por supuesto!**	*Sure! Of course!*
■ **¡Con mucho gusto!**	*It would be a pleasure!*

CD 2 Track 2

3-24 Diálogos

Escucha los diálogos y contesta las siguientes preguntas.

1. ¿Para qué es la primera invitación?
2. ¿Puede ir Laura? ¿Qué dice?
3. ¿A qué invitan Paco y Verónica a Inés y a Jorge?
4. ¿Pueden ir? ¿Qué dice Inés?

3-25 ¡Bienvenido!

Piensen en un personaje histórico a quien quieran invitar a cenar. Luego escriban un mini-diálogo. Su compañero/a hace el papel del invitado y puede aceptar o negar la invitación, pero necesita explicar por qué.

MODELO E1: *Saludos, Sr. Quijote.*

E2: *Buenos días. ¿Lo conozco?*

E1: *No, pero he leído el libro sobre su vida y me gustó mucho. Espero que usted pueda cenar conmigo esta noche.*

E2: *Ah, muchísimas gracias, pero lo siento, esta vez no puedo. Tengo otro compromiso… Tengo una cita con Dulcinea…*

3-26 ¿Aceptas o no?

Mira la siguiente lista de invitaciones y decide si quieres aceptar o no cada una. Con un/a compañero/a, dramaticen las situaciones y luego cambien de papel y háganlo de nuevo.

1. Un amigo te invita a una fiesta latina en su casa donde se va a bailar mucho; no sabes bailar.
2. Tu profesor/a de español quiere que la clase vaya a su casa para una tertulia *(informal social gathering)*. Tienen que hablar toda la noche en español. Responde por toda la clase (nosotros).
3. Tu novio/a quiere que conozcas a sus padres. Te ha invitado a cenar en casa con ellos. No tienes ropa apropiada en este momento.
4. Tus vecinos te han invitado a una barbacoa en su casa, pero eres vegetariano/a.
5. Tu amigo va a ayudar a construir unas casas para Hábitat para la Humanidad durante las vacaciones de primavera y te invita a acompañarlo.

MODELO E1: *Hola, Juanita. Quisiera invitarte al baile este sábado.*
E2: *Ah, ¡qué bueno! ¡Claro que sí!...*

3-27 Una casa de vacaciones

Quieres alquilar una casa para ir de vacaciones, pero quieres más información sobre la propiedad. Solamente has leído un anuncio en el periódico y no la describe con mucho detalle.

Estudiante 1: Llama al/a la dueño/a y pídele una descripción. Pregúntale lo que quieras sobre la casa: por ejemplo, ¿Hay piscina? ¿De qué está hecha la casa? ¿Cómo es la cocina?

Estudiante 2: Eres el/la dueño/a. Describe la casa lo mejor posible, indicando cuáles son los mejores aspectos de la casa y de sus alrededores (*surroundings*) e invita al cliente a verla.

MODELO E1: *Muy buenos días, señora. ¿Usted todavía tiene una casa disponible o ya está alquilada?*
E2: *¡Claro! ¡Por supuesto! ¿Qué quiere saber? ¿Desea que le describa la casa?...*

3-28 Manos a la obra

Tu vecino/a te pide que le ayudes con un proyecto de mejoramiento de su casa. Con un/a compañero/a de clase, creen un diálogo entre tu vecino/a y tú, teniendo en cuenta que:

TÚ	EL/LA VECINO/A
• tu vecino/a te cae bien y no quieres ofenderlo/a	• necesitas hacer las reparaciones de casa, pero no te gusta trabajar a solas
• no te gusta trabajar en la casa ni hacer renovaciones	• quieres conocer mejor a tu vecino/a y crees que esta es la mejor manera
• no eres muy hábil con las herramientas (*tools*), pero tienes un juego (*set*) nuevo que tus padres te regalaron; nunca lo has usado	• has visto que tu vecino/a tiene muchas herramientas buenas y te parecen nuevas

MODELO E1: *Hola, Raúl. ¿Qué tal?*
E2: *Hola, pues muy bien, ¿y tú? ¿Qué haces?*
E1: *Pienso renovar mi sala. A propósito, ¿me quieres ayudar? Temo que no pueda hacerlo yo mismo...*

SAM 3-27 to 3-28

ESTRATEGIA Process writing (Part 3): Supporting details

Unless you are jotting down a quick note or outline, you will need to add details that support your main ideas or statements. These details provide additional information that clarify and expand upon your main thoughts, conveying your message more vividly. Details can be in the form of facts, examples, or reasons. One way to begin is to supply two or three supporting details for each main idea in your writing.

3•29 Antes de escribir

Vas a mudarte a otra ciudad en otro estado. Te has comunicado con un agente de bienes raíces (*real estate*) para poder encontrar tu "casa ideal". El agente quiere que escribas una descripción de lo que constituye tu casa ideal; es decir, ¿qué tiene que tener tu casa? ¿cómo es?

ESTILO: hispano
MATERIAL: ~~cemento~~ adobe
PISCINA: ??? ~~$$$~~
DORMITORIOS: ~~3~~ 4
BAÑOS: 3 baños con azulejos

3•30 A escribir

Para escribir tu descripción de casa, completa los siguientes pasos.

Paso 1 Indica las **cinco** cosas más importantes que buscas en tu casa ideal.

Paso 2 Añade **dos** detalles apropiados con cada idea principal para que el agente entienda perfectamente lo que quieres.

Paso 3 Escribe la descripción completa. Debe tener por lo menos **diez** oraciones. Crea por lo menos **cuatro oraciones en el subjuntivo.**

MODELO *Mi casa ideal necesita tener ciertas características. La casa debe ser de adobe; me gustan las casas de estilo hispano y es bueno que sea del color blanco…*

3•31 Después de escribir

Compara la descripción de tu casa ideal con la de un/a compañero/a de clase. ¿En qué son similares y en qué son diferentes?

¿Cómo andas?

Having completed the second **Comunicación,** I now can...

	Feel Confident	Need to Review
• describe a home and its rooms. (p. 124)	❑	❑
• discuss the past (p. 125)	❑	❑
• communicate doubts, feelings, and emotions. (p. 128)	❑	❑
• share my opinions about home construction, decoration, and renovation. (p. 133)	❑	❑
• extend, accept, and decline invitations. (p. 134)	❑	❑
• write a description that includes details. (p. 136)	❑	❑

Vistazo cultural

Arq. **Ana María Pintado Escudero,**
Arquitectura

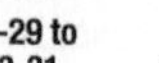

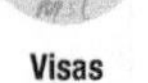

3-29 to 3-31

Visas culturales

Las casas y la arquitectura en España

Saqué mi Maestría en Diseño Arquitectónico en la Escuela Técnica Superior de Arquitectura de la Universidad de Navarra. Ahora logré mi sueño de ser arquitecta. Trabajo en la firma Duarte Verano, Arquitectos que está localizada en Marbella, España. Mis colegas y yo diseñamos edificios maravillosos.

La Casa Batlló

El exterior de *La Casa Batlló* en Barcelona se destaca por su decoración, sus curvas y sus chimeneas peculiares. Antonio Gaudí (1852–1926), un arquitecto catalán, remodeló un edificio tradicional existente y sobre su base construyó este original edificio en el año 1906 como residencia de la familia Batlló, a quien se debe su nombre.

La manzana de la discordia en Barcelona

En una sola cuadra del Passeig de Gràcia, una ruta principal en Barcelona, se encuentran tres ejemplos maravillosos de la arquitectura modernista. Esta cuadra se llama *la manzana de la discordia.*

El patio de la Casa Sorolla

Joaquín Sorolla y Bastida (1863–1923) fue un pintor realista e impresionista de Valencia. Construyó la casa donde también tenía su estudio en el año 1911 en Madrid. Pintó más de veintiocho vistas desde su jardín, captándolo principalmente durante la primavera con muchas flores.

Las casas colgantes de España

Es dudoso que se encuentren casas más precarias que las casas colgantes de Cuenca. Cuelgan de un precipicio al lado del río Huécar. Antes, servían de hogar para la gente del pueblo. Hoy, una de las casas está convertida en el Museo de Arte Abstracto Español y otra es un restaurante famoso.

El puente del Alamillo, Sevilla y El museo de las Ciencias Príncipe Felipe

Santiago Calatrava (n. 1951), nativo de Valencia, es el arquitecto más conocido de España y uno de los más famosos del mundo. Tiene títulos en arquitectura y en ingeniería civil; también ha estudiado pintura y dibujo. Sus estructuras son distintas, modernas, bonitas y llamativas (*striking*).

El parador de Carmona

Los paradores son lugares de turismo dirigidos por el gobierno de España. Son edificios viejos e históricos como palacios, monasterios, conventos y mansiones. Todos están renovados y sirven como hoteles; cada uno tiene su propio restaurante con la comida típica de la región. Algunos datan del siglo X.

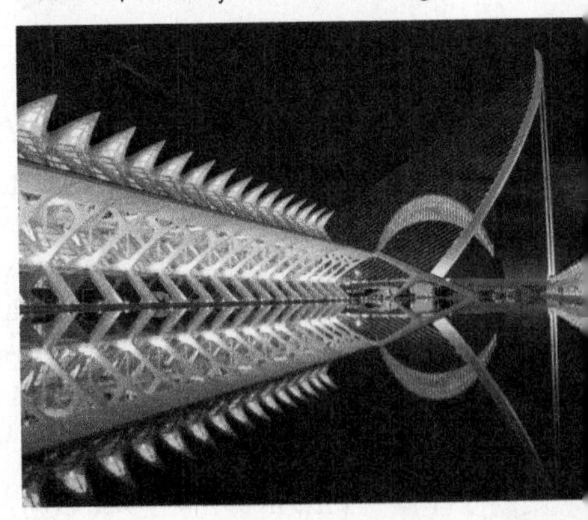

Una casa cueva en Andalucía

¿Te gustan las cuevas (*caves*)? ¡Es posible que sea tu nueva casa! Las casas cuevas han empezado a ser populares, sobre todo en Andalucía. Las cuevas han sido renovadas en hogares muy cómodos y modernos con teléfono, electricidad, agua corriente y hasta acceso al Internet.

Preguntas

1. ¿Cuáles son las semejanzas (*similarities*) y diferencias entre los edificios y las construcciones en esta presentación?
2. Compara la construcción de tu edificio favorito en este vistazo con la de tu casa ideal.
3. ¿Cómo y dónde se ve la influencia de la arquitectura española en los Estados Unidos y otras partes del mundo hispano?

Laberinto peligroso

EPISODIO 3

lectura

3-32 to 3-34

ESTRATEGIA **Establishing a purpose for reading; determining the main idea**

First, identify your purpose for reading. Is it for pleasure, to find specific information, or to research a topic? Next, skim the passage for the main idea(s). Make use of prior strategies such as predicting from titles and/or illustrations, identification of cognates, and use of background knowledge to help pinpoint the main topics of the reading.

3-32 Antes de leer. En lugar de tratar de leer y comprender todas las palabras de un texto, muchas veces es más útil tratar de extraer las ideas generales del texto. Antes de leer el episodio, completa los siguientes pasos.

Paso 1 Lee superficialmente y rápidamente el episodio y contesta las siguientes preguntas.

1. ¿Quiénes son los protagonistas en este episodio?
2. ¿Quién llega al café antes?
3. ¿Qué hace en el café?
4. ¿De qué habla con la otra persona?

Paso 2 Basándote en tus respuestas a las preguntas del **Paso 1** y en el título del episodio, escribe una oración indicando cuál crees que va a ser la idea general del episodio.

DÍA 19

Planes importantes

CD 2
Track 3

Estaba harto de estar solo en casa, así que Cisco decidió dar un paseo hasta un café para tomar algo y seguir trabajando allí. Cuando llegó al café, pudo sentarse en una mesa grande porque no había mucha gente, sólo un hombre que tomaba algo y estudiaba unos informes. Cisco pidió un café, sacó la computadora y los libros, y se puso a trabajar. Después de un rato, el otro cliente se levantó bruscamente para salir del café y con la prisa se le cayó una página al suelo.

Cuando Cisco llevaba una hora allí solo, una voz conocida le sorprendió:

—¿Qué haces tú aquí? —le preguntó Celia.
—Nada. Vivo cerca y quería tomar un café. —respondió Cisco, mientras cerraba su computadora y trataba de esconder° los libros.
—¿Y estos libros? —preguntó Celia.
—Para un artículo. —dijo Cisco.
—Me sorprende que trabajes aquí. —dijo Celia. —¿Puedes concentrarte?
—Sí, ya ves que está muy tranquilo y así salgo de casa. ¿Quieres sentarte y tomar algo? —respondió Cisco.
—Me encantaría, pero no quiero interrumpirte. —dijo Celia.
—No, el artículo está casi terminado. —mintió Cisco. —Además necesito un descanso.
—Está bien. —dijo Celia.

to hide

—¿Qué tal te sientes? ¿Ya te has recuperado de lo que te pasó durante el seminario?
—Sí, no fue nada. Creo simplemente que estaba cansada. —respondió Celia, mientras se sentaba.
—¿Has ido al médico? —preguntó Cisco.
—¡Qué exagerado! Estoy bien. No me he vuelto a sentir mal desde entonces, y fue hace dos semanas. De verdad, no creo que sea nada importante. —insistió Celia.
—Pero te desmayaste°. No creo que sea mala idea ir al médico. —insistió Cisco.

you fainted

Celia quería cambiar de tema y trataba de mirar los títulos de los libros que había sobre la mesa, pero solo pudo ver una revista.
—¿Estás escribiendo sobre casas? —le preguntó Celia, señalando la revista.
—No, es que quiero hacer unos cambios en mi casa. Cuando la compré tenía planes para renovarla, pero como tengo mucho trabajo, no puedo dedicarle mucho tiempo a eso.
—Es una lástima que no tengas más tiempo para una cosa tan importante. ¿Qué cambios quieres hacer? —preguntó Celia.
—Muchísimos. Estoy añadiendo un baño y voy a cambiar la cocina y acabar el sótano.
—¿Tienes contratista? —preguntó Celia.
—No, estoy haciéndolo todo yo. Para algunas cosas necesito un plomero, pero yo hago todo lo que pueda. —dijo Cisco.
—Me sorprende que sepas hacer tantas cosas, pero me parece muy bien que tomes esa iniciativa.
—También tiene que ver con mi presupuesto. Para hacer tanto trabajo, es fundamental que haga todo lo que pueda. Comprar todos los materiales y encima contratar a otras personas para hacer las reformas, ¡imagínate todas las facturas!
—¿Y no quieres pedir un préstamo? —preguntó Celia.
—La hipoteca ya es mucho. Y también me gusta hacer las cosas con mis propias manos.
—¿En qué cuarto estás trabajando ahora? —preguntó Celia.
—El baño está casi terminado, así que pronto voy a empezar en la cocina.
—Tengo ganas de aprender a hacer esas cosas, pero supongo que primero debería comprar la casa. —reflexionó Celia.
—¿Qué tipo de casas te gustan?
—Sencillas, no demasiado grandes. Quiero tener una con un buen jardín, eso es fundamental, y una cocina amplia y una gran chimenea en la sala. —respondió Celia.
—A mí también me gustan mucho las chimeneas. ¿Piensas comprar una casa pronto?
—No sé. Todavía no he hecho planes tan importantes. —respondió Celia, mirando hacia abajo y tocándose la frente.
—¿Estás bien? —preguntó Cisco con un tono preocupado.
—Sí, pero estoy un poco cansada y me duele la cabeza. Creo que debería irme. —Celia dijo mientras abría el bolso para sacar una propina para el camarero.
En su bolso encontró una nota que la asustó mucho.

3-33 **Después de leer.** Contesta las siguientes preguntas.

1. Al principio del episodio, ¿qué ocurrió con el hombre que estaba en el café?
2. ¿Por qué crees que Cisco le dijo a Celia que su artículo estaba casi terminado?
3. ¿Por qué crees que Celia no quería hablar sobre el incidente que ocurrió en el seminario?
4. ¿Qué planes tenía Cisco para su casa?
5. ¿Cómo era la casa ideal de Celia?
6. ¿Qué le ocurrió a Celia al final del episodio?

video

3-34 Antes del video. En los últimos episodios, Cisco ha estado trabajando en un artículo importante, y al final de *Planes importantes* Celia estaba asustada. En el próximo episodio del video, vas a ver qué asustó a Celia y también vas a aprender más sobre el artículo de Cisco. Antes de ver el episodio, contesta las siguientes preguntas.

1. ¿Qué tema ha estado investigando Cisco en los últimos episodios?
2. ¿Por qué crees que no se sentía bien Celia?
3. ¿Qué crees que había en la nota que asustó a Celia?

Dudo que sea una broma (*joke*).

¿Por qué tenía tanta prisa Cisco? ¿Ocultaba (*Was he hiding*) algo?

El poder curativo de las plantas en las selvas tropicales es algo que me apasiona...

Una nota misteriosa

Episodio 3

Relájate y disfruta el video.

3-35 Después del video. Contesta las siguientes preguntas.

1. ¿Qué dijo la nota que Celia encontró en su bolso? ¿Cómo reaccionó Cisco a la nota?
2. ¿Qué ocurrió cuando volvieron a entrar en el café?
3. ¿Cómo era el apartamento de Celia?
4. ¿Con qué tipo de especialista necesitaba hablar Cisco?
5. ¿Con qué tipo de especialista quería hablar Celia?
6. ¿Con qué personas ha estado trabajando el Dr. Huesos?
7. ¿Cómo concluyó el episodio?

Y por fin, ¿cómo andas?

Having completed this chapter, I now can...

	Feel confident	Need to review
Comunicación		
• list and discuss different house construction materials, exterior decorations, and surroundings. (p. 116)	❑	❑
• report about events in the past. (pp. 117, 125)	❑	❑
• listen for and state the main ideas of a conversation. (p. 122)	❑	❑
• describe a home and its rooms and contents. (p. 124)	❑	❑
• express doubts, feelings, and emotions. (p. 128)	❑	❑
• extend, accept, and decline invitations. (p. 134)	❑	❑
• add supporting details to main ideas and statements when writing. (p. 136)	❑	❑
Cultura		
• identify some famous Hispanics involved in home improvement and beautification. (p. 133)	❑	❑
• describe several different kinds of housing in Spain. (p. 138)	❑	❑
Laberinto peligroso		
• determine the main ideas of a text. (p. 140)	❑	❑
• discuss Cisco's plans for home improvement. (p. 140)	❑	❑
• speculate on a mystery man and a frightening note left for Celia. (p. 142)	❑	❑

VOCABULARIO ACTIVO

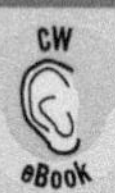

CD 2
Tracks 4-12

Los materiales de la casa y sus alrededores — *Housing materials and surroundings*

la acera	*sidewalk*
el adobe	*adobe*
los azulejos	*ceramic tiles*
el cemento	*cement*
la cerca	*fence*
el césped	*grass; lawn*
la cuadra	*city block*
el estanque	*pond*
el ladrillo	*brick*
la madera	*wood*
la manguera	*garden hose*
el muro	*wall (around a house)*
la piscina	*swimming pool*
el yeso	*plaster*

Algunos verbos — *Some verbs*

alquilar	*to rent*
añadir	*to add*
comparar con	*to compare with*
componer	*to repair, to fix an object*
construir	*to construct*
gastar	*to spend; to wear out*
guardar	*to put away; to keep*
mudarse	*to move*
ponerse de acuerdo	*to agree; to reach an agreement*
quemar	*to burn*
reparar	*to repair*

Algunas palabras útiles — *Some useful words*

el alquiler	*rent*
el/la arquitecto/a	*architect*
el/la carpintero/a	*carpenter*
el/la contratista	*contractor*
el/la diseñador/a	*designer*
el/la dueño/a	*owner*
la escalera	*staircase; stairs*
la factura (mensual)	*(monthly) bill*
la hipoteca	*mortgage*
el/la obrero/a	*worker*
el préstamo	*loan*
el presupuesto	*budget*

Dentro del hogar — *Inside the home*

el aire acondicionado	*air conditioning*
la calefacción	*heat*
la chimenea	*fireplace; chimney*
el cuarto	*room*
el fuego	*fire*
el hogar	*home*
la lavadora	*washing machine*
la secadora	*dryer*
la oficina	*office*
el pasillo	*hall*
el sótano	*basement*

La sala — *Living room*

el cuadro	*painting*
el florero	*vase*
las velas	*candles*

La cocina — *Kitchen*

la alacena	*cupboard*
la cafetera	*coffeemaker*
la batidora	*hand-held beater; mixer; blender*
la cacerola	*saucepan*
la copa	*goblet; wine glass*
la despensa	*pantry*
el fregadero	*kitchen sink*
el horno	*oven*
la jarra	*pitcher*
el mostrador	*countertop*
la olla	*pot*
el platillo	*saucer*
el plato hondo	*bowl*
la sartén	*skillet, frying pan*
la sopera	*soup bowl*
la toalla	*towel*

El dormitorio — *Bedroom*

la almohada	*pillow*
la cortina	*curtain*
el espejo	*mirror*
la funda (de almohada)	*pillowcase*
las persianas	*blinds*
la sábana	*sheet*

Algunos verbos	*Some verbs*
calentar (e-ie)	*to heat*
colgar (o-ue)	*to hang*
cortar el césped	*to cut the grass*
cubrir	*to cover*
pintar	*to paint*
remodelar, renovar (o-ue)	*to remodel, to renovate*
regar (e-ie) las flores	*to water the flowers*
sacar la mala hierba	*to weed*
sugerir (e-ie-i)	*to suggest*

Algunas palabras útiles	*Some useful words*
el/la electricista	*electrician*
el/la jardinero/a	*gardener*
el/la plomero/a	*plumber*
el/la vecino/a	*neighbor*

¡Celebremos!

Hay celebraciones por todas partes del mundo y por muchos motivos diferentes. Algunas se asocian con temas religiosos y son formales. Otras tienen que ver con eventos familiares y celebran las épocas de la vida, el paso del tiempo o las relaciones personales. ¡Y algunas celebraciones son simplemente fiestas para divertirse con amigos, música y buena comida!

Una fiesta divertida con una torta

PREGUNTAS

1 ¿Qué celebran estas personas? ¿En qué celebraciones se ofrece comida a los invitados?
2 ¿Qué fiestas te gusta celebrar más y por qué?
3 ¿Cómo y con quiénes celebras las cosas importantes de la vida?

Comunicación

- Sharing information about celebrations and life events
- Describing and narrating past events

VOCABULARIO 1 Las celebraciones y los eventos de la vida

SAM 4-1 to 4-2

Las celebraciones y los eventos de la vida	*Life events and celebrations*
el disfraz	*costume*
el baile	*dance*
la cita	*date*
El Día de la Madre/del Padre/de la Independencia, etc.	*Mother's Day, Father's Day, Independence Day, etc.*
El Día de los Muertos	*Day of the Dead*
el nacimiento	*birth*
la primera comunión	*First Communion*
la quinceañera	*fifteenth birthday celebration*

Verbos	*Verbs*
celebrar	*to celebrate*
cumplir… años	*to have a birthday/to turn… years old*
dar a luz	*to give birth*
discutir	*to argue; to discuss*
disfrazarse	*to disguise oneself, to wear a costume*
enamorarse (de)	*to fall in love (with)*
engañar	*to deceive*
estar comprometido/a	*to be engaged*
estar embarazada	*to be pregnant*
pelear(se)	*to fight*
salir (con)	*to go out (with)*
tener una cita	*to have a date*

Comunicación

- Talking about the past
- Narrating in the past
- Explaining how long something has been going on
- Telling how long ago something happened

El pretérito y el imperfecto

9-27 to 9-34 35, 36, 41

Fuimos a Cuzco y subimos a Machu Picchu. Hacía buen tiempo.

You have learned about two aspects of the past tense in Spanish, **el pretérito** and **el imperfecto,** which are not interchangeable. Their uses are contrasted below.

THE **PRETERIT** IS USED:	THE **IMPERFECT** IS USED:
1. To relate an event or occurrence that refers to *one specific time in the past* • **Fuimos** a Cuzco el año pasado. *We went to Cuzco last year.* • **Comimos** en el restaurante El Sol y **nos gustó** mucho. *We ate at El Sol restaurant and liked it a lot.*	**1.** To express *habitual* or often *repeated actions* • **Íbamos** a Cuzco todos los veranos. *We used to go to Cuzco every summer.* • **Comíamos** en el restaurante El Sol todos los lunes. *We used to eat at El Sol Restaurant every Monday.*

2. To relate an act *begun or completed in the past* • **Empezó** a llover. *It started to rain.* • **Comenzaron** los juegos. *The games began.* • La gira **terminó.** *The tour ended.*	**2.** To express *was/were + -ing* • **Llovía** sin parar. *It rained without stopping.* • **Comenzaban** los juegos cuando llegamos. *The games were beginning when we arrived.* • La gira **transcurría** sin ningún problema. *The tour continued without any problems.*
3. To relate a *sequence of events*, each completed and moving the narrative along toward its conclusion • **Llegamos** en avión, **recogimos** las maletas y **fuimos** al hotel. *We arrived by plane, picked up our luggage, and went to the hotel.* • Al día siguiente **decidimos** ir a Machu Picchu. *The next day we decided to go to Machu Picchu.* • **Vimos** muchos ejemplos de la magnífica arquitectura incaica. Después **anduvimos** un poco por el camino de los incas. **Nos divertimos** mucho. *We saw many examples of the magnificent Incan architecture. Afterward we walked a bit on the Incan road. We had a great time.*	**3.** To provide *background* information, set the stage, or express a pre-existing condition, and express emotions and mental/emotional state. • **Era** un día oscuro. **Llovía** de vez en cuando. *It was a dark day and it rained once in a while.* • Los turistas **llevaban** pantalones cortos y lentes de sol. *The tourists were wearing shorts and sunglasses.* • El camino **era** estrecho y **había** muchos turistas. *The path was narrow and there were many tourists.* • Los turistas estaban cansados y tenían hambre. *The tourists were tired and hungry.*
4. To relate an action that took place within a specified or *specific amount* (segment) *of time.* **Caminé** (por) dos horas. *I walked for two hours.* **Hablamos** (por) cinco minutos. *We talked for five minutes.* **Contemplaron** el templo un rato. *They contemplated the temple for a while.* **Viví** en Ecuador (por) seis años. *I lived in Ecuador for six years.*	**4.** To *tell time* in the past **Era** la una. *It was 1:00.* **Eran** las tres y media. *It was 3:30.* **Era** muy tarde. *It was very late.* **Era** la medianoche. *It was midnight.*
	5. To relate two actions that happened simultaneously in the past. • Mientras mis padres cocinaban, yo hacía la tarea. *While my parents cooked, I did my homework.*

Fíjate

The use of *por* is optional in these cases.

	PRETERIT	*IMPERFECT*
Conocer	Conocí a Juan el año pasado. *I met Juan last year.*	Conocía a Juan el año pasado. *I (already) knew Juan last year.*
Poder	Elena pudo terminar el proyecto. *Elena managed to finish the project.*	Elena podía terminar el proyecto. *Elena could finish the project (but we don't actually know if she did).*
Querer	Felicia quiso esquiar. *Felicia tried to ski.*	Felicia quería esquiar. *Felicia wanted to ski (but we don't know if she did).*
Saber	Supimos la verdad. *We found out the truth.*	Sabíamos la verdad. *We knew the truth.*
Haber	Hubo un accidente *There was an accident.* *Hubo = ocurrir, to happen*	Había mucha gente en la casa *There were many people in the house* *Había = descripción*

WORDS AND EXPRESSIONS THAT COMMONLY SIGNAL:

PRETERIT	IMPERFECT
anoche anteayer ayer de repente (*suddenly*) el fin de semana pasado el mes pasado el lunes pasado/el martes pasado, etc. esta mañana una vez, dos veces, etc. siempre (when an end point is obvious)	a menudo cada semana/mes/año con frecuencia de vez en cuando (*once in a while*) mientras muchas veces frecuentemente todos los lunes/martes, etc. todas las semanas todos los días/meses/años siempre (when an event is repeated with no particular end point)

***Please note:** The **pretérito** and the **imperfecto** can be used in the same sentence.

Miraban la tele cuando **sonó** el teléfono. — *They were watching TV when the phone rang.*

In the preceding sentence, an action was going on **(miraban)** when it was interrupted by another action **(sonó el teléfono).**

Estrategia

To help you remember vocabulary, use images in association with the words. You could create visual flash cards with pictures instead of English translations. Also, try to associate these celebrations with activities you might do to acknowledge them. When you put your vocabulary into a personal context, it becomes more meaningful to you and you will retain it better.

4-1 ¿Cuál fue?

Anoche hubo muchas celebraciones. Lean lo que hicieron estas personas en distintas celebraciones e indiquen de qué celebración se trata cada situación. Túrnense.

a. El Día de las Brujas
b. el bautizo
c. el aniversario de boda
d. el nacimiento

1. Los niños se disfrazaron y fueron a una fiesta.
2. Sara dio a luz a una niña.
3. Hoy hace veinte años que Gastón y Patricia se casaron.
4. Julia y Felipe llevaron a su bebé a la iglesia y hubo una ceremonia con los padrinos y un cura (*priest*).

Fíjate

Other words you might find useful are: *el embarazo* = pregnancy, *el noviazgo* = engagement; courtship.

4-2 Y la palabra es...

Escuchen mientras el/la profesor/a explica la actividad. Van a tener que describir palabras, según el modelo.

MODELO tener una cita

una persona invita a otra a salir, entonces salen juntos; pueden ser más que amigos; el amor es una posibilidad…

4-3 La cita de Paula y Pablo

Elijan el verbo apropiado para terminar el pasaje. Después discutan por qué son correctos. Túrnense.

(1) Eran/Fueron las cinco de la tarde cuando Pablo (2) decidía/decidió llamar a Paula. Paula (3) hacía/hizo yoga cuando (4) sonaba/sonó el teléfono. (5) Era/Fue Pablo y la (6) quería/quiso invitar a cenar con él. A las siete y media la (7) recogía/recogió (8) e iban/y fueron en coche al restaurante Tío Tapa. El restaurante (9) era/fue pequeño pero acogedor (*cozy*). (10) Se sentaban/Se sentaron en el patio y (11) empezaban/empezaron a conocerse. (12) Pedían/Pidieron diferentes tapas y cerveza. Después de tres horas de comer, beber y conversar (13) decidían/decidieron irse a una discoteca para bailar. (14) Se divertían/Se divirtieron mucho en su primera cita.

Estrategia

Attempt to work with a different partner in each class. This enables you to help and learn from a variety of your peers, an important and highly effective learning technique. Equally important is the fact that working in small groups, rather than as a large class, gives you more opportunities and time to practice Spanish, as well as to get to know your classmates better.

4-4 Una celebración en Sevilla

Adriano estudia este semestre en Sevilla, España. Le escribe a su madre un e-mail sobre una experiencia muy interesante.

Paso 1 Termina el e-mail con la forma correcta de los verbos apropiados en **el pretérito** o **el imperfecto.** Después compara tu trabajo con el de un/a compañero/a.

andar	decir	empezar	encontrarse	leer
llamar	llegar	salir	ser (x2)	tener

Querida mamá:

¡Me gusta Sevilla más que nunca! Anoche yo (1) __________ *Don Quixote* cuando mi amigo Luis me (2) __________. Él me (3) __________ que (4) __________ una sorpresa para mí y que me recogería (*would pick me up*) en diez minutos. Cuando (5) __________ del piso (apartamento) vi que (6) __________ una noche perfecta con buena temperatura, una brisa deliciosa y un cielo estrellado. (7) __________ las once y media cuando Luis (8) __________. Inmediatamente nosotros (9) __________ a caminar a un lugar secreto (por lo menos para mí). (10) __________ por casi media hora y por fin (11) __________ en un lugar con mucha gente y fue muy emocionante.

decir	divertirse	esperar	estar	iluminar
moverse	parecer	ser	ubicarse (*to be located*)	volver

Me (1) __________ que toda la gente (2) __________ algo importante. Nosotros (3) __________ cerca de la entrada de un sitio grande y oscuro. A las doce en punto 20.000 bombillas (4) __________ una gran portada. ¡Era el comienzo de la famosa Feria de Abril! Entonces toda la masa de personas (5) __________ para dentro.

Según me (6) __________ Luis, este año es diferente porque hay un nuevo lugar para la Feria—los terrenos del Charco de la Pava, junto al río Guadalquivir. En el pasado la Feria (7) __________ en el Barrio de los Remedios, donde vivo yo ahora con doña Esperanza. Según Luis la razón por la que cambiaron de lugar (8) __________ la alta demanda de casetas (casas pequeñas donde la gente come, bebe, baila y descansa durante la Feria).

Yo (9) __________ a la Feria al día siguiente donde (10) __________ muchísimo. Mamá—la música, el baile, los caballos, la comida, las copas—¡todo fue increíble!

Besos,
Adriano

Paso 2 Ahora, expliquen el uso de los verbos y los tiempos verbales del **Paso 1.**

MODELO 1. leía

describes what was going on when another action interrupted; he was reading when Luis called

4-5 Tres momentos importantes

Piensa en los momentos importantes de tu vida.

Paso 1 Escribe sobre **tres** eventos importantes que tuvieron lugar en tu vida, contestando las preguntas, según el modelo.

¿CUÁNDO FUE?	¿DÓNDE ESTABAS?	¿CON QUIÉN(ES) ESTABAS?	¿QUÉ PASÓ?	¿CÓMO TE SENTÍAS?
el quince de mayo	*la playa*	*mis padres*	*conocí a mi novio*	*feliz*

Estrategia

Concentrate on spelling and accent marks. If you are a visual learner, try color-coding the words that have accents or writing the accents in a different color to call attention to that form of the verb.

Paso 2 Escribe **tres** oraciones (una para cada evento) resumiendo toda la información. Después comparte la información con un/a compañero/a.

MODELO *El quince de mayo estaba en la playa con mi familia cuando conocí a mi novio. Me sentía muy feliz…*

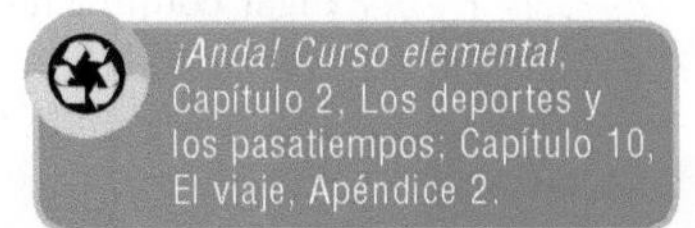

4-6 El Hotel Playa Sol

Lean el folleto del Hotel Playa Sol. Después escriban un párrafo creativo de **seis** a **ocho** oraciones sobre lo que les ocurrió a Andrea y Roberto, una pareja de Guadalajara, México, allí.

path
candles and torches

Vince Cavataio / PacificStock.com.

4-10

Notas culturales

El Día de los Muertos

La tradición del Día de los Muertos tiene su origen en una celebración indígena y representa una combinación de unas creencias (*beliefs*) precolombinas y cristianas. Se celebra principalmente en México y en las comunidades mexicanas en los Estados Unidos. El primero y el dos de noviembre, las familias van al cementerio para limpiar y decorar con flores las tumbas de sus parientes que ya han muerto. También construyen ofrendas (altares) en las casas o en lugares públicos en honor de los difuntos (muertos). Allí ponen unos recuerdos de cada persona: una fotografía, la comida y la bebida que le habían gustado en la vida y flores. El altar y las ofrendas simbolizan la conexión que los difuntos habían tenido con la familia mientras vivían. Durante estos días los niños reciben dulces en forma de esqueletos (*skeletons*) y calaveras (*skulls*) y muchas personas preparan el pan de muerto para llevar al cementerio o poner en las ofrendas. Es un tiempo para recordar a los parientes difuntos y celebrar sus vidas.

Preguntas

1. ¿Cómo se honra a los difuntos el primero y el dos de noviembre?
2. ¿Qué simbolizan las ofrendas y para qué sirven?
3. Piensa en las actitudes ante las etapas de la vida que representan estas tradiciones. ¿En qué son similares y en qué son diferentes a las actitudes de tu cultura? ¿Te parecen tristes o alegres estas tradiciones? ¿Por qué?

ESCUCHA

4-11 to 4-12

ESTRATEGIA **Listening for details**

When listening, always determine the main idea(s) first and *then* take note of supporting details. Jotting down the details in writing is helpful. You can then use your notes to confirm and verify your information. When listening to someone in person, you can confirm and verify by asking follow-up questions for clarification. If you are listening to a recording, there is always the option to replay what you have heard for confirmation and verification of details.

4•7 Antes de escuchar

Rogelio trabaja para un famoso cocinero latino, Aaron Sánchez, el dueño del restaurante Paladar en Nueva York. Rogelio va al mercado cuando se da cuenta de que tiene un mensaje del gerente *(manager)* de la cocina. ¿Qué crees que dice el gerente en su mensaje? ¿Qué **dos** detalles crees que debe recordar Rogelio?

1. ______________________
2. ______________________

4•8 A escuchar

CD 2 Track 13

Completa los siguientes pasos.

Paso 1 La primera vez que escuchas capta la idea general.

Paso 2 Al escuchar el mensaje por segunda vez, escribe **tres** detalles que Rogelio debe recordar.

1. ______________ 2. ______________ 3. ______________

Paso 3 Compara lo que escribiste con lo que escribió un/a compañero/a.

4•9 Después de escuchar

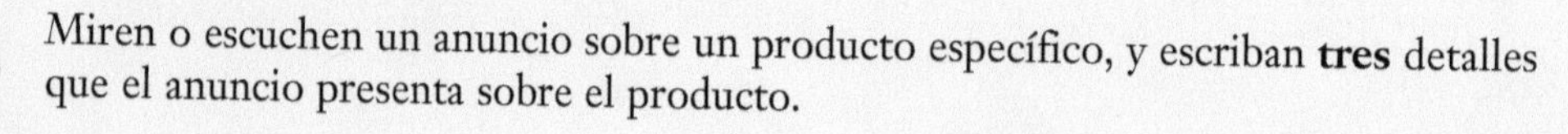

Miren o escuchen un anuncio sobre un producto específico, y escriban **tres** detalles que el anuncio presenta sobre el producto.

¿Cómo andas?

Having completed the first **Comunicación,** I now can…

	Feel Confident	Need to Review
• share information about celebrations and important life events. (p. 148)	❑	❑
• express one-time events and ongoing actions in the past. (p. 149)	❑	❑
• describe some traditions that celebrate life events in Mexico and elsewhere in the Hispanic world. (p. 155)	❑	❑
• listen carefully for and note details in a conversation. (p. 156)	❑	❑

Comunicación

- Describing food
- Indicating how long something has been happening or how long ago it happened
- Expressing what has happened

VOCABULARIO 2 La comida y la cocina

SAM 4-13 to 4-15

¡Anda! Curso elemental, Capítulo 7, La comida; La preparación de las comidas, Apéndice 2.

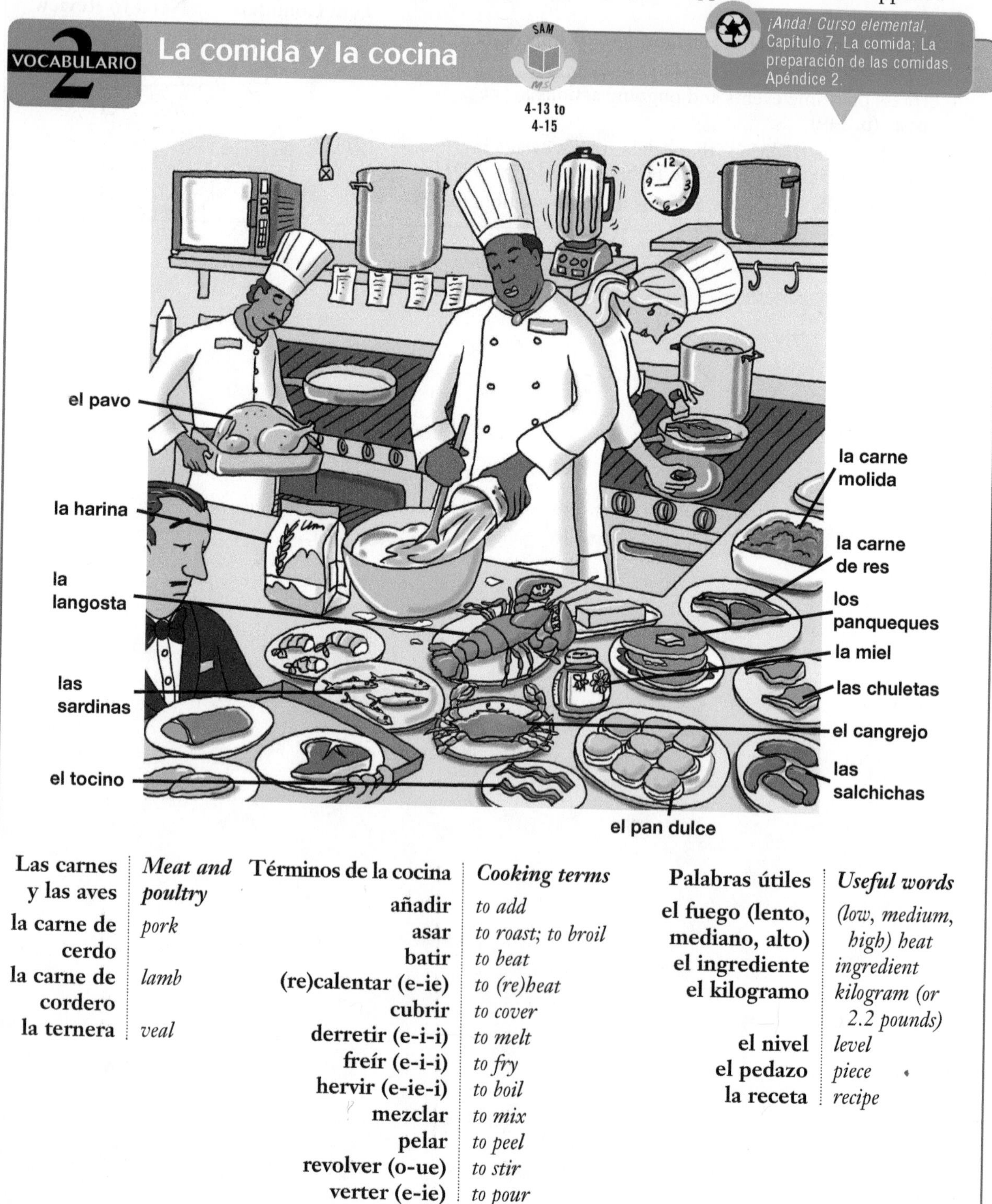

Las carnes y las aves	*Meat and poultry*
la carne de cerdo	*pork*
la carne de cordero	*lamb*
la ternera	*veal*

Términos de la cocina	*Cooking terms*
añadir	*to add*
asar	*to roast; to broil*
batir	*to beat*
(re)calentar (e-ie)	*to (re)heat*
cubrir	*to cover*
derretir (e-i-i)	*to melt*
freír (e-i-i)	*to fry*
hervir (e-ie-i)	*to boil*
mezclar	*to mix*
pelar	*to peel*
revolver (o-ue)	*to stir*
verter (e-ie)	*to pour*

Palabras útiles	*Useful words*
el fuego (lento, mediano, alto)	*(low, medium, high) heat*
el ingrediente	*ingredient*
el kilogramo	*kilogram (or 2.2 pounds)*
el nivel	*level*
el pedazo	*piece*
la receta	*recipe*

Expresiones con *hacer*

9-36 to
9-39

Hace seis meses que no te veo.

The verb **hacer** means *to do* or *to make*. You have also used **hacer** in idiomatic expressions dealing with weather. There are some additional special constructions with **hacer** that deal with time. **Hace** is used:

1. to discuss an action that began in the past but is still going on in the present.

hace + *period of time* + **que** + *verb in the present tense*

Hace cuatro meses **que** estudio español. — *I've been studying Spanish for four months.*

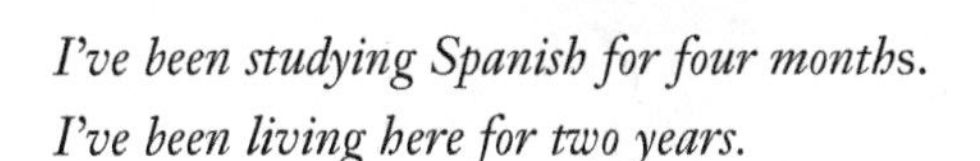

Hace dos años **que** vivo aquí. — *I've been living here for two years.*

2. to ask how long something has been going on.

cuánto (tiempo) + **hace** + **que** + *verb in present tense*

¿Cuántos meses **hace que** estudias español? — *How many months have you been studying Spanish?*
¿Cuánto tiempo **hace que** estudias español? — *How long have you been studying Spanish?*
¿Cuántas semanas **hace que** vives aquí? — *How many weeks have you been living here?*

3. in the preterit to tell how long ago something happened.

hace + *period of time* + **que** + *verb in the preterit*

Hace cuatro meses **que** empecé a estudiar español. — *I began to study Spanish four months ago.*
Hace dos años **que** me mudé aquí. — *I moved here two years ago.*

or

verb in the preterit + **hace** + *period of time*

Empecé a estudiar español **hace** cuatro meses. — *I began to study Spanish four months ago.*
Me mudé aquí **hace** dos años. — *I moved here two years ago.*

*Note that in this construction **hace** can either precede or follow the rest of the sentence. When it follows, **que** is not used.

4. to ask how long ago something happened.

cuánto (tiempo) + **hace** + **que** + *verb in preterit*

¿Cuánto tiempo **hace que** empezaste a estudiar español? — *How long ago did you begin to study Spanish?*
¿Cuánto tiempo **hace que** te enfermaste? — *How long ago did you get sick?*

4-10 Haciendo preguntas

Túrnense para cambiar las siguientes oraciones a preguntas.

MODELO Hace un mes que busco la receta.
¿Cuánto tiempo hace que buscas la receta?

1. Hace varias horas que busco una sartén española en el Internet.
2. Hace cuarenta y cinco minutos que cocino la ternera a fuego lento.
3. Hace una hora que se derritió el hielo.
4. Hace dos días que compré los camarones y los cangrejos.
5. Hace diez minutos que busco los ingredientes.

4-11 Oraciones

Completa los siguientes pasos.

Paso 1 Escribe **seis** oraciones diferentes utilizando palabras de cada columna, más otras palabras necesarias. Después comparte las oraciones con un/a compañero/a.

MODELO hace una hora que preparar
Hace una hora que preparo los panqueques para el desayuno.

Hace	media hora	que	tú	freír...
	un día		Rafael	hervir...
	diez minutos		nosotros	calentar...
	una hora		yo	añadir...
	dos horas		ellas	asar...
	mucho tiempo		mi madre	revolver...

Paso 2 Juntos pongan los verbos en las oraciones en el **pretérito.** ¿Cómo cambia el significado de las oraciones?

MODELO Hace una hora que preparo los panqueques para el desayuno.
Hace una hora que preparé los panqueques para el desayuno.

¡Anda! Curso elemental, Capítulo 7, La comida: La preparación de las comidas, Apéndice 2.

4-12 ¡Delicioso!

Ingrid Hoffman es una apasionada cocinera y estrella de televisión tanto en *Food Network* como en *Univisión*. Completen esta entrevista con ella utilizando las expresiones con **hacer** con los verbos en paréntesis y los tiempos indicados.

Ingrid Hoffman

PERIODISTA (P): Saber cocinar bien es un gran talento. ¿De dónde viene su atracción por la cocina?

INGRID HOFFMAN (IH): (1) ______________________ (estar obsesionada con la comida/treinta años). Yo me crié en Colombia, en las Antillas Holandesas y en los Estados Unidos con una madre colombiana y un padre colombo-alemán y con una mezcla de culturas y sabores diferentes.

P: ¿Cuándo empezaste a cocinar?

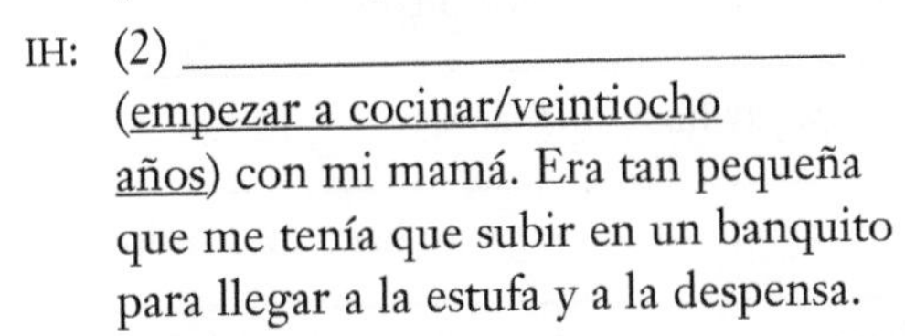

IH: (2) ______________________ (empezar a cocinar/veintiocho años) con mi mamá. Era tan pequeña que me tenía que subir en un banquito para llegar a la estufa y a la despensa.

P: ¡Impresionante! Y cuando no está en la cocina ¿qué le gusta hacer?

IH: Pues, trabajo bastante porque (3) ______________________ (abrir una tienda/cinco años), *La Capricieuse*, y también (4) ______________________ (comprar un restaurante/dos años) en Miami, *Roca*. Pero cuando tengo tiempo libre sé disfrutarlo. Me encantan el arte, la música, el mar, estar al aire libre, ir al cine, reunirme con mi familia y amigos, viajar y soñar.

P: Muchas gracias por la entrevista. (5) ______________________ (ver su programa en la televisión/mucho tiempo) *Simply delicioso*. ¿Quiere invitarme a cenar?

IH: Gracias a usted—ha sido un placer. Hmmm… ¿qué le gusta comer?

4-13 ¿Cuánto tiempo hace?

Túrnense para crear y contestar preguntas.

Paso 1 Escriban **cuatro** preguntas siguiendo el modelo.

MODELO Hace ____ que / (no) comer carne de cerdo / tú

¿Cuánto tiempo hace que comes carne de cerdo? / *¿Cuánto tiempo hace que no comes carne de cerdo?*

Paso 2 Ahora pregunta y contesta.

MODELO E1: *¿Cuánto tiempo hace que no comes carne de cerdo?*

E2: *Hace veinte años que no como carne de cerdo. ¡La detesto!*

¡Anda! Curso elemental, Capítulo 7, La comida, Apéndice 2.

4-14 Firma aquí

Circula por la clase hasta encontrar a un estudiante que pueda contestar afirmativamente tu pregunta.

MODELO desayunar con huevos y tocino hace dos días

E1: *¿Hace dos días que desayunaste con huevos y tocino?*

E2: *No, no desayuné con huevos y tocino hace dos días. Nunca como tocino porque no me gusta.*

E1: *¿Hace dos días que desayunaste con huevos y tocino?*

E3: *Sí, hace dos días desayuné con huevos y tocino y hoy también.*

E1: *Pues, firma aquí, por favor.*

1. comer la langosta y otros mariscos hace muchos años
______
2. empezar a trabajar como camarero/a hace una semana
______
3. ver un programa en el *Food Network* hace dos o tres días
______
4. tomar un café con leche y azúcar hace una hora
______
5. pedir comida italiana en un restaurante elegante hace uno o dos meses
______
6. preparar una comida balanceada con verduras, legumbres y fruta hace una semana
______
7. comer pescado preparado a la parrilla hace tres o cuatro semanas
______
8. preparar una ensalada grande con lechuga, tomate, cebolla, pavo y queso hace uno o dos días
______

4-15 Conversando

Habla con varios compañeros de clase utilizando las siguientes preguntas para guiar la conversación.

1. Si sabes cocinar, ¿cuánto tiempo hace que aprendiste? ¿Cómo aprendiste? ¿Cuáles son tus platos favoritos para preparar? Si no sabes cocinar, ¿cuáles son tus platos favoritos para comer?
2. ¿Cuánto tiempo hace que una persona te preparó una comida especial? ¿Quién fue esa persona? ¿Qué preparó?
3. ¿Cuánto tiempo hace que hiciste las compras para la semana (comida)? ¿Cuándo fue? ¿Qué compraste?
4. ¿Te gustan los programas de cocina en la tele? ¿Cuánto tiempo hace que ves esos programas? ¿Quién es tu cocinero/a favorito/a?
5. ¿Cuánto tiempo hace que cenaste en un restaurante caro? ¿Qué comiste? ¿Con quién estuviste?

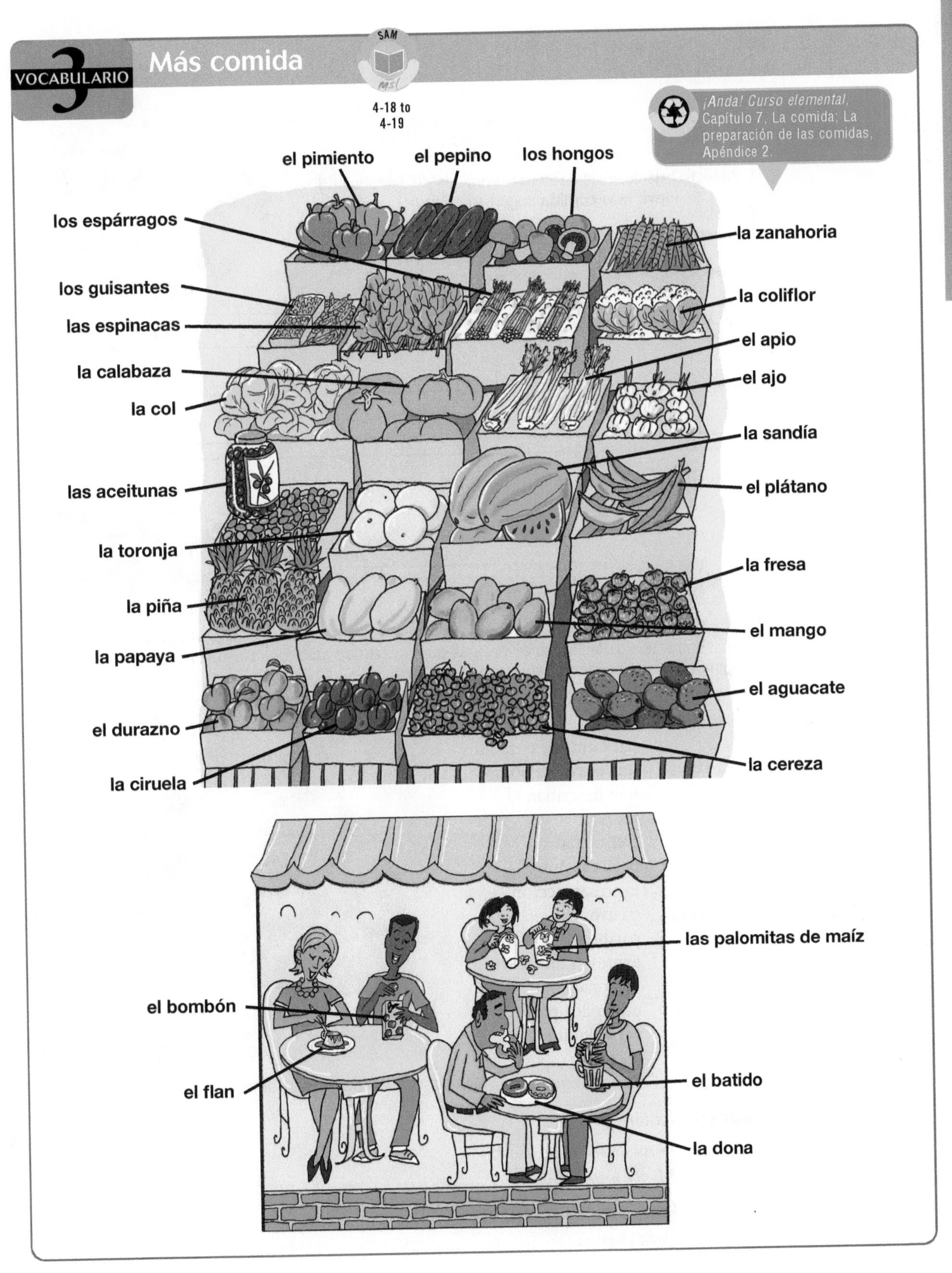
3 VOCABULARIO
Más comida
SAM
4-18 to 4-19
¡Anda! Curso elemental, Capítulo 7, La comida; La preparación de las comidas, Apéndice 2.
el pimiento
el pepino
los hongos
los espárragos
la zanahoria
los guisantes
la coliflor
las espinacas
el apio
la calabaza
el ajo
la col
la sandía
las aceitunas
el plátano
la toronja
la fresa
la piña
el mango
la papaya
el aguacate
el durazno
la cereza
la ciruela
las palomitas de maíz
el bombón
el flan
el batido
la dona

¡Anda! Curso elemental, Capítulo 7, La comida, Apéndice 2.

4·16 ¿De qué color son?

Paso 1 Organicen las diferentes comidas del vocabulario nuevo **Más comida** según su color.

MODELO VERDE: *la col, el apio...*

Paso 2 Ahora añadan otras comidas a las listas.

BLANCO	AMARILLO	ROJO	VERDE	MARRÓN	ROSADO	ANARANJADO	OTRO

¡Anda! Curso elemental, Capítulo 5, Los números ordinales, Apéndice 3; Capítulo 7, La comida, Apéndice 2.

4·17 Eres poeta

Sigue las instrucciones para crear un poema estilo *cinquain*—un poema corto de cinco versos (*lines*) sobre una de las frutas o verduras que acaban de aprender. Después comparte tu poema con los compañeros de clase.

primer verso: una o dos palabras para indicar el tema
segundo verso: dos o tres palabras que describan el tema
tercer verso: tres o cuatro palabras que expresen acción
cuarto verso: cuatro o cinco palabras que expresen una actitud personal
quinto verso: una o dos palabras para aludir (referirse) nuevamente al tema

Un cuadro de Rufino Tamayo

MODELO *La toronja*
El sol anaranjado
Me da mucha vida
Cada mañana me despierta
Pura energía

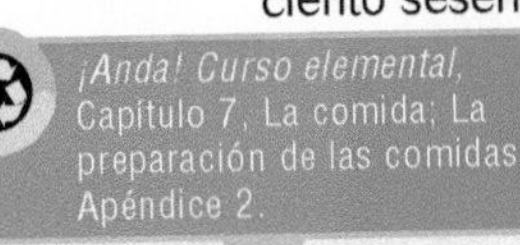

¡Anda! Curso elemental, Capítulo 7, La comida; La preparación de las comidas, Apéndice 2.

4-18 ¿Cuáles son tus favoritas?

Completa los siguientes pasos.

Paso 1 Haz una lista de tus comidas favoritas y de cómo las prefieres: crudas (**C**), hervidas (**H**), asadas (**A**), a la parrilla (**P**) o fritas (**F**).

Vocabulario útil

crudo/a	*raw*	**a la parrilla**	*grilled; barbecued*
hervido/a	*boiled*	**frito/a**	*fried*
asado/a	*grilled*		

Fíjate

A *plátano* is a cooking banana, known in the U.S. as a plantain. While bananas are usually eaten raw and are sweet, *plátanos* are firmer, less sweet, and are generally cooked in some way before eating. They are a staple food in many tropical regions, much like potatoes in other cultures and climates.

FRUTA	VERDURA	PESCADO	MARISCOS	AVE	CARNE	POSTRE	OTROS COMESTIBLES
durazno (C)	*alcachofa (H)*	*camarones (F)*					
	plátanos (H)						

Paso 2 Compara la lista con las de otros compañeros.

MODELO E1: *¿Cuáles de las comidas prefieres crudas?*
E2: *Prefiero comer las zanahorias, el bróculi, los tomates y la lechuga crudos.*
E3: *Yo sólo como las verduras crudas en la ensalada…*

4-19 Y ahora son dueños

Usando el cuadro de la actividad **4-18**, en grupos de tres o cuatro creen un menú para un restaurante pequeño incorporando las comidas favoritas en platos especiales. Deben ponerle un nombre al restaurante y decidir qué tipo de restaurante es. Después, presenten los menús a los otros compañeros y voten por el mejor restaurante del grupo.

CAPÍTULO 4

¡Anda! Curso elemental, Capítulo 7, La comida, Apéndice 2.

4·20 Una cena virtual

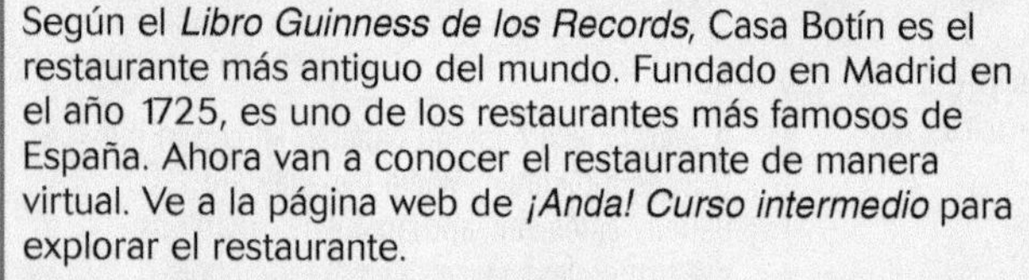

Según el *Libro Guinness de los Records,* Casa Botín es el restaurante más antiguo del mundo. Fundado en Madrid en el año 1725, es uno de los restaurantes más famosos de España. Ahora van a conocer el restaurante de manera virtual. Ve a la página web de *¡Anda! Curso intermedio* para explorar el restaurante.

Paso 1 Estás en Madrid y tienes mucha hambre y dinero. Vas a Casa Botín para cenar con tus amigos. Mira la carta (el menú) y decide qué platos quieres pedir.

Paso 2 Ahora entrevista a **cinco** personas y apunta sus comidas. Decide si sus selecciones son *sanas* o *no muy sanas.*

COMIDA SANA	COMIDA NO MUY SANA

Paso 3 Comunica tus resultados a tus compañeros de clase.

MODELO *El veinticinco por ciento de los estudiantes no siguen una dieta sana porque…*

¡Anda! Curso elemental, Capítulo 7, La comida, La preparación de las comidas, Apéndice 2.

4·21 Entrevista

Circula por la sala de clase haciendo y contestando las siguientes preguntas.

1. ¿Sigues una dieta sana? Explica, dando unos ejemplos.
2. ¿Qué comida(s) te gusta(n) menos? ¿Por qué?
3. Cuando preparas una comida especial para tu novio/a, esposo/a o amigos, ¿qué sueles preparar? (soler preparar = *usually prepare*)
4. ¿Qué ingredientes sueles poner (o comer) en una ensalada?
5. ¿Te gusta el pescado? ¿el ave? ¿la carne? ¿Cómo lo(s)/la(s) prefieres?
6. ¿Eres un/a buen/a cocinero/a? Explica.

¡Anda! Curso elemental Capítulo 7, La comida, La preparación de las comidas, Apéndice 2.

4·22 Otra entrevista

Escribe **seis** preguntas sobre las preferencias de comida y las dietas sanas. Circula por la sala de clase haciendo tus preguntas y contestando las preguntas de las otras personas.

MODELO E1: *¿Cuál es la comida que comes con más frecuencia?*

E2: *Como hamburguesas con queso con más frecuencia.*

E1: *¿Cuántas veces por semana la(s) comes?*

E2: *Las como por lo menos tres veces por semana.*

E2: *¿Prefieres pelar las frutas y verduras antes de comerlas?*

El presente perfecto de subjuntivo

Espero que mis padres hayan puesto más dinero en mi cuenta.

You have already worked with the **present perfect** (***he llamado, has comido,*** etc.) and **past perfect** (***había llamado, habías comido,*** etc.) **indicative.**

The **present perfect subjunctive** is formed in a similar way.

Present subjunctive form of **haber + past participle** is used when the subjunctive mood is needed.

Study the forms and examples below, and then answer the questions that follow.

	Present subjunctive of *haber*	**Past participle**
yo	**haya**	prepar**ado**/com**ido**/serv**ido**
tú	**hayas**	prepar**ado**/com**ido**/serv**ido**
él, ella, Ud.	**haya**	prepar**ado**/com**ido**/serv**ido**
nosotros/as	**hayamos**	prepar**ado**/com**ido**/serv**ido**
vosotros/as	**hayáis**	prepar**ado**/com**ido**/serv**ido**
ellos/as, Uds.	**hayan**	prepar**ado**/com**ido**/serv**ido**

Mis padres **han preparado** una comida fabulosa. — *My parents have prepared a fabulous meal.*
Espero que mis padres **hayan preparado** una comida fabulosa. — *I hope (that) my parents have prepared a fabulous meal.*

Hemos comido en Casa Botín. — *We have eaten at Casa Botín.*
Dudan que **hayamos comido** en Casa Botín. — *They doubt (that) we have eaten at Casa Botín.*

Siempre nos **han servido** muy rápido. — *They have always served us quickly.*
Es bueno que siempre nos **hayan servido** muy rápido. — *It is a good thing (that) they have always served us quickly.*

1. How is the present perfect subjunctive formed?
2. When is it used?

Check your answers to the preceding questions in Appendix 1.

4·23 Batalla

Llena un cuadro con **nueve** verbos diferentes de la lista en las formas indicadas del **presente perfecto de subjuntivo.** Pregúntense si tienen esos verbos. La primera persona con tres **X** gana. Repitan el juego.

añadir (yo), asar (ellos), batir (ella), dar (nosotros), decir (tú), disfrazarse (Ud.), discutir (ellos), engañar (yo), hacer (yo), hervir (ellas), mezclar (tú), oír (yo), poner (Ud.), querer (Uds.), revolver (él), salir (nosotros), traer (yo), verter (ella), ver (ellas)

MODELO E1: ¿Tienes *hayas hecho*?
E2: No, no tengo *hayas hecho*. ¿Tienes *haya revuelto*?
E1: Sí, tengo *haya revuelto*...

¡Anda! Curso intermedio, Capítulo 2, El subjuntivo para expresar pedidos, mandatos y deseos, pág. 77.; Capítulo 3, El subjuntivo para expresar sentimientos, emociones y dudas, pág. 128.

4·24 Decisiones

Elige entre el **presente perfecto de indicativo** y el **presente perfecto de subjuntivo** para terminar esta conversación entre Rosalía y Miguel. Túrnense.

ROSALÍA: ¡Hola, Miguel! ¿Qué tal (1) has/hayas estado? Tanto tiempo sin verte. Es increíble que no (2) has/hayas cambiado en absoluto. Te ves igual. ¿Qué (3) has/hayas estado haciendo?

MIGUEL: Hola, Rosalía.¡Es obvio que no (4) has/hayas hablado con mi mamá! Se lo está diciendo a todos porque está muy orgullosa: hace seis meses que trabajo como consejero de las estrellas, quiero decir de la gente famosa e importante. Por ejemplo, recientemente (5) he/haya tenido que aconsejar (*counsel*) a una mujer joven (no puedo mencionar su nombre) que no se (6) ha/haya portado bien—muchas fiestas, muchos bares, muchas citas—ya lo sabes. Además, también (7) he/haya aconsejado a muchos atletas profesionales. Oye, dudo que tu trabajo (8) ha/haya sido tan difícil como el mío. A propósito, ¿qué (9) has/hayas hecho recientemente?

ROSALÍA: (*¡Umf! Dudo que (10) has/hayas estado interesado en otra persona que no sea tú... piensa ella antes de contestar.*) Bueno, yo escribo columnas para el periódico. Nuestro enfoque es tratar de ayudar a la gente buena, honesta y humilde—ayudar a la sociedad en general. Por ejemplo, hoy si quieres, puedes leer un reportaje de dos de mis colegas que (11) han/hayan resuelto un crimen de unas personas avaras que (12) han/hayan maltratado a unas personas mayores. ¡Qué mundo éste! ¿Verdad?

MIGUEL: Pues, sí... (*le comenta totalmente desinteresado*). Mira, allí está José Luis. No me (13) ha/haya visto en por lo menos seis meses. Oye, José Luis, ven acá. Tanto tiempo sin verte...

¡Anda! Curso intermedio, Capítulo 2, El subjuntivo para expresar pedidos, mandatos y deseos, pág. 77.; Capítulo 3, El subjuntivo para expresar sentimientos, emociones y dudas, pág. 128.

4-25 No te creo

Tienes un amigo que casi nunca dice la verdad. Responde a sus comentarios usando las siguientes expresiones. Túrnense.

¡Anda! Curso elemental, Capítulo 7, El pretérito, Unos verbos irregulares en el pretérito, Apéndice 3.

no creo dudo es imposible es improbable no es cierto

MODELO E1: *Cené con Antonio Banderas y Melanie Griffith.*
E2: *Dudo que hayas cenado con ellos.*

1. Cuando estuve en Casa Botín, vi a Leticia Ortiz, la futura reina de España.
2. Me invitaron a cocinar en el programa *Simply delicioso*.
3. Rafael acaba de escribir un libro de cocina y una casa editorial muy famosa lo quiere publicar.
4. Mis hermanas abrieron un restaurante nuevo en Miami. Está justo en la playa.
5. ¡Me comprometí! Mi novia es Cameron Díaz y me ha dicho que me ama.

4-26 ¿Y yo?

Ahora escribe una lista de **seis** cosas que te han ocurrido recientemente. **Dos** de las cosas no deben ser verdaderas. Después, en grupos de tres o cuatro, túrnense para leer y responder a las oraciones.

Fíjate

Some expressions to use in activity **4-32** are: *No creo que..., Creo que..., Dudo que..., Es verdad que...,* and *Es probable que...* For other expressions, consult pages 77 and 128 on *el subjuntivo.*

MODELO E1: *He ido a España cuatro veces.*
E2: *Es probable que hayas ido a España cuatro veces.*
E3: *Dudo que hayas ido a España cuatro veces.*
E4: *Es cierto que has ido a España cuatro veces.*
E1: *Hakeem tiene razón. No he ido a España nunca.*

¡Anda! Curso intermedio, Capítulo 2, El subjuntivo para expresar pedidos, mandatos y deseos, pág. 77.; Capítulo 3, El subjuntivo para expresar sentimientos, emociones y dudas, pág. 128.

4-27 Anticipando la cita

Esta noche Inés tiene una cita con alguien que no conoce. Tiene muchas dudas y se arrepiente de (*regrets*) haber aceptado salir con él. Terminen sus pensamientos usando siempre el **presente perfecto de subjuntivo** y otras palabras apropiadas. Túrnense y sean creativos.

MODELO Ojalá que él (ducharse)...
Ojalá que él se haya duchado antes de venir a recogerme.

1. Espero que (ir al cajero automático)...
2. Dudo que (comprarme flores)...
3. Es probable que (no tener tiempo de)...
4. No creo que (hablar con... sobre...)...
5. Es preferible que (graduarse de)
6. No ha venido y es tarde. Tal vez (decidir)...

SAM 4-23 to 4-24

PERFILES

Grandes cocineros del mundo hispano

Se dice que cocinar bien es un arte. Aquí hay unos ejemplos de "artistas" de la cocina de varias partes del mundo hispano.

Patricia Quintana es una famosa cocinera, maestra y autora de docenas de libros de la cocina mexicana. Si has ido a su restaurante en México, D.F., *Izote*, es muy probable que hayas comido una de sus recetas que combinan las tradiciones culinarias mexicanas de elote (maíz) y chiles con la alta cocina mexicana.

Es posible que hayas conocido a la cocinera argentina **Dolli Irigoyen** en la televisión. Durante varios años condujo su propia serie de programas de cocina. Es también autora de un libro de cocina y ha creado su propio restaurante en Buenos Aires, *el Espacio Dolli.*

Hace más de veinte años que **Ferran Adrià Acosta** es el cocinero principal del restaurante *El Bulli* en la Costa Brava de España, designado el "mejor restaurante del mundo" en los años 2006 y 2007. Es notable que empezara lavando platos y haya terminado siendo uno de los mejores cocineros del mundo. Durante seis meses al año Adrià cierra el restaurante para experimentar con nuevas recetas y combinaciones de ingredientes para crear lo mejor de la cocina elegante.

Preguntas:

1. ¿Cómo se han hecho famosas estas personas?
2. Compara una de estas personas con algún/alguna cocinero/a famoso/a de los EE.UU. ¿Qué sabes de él/ella?
3. Es notable que estas personas se consideren grandes artistas del mundo culinario. ¿Qué opinas tú de los cocineros como artistas?

4·28 Ideas, por favor

Den sus consejos en las siguientes situaciones. Después vayan a compartirlos con los otros miembros de la clase.

¡Anda! Curso intermedio, Capítulo 2, El subjuntivo para expresar pedidos, mandatos y deseos, pág. 77.; Capítulo 3, El subjuntivo para expresar sentimientos, emociones y dudas, pág. 128.

MODELO Mi mejor amiga y yo queremos bajar de peso pero siempre tenemos hambre.

Es importante que coman cosas saludables como frutas y verduras. Es mejor que las coman crudas porque así tienen más vitaminas y fibra.

También es bueno que beban mucha agua porque también llena el estómago.

1. Antes de acostarme siempre tengo hambre. ¿Qué puedo hacer? Sé que no es sano comer tarde y acostarme inmediatamente después, pero es cuando más hambre tengo.
2. Es el cumpleaños de mi abuela y quiero preparar una cena muy especial.
3. Vivo en un apartamento muy pequeño. Sólo tengo una estufa sin horno. Tampoco tengo un microondas. Quiero invitar a una persona especial a cenar y prefiero hacerlo en mi casa. ¿Qué puedo preparar?
4. Quiero aprender a cocinar bien. ¿Qué me recomiendas?
5. Mi esposo/a y yo tenemos una cena formal en casa esta noche. Nuestro hijo Jaime insiste en llevar pantalones cortos con camiseta, un gorro de béisbol y sandalias.

¡Conversemos!

4-25 to 4-26

ESTRATEGIAS COMUNICATIVAS Asking for and giving directions

The need to ask for and give directions comes up often. Below are some useful phrases for politely requesting and giving directions.

Para pedir indicaciones	Asking for directions
■ **¿Me podría/n decir cómo se llega a...?**	*Could you (all) tell me how to get to...?*
■ **Perdón, ¿sabe/n usted/ustedes llegar al...?**	*Pardon, do you (all) know how to get to...?*
■ **Estoy perdido/a. ¿Puede/n usted/ustedes decirme dónde está...?**	*I'm lost. Can you tell me where...is?*
■ **¿Cómo voy/llego a...?**	*How do I go/get to...?*
Para dar indicaciones	***Giving directions***
■ **Vaya/n/ Siga/n derecho/todo recto.**	*Go straight.*
■ **Doble/n a la derecha/izquierda.**	*Turn right/left.*
■ **Tome/n un taxi/autobús.**	*Take a taxi/bus.*
■ **Al llegar a..., doble/n...**	*When you get to..., turn...*

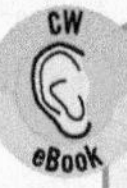

CD 2 Track 14

4-29 Diálogos

Escucha los diálogos y haz las siguientes actividades.

1. ¿A qué mercado va el turista? ¿Cómo piensa viajar allí?
2. ¿Adónde quieren ir Nines y Mercedes?
3. ¿Por qué quieren ir allí ellas?
4. En la **Situación 1,** dibuja un mapa para el turista para que pueda llegar a la estación de autobuses.
5. En la **Situación 2,** dales de nuevo las indicaciones (*directions*) a Nines y Mercedes.

Fíjate

La esquina (corner) and *la cuadra* (block) are important words to know when giving directions.

4-30 ¿Cómo llegamos?

En grupos de tres o cuatro personas, dramaticen la siguiente situación.

Una delegación de estudiantes internacionales de países hispanohablantes ha llegado a tu ciudad. Ellos quieren saber dónde pueden comer en tu ciudad y qué sirven de comer en los distintos restaurantes. Explíquenles cómo llegar a algunos restaurantes y qué tipo de comida sirven.

MODELO E1: *Hola. ¿Me podría decir cómo llegar a un restaurante mexicano y cuáles son sus platos especiales?*

E2: *Sí, mi favorito está muy cerca. Siga derecho...*

4·31 Mi restaurane favorito es . . .

Habla con un/a compañero/a de clase para compartir información sobre tu restaurante favorito. Explícale por qué es tu favorito. Entonces Entonces cada uno debe darle indicaciones al otro para llegar al restaurante.

4·32 Vamos a comer

Quieren ir a comer en tu ciudad y necesitan formular un plan:

1. ¿Adónde quieren ir?
2. ¿Qué tipo de comida esperan encontrar?
3. ¿Cómo se llega al restaurante?

En un grupo de tres, hagan su plan. Usen el vocabulario y las estructuras de este capítulo y sean creativos.

MODELO E1: *Vamos al restaurante Mixto—creo que tienen buena comida allí.*

E2: *¿Dónde está? Espero que tengan bistec a la parrilla.*

E3: *Es fácil llegar—he ido antes. Salgan de la puerta principal de la universidad, sigan recto dos cuadras y doblen a la izquierda. Está a mano derecha.*

E4: *Es bueno que hayas ido allí antes. ¿Qué tipo de comida sirven?*

4·33 Una entrevista

Con un/a compañero/a de clase, dramatiza la siguiente situación. Eres reportero/a para la revista *Buen provecho.* Vas a entrevistar a un cocinero famoso del restaurante X. Prepara una lista de preguntas sobre la historia del restaurante, la experiencia del cocinero y su plato favorito. Al final, pregúntale cómo llegar al restaurante. El cocinero debe preparar unas respuestas apropiadas para las preguntas. Traten de usar el vocabulario y la gramática del capítulo en la entrevista.

MODELO E1(REPORTERO): *Gracias por darme esta entrevista. Hace tiempo que quiero conocerlo. Tengo muchas preguntas para usted.*

E2 (COCINERO): *De nada. Es un placer también para mí. Un reportero de su revista me contactó hace un año, pero no he podido hacer la entrevista hasta ahora...*

CAPÍTULO 4

ESTRATEGIA Process writing (Part 4): Sequencing events

Narratives about events—past, present, or future—have a logical sequence that the reader can follow. Using a logical sequence in your writing will give it cohesion and make it flow naturally. Expressions such as those listed can be used to indicate the natural order of events in your narrative. These words also provide smooth transitions between portions of your writing.

Adverbios y expresiones adverbiales	*Adverbs and adverbial expressions*
al principio, primero	*at first, first, in the beginning*
el primer día / mes	*the first day/month*
luego	*then*
antes (de)	*before*
después (de)	*afterward, after*
en seguida	*immediately (after)*
más tarde	*later*
pronto	*soon*
por fin, finalmente	*finally*
al final	*at the end*
por último	*last (in a list)*

4•34 Antes de escribir

Vas a escribir un artículo sobre una celebración local que tiene lugar en tu ciudad. Primero selecciona una celebración. Luego, haz una lista de los datos y los eventos (nombre de la celebración, la fecha, el lugar, los eventos, etc.).

4•35 A escribir

Ahora ha llegado el momento de escribir tu artículo.

- Primero, toma la lista que escribiste y empieza el artículo incluyendo los datos.
- Luego, pon tu lista de los eventos en orden cronológico, conectándolos con las expresiones nuevas como **primero, luego, después,** etc.
- Entonces añade a cada evento los detalles que sean interesantes como la descripción de una competencia, la comida, etc.

Finalmente, asegúrate de que en el artículo:

- hayas puesto los eventos en orden cronológico usando las expresiones de esta sección.
- hayas escrito por lo menos **ocho** oraciones.

4•36 Después de escribir

Comparte tu artículo con un/a compañero/a. Haz una comparación de las dos celebraciones que ustedes han descrito. ¿En qué son similares y en qué son diferentes? Comunica esta información al resto de la clase.

¿Cómo andas?

Having completed the second **Comunicación,** I now can...

	Feel Confident	Need to Review
• describe many different kinds of foods. (pp. 158, 163)	❑	❑
• use **hacer** in expressions of time. (p. 159)	❑	❑
• express what *had* happened in the past. (p. 167)	❑	❑
• name and share information about three famous Hispanic chefs. (p. 170)	❑	❑
• give and understand directions. (p. 172)	❑	❑
• write about events using sequencing words. (p. 174)	❑	❑

Vistazo cultural

Carmen Barreto Molina,
estudiante de Artes Culinarias

Tradiciones de Guatemala, Honduras y El Salvador

Soy estudiante en el Instituto Femenino de Estudios Superiores de Guatemala, y hace tres años que estudio artes culinarias. Siempre había pensado en estudiar la comida y la cultura de otros países. En mis cursos he aprendido que muchas veces la comida típica es una parte integral de las celebraciones culturales. Aquí les ofrezco un vistazo a unas fiestas de diferentes culturas y unos platos típicos de algunos países.

Antigua, Guatemala

Durante la Semana Santa en Antigua, Guatemala, las procesiones religiosas pasan sobre "alfombras" en las calles. Estas alfombras se hacen principalmente de aserrín (*sawdust*) de muchos colores y a veces de verduras, de plantas, de flores y hasta de pan. La gente ha planeado sus diseños por meses pero se hacen en las veinticuatro horas antes de comenzar las procesiones.

Un plato guatemalteco

Un plato típico guatemalteco es *pepián* o *pipián*. Es un rico plato tradicional a base de tomates, chiles, pollo y otras verduras como la papa. También contiene especias y a veces se sirve como un guisado (*stew*). A menudo se come con tortillas.

Las máscaras guatemaltecas

Hace siglos que las máscaras tradicionales tienen un papel muy importante en las celebraciones guatemaltecas. El uso de las máscaras data de los tiempos precolombinos y aún de los conquistadores. Se habían usado para representar animales, diablos, santos y otras figuras míticas que aparecían en las historias y los bailes folklóricos. Hoy en día la gente se disfraza con máscaras para celebrar eventos tanto sociales como religiosos.

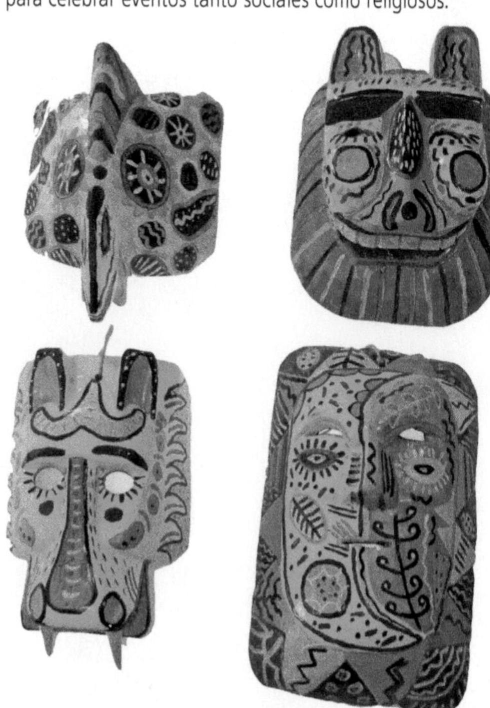

Copán, Honduras

En Santa Rosa de Copán, un pueblo en las montañas de Honduras, la celebración de la Semana Santa es impresionante. Hay seis desfiles que celebran diferentes partes de la historia de la Pascua. El viernes santo, una procesión pasa por el pueblo sobre una alfombra de flores extendida en la calle.

El Día de Garífuna, Honduras

El doce de abril se celebra "El Día de Garífuna", el aniversario de la llegada de los Garífuna a Honduras hace más de doscientos años. El pueblo Garífuna es de herencia africana y caribeña. La fecha se celebra con baile, música, teatro y desfiles (*parades*).

Comida salvadoreña

Las pupusas son la comida más común en El Salvador. Son tortillas a base de masa de maíz con relleno de queso, frijoles y/o carne de algún tipo. Por un decreto legislativo salvadoreño del año 2005, el segundo domingo del mes de noviembre de cada año es "El Día Nacional de las Pupusas".

Juayúa, El Salvador

Este pueblo se conoce por su famosa Iglesia del Cristo Negro, cuyo santo patrón se celebra cada enero con un festival. También es famoso por su feria gastronómica. Hace más de veinticinco años que se festeja cada fin de semana con un festival de comida típica salvadoreña pero también unos platos exóticos e internacionales.

Preguntas

1. ¿Qué elementos tienen en común estas celebraciones?
2. ¿Qué comidas tradicionales se mencionan? ¿En cuáles de estas celebraciones es probable que se haya servido comida?
3. Compara estas celebraciones con otras que has estudiado y con las celebraciones en los Estados Unidos. ¿Qué celebración o tradición prefieres y por qué?

Laberinto peligroso

EPISODIO 4

lectura

4-31 to 4-33

ESTRATEGIA **Identifying details and supporting elements**

Main ideas usually come at the beginning of a passage or a paragraph. Generally, what follows are supporting elements such as details that explain or clarify the main idea.

To identify supporting elements, you might want to use a graphic organizer such as a web to help categorize several main ideas and their details. Sometimes subtitles or subheadings exist to help clarify the supporting details.

4-37 Antes de leer. Para algunos textos (como los artículos periodísticos o las novelas de detectives) es muy importante fijarse en los detalles si quieres entender el texto sin dificultad. Antes de leer el episodio contesta las siguientes preguntas sobre algunos detalles importantes de los episodios anteriores.

1. ¿Qué le pasó a Celia durante la conferencia y después de tomar café con Cisco?
2. ¿Por qué necesitaba Celia hablar con el Dr. Huesos?
3. ¿Por qué quería Cisco hablar con el Dr. Huesos?
4. ¿Qué decía la nota que Celia encontró en su bolso cuando salía del café?
5. ¿Cómo reaccionaron Celia y Cisco ante la nota?
6. ¿Quién crees que puso la nota en su bolso?

DÍA 20

Colaboradores, competidores y sospechosos

CD 2
Track 15

Mientras Cisco le hablaba sobre sus comidas favoritas, Celia pensaba en el mensaje de correo electrónico que había recibido: "Te estoy observando". ¿Quién se lo había mandado? ¿La persona que le había dejado la nota ayer? ¿Por qué se había sentido mal durante la conferencia y en el café? Había consultado varios periódicos para ver si otros habían sufrido esos síntomas, pero no había encontrado nada relevante.

—¿Estás bien? —Cisco interrumpió sus pensamientos.

—Sí. ¿Por qué me lo preguntas? —respondió Celia bruscamente, mientras intentaba recordar lo que había estado diciendo antes de distraerse°.

get distracted

—Porque te he preguntado algo y no me has respondido. ¿Me has estado escuchando? —preguntó Cisco, un poco molesto.

—Siento no haberte prestado atención. Estoy preocupada, por eso tengo la mente en otro lugar. —reconoció Celia.

—¿Puedo ayudarte?

—¿Me enviaste algún correo? —preguntó Celia, con un tono acusatorio.

—No. ¿Por qué?

—Porque es posible que me hayas querido hacer una broma° de muy mal gusto. —dijo Celia, indignada.

joke

—¿Cómo?
—Recibí un mensaje como la nota que encontré cuando salíamos del café ayer. —explicó Celia.
—No he sido yo. —repitió Cisco.
—¿Estás seguro?
—No lo hice. —insistió. —¿Me crees?
—Está bien, Cisco, no creo que me hayas enviado el mensaje. —por fin Celia estaba más tranquila.
—¿Y ahora me contestas la pregunta? ¿Has terminado el café?
—Sí, lo he terminado. ¿Nos vamos? —respondió Celia.
—Sí, tengo mucho trabajo.
—Yo también, y además camino a casa necesito comprar un regalo para una amiga que dio a luz hace un mes. Hace tanto tiempo que no estoy con ningún bebé... no sé qué comprarle. —dijo Celia mientras salían del café.
—¿Un libro? —sugirió Cisco.
—Tal vez, pero como es un bautizo, mejor algo religioso. Me emociona mucho que me haya invitado y quiero demostrárselo dándole algo apropiado.
—Hay una tienda de objetos religiosos cerca del mercado de comida orgánica. —mencionó Cisco.
—Está bien, voy para allí. Hasta luego.
—Cuídate. —respondió Cisco dándole un beso° en la mejilla.

kiss

Era la una cuando Celia llegó a casa. Inmediatamente volvió a la investigación con la que la había ayudado el Dr. Huesos. Cisco había llegado a su casa media hora antes y trabajaba en lo mismo. Cada uno en su propia casa, Celia y Cisco leían cientos de páginas web y numerosos artículos. Cada uno por su parte tomó conciencia de la situación en las selvas tropicales.

Cisco descubrió que la destrucción de las selvas había empezado hacía décadas, y que nada mejoraba: cada año seguían destruyéndose miles de hectáreas°. Aunque algunos gobiernos y compañías tenían cierta responsabilidad, los contrabandistas eran un enorme problema. Ganaban mucho dinero vendiendo ilegalmente sus recursos naturales, especialmente la madera y los pájaros exóticos. Ya se habían extinguido muchas especies de plantas y animales, y el impacto en los indígenas era tremendo: dependían de la selva para comer, tratar heridas y enfermedades, construir casas, defenderse; la necesitaban para vivir. Antes de empezar este proyecto, Cisco no se había dado cuenta del poder de las selvas. Muchas de las sustancias que contenían sus plantas eran medicinales, y otras eran peligrosas y podían usarse para crear armas biológicas.

2.471 acres

Aunque estaba satisfecho con su progreso, sabía que Celia podía ser una gran colaboradora en el proyecto. La respetaba por su inteligencia, sinceridad y honradez. Mientras abría el correo electrónico para escribirle, sonó el teléfono. Lo contestó y era Ramón, un oficial de El Salvador, uno de los contactos de su familia, que le devolvía la llamada. Después de hablar con él, empezó a prepararse porque esa noche se casaba uno de sus mejores amigos.

Hacía dos horas que había salido para la boda cuando alguien forzó la entrada a su casa. ¡Encendió la computadora y copió todo lo que Cisco había descubierto!

4-38 Después de leer. Contesta las siguientes preguntas.

1. ¿Por qué estaba preocupada Celia?
2. ¿Qué pensaba Celia que Cisco había hecho?
3. Según la investigación de Cisco, ¿quiénes tenían la culpa de la destrucción de las selvas tropicales?
4. Según la investigación de Cisco, ¿cuáles han sido algunas de las consecuencias de la destrucción de las selvas?
5. ¿Por qué pensó Cisco que iba a ser una buena idea colaborar con Celia?
6. ¿Por qué crees que se titula el episodio *Colaboradores, competidores y sospechosos*?

video

4-39 Antes del video. En *Colaboradores, competidores y sospechosos*, viste cómo avanzaba Cisco con su investigación sobre las selvas tropicales. En el episodio en video, vas a ver cómo avanza el proyecto de Celia. Antes de ver el episodio, contesta las siguientes preguntas.

1. ¿Por qué piensas que Celia sospechaba que Cisco le había enviado el mensaje?
2. ¿Crees que Cisco decía la verdad cuando insistió que no se lo había enviado? ¿Por qué?
3. ¿De qué piensas que hablaron Cisco y Ramón?
4. ¿Quién crees que entró en el apartamento de Cisco?

Espero que lo hayas pasado muy bien.

¿Es posible que alguien haya intentado envenenarme (*poison me*)?

Javier, hay algo que debes saber...

¿Mágica o malvada?

Relájate y disfruta el video.

Episodio 4

4-40 Después del video. Contesta las siguientes preguntas.

1. ¿Dónde había estado Celia antes de llegar a su casa al comienzo del episodio?
2. Compara y contrasta los resultados de la investigación de Cisco con los de Celia, creando un diagrama Venn o usando tres columnas.
3. ¿Qué pensaba Celia que podía haber pasado en la conferencia cuando se enfermó?
4. ¿Por qué llamó Celia a Javier?
5. ¿Cómo concluyó el episodio?

Y por fin, ¿cómo andas?

Having completed this chapter, I now can...

	Feel Confident	Need to Review
Comunicación		
• share information about celebrations and important life events. (p. 148)	❏	❏
• express one-time events and ongoing actions in the past. (p. 149)	❏	❏
• indicate how long something has been happening or how long ago it happened. (p. 159)	❏	❏
• listen for and use details of a conversation for comprehension. (p. 156)	❏	❏
• state what had happened in the past. (p. 167)	❏	❏
• identify my food preferences. (pp. 158, 163)	❏	❏
• ask for and give directions to places where I and others want to go. (p. 172)	❏	❏
• write about events in a logical order. (p. 174)	❏	❏
Cultura		
• compare and contrast traditions and celebrations from my culture with some from the Hispanic world. (p. 155)	❏	❏
• identify and describe three famous Hispanic chefs. (p. 170)	❏	❏
• describe traditions in Guatemala, Honduras, and El Salvador (p. 176)	❏	❏
Laberinto peligroso		
• use details and supporting elements in a text for comprehension. (p. 178)	❏	❏
• state what Celia thinks about the threatening notes. (p. 178)	❏	❏
• hypothesize who the mysterious intruder might be. (p. 180)	❏	❏

VOCABULARIO ACTIVO

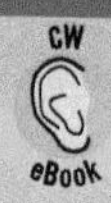

CD 2
Tracks 16-25

Las celebraciones y los eventos de la vida	*Life events and celebrations*
el aniversario de boda	*wedding anniversary*
el baile	*dance*
el bautizo	*baptism*
el bebé	*baby*
la boda	*wedding*
la cita	*date*
el compromiso	*engagement*
el cumpleaños	*birthday*
cumplir... años	*to have a birthday/to turn... years old*
dar a luz	*to give birth*
El Día de las Brujas	*Halloween*
El Día de San Valentín	*Valentine's Day*
El Día de la Madre/del Padre/de la Independencia, etc.	*Mother's Day, Father's Day, Independence Day, etc.*
El Día de los Muertos	*Day of the Dead*
la graduación	*graduation*
la luna de miel	*honeymoon*
el nacimiento	*birth*
la Navidad	*Christmas*
el/la novio/a	*boyfriend/girlfriend; groom/bride*
la Pascua	*Easter*
la primera comunión	*First Communion*
la quinceañera	*fifteenth birthday celebration*
el regalo	*present*
el disfraz	*costume*

Verbos	*Verbs*
celebrar	*to celebrate*
discutir	*to argue; to discuss*
disfrazarse	*to wear a costume, to disguise oneself*
enamorarse (de)	*to fall in love (with)*
engañar	*to deceive*
estar comprometido/a	*to be engaged*
estar embarazada	*to be pregnant*
pelear(se)	*to fight*
salir (con)	*to go out (with)*
tener una cita	*to have a date*

La comida y la cocina — *Food and kitchen*

Las carnes y las aves	*Meat and poultry*
la carne de cerdo	*pork*
la carne de cordero	*lamb*
la carne de res	*beef*
la carne molida	*ground beef*
la chuleta	*chop*
el pavo	*turkey*
la salchicha	*sausage*
la ternera	*veal*
el tocino	*bacon*

El pescado y los mariscos	*Fish and seafood*
los camarones	*shrimp*
el cangrejo	*crab*
la langosta	*lobster*
la sardina	*sardine*

Más comidas	*More foods*
la harina	*flour*
la mantequilla	*butter*
la miel	*honey*
el pan dulce	*sweet roll*
el panqueque	*pancake*

Términos de la cocina	*Cooking terms*
añadir	*to add*
asar	*to roast; to broil*
batir	*to beat*
(re)calentar (e-ie)	*to (re)heat*
cubrir	*to cover*
derretir (e-i-i)	*to melt*
freír (e-i-i)	*to fry*
hervir (e-ie-i)	*to boil*
mezclar	*to mix*
pelar	*to peel*
revolver (o-ue)	*to stir*
verter (e-ie)	*to pour*

Palabras útiles	*Useful words*
el fuego (lento, mediano, alto)	*(low, medium, high) heat*
el ingrediente	*ingredient*
el kilogramo	*kilogram (or 2.2 pounds)*
el nivel	*level*
el pedazo	*piece*
la receta	*recipe*

Las frutas	*Fruit*
el aguacate	*avocado*
la cereza	*cherry*
la ciruela	*plum*
el durazno	*peach*
la fresa	*strawberry*
el mango	*mango*
la papaya	*papaya*
la piña	*pineapple*
el plátano	*plantain (Lat. America)*
la sandía	*watermelon*
la toronja	*grapefruit*

Las verduras	*Vegetables*
la aceituna	*olive*
el ajo	*garlic*
el apio	*celery*
la calabaza	*squash; pumpkin*
la col	*cabbage*
la coliflor	*cauliflower*
el espárrago	*asparagus*
la espinaca	*spinach*
el guisante	*pea*
el hongo	*mushrooms*
el pepino	*cucumber*
el pimiento	*pepper*
la zanahoria	*carrot*

Los postres	*Desserts*
el batido	*milkshake*
el bombón	*sweet; candy*
la dona	*donut*
el flan	*caramel custard*
la palomita de maíz	*popcorn*

¿Te gusta ir de viaje? En el mundo hispano hay muchos lugares bonitos que puedes visitar. Hay lagos, montañas, playas, ciudades con centros comerciales y parques de atracciones. En fin, existen lugares para todos los gustos. ¡Vamos de viaje!

Viajando por aquí y por allá

	OBJETIVOS	CONTENIDOS
Comunicación	• To discuss travel and means of transportation • To choose *por* or *para* to express time, location, purpose, destination, and direction • To clarify meaning with *que* or *quien* • To plan and describe vacations • To listen for specific information • To identify how technology is useful, both at home and in travel • To share information about events in the past • To describe something that is uncertain or unknown • To describe technology • To ask for input and express emotions • To use peer editing to improve narrative expression	
Cultura	• To compare notes on travel and transportation • To identify some people for whom travel and technology are important • To share information about interesting vacations and to explore "green" efforts in Nicaragua, Costa Rica, and Panama	
Laberinto peligroso	• To use a bilingual dictionary to help understand a reading passage • To discuss what Celia and Cisco discover about the rain forest, old maps, and a *cronista* journal • To hypothesize about threatening e-mails	

Una vista de Suramérica desde el espacio exterior

PREGUNTAS

1 ¿Cómo prefieres viajar? ¿Por qué?
2 ¿Adónde te gusta viajar?
3 ¿Cómo usamos la tecnología para viajar?, ¿y en nuestras vidas diarias?

Comunicación

- Describing one's travels
- Connecting sentences and clauses

VOCABULARIO 1 Los viajes

SAM 5-1 to 5-3

¡Anda! Curso elemental, Capítulo 2, Los deportes y los pasatiempos; Capítulo 4, Los lugares; Capítulo 10, Los medios de transporte; El viaje, Apéndice 2.

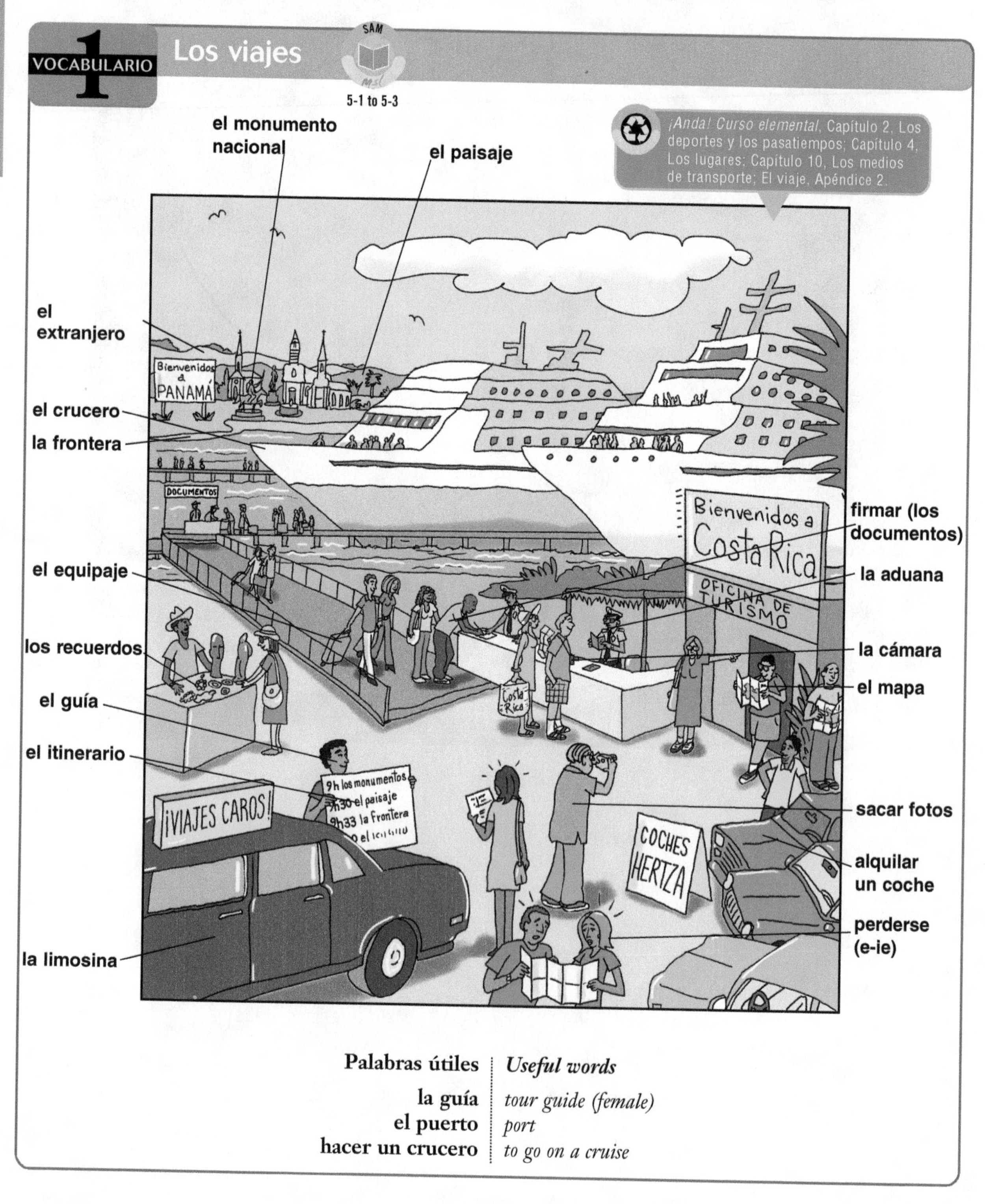

Palabras útiles	*Useful words*
la guía	*tour guide (female)*
el puerto	*port*
hacer un crucero	*to go on a cruise*

Querido diario:

Dentro de poco voy a Costa Rica por doce días. Necesito sacar un permiso internacional para conducir por la parte sur del país. También, la agencia de viajes me dio unos mapas para ayudarme.

Preguntas

1. ¿Por cuánto tiempo piensa viajar Celia?
2. ¿Para qué necesita un permiso internacional Celia?
3. ¿Cómo te preparas para viajar?

5-4 to 5-6

REPASO

Por y para

In Celia's diary, she writes **por doce días, para conducir, por la parte sur,** and **para ayudarme.** You may remember that Spanish has two main words to express *for:* **por** and **para.** The two words have distinct uses and are not interchangeable. The following is a brief review of **por** and **para.** For a complete review, refer to **Capítulo 9** of ***¡Anda! Curso elemental*** in Appendix 3.

POR IS USED TO EXPRESS:	**PARA** IS USED TO EXPRESS:
1. duration of time (*during, for*)	1. point in time or a deadline (*for, by*)
2. movement or location (*through, along, past, around*)	2. destination (*for*)
3. motive (*on account of, because of, for*)	3. recipients or intended person/s (*for*)
4. exchange (*in exchange for*)	4. comparison (*for*)
5. means (*by*)	5. purpose or goal (*to, in order to*)

Fíjate

Por is also used in certain fixed expressions including *por eso* (for that reason, therefore) *por favor* (please), *por fin* (finally), *por lo menos* (at least), *por supuesto* (of course), *por lo tanto* (therefore), and *por lo visto* (apparently).

¡Anda! Curso elemental, Capítulo 8. El imperfecto, Apéndice 3; Capítulo 10. Los medios de transporte, Apéndice 2.

5-1 ¿Por o para?

Carlos planea las vacaciones de la familia.

Paso 1 Túrnense para descubrir los planes finales de Carlos usando **por** o **para**.

Carlos y su familia trabajaban demasiado. (1) ____________ más de cinco años habían hablado de irse de vacaciones y (2) ____________ fin decidieron que iban a hacerlo (3) ____________ finales de julio. Era el primero de mayo y todavía no habían decidido (4) ____________ cuánto tiempo se iban a ir. Carlos quería ir (5) ____________ tres semanas y hacer un crucero (6) ____________ el Caribe, pero sus hermanos y sus padres no podían dejar el trabajo (7) ____________ más de diez días. Tampoco les quedaba mucho dinero (8) ____________ las vacaciones porque acababan de renovar su casa.

Entonces, ya era hora de decidir adónde y cómo ir. (9) ____________ Carlos, si no podían hacer un crucero, era mejor alquilar una camioneta (*truck*) y una tienda de campaña y viajar (10) ____________ el oeste de los Estados Unidos (11) ____________ conocer los parques nacionales. Se puede hacer camping (12) ____________ menos dinero que quedarse en un hotel. También, Carlos pensaba pasar (13) ____________ la carretera Panamericana, quizás la parte entre Denver, Albuquerque y San Antonio. Sabía que había atascos (*traffic jams*) a causa de la construcción, pero no le importaba. Sus padres se conocieron en un pueblo en la carretera Panamericana cerca de San Antonio, y Carlos pensaba que (14) ____________ esa razón iba a ser una buena sorpresa (15) ____________ ellos.

(16) ____________ ayudar a sus padres, Carlos tenía la intención de planear toda la ruta yendo (17) ____________ unos caminos interesantes en vez de pura autopista.

Decidieron tomar sus sugerencias, y sus padres se lo agradecieron. (18) ____________ los hermanos no fue tan emocionante aquella decisión; ¡querían ir a Disneylandia!

Paso 2 Túrnense para explicar por qué usaron **por** o **para**. Sigan el modelo.

MODELO 1. por, *duration of time*

5-2 En un mundo (im)perfecto

Termina las siguientes oraciones de manera lógica. Después, compártelas con un/a compañero/a.

MODELO Mañana, mis amigos y yo salimos para...

Mañana, mis amigos y yo salimos para Panamá en un crucero de dos semanas.

1. Me gusta pasear por...
2. Mis amigos y yo salimos hoy para...
3. Voy a la universidad por...
4. Estudio para...
5. Me pagaron más de $1.000 por...
6. Yo pagué más de $100 por...

¡*Anda! Curso intermedio*, Capítulo 2, El subjuntivo para expresar pedidos, mandatos y deseos, pág. 77.

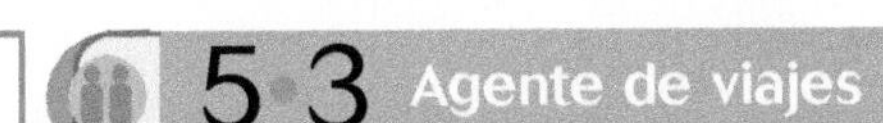

5-3 Agente de viajes

¡*Anda! Curso elemental*, Capítulo 10, Los medios de transporte; El viaje, Apéndice 2.

Ustedes son agentes de viajes y les dan a sus clientes sus recomendaciones sobre los viajes que ellos van a hacer. Túrnense. Sean creativos y usen **por** y **para** cuando sea posible.

MODELO ir por tren
Es aconsejable que vayan por tren porque es más rápido y económico.

1. no manejar en esa ciudad
2. revisar el coche antes de alquilarlo
3. comprar un boleto de ida y vuelta
4. llegar a tiempo al aeropuerto
5. renovar (*renew*) el pasaporte
6. no llevar demasiado equipaje

Estrategia

Remember that you can use the following verbs and expressions to create your recommendations for actividad **5-3:** *aconsejar, recomendar (e-ie), sugerir (e-ie-i), Es aconsejable/deseable/mejor/preferible/recomendable que...*

5-4 Preguntas para Carlos

Túrnense para hacerle **seis** preguntas a Carlos de la actividad **5-1** sobre sus planes, y luego contéstenlas. Pueden añadir información. Practiquen **por** y **para** en sus preguntas y sus respuestas.

MODELO E1: *¿Por qué querías viajar por el Caribe en un crucero?*
E2 (CARLOS): *Quería viajar por el Caribe en un crucero porque me gustan las playas y quería descansar y relajarme un poco.*

Estrategia

When you create with language, you use *critical thinking skills* such as *hypothesizing*. Create questions that might not be directly answered in actividad **5-1.** Then create hypothetical, plausible answers that Carlos might give.

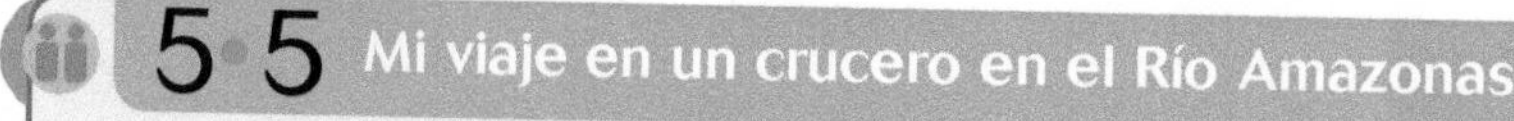

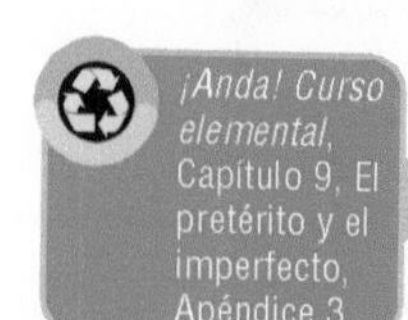

Lee el folleto sobre el crucero y después escribe una entrada de diario para describir lo que viste e hiciste durante el viaje. Puedes añadir más detalles. Usa **por** y **para** por lo menos **ocho** veces. Después, compara tu entrada con la de un/a compañero/a.

MODELO *Querido diario:*

El domingo pasado salimos de Iquitos, Perú, para Tabatinga, en Brasil. Hicimos un viaje por barco por el Río Amazonas. Vimos e hicimos muchas cosas interesantes. Por ejemplo, por la mañana...

RÍO AMAZONAS

Este crucero de siete días sale los domingos de Iquitos, Perú y lo lleva por el barco RÍO AMAZONAS a Tabatinga, Brasil de regreso a Iquitos. Viajar en un barco cómodo le permite gozar de un recorrido inolvidable por la selva y conocer algunas comunidades nativas. También puede observar la exuberante flora y fauna de la selva tropical.

El barco
RÍO AMAZONAS:

ITINERARIO:

- **Primer día:** Navegación río abajo a través de la zona industrial de Iquitos y una breve visita a los campos de caña de azúcar°.
- **Segundo día:** Observación de aves° por la mañana. Visita a pueblos indígenas.
- **Tercer día:** Caminata por la selva, pesca pirañas en un lago pequeño y observación de los caimanes°.
- **Cuarto día:** Llegada a la Isla de Santa Rosa. Mañana libre para pasear y hacer compras.
- **Quinto día:** Por la mañana, visita a la villa de Atacuari, por la tarde, visita al remoto hospital de leprosos de San Pablo.
- **Sexto día:** Breve parada en Pijuayal para un chequeo de documentos, una visita a Pevas para intercambiar artículos fabricados por la artesanía de los nativos.
- **Séptimo día:** Llegada a Iquitos temprano por la mañana.

sugar cane
pájaros

un tipo de *alligator*

VOCABULARIO 2 Viajando por coche

SAM 5-7 to 5-9

¡Anda! Curso elemental, Capítulo 10, Los medios de transporte, Apéndice 2.

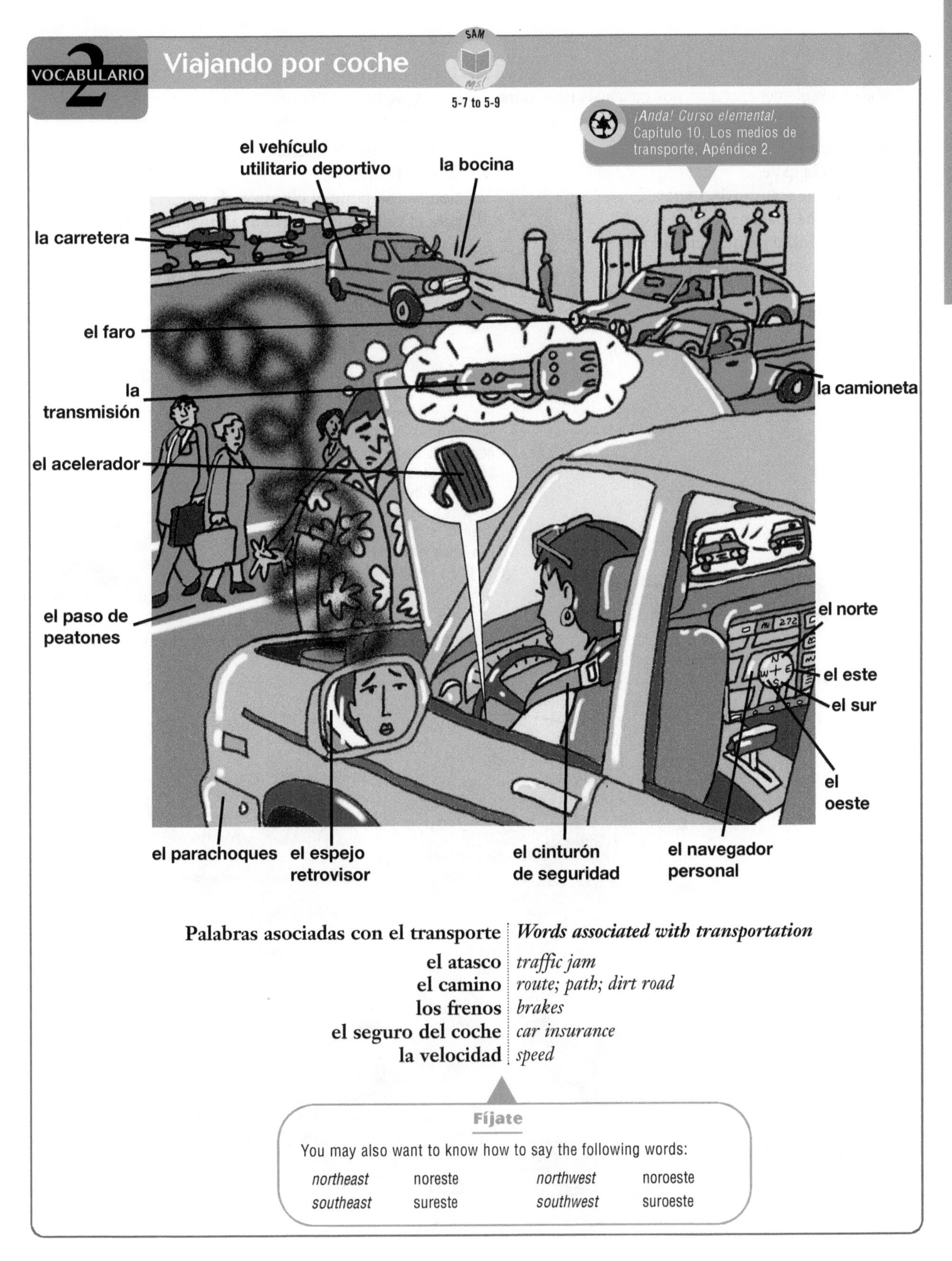

Palabras asociadas con el transporte	*Words associated with transportation*
el atasco	*traffic jam*
el camino	*route; path; dirt road*
los frenos	*brakes*
el seguro del coche	*car insurance*
la velocidad	*speed*

Fíjate

You may also want to know how to say the following words:

northeast	noreste	*northwest*	noroeste
southeast	sureste	*southwest*	suroeste

5-6 Combinaciones

Combinen los elementos de las dos columnas para formar oraciones lógicas. Túrnense.

1. Deja de tocar la bocina...
2. Cruzaron la calle...
3. Compré una transmisión nueva...
4. Salieron esta mañana...
5. Para un hombre no muy cuidadoso...
6. Piden setecientos dólares al año...

a. por el seguro de coche.
b. para la frontera.
c. siempre se pone el cinturón de seguridad.
d. para el vehículo utilitario deportivo antiguo.
e. por el paso de peatones.
f. para no molestar a los vecinos.

Estrategia

When you study vocabulary, writing the words down is a useful technique. Making a list helps you remember the new words better and learn their spelling. Study the words from your written list by looking at the English word as a prompt and saying the Spanish word. Check off the words you know well, and then concentrate on those you do not know yet.

¡Anda! Curso elemental, Capítulo 10, Los medios de transporte, Apéndice 2.

5-7 Mi carrito

¿Conoces bien tu carro? Escribe los nombres de las partes en el dibujo. Después, comparte tu trabajo con un/a compañero/a.

5-8 Piloto de carreras (*Race car driver*)

Juan Pablo Montoya empezó a competir oficialmente en carreras de karting de su país a la edad de seis años. Vamos a ver lo que él nos cuenta. Completa el siguiente párrafo sobre Montoya con las palabras apropiadas. Después, comparte tu trabajo con un/a compañero/a.

Fíjate

The term *karting* refers to racing in go-karts, smaller-sized cars built for children to race on tracks. They are often found at amusement parks.

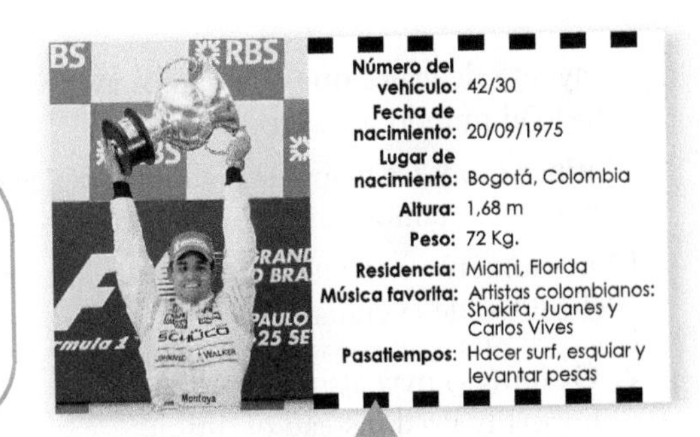

Fíjate

In Spanish-speaking countries, dates are written differently: day/month/year, e.g., *15/9/2010*.

carretera	cinturones	bocina	frenos
navegador personal	transmisión	velocidad	vehículo utilitario deportivo

Desde niño me han gustado las carreras. De karting fui a Fórmula Uno, donde me quedé por varios años. Pero desde el año 2007 soy piloto de carreras de stock car con NASCAR y vivo en los Estados Unidos. Mucha gente me pregunta cuál es mi carro favorito—aunque tengo varios coches muy buenos, mi favorito es mi (1) ________________. Tiene más de doscientas mil millas, pero es como nuevo para mí porque lo acabo de restaurar (*restore*). Por ejemplo, anda bien porque la (2) ________________ es nueva. Para la seguridad de mis hijos puse nuevos (3) ________________. Para poder parar con rapidez y precisión, tengo unos (4) ________________ nuevos también. Es un coche muy seguro y lo suficientemente grande para poder llevar a mis hijos con todas sus cosas y mis perros a la playa o de excursión. Para no perderme compré un (5) ________________. Una cosa que no cambié fue la (6) ________________ porque funciona y suena (*sounds*) muy bien. Cuando quiero correr más (ir más rápido), no lo hago en la (7) ________________ donde hay muchos otros carros; me meto en mi auto de carrera y puedo ir a alta (8) ________________ en la pista de carreras.

GRAMÁTICA 3 Los pronombres relativos *que* y *quien*

5-10 to 5-11 68

The words **que** and **quien** can link two parts of a sentence. When used in this way **que** (*that, which, who, whom*) and **quien(es)** (*who, whom*):

- do not have accents.
- refer back to a noun in the *main clause* (main part of the sentence).
- provide a smooth transition from one idea to another, eliminating the repetition of the noun.

1. **Que** is the most frequently used and can refer to *people, places, things*, or *ideas*.

¿Es ésta	**la limosina**	**que**	alquilamos por doscientos dólares?
Is this	*the limosine*	*(that)*	*we rented for two hundred dollars?*

¡¿Es ésta la limosina que alquilamos por $200?!

La agente de viajes **que** conocimos ayer viajó por todo el mundo hace tres años. — *The travel agent (that) we met yesterday traveled around the world three years ago.*

El itinerario y los mapas son algunas de las cosas **que** necesitamos llevar con nosotros. — *The itinerary and the maps are some of the things (that) we need to take with us.*

El monumento nacional **que** quieren visitar está en el centro de la ciudad. — *The national monument (that) they want to visit is in the center of the city.*

2. **Quien(es)** may also be used in a clause set off by commas when it refers *to people*, BUT **que** is normally used instead of **quien.**

El guía, **quien/que** nos llevó por toda la ciudad, no nos acompaña mañana. — *The guide, who took us around the city, is not accompanying us tomorrow.*

3. What follows are some additional guidelines for using **que** and **quien:**
   a. Use **que** after the simple prepositions **a, con, de,** and **en** to refer to *places, things, or abstract ideas—NOT people.*
   b. To refer to *people* after the simple prepositions **a, con, de,** and **en,** *you must use* **quien(es).**

El **avión en que** volamos ahora es uno de los más grandes del mundo. — *The plane in which we are now flying is one of the largest in the world.*

Los **peatones con quienes** cruzan necesitan apurarse un poco. — *The pedestrians with whom they are crossing need to speed up a bit.*

Fíjate

Note that while the word *that* can sometimes be omitted in English, **que** and **quien** are always needed in Spanish:

El atasco ***que*** *vimos ayer duró cuatro horas.*

The traffic jam (that) we saw yesterday lasted four hours.

Fíjate

A *dependent clause* cannot stand alone as a complete sentence and depends on the main clause to complete its meaning. In the following sentence, the underlined portion is the dependent clause:

El itinerario y los mapas son algunas de las cosas ***que dejamos en casa***.

5-9 Selecciones

Termina el siguiente párrafo con **que** o **quien.** Después, compara tu trabajo con el de un/a compañero/a. Túrnense para explicar sus elecciones.

La agencia (1) ________ ofrece viajes baratos no tiene problemas económicos sino unos arreglos muy especiales con la comunidad. Ayer, sin embargo, cuando llamamos a la agencia, el agente con (2) ________ hablamos no nos pudo ayudar mucho. Ese agente, (3) ________ se mudó aquí de Santiago, Chile, no sabe mucho sobre las ofertas (4) ________ tienen. Por ejemplo, no sabe si hay unos cruceros muy económicos (5) ________ hagan giras por todo el Caribe. Mis padres, (6) ________ hacen un viaje casi todos los años, dicen que hay cruceros enormes (7) ________ salen del puerto de nuestra ciudad. Dicen que se puede hacer muchas actividades a bordo: nadar en la piscina, relajarse en el jacuzzi, tomar el sol, asistir a diferentes clases para hacer ejercicio, como el ejercicio aeróbico y el yoga, ir al cine, visitar los bares y discotecas para tomar y bailar y comer las veinticuatro horas del día. ¡Mis amigas, con (8) ________ pienso hacer el crucero, nunca van a querer dormir!

5-10 ¿Has visitado la luna?

Combinen las oraciones usando **que** o **quien** para evitar la repetición.

MODELO El Valle de la Luna está en Bolivia. El Valle de la Luna es un lugar muy curioso.

El Valle de la Luna, que está en Bolivia, es un lugar muy curioso.

1. El Valle de la Luna está a diez kilómetros del centro de La Paz. Es un lugar muy extraño.
2. El paisaje ofrece un gran contraste. Es un paisaje extraterrestre.
3. El Valle de la Luna está al lado de un pueblo. El pueblo se llama Malilla.
4. En Malilla había un hombre muy extraño. El hombre vendía recuerdos del valle de la Luna.
5. Durante nuestro paseo hablamos con unos jóvenes. Los jóvenes eran de Costa Rica.

5-11 La historia de Rapunzel

Su profesor/a los va a poner en grupos de tres o cuatro estudiantes y les va a dar ocho papeles que contienen la historia de Rapunzel. Ustedes tienen que poner los papeles en orden y contar la historia.

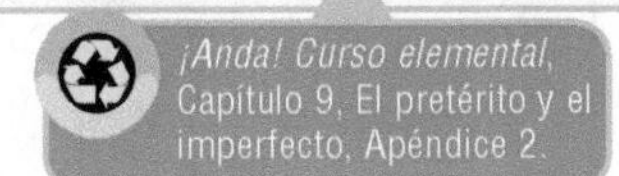

¡Anda! Curso elemental, Capítulo 9, El pretérito y el imperfecto, Apéndice 2.

5-12 ¿Quién puede ser?

En grupos de cuatro o cinco, túrnense para dar pistas (*clues*) sobre una persona de la clase hasta que alguien pueda adivinar quién es. Enfóquense en el uso de **que** y **quien.**

MODELO E1: *Estoy pensando en una persona que tiene una camioneta roja, lleva pantalones vaqueros. También es una persona a quien le gusta mucho el básquetbol y con quien trabajo mucho en la clase.*

E2: *¿Es Mark?*

E1: *Sí, es Mark.*

5-13 Biografía

Ahora piensen en unas personas famosas para continuar el juego de la actividad **5-12.** Deben dar de **tres** a **cinco** pistas, o más si los compañeros no pueden adivinar quién es.

VOCABULARIO 4 Las vacaciones

5-12 to 5-13

¡Anda! Curso elemental, Capítulo 10, El viaje, Apéndice 2.

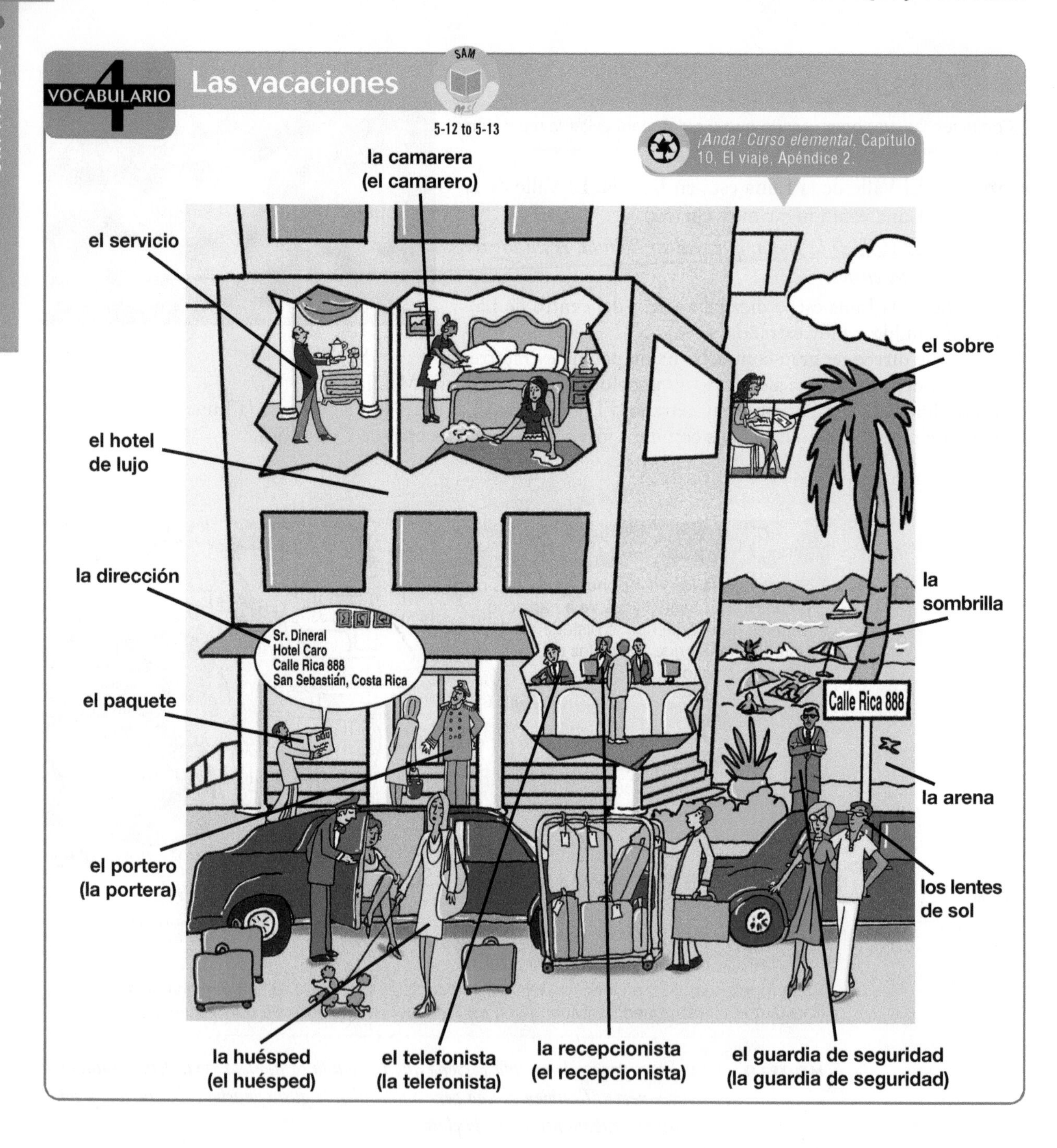

5-14 Concurso

En grupos de tres o cuatro, traten de incluir todas las palabras del vocabulario de **Las vacaciones** en **dos** o **tres** oraciones largas pero lógicas. El grupo con la oración más larga y lógica gana.

5-14 to 5-15

Notas culturales

El fin del mundo y los glaciares en cinco días:

Para los viajeros que quieren algo diferente en sus vacaciones

Día 1: *Punta Arenas:* Llegada entre las 09:00 y las 16:00 horas al puerto en el crucero "Sueño". Cóctel de bienvenida con el Capitán, quien encabeza el crucero.

Día 2: *Isla Magdalena y los pingüinos:* Visita la Isla Magdalena y los pingüinos magallánicos. Excursión al Parque Nacional Cabo de Hornos. Noche a bordo.

Día 3: *Ushuaia:* Navegación y llegada a Ushuaia, Tierra del Fuego, la ciudad más austral del mundo. Gira de la ciudad. Noche en hotel de 4 estrellas.

Día 4: *El Calafate y el Perito Moreno:* Traslado° al aeropuerto; vuelo a Calafate. Exploración de los glaciares masivos de El Calafate, Patagonia. Noche en hotel de 4 estrellas.

Día 5: *El Calafate – Punta Arenas:* Desayuno. Traslado en autobús al aeropuerto. Vuelo a Punta Arenas.

° *transfer*

Fíjate

Perito Moreno is one of the few glaciers that is growing and expanding instead of receding.

Preguntas

1. ¿Qué lugares incluye el recorrido de este viaje? ¿Qué van a ver los pasajeros? ¿Con quién tienen el cóctel de bienvenida?
2. ¿Qué medios de transporte se mencionan? ¿Adónde van por cada uno de los medios?
3. ¿Cuáles son los medios de transporte más comunes para las vacaciones en tu cultura?

5·15 Entrevista

Circula por la sala de clase haciendo y contestando las siguientes preguntas. Debes hablar con por lo menos **cinco** personas diferentes. Después, tu profesor/a va a pedirles la información para averiguar qué tienen en común.

1. Cuando viajas, ¿normalmente te quedas en hoteles de lujo o en hoteles más económicos? ¿Por qué?
2. Típicamente, ¿en qué son diferentes los hoteles de lujo y los hoteles más económicos?
3. ¿Te gusta tomar el sol o prefieres quedarte bajo una sombrilla cuando estás en la playa? ¿Por qué?
4. ¿Siempre llevas lentes de sol? ¿Qué marca (*brand*) prefieres? ¿Cuánto te costaron? ¿Dónde los compraste? ¿Por qué te gustan?
5. ¿Coleccionas sellos o tarjetas postales? ¿Conoces a alguien que los coleccione? ¿De dónde has recibido tarjetas postales?

Un hotel de lujo en Cancún, México

Estrategia

Answer in complete sentences when working with your classmates. Even though it may seem mechanical at times, using complete sentences leads to increased comfort with speaking Spanish.

¡Anda! Curso elemental, Capítulo 9, Un resumen de los pronombres de complemento directo, indirecto y reflexivos, Apéndice 3.

5·16 Tus vacaciones ideales

¡Qué suerte! Ganaste $100.000 dólares en un concurso para realizar el viaje de tus sueños. Después de regresar del viaje, te entrevistó un periodista de la revista *Viajes*. Un/a estudiante hace el papel del periodista y el/la otro/a el papel del ganador. Túrnense. Formen y contesten las preguntas usando **el pretérito** y **el imperfecto.**

1. ¿Adónde / decidir / ir? ¿Por qué?
2. ¿En qué hotel / quedarse?
3. ¿Qué servicios / ofrecer / en el hotel?
4. Cuando /estar / en el hotel ¿cómo / pasar / el tiempo (día y noche)?
5. ¿Viajar / por la región? ¿Qué excursiones / hacer?
6. ¿Perderse / en algún momento? Da algún ejemplo.
7. ¿Sacar / muchas fotos?
8. ¿Cómo /viajar?—¿Alquilar / un carro / o / ir / en taxi y autobús / o / caminar?

Estrategia

Both you and your partner should answer the questions individually, according to your dream vacation.

ESCUCHA

5-16 to 5-18

ESTRATEGIA **Listening for specific information**

When listening for specific information, it is usually necessary for you to know the topic or context of what you will hear in advance. Then you need to anticipate what you will want and/or need to know. When listening for specific information, you may wish to write or make a brief mental list of specific questions or topics upon which you will focus your listening. When performing this strategy in real life in an interpersonal setting, you would want to follow up with clarifying questions if you did not glean all the details.

5•17 Antes de escuchar

Vas a escuchar un anuncio de la radio para la agencia de viajes *Zona del viaje*. Si estás pensando en tomar un viaje y oyes este anuncio, ¿qué información esperas sacar? Escribe **tres** cosas que crees que vas a escuchar en el anuncio.

1. ______________________
2. ______________________
3. ______________________

5•18 A escuchar

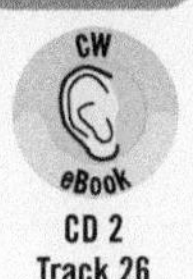

CD 2 Track 26

Completa los siguientes pasos.

Paso 1 Aquí tienes una lista de información que puede ser importante para este tipo de promoción.

1. El tipo de viaje	
2. Las ofertas (*special offers*)	
3. El precio	
4. Lo que está incluido en ese precio	
5. Cómo comprar el viaje	

Paso 2 Ahora escucha el anuncio y escribe una lista con los detalles que escuchas.

5•19 Después de escuchar

Llena el cuadro de la actividad **5-18** con la información que escuchaste y compáralo con el de un/a compañero/a. Después, decidan si el viaje es una buena oferta y si a ustedes les gustaría hacerlo.

¿Cómo andas?

Having completed the first **Comunicación,** I now can...

	Feel Confident	Need to Review
• express my thoughts about vacations and travel. (pp. 186, 191, 196)	❑	❑
• use **por** and **para** to express time, location, purpose, destination, and direction. (p. 187)	❑	❑
• use **que** and **quien** to link sentences and clauses. (p. 193)	❑	❑
• share information about interesting vacations. (p. 197)	❑	❑
• listen for and identify specific information in a message. (p. 199)	❑	❑

llega
tenga
Maneja

enseña
sea
tiene
tiene
dé
Sirva
estudia

Comunicación

- Sharing about technology joys and woes
- Expressing ideas about someone or something that may not exist

VOCABULARIO 5 La tecnología y la informática

SAM 5-19 to 5-20

¡Anda! Curso elemental, Capítulo 2. En la universidad, Apéndice 2.

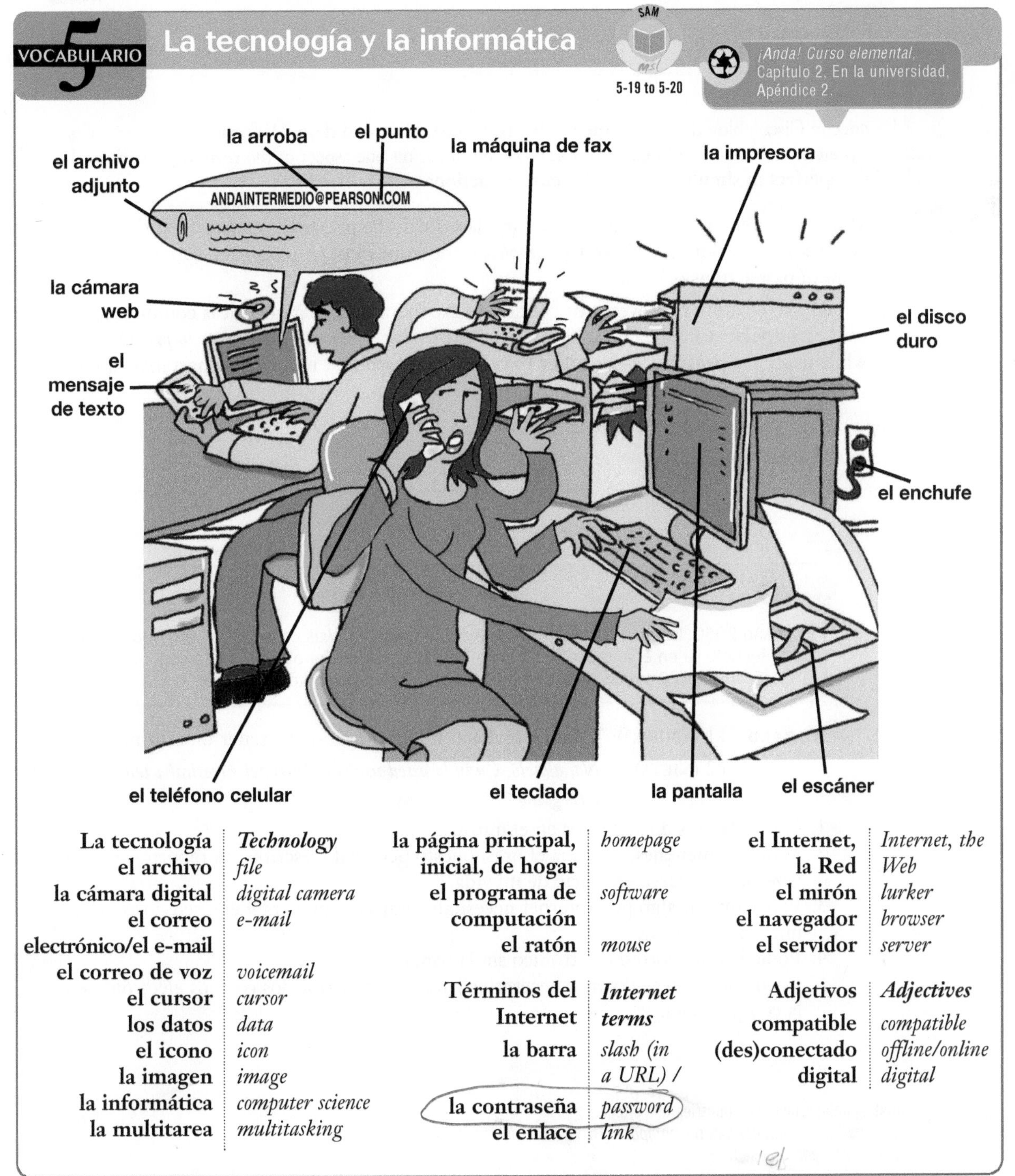

La tecnología	*Technology*
el archivo	*file*
la cámara digital	*digital camera*
el correo electrónico/el e-mail	*e-mail*
el correo de voz	*voicemail*
el cursor	*cursor*
los datos	*data*
el icono	*icon*
la imagen	*image*
la informática	*computer science*
la multitarea	*multitasking*
la página principal, inicial, de hogar	*homepage*
el programa de computación	*software*
el ratón	*mouse*

Términos del Internet	*Internet terms*
la barra	*slash (in a URL) /*
la contraseña	*password*
el enlace	*link*
el Internet, la Red	*Internet, the Web*
el mirón	*lurker*
el navegador	*browser*
el servidor	*server*

Adjetivos	*Adjectives*
compatible	*compatible*
(des)conectado	*offline/online*
digital	*digital*

Una palabra necesita que recibir el información personales

Frequentemente necesita usa

El parloteo de Cisco

Anteayer mi reproductor de CD/DVD no funcionaba. Ayer cuando trabajaba en la computadora ésta hizo un ruido y de repente dejó de funcionar. ¡La tecnología no me quiere!

Deja un comentario para Cisco:

5-21 to 5-22

35, 36, 41

REPASO

El pretérito y el imperfecto (continuación)

Notice in Cisco's blog the verbs **funcionaba, trabajaba, hizo,** and **dejó.** We reviewed the uses of the preterit and imperfect in **Capítulo 4.** Now let's focus on one aspect of the review: **preterit and the imperfect in simultaneous and recurrent actions.**

- When recurrent actions or conditions are described, the **preterit** indicates that the actions or conditions are viewed as *completed;* the **imperfect** emphasizes *habitual or repeated* past actions or *conditions.*
- When two or more past events or conditions are mentioned together, it is common to use the **imperfect** in one clause to describe the *setting, conditions,* or *actions in progress* while using the **preterit** in the other to relate *what happened,* moving the narrative along to its conclusion.

For examples on these uses of the preterit and the imperfect, please refer to **Capítulo 9** of ***¡Anda! Curso elemental*** in Appendix 3.

5·20 ¿Cierto o falso?

Es el año 2050. Un abuelo habla con su nieta, y bromea (*jokes around*) con ella sobre cómo era la tecnología en el año 2000. La nieta decide si las oraciones del abuelo son ciertas o falsas. Si son falsas, corríjanlas (*correct them*) para hacerlas ciertas. Túrnense.

MODELO E1 (ABUELO): Cuando usaba el Internet necesitaba tener un mirón.
E2 (NIETA): *No, abuelo. Cuando usted usaba el Internet necesitaba tener un navegador.*

1. Guardaba mis documentos en el mirón.
2. Mandaba mensajes, revisaba el presupuesto personal y escribía un reporte—todo a la vez—la multitarea era parte de mi vida.
3. Para comprar algo por Internet necesitaba usar la impresora y el disco duro, pero una vez no los usé.
4. Podía leer mi correo electrónico sin la pantalla.
5. El cursor y el teclado eran necesarios para poder escribir los correos electrónicos en la computadora.

Fíjate

Most Spanish-speaking countries use either *computador* or *computadora* for *computer.* In Spain, *ordenador* is used.

¡Anda! Curso elemental, Capítulo 5, Los pronombres de complemento directo; Capítulo 8, Los pronombres de complemento indirecto, Apéndice 3.

5-21 Busco un cibercafé que...

Ustedes son unos ejecutivos importantes de una compañía multinacional y están en Arequipa, Perú, para una conferencia. Necesitan acceso a la tecnología porque la maleta en que tenían todos los materiales para la presentación se perdió. Encuentras este anuncio sobre el Cibercafé Dos Mundos. Hablen de lo que pueden hacer (y de lo que no pueden hacer) allí para preparar de nuevo la presentación. ¡Sean creativos!

MODELO *Es bueno que el Cibercafé Dos Mundos tenga un fax. Entonces podemos decirle a la secretaria que nos mande los documentos que están en la maleta perdida.*

¡Anda! Curso elemental, Capítulo 5, Los pronombres de complemento directo; Capítulo 8, Los pronombres de complemento indirecto; Capítulo 9, Expresiones con *hacer*, Apéndice 3.

5-22 La tecnología en mi vida

Llena el cuadro con información sobre el uso que tú haces de la tecnología. Después, pídele a un/a compañero/a su información. **Usa los pronombres de complemento directo e indirecto** para evitar la repetición. Finalmente, compartan sus datos con los otros/as compañeros/as para averiguar qué tienen ustedes en común.

Estrategia

Notice the options for answering the questions in actividad **5-22.** As you work with your partner, always push yourself to be as creative as possible. By varying your answers, you practice and review more of the structures, which in turn helps you become a strong speaker of Spanish.

MODELO teléfono celular

E1: *¿Tienes un teléfono celular?*

E2: *Sí, y es un teléfono nuevo de Motorola.*

E1: *¿Cuándo lo compraste?*

E2: *Lo compré hace cinco meses.*

E1: *¿Cuántas veces al día lo usas?*

E2: *Lo uso por lo menos veinte veces al día.*

E1: *¿Para qué lo usas?*

E2: *Lo uso para llamar a mis amigos, para mandar mensajes de texto y para leer mi e-mail.*

APARATO	MARCA (*BRAND*)	CUANDO LO/LA COMPRÉ	CON QUÉ FRECUENCIA LO/LA USO	PARA QUÉ LO/LA USO
teléfono celular				
calculadora				
cámara digital				
cámara video digital				
fax				
reproductor de MP3				
televisor HD o 1080p				

5-23 ¿Qué puede ser?

Van a describir aparatos electrónicos usando cuatro pistas (*clues*).

Paso 1 En grupos de tres o cuatro, escogan un aparato y escriban las cuatro pistas. La primera pista debe ser la más general y la cuarta la más específica.

MODELO (escáner)

Es tan útil como una computadora.

Se comunica con una computadora.

Copia y transmite información.

Con esta máquina, puedo mandarle por computadora una página de un libro a mi amiga.

Paso 2 Túrnense para adivinar.

Paso 3 Escojan dos aparatos para presentar a los otros grupos.

5-24 Un invento muy importante

En grupos de tres o cuatro, inventen un aparato que mejore la calidad (*quality*) de nuestras vidas. Necesitan describir el aparato con un dibujo y con palabras, explicar sus usos y decir a quién(es) le(s) ayudaría (*would help*).

El subjuntivo con antecedentes indefinidos o que no existen

5-23 to 5-24

46, 51

So far you have used the subjunctive to indicate **wishes, recommendations, suggestions,** and **commands.** You have also used it to express **doubt, uncertainty, disbelief,** and **denial** as well as **emotions** and **opinions.**

The subjunctive is also used to express the possibility that something is **uncertain** or **nonexistent.** Note the sentences below.

Quiero comprar **una** computadora que **sea** compatible con el sistema que tengo. — *I want to buy **a** computer that is compatible with the system I have.* (may not exist)

Quiero comprar **la** computadora que **es** compatible con el sistema que tengo. — *I want to buy **the** computer that is compatible with the system I have.* (the computer exists)

Necesitamos **un** servidor que **sea** lo suficientemente grande para satisfacer todas nuestras necesidades. — *We need **a** server that is large enough to accommodate all our needs.* (does not yet exist for the speaker)

Necesitamos **el** servidor que **es** lo suficientemente grande para satisfacer todas nuestras necesidades. — *We need **the** server that is large enough to accommodate all our needs.* (the server exists)

No conocemos a nadie que **sepa** cifrar los documentos. — *We don't know anyone who knows how to encrypt the documents.* (speakers do not know anyone)

Conocemos a alguien que **sabe** cifrar los documentos. — *We know someone who knows how to encrypt the documents.* (speakers do know someone)

Estrategia

To determine whether you should use the subjunctive or the indicative, ask the question: *Does the person, place, or thing exist at that moment for the speaker? If it does, then use the indicative; if not, the subjunctive is needed.*

5·25 Trabajos nuevos

Son ayudanes para el jefe de una compañía internacional nueva necesita muchos empleados. Usando la información de la lista, túrnense para describir al tipo de persona que necesitan o buscan.

MODELO hablar varios idiomas

Necesito / Busco un secretario / ayudnte que hable varios idiomas.

1. saber organizar una oficina
2. querer trabajar los fines de semana
3. tener experiencia con muchos programas de computación
4. habla inglés perfectamente
5. ser honesto/a y eficiente
6. entender los programas de computación de la oficina
7. escribir bien las cartas y reportes
8. ser intérprete y traductor/a

5·26 A repasar

Han hablado de los aparatos tecnológicos que tienen, e incluso han inventado un aparato nuevo. Ahora vamos a repasar un poco. Terminen las siguientes oraciones de manera lógica.

MODELO Quiero un teléfono celular que (no existe todavía)...

Quiero un teléfono celular que no sea tan caro.

Quiero el teléfono celular que (ya existe)...

Quiero el teléfono celular que cuesta veinte dólares, como el que tiene Pati.

1. Mis padres quieren una computadora que...
2. Mis padres quieren la computadora que...
3. Necesito un teléfono celular que...
4. Necesito el teléfono celular que...
5. Busco una cámara digital que...
6. Compré la cámara digital que...

5·27 El mío es mejor

Tu amigo/a siempre tiene lo mejor de todo y siempre exagera. Túrnense para responder tal como respondería él/ella (*as he/she would respond*) a las siguientes oraciones.

MODELO Busco una computadora que ________ (reconocer) mi voz.

E1: *Busco una computadora que reconozca mi voz.*

E2 (AMIGO): *Yo tengo una computadora que reconoce mi voz y me llama por teléfono cuando tengo un correo electrónico importante.*

1. Necesito una pantalla para mi computadora que _______ (ser) tan grande como la pantalla de mi televisor.
2. Quiero encontrar una impresora que __________ (poder) imprimir, copiar y escanear.
3. ¿Hay una computadora que ________ (escribir) lo que dice una persona?
4. ¿Tienes un teléfono que ________ (poder) mostrar películas?
5. No existe un carro que _______ (ser) realmente económico.
6. Busco un televisor que ________ (tener) todas las características que ________ (tener) mi computadora.

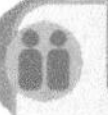

5·28 El teléfono ideal

Hoy en día un teléfono celular es mucho más que un teléfono —es útil pero también puede ser casi como un juguete (*toy*). ¿Cuáles son las características y usos más importantes para ti? Haz una descripción de **tres** o **cuatro** oraciones sobre el teléfono perfecto para ti, usando **el subjuntivo con antecedentes indefinidos o que no existen.** Después, comparte la descripción con un/a compañero/a.

MODELO *Quiero un teléfono que sea pequeño y que...*

5·29 ¡No existen!

Hagan una lista de por lo menos **diez** cosas que no existen, pero que quieren que existan. Sigan el modelo.

MODELO E1: *No existe un tren que sea tan rápido como un avión.*

E2: *No existe un IPhone que sea barato.*

. . .

5·30 Enamórate en BuscaPareja.com

Piensas utilizar un servicio en Internet para encontrar el amor. Pero primero, necesitas decidir cuáles son las características personales en una pareja más importantes para ti. Haz una lista de **diez** características y después compártelas con un/a compañero/a. Usa **el subjuntivo.**

MODELO *Necesito n hombe / una mujer que sea inteligente. Busco una persona que...*

Las acciones relacionadas con la tecnología

5-25 to 5-26

Algunos verbos	*Some verbs*
actualizar	*to update*
arrancar	*to boot up; to start up*
borrar	*to delete; to erase*
cifrar	*to encrypt*
conectar	*to connect*
congelar	*to freeze; to crash*
cortar	*to cut*
deshacer	*to undo*
descargar	*to download*
digitalizar	*to digitalize*
enchufar	*to plug in*
escanear	*to scan*
guardar	*to save; to file*
hacer la conexión	*to log on*
hacer clic	*to click*
imprimir	*to print*
navegar	*to navigate; to surf*
pegar	*to paste*
prender	*to start*
pulsar el botón derecho	*to right-click*
reiniciar	*to reboot*
sabotear	*to hack*

Estrategia

Another way to study new vocabulary is to create flash cards. It is best to study the vocabulary by looking at the English word and saying or writing the Spanish word.

Fíjate

You may have noticed that many technology words are cognates in English, e.g., *fax, escanear.* Because much of the technology originated in the United States with English words, much of the terminology has entered the Spanish language as cognates. This is a common way that languages evolve. What are some words that fall into this category?

5-31 Poner todo en orden

¡Anda! Curso elemental, Capítulo 7, El pretérito, Apéndice 3.

Juntos pongan las siguientes oraciones en el orden correcto para explicar lo que hizo José Luis con su computadora.

_____ Después de que se abrió mi página principal, fui a leer mi correo electrónico.
_____ Hice la conexión con mi contraseña.
_____ Después de borrar el *spam*, abrí un mensaje de mi sobrino que tenía un archivo adjunto.
_____ No sé cómo, pero alguien la había desenchufado. Entonces, la enchufé.
_____ Navegué por el Internet un poco y por fin apagué la computadora.
_____ Mi página principal se abrió.
_____ Borré unos treinta mensajes de *spam*.
_____ Imprimí el archivo que era una foto de él detrás del volante de su coche nuevo.
_____ Traté de encender la computadora, pero no prendió.
_____ Luego la prendí.

5-32 Ayer en el cibercafé

Ayer fue un día de mucho trabajo en el cibercafé. Describan el dibujo, incluyendo en la descripción por lo menos **una oración** sobre cada persona.

5-33 ¡Tengo la pantalla negra!

Hace cinco días que pediste ropa nueva por Internet. Estabas tratando de controlar el estado de tu pedido (*order*) cuando de repente ¡tu computadora se congeló! Llama para pedir asistencia informática y describe lo que hiciste en **ocho** pasos. Incluye por lo menos **cinco** de los siguientes verbos. Túrnense.

apagar	borrar	descargar	funcionar	grabar
guardar	imprimir	navegar	prender	quemar

5-34 ¿Qué debo hacer?

Túrnense para darle consejos a su amigo Federico.

MODELO E1 (FEDERICO): Quiero mostrarles las fotos de mis vacaciones en Perú.
E2 (USTEDES): *Descarga las fotos y muéstranoslas.*

1. Mi computadora funciona mal y tarda mucho en abrir las ventanas nuevas.
2. Este programa de computación no hace lo que necesito.
3. Mi iPhone se congeló.
4. No me gusta leer los documentos que me mandan en la pantalla.
5. Necesito información sobre los cibercafés de Barcelona.
6. Tengo demasiados mensajes en mi correo electrónico.

Fíjate

Text messaging is very popular in the Spanish-speaking world. What follows are some common abbreviations.

100pre (*siempre*)
a2 (*adiós*)
asias (*gracias*)
ac (*hace*)
bb (*bebé*)

5.35 El uso de la computadora

¿Cómo usas tu computadora? ¿Cuánto tiempo pasas delante de tu computadora?

Paso 1 Completa el cuadro con tu información personal.

	PROGRAMA DE COMPUTACIÓN O PÁGINA WEB	ACCIÓN(ES)	DÍAS	HORAS	MINUTOS
YO					
E1					
E2					
E3					

Paso 2 Entrevista a por lo menos **tres** personas para averiguar cómo ellos usan la computadora.

MODELO E1: *¿Qué programas de computadora usas más?*
E2: *Uso Word y PowerPoint más.*
E1: *¿Cuáles son tus páginas web favoritas?*
E2: *Escribo mucho en Facebook y…*

Paso 3 Comparen cómo todos los estudiantes de la clase usan la computadora. ¿En qué aspectos son similares? ¿En qué aspectos son diferentes?

MODELO E1: *Paso una hora al día de lunes a viernes escribiendo documentos en Word. ¿Y ustedes?*
E2: *Yo paso menos tiempo en Word; generalmente media hora durante la semana. Trabajo más con Excel por mi trabajo.*
E3: *Escribo en Word una hora, pero paso tres horas en Facebook…*

PERFILES

5-27 to 5-28

Viajando hacia el futuro

La tecnología puede ser muy útil: nos ayuda a comunicarnos, trabajar y viajar. Las siguientes personas tienen algo que ver con la tecnología, los viajes o las dos cosas a la vez.

¿Conoces a alguien que sea astronauta? **Franklin Díaz-Chang** (n. 1950), de San José, Costa Rica, comenzó a trabajar para la NASA como astronauta en el año 1981 y ha participado en siete vuelos al espacio exterior. Tiene un doctorado en física aplicada del Instituto Tecnológico de Massachusetts.

Fíjate

Franklin Díaz-Chang's father is a Costa Rican of Chinese descent.

¿Hay muchas personas a quienes no les guste andar en bicicleta? **Alberto Contador** (n. 1982 en Madrid, España) ha andado mucho en bicicleta. Ha ganado el Tour de Francia tres veces, en los años 2007, 2009 y 2010. También en el año 2008 ganó el Giro de Italia y la Vuelta a España. Con esto, se convirtió en el quinto corredor de la historia en ganar las tres grandes competencias de ciclismo.

Augusto Ulderico Cicaré (n. 1937 en Polvaredas, Argentina): A los doce años abandonó sus estudios formales y se dedicó a los inventos tecnológicos. Se enamoró del vuelo, y por fin elaboró la máquina de su pasión: el helicóptero. Hoy en día sigue inventando y es el jefe de la compañía de helicópteros Cicaré, famosos en todo el mundo.

Preguntas

1. ¿Cómo usan estas personas la tecnología para viajar?
2. Estas personas utilizan la tecnología en sus profesiones de una manera u otra. ¿Cómo piensas usar la tecnología en tu futuro?
3. ¿Qué profesiones utilizan la tecnología con más frecuencia?

5-36 Entrevista

Circula por la clase haciendo y contestando las siguientes preguntas.

1. ¿Cuántos cibercafés hay cerca de la casa de tus padres?, y ¿cerca de la universidad? ¿Por qué crees que hay tantos (o tan pocos)? ¿Qué hacen las personas en los cibercafés?
2. ¿Cuál es más inteligente: la computadora o el ser humano (*human being*)? Explica.
3. ¿Cuáles son algunas cosas que la computadora puede hacer que una persona no puede hacer? ¿Cuáles son algunas cosas que una computadora no puede hacer que una persona sí puede?
4. ¿Tienes la televisión por cable o satélite? ¿Cuántos canales recibes? ¿Cuántos canales recibes que son en español?
5. ¿Cómo te comunicas con tus compañeros/as? ¿y con amigos que viven lejos de ti?
6. ¿Cómo te comunicas con tus padres y otros familiares?
7. ¿Cuál es el aparato que no tienes, pero que más necesitas? ¿Por qué lo necesitas? ¿Qué marca prefieres? ¿Cuánto cuesta?
8. ¿Es la tecnología siempre aplicable, necesaria y/o deseada?

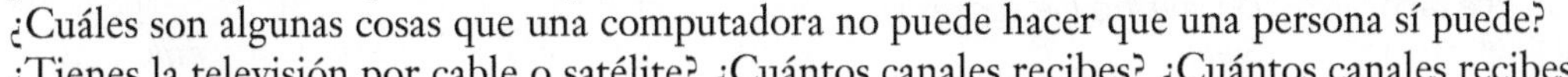

¡Anda! Curso elemental, Capítulo 10, Los mandatos informales; Los mandatos formales, Apéndice 3.

5-37 Un anuncio comercial

Han creado un nuevo modelo de computadora a la moda, y para promocionarla tienen que crear un anuncio comercial de **quince segundos.** Deben hablar de las características generales y enfocarse en lo que es realmente nuevo (e increíble) de su producto. Pueden empezar con unas cuantas preguntas retóricas, usando el **subjuntivo con antecedentes indefinidos o que no existen.**

MODELO *¿Quiere comprar una computadora que haga todo su trabajo y más en un instante? ¿Existe una computadora que no necesite un teclado tradicional? Fíjense en el nuevo modelo RELÁMPAGO…*

CAPÍTULO 13

¡Conversemos!

5-29 to 5-30

ESTRATEGIAS COMUNICATIVAS — Asking for input and expressing emotions

Many aspects of our lives (including travel and using technology) have us asking for opinions and suggestions as well as expressing emotions. What follows is a variety of ways to ask for input and to respond to situations both positively and negatively.

Para obtener información	*Asking for input*
¿Qué le/te parece?	*What do you think (about the idea)?*
¡Qué bueno!	*Good!*
¡Fenomenal!	*Phenomenal!*
¿Le/Teparece bien?	*Do you like the suggestion?*
¡Formidable!	*Super!*
¡Qué emoción!	*How exciting!, How cool!*
¡Qué opina/s!	*What do you think?*
¡No me digas!	*You don't say!, No way!*
¿Qué dice/s?	*What do you say?*
¡No puede ser!	*This/It can't be!*
¿Le/Te importa?	*Do you mind?*
¡Ya no lo aguanto!	*I can't take it anymore!*
¿Le/Te importa si . . .?	*Do you mind if . . .?*

Para expresar emoción	*Expressing emotions*
¡Qué barbaridad!	*How awful!*
¡Qué pena!	*What a pity / shame!*

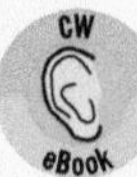

CD 2
Track 27

5-38 Diálogo

Adriana quiere que ella y su esposo David planeen unas vacaciones para celebrar su aniversario de boda. Ella busca una gira que tenga un poco de todo. Escucha el diálogo para descubrir los detalles.

Preguntas

1. ¿Qué sugiere Adriana?
2. ¿Qué recomienda David?
3. ¿Qué pasa al final y cómo se expresan?

5-39 ¿Quién me puede ayudar?

Haz una llamada para buscar a alguien que te pueda ayudar con un aparato tecnológico que no está funcionando. Túrnense, usando el vocabulario de este capítulo y las expresiones nuevas.

MODELO E1: ¿Aló?

E2: *(Quieres hablar con alguien que sepa algo de tu aparato.)*

E1: ¿En qué le puedo ayudar?

E2: *(Dile que tu aparato no funciona y quieres saber su opinión de la situación.)*

E1: ¿Qué opina usted?

E2: *(Expresa tu frustración con la situación.)*

5·40 ¿Qué opinas?

¡Están en un atasco y van a llegar tarde al aeropuerto donde van a iniciar el viaje de sus sueños! Creen un diálogo de por lo menos **ocho** interacciones, expresando su frustración y pidiendo sugerencias.

MODELO E1: *¡Qué barbaridad! ¡Qué atasco!*

E2: *¿Qué te parece si tomamos la carretera?…*

¡Anda! Curso intermedio, Capítulo 4, El presente perfecto del subjuntivo, pág. 167.

5·41 ¿Conoces a alguien que…?

Conocemos a muchas personas que han tenido una gran variedad de experiencias en sus vidas.

Paso 1 Pregúntales a tus compañeros si conocen a alguien a quien le hayan pasado las siguientes cosas.

¿CONOCES A ALGUIEN QUE…?		
haber ido en una limusina ____________	tener un iPad ____________	haber hecho un crucero ____________
haber borrado archivos importantes sin querer ____________	navegar diariamente en la computadora ____________	haber creado una página personal en el Internet ____________
haber tenido un accidente porque los frenos no funcionar ____________	no tener teléfono celular ____________	usar demasiado la bocina ____________

Paso 2 Cuando tu compañero/a contesta, pídele una opinión o expresa una emoción apropiada.

MODELO E1: *¿Conoces a alguien que haya ido en una limusina?*

E2: *No, no conozco a nadie que haya ido en una limusina.*

E1: *¿Qué opinas de las limusinas?…*

o

E2: *Sí. Yo he ido en una limusina.*

E1: *¡Qué emoción! ¿Te gustó?…*

¡Anda! Curso intermedio, Capítulo 2, El subjuntivo para expresar pedidos, mandatos y deseos, pág. 77; Capítulo 4, Las celebraciones y los eventos de la vida, pág. 148; La comida y la cocina, pág. 158.

5·42 ¿Qué te parece?

Tu compañero/a de clase y tú acaban de obtener un trabajo ideal como planeadores de fiestas exóticas. ¡Su cliente es Oprah Winfrey y quiere que planeen una fiesta extraordinaria para cien personas fuera de los Estados Unidos! Creen un diálogo de por lo menos **veinte** oraciones que incluya la siguiente información:

1. El destino y cómo llegar
2. Los invitados (*guests*) y la comida
3. Sus dudas acerca de la existencia de ciertas cosas (*certain things*)
4. Pregúntense sus opiniones y expresen sus emociones

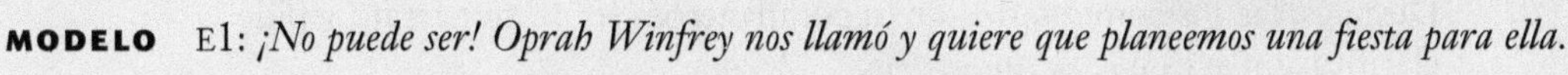

MODELO E1: *¡No puede ser! Oprah Winfrey nos llamó y quiere que planeemos una fiesta para ella.*

E2: *¡No me digas! ¿Qué te parece…?*

ESCRIBE

5-31

Estrategia

Peer editing gives you the opportunity to read a classmate's work carefully. This will, in turn, help you edit and polish your own writing.

ESTRATEGIA Peer editing

Before you begin to edit a peer's writing sample, it is helpful to know upon what to focus your attention. Two important categories are *clarity* and *accuracy*. *Clarity* refers to how well you, the reader, understand the message of the writing. *Accuracy* pertains to how correctly the writer has used the target language. For example, are the grammar and punctuation correct? The peer editor helps the original writer improve upon the sample with suggestions and corrections.

5•43 Antes de revisar

Estudia la siguiente guía de revisión. Luego cambia papeles con tu compañero/a y lee su composición.

LA GUÍA DE REVISIÓN

I. Clarity of expression

1. What is the main idea of the narration? State it in your own words; then verify with the author. ______________________
2. My favorite part is: ______________________
3. Something I do not understand: ______________________

II. Accuracy of Grammar and Punctuation

The peer editor should check for the following:

1. Agreement/(*Concordancia*)
   _____ subject/verb agreement (e.g., *Mi hermana y yo fuimos.*)
   _____ noun/adjective agreement (e.g., *Llegamos a una playa bonita.*)
2. _____ Usage of the preterit and the imperfect (e.g., *Cuando yo era niña fui a…*)
3. _____ Usage of subjunctive, where appropriate
4. _____ Spelling and accent marks

5•44 A revisar

Ahora, usa la guía para revisar la narración.

1. Lee el párrafo por primera vez y concéntrate en la claridad de expresión. Si no entiendes algo, debes indicarlo. Si tienes algunas ideas para mejorar o aclarar el párrafo, escríbelas.
2. Ahora, lee el párrafo otra vez para ver si la gramática es correcta. Si encuentras un error, escribe las correcciones.
3. Haz comentarios beneficiosos para tu compañero/a y también señala (*point out*) las partes que consideras bien hechas.

5•45 Después de revisar

Completen los siguientes pasos.

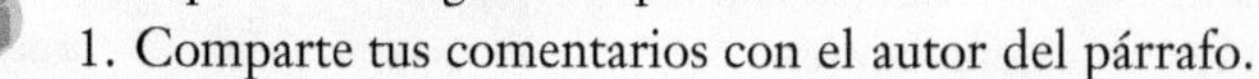

1. Comparte tus comentarios con el autor del párrafo.
2. Después, lee los comentarios de tu compañero/a sobre tu párrafo y pide clarificación si es necesario.
3. Finalmente, revisa tu párrafo con la información de la revisión de tu compañero/a.

¿Cómo andas?

Having completed the second **Comunicación,** I now can...

	Feel Confident	Need to Review
• discuss technology. (pp. 201, 208)	❑	❑
• share information about events in the past. (p. 202)	❑	❑
• describe something that is uncertain or unknown. (p. 205)	❑	❑
• identify some people who use technology and travel in their work. (p. 212)	❑	❑
• employ appropriate expressions to request input and express emotions. (p. 214)	❑	❑
• use *peer editing* to improve writing. (p. 216)	❑	❑

Héctor Robles Matos,
estudiante de turismo

Un viaje por mundos diferentes en Nicaragua, Costa Rica y Panamá

Estudio turismo ecológico en la Universidad del Turismo (UTUR) en San José, Costa Rica. Es muy importante en mi país y las agencias de viajes de primera categoría buscan gente que tenga buena formación en esta área. Una profesora mía me sugirió la posibilidad de añadir el estudio de la administración hotelera. Con esta combinación, va a ser muy fácil conseguir un buen trabajo que me guste.

Algunos autobuses decorados en América Central

Estos autobuses pintados son un método popular de transporte público en muchas ciudades latinas, y en la Ciudad de Panamá se llaman *los diablos rojos*. Tienen diseños artísticos y/o folklóricos, y los chóferes tienen mucho orgullo (*pride*) de su artesanía creativa. Muchos clientes esperan en la parada hasta que llegue su autobús favorito.

La construcción del canal de Panamá: 1534–1914

La construcción del canal fue terminada en el año 1914 a un costo de unos $375.000.000. Hoy en día, su tecnología e ingeniería siguen siendo impresionantes. La primera investigación de la posibilidad del canal fue en el año 1534, después de la exploración de la región por Vasco Núñez de Balboa, explorador español.

Las islas de Maíz

Un lugar muy tranquilo para las vacaciones caribeñas son las islas de Maíz, que quedan a unas cincuenta millas de la costa de Nicaragua. La arena es blanca, el clima agradable, hay buenos lugares para bucear y hacer snorkeling, y los costos son bajos. Estas islas son un paraíso tropical.

El canopy en Costa Rica

¿Buscas una aventura que sea divertida y única? Una excursión por el canopy de la selva en líneas de cable puede ser para ti. Es una actividad muy popular para los ecoturistas; se puede apreciar la naturaleza desde un punto muy alto en los árboles de la selva nubosa.

La tecnología "verde"

En Costa Rica, la tecnología está convirtiendo los desperdicios (*waste products*) de animales en formas de energía. En un intento de ser más "verde", se cambia el gas metano a combustible para la calefacción y la electricidad. Este ejemplo buenísimo de reciclaje apoya el ecoturismo, de mucha importancia para el país.

La isla Ometepe con los volcanes Concepción y Maderas

El lago Nicaragua, también conocido como el lago Cocibolca, es el lago más grande de América Central. Contiene un archipiélago de más de 350 isletas y una isla grande, Ometepe, formada de dos volcanes: Concepción y Maderas. Es el único lago del mundo que tiene tiburones de agua dulce (*freshwater*).

El volcán Arenal cerca de La Fortuna, Costa Rica

A muchos turistas les gusta combinar una visita al volcán Arenal y luego una caminata en la selva nubosa (*cloud forest*) de Monteverde. La ruta más corta entre estos dos lugares turísticos es el muy popular viaje de *jeep-boat-jeep*. Cruzando el lago Arenal recorta el viaje a tres horas. ¡Qué viaje!

Preguntas

1. ¿Cuáles son los medios de transporte indicados en los tres países?
2. ¿Cómo se usa la tecnología para crear un planeta más "verde"?
3. En los capítulos anteriores, has tenido *un vistazo* de México, España, Honduras, Guatemala y El Salvador. De todos estos lugares incluyendo los tres países de este capítulo, ¿adónde prefieres ir de viaje? ¿Por qué?

Laberinto peligroso

EPISODIO 5

lectura

5-34 to 5-36

ESTRATEGIA **Using a dictionary**

It is important to learn the skillful use of a dictionary. Learning how to use one will help you properly identify parts of speech and word usage. As a second language learner, you will need to pay attention to dictionary abbreviations and conventions. Additionally, cross-checking (looking up Spanish to English and vice versa) will help you pinpoint the best translation for a particular context.

Remember, you do not have to look up every word—just those whose meaning is vital for your comprehension.

5-46 **Antes de leer.** Cuando leemos, muchas veces no entendemos todas las palabras que hay en el texto, y por eso es importante tener un buen diccionario que nos ayude. Antes de empezar a leer, sigue los pasos a continuación.

Paso 1 Las siguientes palabras son términos desconocidos que aparecen en la lectura. Basándote en el contexto de cada oración y la definición de la palabra en un diccionario, escribe una definición para cada palabra.

a. cómplice
Ella era su cómplice en el crimen.
b. crónica
Leímos diferentes crónicas para la clase de historia.
c. ladrón
Los detectives descubrieron quién era el ladrón.
d. bibliotecario
El bibliotecario me ayudó a encontrar el libro.
e. equivocado
Se dio cuenta de que estaba equivocado; su novia no le había mentido.
f. exposición
En el museo hicieron una exposición de las obras de artistas locales.

Paso 2 Basándote en el título del episodio y el significado de cada palabra indicada, crea una hipótesis sobre qué va a pasar durante el episodio.

DÍA 23

Cómplices, crónicas, mapas y ladrones

CD 2
Track 28

Celia llegó tarde porque había estado navegando por el Internet buscando más datos. Cisco la estaba esperando. Después de conversar sobre cosas que no tenían mucha importancia, Celia intentó cambiar el tema de la conversación.

—¿Qué tal vas con tus proyectos? —preguntó.
—Bastante bien; estoy haciendo unas investigaciones interesantes. —respondió Cisco.

—¿Te puedo preguntar qué temas estás investigando? —preguntó Celia, fingiendo° poco interés.

pretending

—¿Sabes que no hay nadie que sepa nada de lo que estoy investigando? —preguntó Cisco, sonriendo°.

smiling

—Sí y también te puedo decir que no conozco a ningún periodista que hable de sus investigaciones con otros periodistas, aunque sean amigos. Todos somos tan competitivos. —afirmó Celia, mirándole los ojos.

—Entonces, ¿por qué me preguntas lo que estoy haciendo? —preguntó Cisco, todavía sonriendo.

—Porque busco un colaborador que sea inteligente y que tenga contactos en la ciudad. Creo que es posible que tú seas esa persona. ¿Estoy equivocada? —respondió Celia.

—¡Qué casualidad°! Para uno de mis proyectos yo también necesito un colaborador, uno que tenga experiencia como investigador. Busco a alguien a quien le interese el tema del medio ambiente, más concretamente las selvas tropicales. Pienso que es muy probable que tú seas la persona perfecta. —dijo Cisco.

coincidence

—Tienes razón. Me interesa mucho el medio ambiente y he estudiado las selvas tropicales. —afirmó Celia, con seguridad°.

confidence

—¿Recientemente? —En lugar de preguntar, parecía que Cisco pedía una confirmación de algo que ya sabía.

—Sí. —confirmó Celia, sonriendo.

Entonces, empezaron a compartir algunos de los resultados que sus respectivas investigaciones habían producido. Con cada dato que salía, estaban cada vez más fascinados porque descubrían todo lo que tenían en común. Los dos querían aprender más sobre los indígenas que vivían en las selvas tropicales y que dependían de esas selvas para vivir. Celia dijo que tenía muchas ganas de viajar por esos lugares y de perderse por las selvas. Quería conocer a los indígenas, de quienes sabía que podía aprender mucho. Cisco reaccionó con mucha emoción porque él también quería hacer ese viaje. Pero se preguntaba, ¿con quién podía compartir una experiencia tan singular? Celia le respondió que él tenía que buscar a otra compañera de viaje porque ella no iba a hacer ningún viaje con él. Cisco respondió con un comentario parecido, explicándole que no buscaba el sufrimiento que tenía que ser ir al extranjero con una mujer como Celia. Después de ese intercambio° incómodo, volvieron a hablar de las selvas tropicales. Celia propuso un viaje a un lugar más cercano: la biblioteca.

exchange

Al llegar a la biblioteca, descubrieron que había una gran colección de mapas antiguos de las selvas, y que algunas personas los usaban para identificar los mejores lugares donde encontrar plantas medicinales. Los bibliotecarios, quienes estaban digitalizando toda la colección para facilitar el acceso de los investigadores a los mapas y también para proteger esos documentos tan antiguos y frágiles, los ayudaron a encontrar los mapas de las zonas que más les interesaban y también les enseñaron la exposición en la biblioteca de crónicas de la época colonial, libros históricos muy importantes que tenían datos relevantes a su investigación. Mientras exploraban los testimonios de los cronistas, Celia miró hacia arriba y vio a un hombre a quien creía conocer. No sabía de dónde ni por qué lo conocía.

Unos días más tarde, el periódico los sorprendió con una noticia sobre el robo° de algunos de los mapas que habían consultado. También había desaparecido una de las crónicas de la exposición. ¡Parecía increíble!

robbery

5-47 **Después de leer.** Contesta las siguientes preguntas.

1. ¿Por qué estaba sorprendido Cisco cuando Celia le preguntó por el tema de su investigación?
2. ¿Por qué le preguntó Celia a Cisco por el tema de su investigación?
3. ¿Por qué quería colaborar Cisco con Celia?
4. ¿A dónde querían viajar Celia y Cisco? ¿Por qué querían viajar allí?
5. ¿Por qué fueron Celia y Cisco a la biblioteca?
6. ¿Qué robaron los ladrones de la biblioteca?

video

5-48 **Antes del video.** En *Cómplices, crónicas, mapas y ladrones* viste cómo cambia la relación entre Cisco y Celia. Antes de ver el episodio en video, contesta las siguientes preguntas.

1. ¿Por qué crees que Celia y Cisco buscaban ayuda con sus investigaciones?
2. ¿Por qué piensas que dijeron que no querían viajar juntos?
3. ¿Quién crees que era el hombre que Celia vio en la biblioteca?
4. ¿Por qué piensas que los ladrones robaron los mapas y la crónica de la biblioteca?

Sé que había un gran atasco en la carretera principal.

Hace unos días también desaparecieron algunos documentos del laboratorio en el que trabajo.

La persona que ha robado estos mapas debía conocer perfectamente el funcionamiento de los diferentes sistemas de seguridad informáticos.

Episodio 5

¿Somos sospechosos?

Relájate y disfruta el video.

5-49 Después del video. Contesta las siguientes preguntas.

1. ¿Por qué tenían que hablar Celia y Cisco con la policía?
2. ¿Qué esperan los policías que Celia y Cisco puedan hacer?
3. ¿Qué recordó Celia del hombre que vio en la biblioteca?
4. ¿Qué dijo el mensaje de correo electrónico que recibieron Celia y Cisco?

Y por fin, ¿cómo andas?

Having completed this chapter, I now can...

	Feel confident	Need to review
Comunicación		
• discuss travel and means of transportation. (pp. 186, 191, 196)	❑	❑
• choose **por** or **para** to aid in communication. (p. 187)	❑	❑
• connect sentences and clarify meaning using **que** or **quien.** (p. 193)	❑	❑
• listen for specific information in a conversation. (p. 199)	❑	❑
• discuss technology. (pp. 201, 208)	❑	❑
• share information about events in the past. (p. 202)	❑	❑
• describe something that is uncertain or unknown. (p. 205)	❑	❑
• employ appropriate expressions to ask for input and express emotions. (p. 214)	❑	❑
• use *peer editing* to improve writing. (p. 216)	❑	❑
Cultura		
• share information about interesting places and ways to travel. (p. 197)	❑	❑
• identify some people for whom travel and technology are important. (p. 212)	❑	❑
• compare and contrast information regarding tourism, technology, and "green" efforts. (p. 218)	❑	❑
Laberinto peligroso		
• use a bilingual dictionary to help understand a reading passage. (p. 220)	❑	❑
• discuss what Celia and Cisco discover about the rain forest, old maps, and a *cronista* journal. (p. 220)	❑	❑
• hypothesize about their threatening e-mails. (p. 222)	❑	❑

VOCABULARIO ACTIVO

CD 2
Tracks 29-37

Los viajes	*Trips*
la aduana	*customs*
la cámara	*camera*
el crucero	*cruise ship, cruise*
el equipaje	*luggage*
el extranjero	*abroad*
la frontera	*border*
el/la guía	*guide*
el itinerario	*itinerary*
la limosina	*limousine*
el mapa	*map*
el monumento nacional	*national monument, monument of national importance*
la oficina de turismo	*tourism office*
el paquete	*package*
el paisaje	*countryside, landscape*
el puerto	*port*
el recuerdo	*souvenir*

Verbos útiles	*Useful verbs*
alquilar un coche	*to rent a car*
firmar (los documentos)	*to sign (documents)*
hacer un crucero	*to go on a cruise*
perderse (e-ie)	*to get lost*
sacar fotos	*to take pictures/photos*

Viajando por coche	*Traveling by car*
el acelerador	*accelerator, gas pedal*
la bocina	*horn*
la camioneta	*van; station wagon; small truck*
la carretera	*highway*
el cinturón de seguridad	*seat belt*
el espejo retrovisor	*rearview mirror*
el este	*east*
el faro	*headlight*
los frenos	*brakes*
el navegador personal	*GPS*
el norte	*north*
el oeste	*west*
el parachoques	*bumper*
el sur	*south*
la transmisión	*transmission*
el vehículo utilitario deportivo	*SUV*

Palabras asociadas con el transporte	*Words associated with transportation*
el atasco	*traffic jam*
el camino	*route; path; dirt road*
el paso de peatones	*crosswalk*
el seguro del coche	*car insurance*
la velocidad	*speed*

Las vacaciones	*Vacations*
la arena	*sand*
el/la camarero/a	*maid*
la dirección	*direction*
el/la guardia de seguridad	*security guard*
el hotel de lujo	*luxury hotel*
el/la huésped	*guest*
los lentes de sol	*sunglasses*
el paquete	*package*
el/la portero/a	*doorman*
el/la recepcionista	*receptionist*
el servicio	*room service*
el sobre	*envelope*
la sombrilla	*umbrella*
el/la telefonista	*telephone operator*

La tecnología — *Technology*

el archivo	*file*
la cámara digital	*digital camera*
la cámara web	*web camera*
el correo electrónico; el e-mail	*e-mail*
el correo de voz	*voicemail*
el cursor	*cursor*
el disco duro	*hard drive*
el enchufe	*plug*
el escáner	*scanner*
los datos	*data*
el icono	*icon*
la imagen	*image*
la impresora	*printer*
la informática	*computer science*
la máquina de fax	*fax machine*
el mensaje de texto	*text message*
la multitarea	*multitasking*
la página principal, inicial, de hogar	*homepage*
la pantalla	*screen*
el programa de computación	*software*
el ratón	*mouse*
el teclado	*keyboard*
el teléfono celular	*cell phone*

Términos del Internet — *Internet terms*

el archivo adjunto	*attachment*
la arroba	*at (in an e-mail address/message) @*
la barra	*slash (in a URL) /*
la contraseña	*password*
el enlace	*link*
el Internet; la Red	*Internet*
el mirón	*lurker*
el navegador	*browser*
el punto	*dot (in a URL)*
el servidor	*server*

Algunos adjetivos — *Some adjectives*

compatible	*compatible*
(des)conectado	*offline; online*
digital	*digital*

Algunos verbos — *Some verbs*

actualizar	*to update*
arrancar	*to boot up, to start up*
borrar	*to delete; to erase*
cifrar	*to encrypt*
conectar	*to connect*
congelar	*to freeze; to crash*
cortar	*to cut*
deshacer	*to undo*
descargar	*to download*
digitalizar	*to digitalize*
enchufar	*to plug in*
escanear	*to scan*
guardar	*to save; to file*
hacer la conexión	*to log on*
hacer clic	*to click*
imprimir	*to print*
navegar	*to navigate; to surf*
pegar	*to paste*
prender	*to start*
pulsar el botón derecho	*to right-click*
reiniciar	*to reboot*
sabotear	*to hack*

6

¡Sí, lo sé!

OBJETIVOS

Comunicación

- To describe yourself and others
- To share ideas about sports and pastimes
- To describe homes in depth
- To relate past celebrations and to plan future ones
- To plan and give details regarding future and past travels
- To express what *has* and *had* happened
- To express wishes, doubts, feelings, and emotions
- To link together simple sentences and clauses
- To refer to people and things that may or may not exist

Cultura

- To synthesize information about families, sports and pastimes, homes and their construction, celebrations, and traveling in the Spanish-speaking world
- To compare and contrast the countries you learned about in *Capítulos 1–5*

This chapter is a recycling chapter, designed for you to see just how much you have progressed in your quest to learn and use Spanish. The *major points* of *Capítulos 1–5* are included in this chapter, providing you with the opportunity to "put it all together." You will be pleased to see how much more you know and are able to do with the Spanish language.

Because this is a recycling chapter, no new vocabulary is presented. The intention is that you review the vocabulary of *Capítulos 1–5* thoroughly, focusing on the words that you personally have difficulty remembering.

All learners are different in terms of what they have mastered and what they still need to practice. Take the time with this chapter to determine what you feel confident with and what concepts you need to review. Then devote your efforts to what you personally need to practice.

Remember, language learning is a process. Like any skill, learning Spanish requires practice, review, and then more practice!

Organizing Your Review

There are processes used by successful language learners for reviewing a language. The following tips, which are backed by research, can help you organize your review. There is no one correct way, but these are some suggestions that will best utilize your time and energy.

1 Reviewing Strategies

1. Make a list of the *major* topics you have studied and need to review, dividing them into three categories: *vocabulary, grammar,* and *culture*. These are the topics on which you need to focus the majority of your time and energy.

   Note: The two-page chapter openers for each chapter can help you determine the major topics.
2. Allocate a minimum of an hour each day over a period of days to review. Budget the majority of your time for the major topics. After beginning with the most important grammar and vocabulary topics, review the secondary/supporting grammar topics and the culture. Cramming the night before a test is *not* an effective way to review and retain information.
3. Many educational researchers suggest that you start your review with the most recent chapter, or in this case, *Capítulo 5.* The most recent chapter is the freshest in your mind, so you tend to remember the concepts better, and you will experience quick success in your review.
4. Spend the greatest amount of time on concepts where you determine *you* need to improve. Revisit the self-assessment tool *Y por fin, ¿cómo andas?* in each chapter to see how you rated yourself. This tool is designed to help you become good at self-assessing what you need to work on the most.

2 Reviewing Grammar

1. When reviewing grammar, begin with the **subjunctive,** because this is the most important topic you have learned in the first semester. Begin with how the subjunctive is formed in both regular and irregular verbs, and then progress to how and when it is used. Once you feel confident with using the subjunctive correctly, then proceed to the additional new grammar points and review them.
2. As you assess what you personally need to review, you may determine that you still need more practice with the **preterit** and the **imperfect.** Although these past tenses were the focus of your previous Spanish classes, you may determine that you need additional practice expressing yourself well in the past tenses. If so, review the **preterit** and **imperfect** and pay special attention to the activities in this chapter that require you to use these tenses.
3. Good ways to review include redoing activities in your textbook, redoing activities in your *Student Activities Manual,* and (re)doing activities on **MySpanishLab™.**

3 Reviewing Vocabulary

1. When studying vocabulary, it is usually most helpful to look at the English word and then say or write the word in Spanish. Make a special list of words that are difficult for you to remember, writing them in a small notebook. Pull out the notebook every time you have a few minutes (between classes, waiting in line at the grocery store, etc.) to review the words. The *Vocabulario activo* pages at the end of each chapter will help you organize the most important words from the chapter.
2. We know from brain research, combined with research on how humans learn, that saying vocabulary (including verbs) out loud helps you retain the words better.

4 Overall Review Technique

1. Get together with someone with whom you can practice speaking Spanish. If you need something to spark the conversation, take the composite art pictures from ***¡Anda! Curso intermedio*** and say as many things as you can about each picture. Have a friendly challenge to see who can make more complete sentences or create the longest story about the pictures. This will help you build your confidence and practice stringing sentences together to speak in paragraphs.
2. Yes, it is important for you to know "mechanical" pieces of information such as verb endings. *But*, it is *much more important* that you are able to take those mechanical pieces of information and put them all together, creating meaningful and creative samples of your speaking and writing on the themes of the first five chapters.
3. You are well on the road to success when you demonstrate that you can speak and write in paragraphs, using a wide variety of verb tenses and vocabulary words correctly. Keep up the good work!

Capítulo Preliminar A y Capítulo 1.

Comunicación

6-1 to 6-6

Capítulo Preliminar A y Capítulo 1

6-1 ¿Quiénes son?

Estrategia

Before beginning each activity, make sure that you have reviewed and identified recycled chapters and their concepts carefully so that you are able to move through the activity seamlessly as you put it all together!

Lee los siguientes anuncios de citas del Internet.

Paso 1 Contesta las siguientes preguntas. Túrnense.

1. De las fotos, ¿quién escribió cada anuncio personal? ¿cómo lo sabes?
2. ¿Qué persona te parece la más interesante y por qué?
3. ¿Cuál te parece la menos interesante y por qué?

Vince Cavataio/PacificStock.com.

CITAS EN LA RED

Dama honesta, chistosa, delgada, con unos tatuajes interesantes, busca caballero educado, trabajador, generoso y con cicatriz, sin compromiso. Foto 14823

Mujer costarricense amable, en forma, busca un caballero mayor de 30 años, generoso, divertido y sin compromiso para una bonita relación. Foto 75527

Chileno, me encantan la playa, los deportes y bailar, busco dama atractiva sin perforación del cuerpo, de buen carácter, alegre y cortés para llenar mi vida de amor. Foto 59232

Caballero educado y de buena familia, busco una dama hermosa, de pelo largo, para una relación profunda y permanente. Foto 47520

Paso 2 Escribe tu propio anuncio y compártelo con un/a compañero/a.

CITAS EN LA RED

Nombre ______________________

Edad ______________________

Características físicas ______________________

____

____

Personalidad ______________________

____

Me gusta(n) ______________________

No me gusta(n) ______________________

Busco una pareja... ______________________

____

Estrategia

As you study your vocabulary or grammar, it might be helpful to organize the information into a word web. Start with the concept you want to practice, such as *las personalidades*, write the word in the center of the page, and draw a circle around it. Then, as you brainstorm how your other vocabulary fits into *las personalidades*, you can create circles that branch off from your main idea. For example, you might write *positivas* and *negativas* in circles. Once you have your categories arranged, add vocabulary that belongs to each category. Branching from *positivas* might be *alegre*. Branching from *negativas* might be *gastador/a*.

6-2 Identificaciones

Estabas en un café con unos amigos cuando de repente vieron a dos personas corriendo por la calle. La última persona gritaba —¡Ladrón! ¡Me robaste mi dinero! ¡Párenlo!— Un policía llegó y ahora tienes que describirle al policía cómo eran el criminal y la víctima.

Paso 1 Explícale lo que pasó a tu compañero/a, describiéndole al ladrón y a su víctima. Puedes escogerlos entre los del dibujo. Sé creativo/a.

Paso 2 Basándose en tu explicación, tu compañero/a tiene que identificar al ladrón y a su víctima. Usa **el pretérito y el imperfecto** cuando sea apropiado. Túrnense.

MODELO E1: *El ladrón corría muy rápido, pero la víctima, muy enojada, no podía correr tan rápido. La víctima tenía pelo…*

E2: *Entonces, ¿el ladrón fue ____ y la víctima fue ____?*

E1: *¡Sí!/No, voy a explicártelo de nuevo…*

Estrategia

You may wish to create names or descriptions for each of the characters in the lineup in order to identify them.

6-3 ¿Qué tal has estado?

Estás en una fiesta de tu clase de graduación de la escuela secundaria. Hace muchos años que no ves a tus compañeros. Describe lo que has hecho en los últimos años, usando por lo menos **ocho** verbos diferentes en el **presente perfecto** *(haber + -ado/-ido)*. Túrnense.

MODELO E1: *Hola Jorge. Tanto tiempo que no nos hemos visto. ¿Qué has hecho en estos últimos años?*

E2: *Hola Jaime. ¿Qué he hecho? Pues, muchas cosas. Primero, he trabajado para una compañía…*

Estrategia

Remember to use the *present perfect (haber + -ado/-ido)* to state what you or others *has/have done*. Also remember that *-ado/-ido* often translates to the *-ed* verb form in English.

6-4 Nuestras familias

Completen los siguientes pasos.

Paso 1 Con un/a compañero/a, túrnense para describir a tu familia, o a una familia o persona famosa. Trata de usar por lo menos **diez** oraciones con un mínimo de **cinco verbos diferentes.** Incluye: aspectos de su personalidad, su descripción física, qué o quién(es) le(s) fascina(n)/falta(n), qué cosas especiales han hecho en sus vidas, etc.

Estrategia

People rarely remember *everything* they hear! It is important that you feel comfortable asking someone to repeat information or asking for clarification using expressions such as *¿Qué dijiste? ¿Me puedes repetir, por favor?*

MODELO E1: *Me fascinan mis dos hermanastros. Cuando los conocí, me cayeron mal, pero siempre han tenido unas personalidades interesantes. Por ejemplo…*

Paso 2 Ahora descríbele la familia de tu compañero/a a otro miembro de tu clase, usando por lo menos **cinco** oraciones. Si no recuerdas bien los detalles o si necesitas clarificación, pregúntale a tu compañero/a.

MODELO E2: *Adriana tiene dos hermanastros. Al principio le cayeron mal, pero ahora le fascinan. Uno es chistoso; el otro es callado…*

Estrategia

With situations like those in actividad **6-4,** it is not essential that *all* details be remembered. Nor is it essential in this type of scenario to repeat *verbatim* what someone has said; it is totally acceptable to express the same idea in different words.

Estrategia

Focus on using as much of the vocabulary from *Capítulo 1* as possible in your descriptions. Remember to create negative sentences as well: e.g., *A mi mamá no le gustan mucho los tatuajes.*

Estrategia

In this chapter you will encounter a variety of rubrics to self-assess how well you are doing.

All aspects of our lives benefit from self-reflection and self-assessment. Learning Spanish is an aspect of our academic and future professional lives that benefits greatly from such a self-assessment. Also coming into play is the fact that, as college students, you personally are being held accountable for your learning and are expected to take ownership for your performance. Having said that, we instructors can assist you greatly by letting you know what we expect of you. It will help you determine how well you are doing with the recycling of **Capítulo Preliminar A** and **Capítulo 1.** This rubric is meant first and foremost for you to use as a self-assessment, but you can also use it to peer-assess. Your instructor may use the rubric to assess your progress as well.

Estrategia

You and your instructor can use this rubric to assess your progress for actividades **6-1** through **6-4.**

Rúbrica

	3 Exceeds Expectations	2 Meets Expectations	1 Approaches Expectations	0 Does Not Meet Expectations
Duración y precisión	• Has at least 10 sentences and includes all the required information. • May have errors, but they do not interfere with communication.	• Has 7–9 sentences and includes all the required information. • May have errors, but they rarely interfere with communication.	• Has 4–7 sentences and includes some of the required information. • Has errors that interfere with communication.	• Supplies fewer sentences and little of the required information in *Approaches Expectations.* • If communicating at all, has frequent errors that make communication limited or impossible.
Gramática nueva del *Capítulo 1*	• Makes excellent use of **gustar**-like verbs and **haber + -ado/-ido.** • Uses a variety of verbs when appropriate.	• Makes good use of **gustar**-like verbs and **haber + -ado/-ido.** • Uses a variety of verbs when appropriate.	• Makes use of some **gustar**-like verbs and **haber + -ado/-ido.** • Uses a limited variety of verbs when appropriate.	• Uses few, if any, of the **gustar**-like verbs or **haber + -ado/-ido.**
Vocabulario nuevo del *Capítulo 1*	• Uses many new **physical and personality descriptions.**	• Uses a variety of the new **physical and personality descriptions.**	• Uses some of the new **physical and personality descriptions.**	• Uses little, if any, new vocabulary.
Gramática y vocabulario del repaso/reciclaje del *Capítulo 1*	• Does an excellent job using review grammar (such as the **preterit and object pronouns**) and vocabulary to support what is being said. • Uses a wide array of review verbs. • Uses some review vocabulary but predominantly focuses on new vocabulary.	• Does a good job using review grammar (such as the **preterit and object pronouns**) and vocabulary to support what is being said. • Uses an array of review verbs. • Uses some review vocabulary but predominantly focuses on new vocabulary.	• Does an average job using review grammar (such as the **preterit and object pronouns**) and vocabulary to support what is being said. • Uses a limited array of review verbs. • Uses mostly review vocabulary and some new vocabulary.	• Almost solely uses the present tense. • If speaking at all, relies almost completely on vocabulary from beginning Spanish course.
Esfuerzo	• Clearly the student made his/her best effort.	• The student made a good effort.	• The student made an effort.	• Little or no effort went into the activity.

• Capítulo 2 •

6-5 Vamos de vacaciones y...

¡Tu compañero/a y tú van a tener diez gloriosos días de vacaciones después de los exámenes! ¿Qué van a hacer? Túrnense para crear oraciones usando **los mandatos de nosotros/as** y **el vocabulario de los deportes y los pasatiempos.** Sigan el modelo.

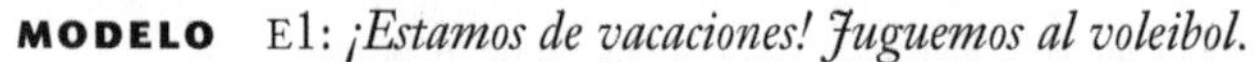

MODELO E1: *¡Estamos de vacaciones! Juguemos al voleibol.*

E2: *Muy bien. Juguemos al voleibol y patinemos en monopatín.*

E1: *Muy bien. Juguemos al voleibol, patinemos en monopatín, y buceemos.*

E2: ...

6-6 ¿Qué tenemos en común?

¿Qué hacían tu compañero/a de clase y tú durante sus años de la escuela secundaria? Túrnense para hacerse **diez preguntas** para ver qué deportes y pasatiempos tienen en común. Escriban sus respuestas en un diagrama de Venn.

> **Estrategia**
>
> Before doing actividad **6-6,** review the formation and uses of *el pretérito* and *el imperfecto*, pp. 46 and 125.

MODELO E1: *¿Comentabas en un blog?*

E2: *Sí, comenté en un blog por lo menos una vez... quizás dos veces. ¿y tú? ¿Comentabas en un blog?*

E1: *Sí, comentaba mucho en un blog. Lo tenemos en común.*

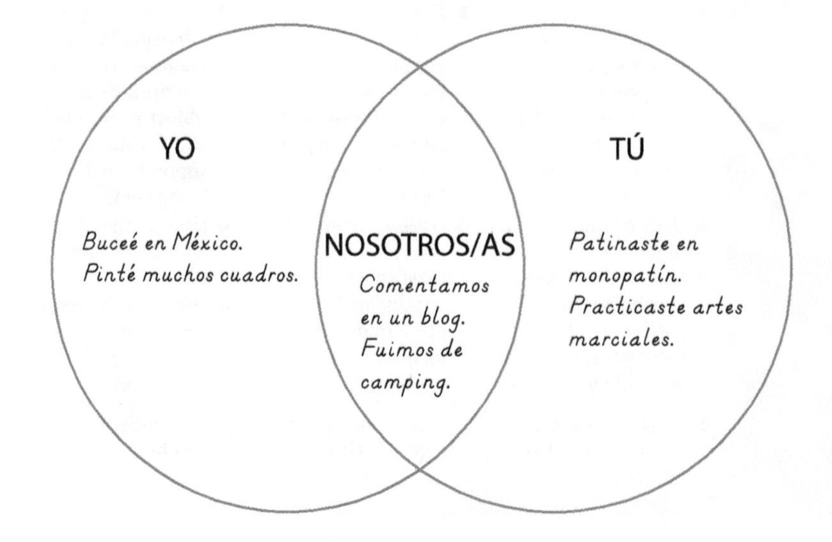

6-7 Artuditu, quiero que...

¡Ah... el mundo moderno! ¡Tienes un robot que hace todo lo que tu familia y tú quieran! Dile por lo menos **ocho** cosas, con **ocho verbos diferentes,** que tu familia y tú quieren que haga. Usen **el subjuntivo.** Túrnense.

MODELO *Robot, por favor, quiero que me traigas las cartas para jugar al póquer. Van a venir diez amigos a la casa para jugar. Entonces, también necesito que prepares unos sándwiches. Luego, mi mamá dice que es necesario que limpies la cocina...*

Estrategia

After doing actividad **6-7** using the subjunctive, practice with the *tú* and *usted* commands: e.g., *Robot, trae las cartas por favor* or *traiga las cartas* or *tráemelas* or *tráigamelas.*

Estrategia

You and your instructor can use this rubric to assess your progress for actividades **6-5** through **6-7.**

Rúbrica

	3 Exceeds Expectations	2 Meets Expectations	1 Approaches Expectations	0 Does Not Meet Expectations
Duración y precisión	• Has at least 8 sentences and includes all the required information. • May have errors, but they do not interfere with communication.	• Has 5–7 sentences and includes all the required information. • May have errors, but they rarely interfere with communication.	• Has 4 sentences and includes some of the required information. • Has errors that interfere with communication.	• Supplies fewer sentences and little of the required information in *Approaches Expectations.* • If communicating at all, has frequent errors that make communication limited or impossible.
Gramática nueva del *Capítulo 2*	• Makes excellent use of the **subjunctive.**	• Makes good use of the **subjunctive.**	• Makes use of the **subjunctive.**	• Uses little, if any, of the **subjunctive.**
Vocabulario nuevo del *Capítulo 2*	• Uses many new **sports and pastimes.**	• Uses a variety of the new **sports and pastimes.**	• Uses some of the new **sports and pastimes.**	• Uses little if any of the new vocabulary.
Gramática y vocabulario del repaso/reciclaje del *Capítulo 2*	• Does an excellent job using review grammar and vocabulary to support what is being said. • Uses some review vocabulary but predominantly focuses on new vocabulary.	• Does a good job using review grammar and vocabulary to support what is being said. • Uses some review vocabulary but predominantly focuses on new vocabulary.	• Does an average job using review grammar and vocabulary to support what is being said. • Uses mostly review vocabulary and some new vocabulary.	• Uses grammar almost solely from beginning Spanish course. • If speaking at all, relies almost completely on vocabulary from beginning Spanish course.
Esfuerzo	• Clearly the student made his/her best effort.	• The student made a good effort.	• The student made an effort.	• Little or no effort went into the activity.

6-11 to 6-15 • **Capítulo 3** •

6-8 Mi casa favorita

Mira los dibujos y descríbele tu casa favorita a un/a compañero/a. Dile por qué te gusta la casa y explica por qué no te gustan las otras casas. En tu descripción, incluye información sobre los materiales con los que han construido la casa y los alrededores de la casa. Utiliza por lo menos **ocho** oraciones. Usa **el subjuntivo** cuando sea necesario. Túrnense.

MODELO *Me encanta la casa de adobe. Quizás sea difícil de construir y dudo que sea barata, pero ¡me fascina la piscina!...*

6-9 Adivina

Trae unas revistas o páginas de unas revistas que tengan fotos de casas y sus interiores. Describe una de las casas detalladamente para que tu compañero/a adivine cuál estás describiendo. Túrnense.

6-10 Y aquí recomiendo...

¡Qué emoción! ¡Acabas de ganar $75.000,00 US para arreglar la cocina y el dormitorio de tus sueños! Dibuja tus planes y descríbeselos en detalle a tu compañero/a. Túrnense.

MODELO *Empiezo en la cocina con alacenas y mostradores nuevos. Quiero que las alacenas sean de madera y los mostradores de color café...*

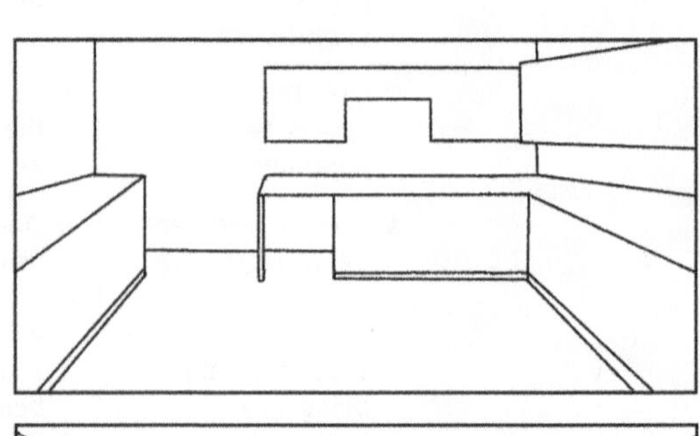

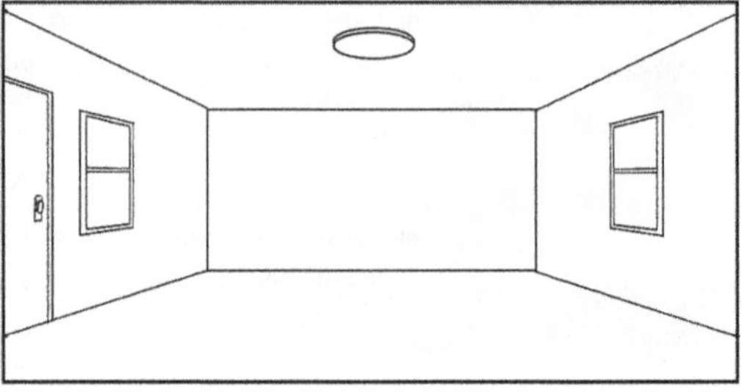

6-11 En venta

Estás trabajando en una compañía de ventas de casas. Escoge una de las siguientes situaciones. Escribe una descripción donde incluyas por lo menos **diez** detalles. Busca algunas fotos en el Internet para incluir con tu descripción.

SITUACIÓN 1: Tienes que vender tu propia casa.

SITUACIÓN 2: Tienes que vender dos casas: una que vale quince millones de dólares y la otra que vale setenta y cinco mil dólares.

FOTO

Dirección ____________________

Descripción ____________________

____

____

Precio ____________________

Teléfono ____________________

Estrategia

You may wish to incorporate review vocabulary from *¡Anda! Curso elemental, Capítulo 11, El medio ambiente, Appendix 2* in actividad **6-12.**

Estrategia

For actividad **6-12,** consider the following emotions: *tener miedo, dudar, temer, esperar, no creer.* Also consider as suggestions the following categories of uncertainty: *dinero, trabajo, matrimonio, hijos, jubilación,* etc.

6-12 Mis dudas

El futuro no es siempre seguro.

Paso 1 Expresa **ocho** dudas, sentimientos y emociones que tus amigos, tus parientes y tú tengan sobre el futuro. Usa **el subjuntivo.**

MODELO *Dudo que haya menos contaminación del aire y del agua en el futuro. Mis padres tienen miedo de no tener suficiente dinero para sus jubilaciones. Mi hermano teme que su mujer gaste demasiado dinero para reparar su casa…*

Paso 2 Menciona por lo menos **cuatro** sentimientos, emociones y dudas de tu compañero/a.

MODELO *Mi compañera Mandy duda que su hermano y su cuñada tengan suficiente dinero para reparar su casa…*

Estrategia

Being a good listener is an important life skill. Repeating what your classmate said gives you practice in demonstrating how well you listened.

Rúbrica

Estrategia

You and your instructor can use this rubric for actividades **6-8** through **6-12**.

	3 Exceeds Expectations	2 Meets Expectations	1 Approaches Expectations	0 Does Not Meet Expectations
Duración y precisión	• Has at least 8 sentences and includes all the required information. • May have errors, but they do not interfere with communication.	• Has 5–7 sentences and includes all the required information. • May have errors, but they rarely interfere with communication.	• Has 4 sentences and includes some of the required information. • Has errors that interfere with communication.	• Supplies fewer sentences and little of the required information in *Approaches Expectations.* • If communicating at all, has frequent errors that make communication limited or impossible.
Gramática nueva del *Capítulo 3*	• Makes excellent use of the **subjunctive.**	• Makes good use of the **subjunctive.**	• Makes use of the **subjunctive.**	• Uses little, if any, of the **subjunctive.**
Vocabulario nuevo del *Capítulo 3*	• Uses many new **household vocabulary.**	• Uses a variety of the new **household vocabulary.**	• Uses some of the new **household vocabulary.**	• Uses little, if any, of the new vocabulary.
Gramática y vocabulario del repaso/reciclaje del *Capítulo 3*	• Does an excellent job using review grammar and vocabulary to support what is being said. • Uses some review vocabulary but predominantly focuses on new vocabulary.	• Does a good job using review grammar and vocabulary to support what is being said. • Uses some review vocabulary but predominantly focuses on new vocabulary.	• Does an average job using review grammar and vocabulary to support what is being said. • Uses mostly review vocabulary and some new vocabulary.	• Uses grammar almost solely from beginning Spanish course. • If speaking at all, relies almost completely on vocabulary from beginning Spanish course.
Esfuerzo	• Clearly the student made his/her best effort.	• The student made a good effort.	• The student made an effort.	• Little or no effort went into the activity.

Capítulo 4

6-16 to
6-20

Capítulo 4.

Estrategia

Although you are focusing on the Chapter 4 grammar review in actividad **6-13,** for maximum success, review vocabulary from *Capítulo 2, Algunos deportes*, p. 84; *Algunos pasatiempos*, p. 70; *Capítulo 3, Los materiales de la casa y sus alrededores*, p. 116; *Dentro del hogar*, p. 124.

6-13 Adivina

Formen grupos de cuatro.

Paso 1 Una persona sale del grupo y los otros tres estudiantes dicen y escriben si creen que su compañero/a ha hecho cada una de las cosas de la lista.

Paso 2 El/La compañero/a regresa al grupo para confirmar.

Estrategia

Note the use of the *perfect tenses (haber + -ado/-ido)* in the modelo of actividad **6-13:** e.g., *que hayas cosido, he cosido, que hayas reparado, he reparado.* Actividad **6-13** was created to help you use those tenses.

MODELO

E1: *Angie, ¡es imposible que hayas cosido algo!*
E2 (ANGIE): *Es cierto que no he cosido nada.*
E3: *Angie, dudamos que hayas reparado la casa.*
E2 (ANGIE): *No tienen razón. Sí he reparado la casa… un poco.*
E1: *Angie,…*

	ESTUDIANTE 1 Angie		ESTUDIANTE 2		ESTUDIANTE 3		ESTUDIANTE 4	
	DUDAMOS	CREEMOS	DUDAMOS	CREEMOS	DUDAMOS	CREEMOS	DUDAMOS	CREEMOS
1. coser algo	Es imposible que haya cosido algo.							
2. reparar la casa	Dudamos que haya reparado la casa.							
3. …								
4. …								

6-14 Observándolos

Imagina que has estado observando a las siguientes personas. Una cosa que notaste fue lo que comían. Descríbele a tu compañero/a las personas que aparecen en las fotos (su personalidad, sus características físicas, lo que (no) comían, etc.). Usa por lo menos **ocho oraciones.** Túrnense.

6-15 ¡Fiesta!

¡Qué emoción! Todos tus amigos y tu familia vienen para festejar (*celebrate*) contigo.

Paso 1 Decide qué festejas.

Paso 2 Planea el menú.

Paso 3 Escribe una receta para algo que vas a servir.

Paso 4 Comparte tus ideas con un/a compañero/a.

> **Estrategia**
>
> Note that in **6-16** you will need to use the *preterit* and *imperfect* tenses to report what happened.

6-16 ¡Luces, cámara, acción!

¡Te invitaron a informar sobre la fiesta del siglo en Hollywood! Haz un reportaje, incluyendo por lo menos **diez** detalles. Puedes empezar con información sobre qué tiempo hacía aquella noche. Hazle tu reportaje oralmente a un/a compañero/a de clase o a toda la clase.

Rúbrica

Estrategia

You and your instructor can use this rubric for actividades **6-14** through **6-16**.

	3 Exceeds Expectations	2 Meets Expectations	1 Approaches Expectations	0 Does Not Meet Expectations
Duración y precisión	● Has at least 8 sentences and includes all the required information. ● May have errors, but they do not interfere with communication.	● Has 5–7 sentences and includes all the required information. ● May have errors, but they rarely interfere with communication.	● Has 4 sentences and includes some of the required information. ● Has errors that interfere with communication.	● Supplies fewer sentences and little of the required information in *Approaches Expectations.* ● If communicating at all, has frequent errors that make communication limited or impossible.
Gramática nueva del *Capítulo 4*	● Makes excellent use of the **present perfect subjunctive.**	● Makes good use of the **present perfect subjunctive.**	● Makes use of the **present perfect subjunctive.**	● Uses little, if any, of the **present perfect subjunctive.**
Vocabulario nuevo del *Capítulo 4*	● Uses many new **celebration and food vocabulary.**	● Uses a variety of the new **celebration and food vocabulary.**	● Uses some of the new **celebration and food vocabulary.**	● Uses little, if any, of the new vocabulary.
Gramática y vocabulario del repaso/reciclaje del *Capítulo 4*	● Does an excellent job using review grammar and vocabulary to support what is being said. ● Uses some review vocabulary but predominantly focuses on new vocabulary.	● Does a good job using review grammar and vocabulary to support what is being said. ● Uses some review vocabulary but predominantly focuses on new vocabulary.	● Does an average job using review grammar and vocabulary to support what is being said. ● Uses mostly review vocabulary and some new vocabulary.	● Uses grammar almost solely from beginning Spanish course. ● If speaking at all, relies almost completely on vocabulary from beginning Spanish course.
Esfuerzo	● Clearly the student made his/her best effort.	● The student made a good effort.	● The student made an effort.	● Little or no effort went into the activity.

6-21 to 6-25

Capítulo 5

Capítulo 5.

6-17 ¿Adónde vamos?

Planea tus vacaciones ideales. Expresa tus ideas usando por lo menos **diez** oraciones. Usa **el subjuntivo** en por lo menos **dos** de las oraciones.

MODELO *Vamos a hacer un crucero. Busco un crucero que no sea muy caro porque no tengo mucho dinero en este momento. Quiero visitar varios puertos. Mis hermanos van a venir y espero que no se pierdan…*

6-18 Busco ayuda...

En el mundo digital, las cosas no siempre funcionan. Tienes que llamar a un teléfono de ayuda (*help line*). Crea un diálogo con un/a compañero/a. Usen **el subjuntivo** cuando puedan.

MODELO E1: *¿En qué puedo servirle?*

E2: *Busco a alguien que me pueda ayudar. Mi computadora ha borrado todos mis archivos.*

E1: *¿Cómo? Necesito que mi gerente me ayude. No sé nada de impresoras.*

E2: *¿Impresoras? ¡No necesito que me hable de impresoras! ¡Necesito a alguien que sepa algo sobre computadoras!*

E2: ...

Estrategia

You and your instructor can use this rubric for actividades **6-17** and **6-18.**

Rúbrica

	3 Exceeds Expectations	2 Meets Expectations	1 Approaches Expectations	0 Does Not Meet Expectations
Duración y precisión	• Has at least 8 sentences and includes all the required information. • May have errors, but they do not interfere with communication.	• Has 5–7 sentences and includes all the required information. • May have errors, but they rarely interfere with communication.	• Has 4 sentences and includes some of the required information. • Has errors that interfere with communication.	• Supplies fewer sentences and little of the required information in *Approaches Expectations*. • If communicating at all, has frequent errors that make communication limited or impossible.
Gramática nueva del *Capítulo 5*	• Makes excellent use of **subjunctive to express the possibility that something is *uncertain* or *nonexistent*.**	• Makes good use of the **subjunctive to express the possibility that something is *uncertain* or *nonexistent*.**	• Makes use of the **subjunctive to express the possibility that something is *uncertain* or *nonexistent*.**	• Uses little, if any, of the **subjunctive to express the possibility that something is *uncertain* or *nonexistent*.**
Vocabulario nuevo del *Capítulo 5*	• Uses many new **travel and technology vocabulary.**	• Uses a variety of the new **travel and technology vocabulary.**	• Uses some of the new **travel and technology vocabulary.**	• Uses little, if any, of the new vocabulary.
Gramática y vocabulario del repaso/reciclaje del *Capítulo 5*	• Does an excellent job using review grammar and vocabulary to support what is being said. • Uses some review vocabulary but predominantly focuses on new vocabulary.	• Does a good job using review grammar and vocabulary to support what is being said. • Uses some review vocabulary but predominantly focuses on new vocabulary.	• Does an average job using review grammar and vocabulary to support what is being said. • Uses mostly review vocabulary and some new vocabulary.	• Uses grammar almost solely from beginning Spanish course. • If speaking at all, relies almost completely on vocabulary from beginning Spanish course.
Esfuerzo	• Clearly the student made his/her best effort.	• The student made a good effort.	• The student made an effort.	• Little or no effort went into the activity.

6-26 to 6-29

Un poco de todo

6•19 Tengo talento

Escribe un poema en verso libre o una canción sobre uno de los siguientes temas.

TEMAS

- Mi mejor amigo
- Mi tiempo libre
- Hogar, dulce hogar
- El viaje
- La tecnología: ¿amiga o enemiga?
- Una de las selecciones de literatura: *A Julia de Burgos*, *Fútbol a sol y sombra*, *La casa en Mango Street*, *Nouvelle cuisine* o *He andado muchos caminos*

6•20 ¿Lo quiere?

Celia, de *Laberinto peligroso*, le escribe un correo electrónico a un hombre que conoció durante sus días en el FBI. ¿De qué le escribe?, ¿del pasado?, ¿de sus días trabajando con él en el FBI o del presente?, ¿de sus días participando en el seminario de Javier?, ¿de sus planes para su casa ideal?, ¿de unas vacaciones?, ¿de su relación con él? Escribe ese mensaje por Celia en por lo menos **diez** oraciones.

Episodio 6

6•21 El juego de la narración

Túrnense para crear una narración oral sobre *Laberinto peligroso*. ¡Incluyan muchos detalles!

MODELO E1: *Laberinto peligroso es un misterio muy imaginativo.*

E2: *Hay tres protagonistas que se llaman…*

E1: …

6-22 Su versión

En la actividad **6-21**, narraron una versión del cuento *Laberinto peligroso*. Ahora es su turno como escritores. Sean muy creativos y creen su propia versión imaginativa. Su profesor/a les va a explicar cómo hacerlo. Empiecen con la oración del modelo. ¡Diviértanse!

Estrategia

Another way to approach actividad **6-22** is to hypothesize what *will happen* to the characters of *Laberinto peligroso*. You will need to use the construction form of **ir + a + *infinitive***, for example, *Cisco y Celia van a pelearse mucho porque los dos van a querer escribir sobre el mismo tema.*

MODELO *Javier conocía a otros dos periodistas, Celia y Cisco, y los invitó a participar en un seminario que él enseñaba.*

6-23 Tu propia película

Eres director/a de cine y puedes crear tu propia versión de **Laberinto peligroso.** Primero, pon las fotos en el orden correcto y entonces escribe el diálogo para la película. Luego, puedes filmar tu versión.

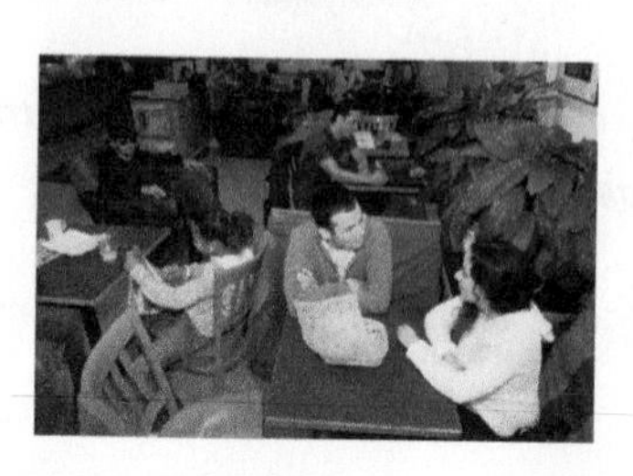

6-24 ¡A jugar!

En grupos de tres o cuatro, preparen las respuestas para las siguientes categorías de *Jeopardy* y después las preguntas correspondientes. Sugieran valores de dólares, pesos, euros, etc. Su instructor/a va a ser Alejandro/a Trebek. ¡Buena suerte!

CATEGORÍAS

VOCABULARIO	VERBOS	CULTURA
Algunas características físicas y algunas personalidades	Verbos como **gustar**	Personas importantes
La familia	Los tiempos perfectos	Países
Los deportes y los pasatiempos	**Que** y **quien**	
Los materiales de la casa y sus alrededores	El subjuntivo	
Dentro del hogar		
Algunas celebraciones		

MODELOS

VOCABULARIO

CATEGORÍA: CARACTERÍSTICAS FÍSICAS
Respuesta: pelo en el mentón
Pregunta: *¿Qué es "una barba"?*

VERBOS

CATEGORÍA: EL SUBJUNTIVO
Respuesta: Es importante que tú _____(venir)
Pregunta: *¿Qué es "vengas"?*

CULTURA

CATEGORÍA: PERSONAJES
Respuesta: Pío Pico
Pregunta: *¿Quién es un hispano importante de California que es mestizo?*

¿LO SABES?

Notas culturales	Perfiles	Vistazo cultural

¿LO SABES? DOBLE

Notas culturales	Perfiles	Vistazo cultural

Estrategia

You have read numerous cultural notes throughout the first five chapters. To help you organize the material, make a chart in your notes of the most important information, or dedicate a separate page for each country and write down the unique cultural items of that particular country.

6-25 ¿Cómo eres?

Conoces un poco a los estudiantes y a los profesionales de los países que hemos estudiado en *Vistazo cultural.* ¿Qué más quieres saber de ellos? Escribe por lo menos **diez** preguntas que quieras hacerles. Sé creativo/a. Escribe por lo menos **tres preguntas** usando el **presente o pasado perfecto** (**haber + -ado/ido**) y **tres preguntas** usando **el subjuntivo.**

MODELO
1. *¿Dónde ha vivido usted?*
2. *¿Le gusta leer libros de deportes?*
3. *¿Necesita viajar mucho para su trabajo?...*

6-26 Aspectos interesantes

Escribe por lo menos **tres** cosas interesantes sobre cada uno de los siguientes países.

MÉXICO	ESPAÑA	HONDURAS	GUATEMALA

EL SALVADOR	NICARAGUA	COSTA RICA	PANAMÁ

6-27 Un agente de viajes

Durante el verano, tienes la oportunidad de trabajar en una agencia de viajes. Tienes unos clientes que quieren visitar un país hispanohablante. Escoge uno de los países que estudiamos y recomiéndales el país, usando por lo menos **seis** oraciones.

6-28 Mis favoritos

Describe tu país favorito (de *Vistazo cultural*) o tu persona favorita (de *Perfiles*) de los *Capítulos 1* a *5*. En por lo menos **diez** oraciones, explica por qué te gusta y lo que encuentras interesante e impresionante de ese país o persona.

6-29 Compáralos

Escoge dos de los países que estudiamos y escribe las diferencias y semejanzas entre los dos.

MODELO *En México y en Nicaragua se practican deportes acuáticos porque los dos países tienen costas…*

6-30 ¿Qué opinan?

Tu compañero/a y tú fueron al teatro para ver la obra *La vida es sueño*. Después, fueron a un café para discutir lo que vieron. Túrnense para compartir sus opiniones.

1. Para ti, ¿qué es la vida?
2. ¿Por qué dice Calderón que "la vida es sueño (*dream*)"? ¿Qué puede significar?
3. ¿En qué aspecto(s) puede ser la vida "un frenesí"? Da ejemplos de tu vida.
4. ¿Cuándo se puede comparar la vida a una sombra (*shadow*)? ¿y a una ficción?

6-31 Querido/a autor/a...

Escríbele una carta a uno de los autores de las selecciones de *Letras*. Dile lo que más te gusta de su obra y posiblemente lo que no te gusta o lo que no entiendes muy bien. Compara su escritura con la de otro/a autor/a que leíste.

Y por fin, ¿cómo andas?

Having completed this chapter, I now can...

	Feel Confident	Need to Review
• describe myself, my family, and others.	❑	❑
• discuss sports and pastimes.	❑	❑
• describe in detail homes and their surroundings.	❑	❑
• plan a celebration.	❑	❑
• share about travel.	❑	❑
• describe technology scenarios.	❑	❑
Cultura		
• share information about famous people.	❑	❑
• compare and contrast the countries I learned about in *Capítulos 1–5*.	❑	❑
Laberinto peligroso		
• recreate *Laberinto peligroso*.	❑	❑

Appendix 1

Answers to ¡*Explícalo tú!* (Inductive Grammar Answers)

Capítulo Preliminar A

8. Los verbos con cambio de raíz

1. What is a rule that you can make regarding all four groups (**e → ie, e → i, o → ue,** and **u → ue**) of stem-changing verbs and their forms?
   ***Nosotros / vosotros* look like the infinitive.**
   All the other forms have a spelling change.
2. With what group of stem-changing verbs would you place each of the following verbs?

demostrar	**o → ue**	**encerrar**	**e → ie**
devolver	**o → ue**	**perseguir**	**e → i**

10. Un repaso de *ser* y *estar*

Compare the following sentences and answer the questions below.

Su hermano **es** simpático.
Su hermano **está** enfermo.

1. Why do you use a form of **ser** in the first sentence?
   It is a characteristic that remains relatively constant.
2. Why do you use a form of **estar** in the second sentence?
   It describes a physical condition that can change.

11. El verbo *gustar*

1. To say you like or dislike one thing, what form of **gustar** do you use?
   gusta
2. To say you like or dislike more than one thing, what form of **gustar** do you use?
   gustan
3. Which words in the examples mean *I?* **(me)** *You?* **(te)** *He/She?* **(le)** *You (all)?* **(les/os)** *They?* **(les)** *We?* **(nos)**
4. If a verb is needed after **gusta / gustan,** what form of the verb do you use?
   You use the infinitive form of the verb.

Capítulo 2

2. Los mandatos de *nosotros/as*

1. Where are object pronouns placed when used with affirmative commands?
   They follow, and are attached to, the commands.
2. Where are object pronouns placed when used with negative commands?
   They precede the commands.
3. When do you need to add a written accent mark?
   Add a written accent mark when pronunciation would change without it.

4. El subjuntivo para expresar pedidos, mandatos y deseos

1. In **Part A,** how many verbs are in each sample sentence?
   There are two verbs in each sentence.
2. Which verb is in the present indicative: the verb in blue or the one in red?
   The verb in blue is in the present indicative.
3. Which verb is in the present subjunctive: the verb in blue or the one in red?
   The verb in red is in the present subjunctive.
4. Is there a different subject for each verb?
   yes
5. What word joins the two distinct parts of the sentence?
   the conjunction *que*
6. State a rule for the use of the subjunctive in the sentences from **Part A.**
   The present subjunctive is used when the verb in the present indicative requests or suggests something. There must be a change of subject also.
7. State a rule for the sentences in **Part B.**
   If the subject does not change, the infinitive is used.

Capítulo 3

4. El subjuntivo para expresar sentimientos, emociones y dudas

1. In which part of the sentence do you place the verb that expresses feelings, emotions, or doubts: to the right or to the left of **que**?
   to the left
2. Where do you put the subjunctive form of the verb: to the right or to the left of **que**?
   to the right
3. What word joins the two parts of the sentence?
   the conjunction *que*
4. When you have only one subject/group of people and you are expressing **feelings, emotions, doubt,** or **probability,** do you use a subjunctive sentence?
   No, the infinitive is used.

5. *Estar* + el participio pasado

Based on the examples above, what rule can you state with regard to what determines the endings of the past participles **(-ado / -ido)** when used as adjectives?
When used as an adjective, the past participle must agree in number and gender with the noun it modifies.

Capítulo 4

2. El pasado perfecto (pluscuamperfecto)

1. How do you form the past perfect tense?
   It is formed with the imperfect tense of *haber* and the past participle.
2. How does the form compare with the present perfect tense (**he hablado, has comido, han ido,** etc.)?
   It is similar, but *haber* must be in the imperfect (a past) tense.
3. To make the sentence negative in the past perfect, where does the word *no* go?
   It goes before / in front of the form of *haber*.
4. Which verbs have irregular past participles?
   several verbs: e.g., abrir, decir, escribir, hacer, morir, poner, volver, ver

5. El presente perfecto de subjuntivo

1. How is the present perfect subjunctive formed?
   It is formed with the present subjunctive of *haber* and the past participle.
2. When is it used?
   It is used when the subjunctive mood is needed in a sentence.

Capítulo 9

2. Repaso del subjuntivo: El subjuntivo en cláusulas sustantivas, adjetivales y adverbiales

El subjuntivo en cláusulas sustantivas
Having studied the preceding examples of the subjunctive, answer the following questions to complete your review:

1. How many verbs are in each sentence?
   two
2. Which verb in the sentence is *not* in the **subjunctive**?
   the one in the main clause / before (to the left of) *que*
3. Which verb is in the **subjunctive**?
   the verb in the subordinate clause / after (to the right of) *que*
4. Is there a different subject for each verb?
   yes
5. What word joins the two distinct parts of the sentence?
   que
6. State a rule for the use of the subjunctive to express **volition** and **will, feelings** and **emotions, doubt, uncertainty,** and **probability.**
   When the verb in the main clause expresses doubt, uncertainty, influence, opinion, feelings, hope, wishes, or desires and there is a change of subject, the verb in the second (subordinate) clause must be in the subjunctive.

El subjuntivo con antecedentes indefinidos o que no existen

1. What kinds of verbs tell you that there is a possibility that something or someone is uncertain or nonexistent?
   verbs such as *buscar, no conocer,* and *dudar*
2. If you know that something or someone exists, do you use the indicative or the subjunctive?
   If the person, place, or thing being talked about exists in the mind of the speaker, then the indicative is used. If not, the subjunctive is needed.

El subjuntivo en cláusulas adverbiales

Having studied the previous examples, answer the following questions to complete your review:

1. Which conjunctions **always** use the subjunctive?
   The *subjunctive* is always used after these conjunctions: *a menos que, en caso (de) que, antes (de) que, para que, con tal (de) que,* and *sin que.* After *aunque, a pesar de que, cuando, en cuanto, tan pronto como,* and *después que,* you use the subjunctive if the action has not yet occurred.
2. Which conjunctions **never** use the subjunctive?
   The indicative is always used after these conjunctions: *ahora que, puesto que,* and *ya que.*
3. Which conjunctions **sometimes** use the subjunctive?
   ***Aunque, a pesar de que, cuando, en cuanto, tan pronto como,* and *después que* sometimes use the subjunctive.**
4. What question do you ask yourself with these types of conjunctions?
   With these conjunctions, you must ask yourself whether the action has already occurred. If so, the indicative is used; if not, the subjunctive is used. Always use the indicative after *ahora que, puesto que,* and *ya que.* Always use the subjunctive after *a menos que, en caso (de) que, antes (de) que, para que, con tal (de) que,* and *sin que.*

Capítulo 11

7. La voz pasiva

1. What are the nouns (*people, places, or things*) in the sample sentences of **passive** with **ser**?
   a. **el pulso (subject), la enfermera (object of preposition)**
   b. **la presión (subject), el médico (object of preposition)**
   c. **los resultados (subject), la cirujana (object of preposition)**
   d. **las recetas (subject), el neurólogo (object of preposition)**
2. In the **passive** with **ser** sentences,
   a. what form (person: e.g., first, second, third) of each verb is used?
   3rd person
   b. what determines whether each verb is singular or plural?
   the subject
   c. with what does each past participle **(-ado / -ido)** agree?
   the subject
3. With the **passive *se*** sentences, do you still have the same subjects and objects as in the **passive** with **ser?**
   no, only subjects (recipients)
4. What form of the verb is used with the **passive** *se?* What determines whether that form is singular or plural?
   third person; must agree with the subject
5. Is the doer clear in the **passive *se*** sentences?
   no

Appendix 2

Vocabulary from *¡Anda! Curso elemental*

Capítulo Preliminar A de *¡Anda! Curso elemental*

Los saludos *Greetings*

Bastante bien. *Just fine.*
Bien, gracias. *Fine, thanks.*
Buenos días. *Good morning.*
Buenas noches. *Good evening.; Good night.*
Buenas tardes. *Good afternoon.*
¿Cómo está usted? *How are you?* (formal)
¿Cómo estás? *How are you?* (familiar)
¡Hola! *Hi!; Hello!*
Más o menos. *So-so.*
Muy bien. *Really well.*
¿Qué tal? *How's it going?*
Regular. *Okay.*
¿Y tú? *And you?* (familiar)
¿Y usted? *And you?* (formal)

Las despedidas *Farewells*

Adiós. *Good-bye.*
Chao. *Bye.*
Hasta luego. *See you later.*
Hasta mañana. *See you tomorrow.*
Hasta pronto. *See you soon.*

Las presentaciones *Introductions*

¿Cómo te llamas? *What is your name?* (familiar)
¿Cómo se llama usted? *What is your name?* (formal)
Encantado/a. *Pleased to meet you.*
Igualmente. *Likewise.*
Me llamo... *My name is . . .*
Mucho gusto. *Nice to meet you.*
Quiero presentarte a... *I would like to introduce you to . . .* (familiar)
Quiero presentarle a... *I would like to introduce you to . . .* (formal)
Soy... *I am . . .*

Expresiones útiles para la clase *Useful classroom expressions*

Preguntas y respuestas *Questions and answers*

¿Cómo? *What?; How?*
¿Cómo se dice... en español? *How do you say . . . in Spanish?*
¿Cómo se escribe... en español? *How do you write . . . in Spanish?*
Lo sé. *I know.*
No. *No.*
No comprendo. *I don't understand.*
No lo sé. *I don't know.*
Sí. *Yes.*
¿Qué es esto? *What is this?*
¿Qué significa? *What does it mean?*
¿Quién? *Who?*

Expresiones de cortesía *Polite expressions*

De nada. *You're welcome.*
Gracias. *Thank you.*
Por favor. *Please.*

Mandatos para la clase *Classroom instructions (commands)*

Abra(n) el libro en la página... *Open your book to page . . .*
Cierre(n) el/los libro/s. *Close your book/s.*
Conteste(n). *Answer.*
Escriba(n). *Write.*
Escuche(n). *Listen.*
Lea(n). *Read.*
Repita(n). *Repeat.*
Vaya(n) a la pizarra. *Go to the board.*

Las nacionalidades *Nationalities*

alemán/alemana *German*
canadiense *Canadian*
chino/a *Chinese*
cubano/a *Cuban*
español/a *Spanish*
estadounidense (norteamericano/a) *American*
francés/francesa *French*
inglés/inglesa *English*
japonés/japonesa *Japanese*
mexicano/a *Mexican*
nigeriano/a *Nigerian*
puertorriqueño/a *Puerto Rican*

Los números 0–30 *Numbers 0–30*

cero *0*
uno *1*
dos *2*
tres *3*
cuatro *4*
cinco *5*
seis *6*
siete *7*
ocho *8*
nueve *9*
diez *10*
once *11*
doce *12*
trece *13*
catorce *14*
quince *15*
dieciséis *16*
diecisiete *17*
dieciocho *18*
diecinueve *19*
veinte *20*
veintiuno *21*
veintidós *22*
veintitrés *23*
veinticuatro *24*
veinticinco *25*
veintiséis *26*
veintisiete *27*
veintiocho *28*
veintinueve *29*
treinta *30*

La hora *Telling time*

A la... / A las... *At . . . o'clock.*
¿A qué hora... ? *At what time . . . ?*
... de la mañana *. . . in the morning*
... de la noche *. . . in the evening*
... de la tarde *. . . in the afternoon, early evening*
¿Cuál es la fecha de hoy? *What is today's date?*
Es la... / Son las... *It's . . . o'clock.*
Hoy es... *Today is . . .*
Mañana es... *Tomorrow is . . .*
la medianoche *midnight*
el mediodía *noon*
¿Qué día es hoy? *What day is today?*
¿Qué hora es? *What time is it?*
y cinco *five minutes after the hour*

Los días de la semana *Days of the week*

lunes *Monday*
martes *Tuesday*
miércoles *Wednesday*
jueves *Thursday*
viernes *Friday*
sábado *Saturday*
domingo *Sunday*

Los meses del año *Months of the year*

enero *January*
febrero *February*
marzo *March*
abril *April*
mayo *May*
junio *June*
julio *July*
agosto *August*
septiembre *September*
octubre *October*
noviembre *November*
diciembre *December*

Las estaciones *Seasons*

el invierno *winter*
la primavera *spring*
el otoño *autumn; fall*
el verano *summer*

Expresiones del tiempo *Weather expressions*

Está nublado. *It's cloudy.*
Hace buen tiempo. *The weather is nice.*
Hace calor. *It's hot.*
Hace frío. *It's cold.*
Hace mal tiempo. *The weather is bad.*
Hace sol. *It's sunny.*
Hace viento. *It's windy.*
Llueve. *It's raining.*
la lluvia *rain*
Nieva. *It's snowing.*
la nieve *snow*
la nube *cloud*
¿Qué tiempo hace? *What's the weather like?*
el sol *sun*
la temperatura *temperature*
el viento *wind*

Algunos verbos *Some verbs*

gustar *to like*
ser *to be*

Capítulo 1 de ¡Anda! Curso elemental

La familia *Family*

el/la abuelo/a *grandfather/grandmother*
los abuelos *grandparents*
el/la esposo/a *husband/wife*
el/la hermano/a *brother/sister*
los hermanos *brothers and sisters; siblings*
el/la hijo/a *son/daughter*
los hijos *sons and daughters; children*
la madrastra *stepmother*
la madre / la mamá *mother / mom*
el/la nieto/a *grandson/grandaughter*
el padrastro *stepfather*
el padre / el papá *father / dad*
los padres *parents*
el/la primo/a *cousin*
los primos *cousins*
el/la tío/a *uncle/aunt*
los tíos *aunts and uncles*

La gente *People*

el/la amigo/a *friend*
el/la chico/a *boy/girl*
el hombre *man*
el/la joven *young man/young woman*
el/la muchacho/a *boy/girl*
la mujer *woman*
el/la niño/a *little boy/little girl*
el/la novio/a *boyfriend/girlfriend*
el señor (Sr.) *man; gentleman; Mr.*
la señora (Sra.) *woman; lady; Mrs.*
la señorita (Srta.) *young woman; Miss*

Los adjetivos *Adjectives*

La personalidad y otros rasgos *Personality and other characteristics*

aburrido/a *boring*
antipático/a *unpleasant*
bueno/a *good*
cómico/a *funny; comical*
inteligente *intelligent*
interesante *interesting*
malo/a *bad*
paciente *patient*
perezoso/a *lazy*
pobre *poor*
responsable *responsible*
rico/a *rich*
simpático/a *nice*
tonto/a *silly; dumb*
trabajador/a *hard-working*

Las características físicas *Physical characteristics*

alto/a *tall*
bajo/a *short*
bonito/a *pretty*
débil *weak*
delgado/a *thin*
feo/a *ugly*
fuerte *strong*
gordo/a *fat*
grande *big; large*
guapo/a *handsome/pretty*
joven *young*
mayor *old*
pequeño/a *small*

Los números 31–100 *Numbers 31–100*

treinta y uno *31*
treinta y dos *32*
treinta y tres *33*
treinta y cuatro *34*
treinta y cinco *35*
treinta y seis *36*
treinta y siete *37*
treinta y ocho *38*
treinta y nueve *39*
cuarenta *40*
cuarenta y uno *41*
cincuenta *50*
cincuenta y uno *51*
sesenta *60*
setenta *70*
ochenta *80*
noventa *90*
cien *100*

Un verbo *A verb*

tener *to have*

Otras palabras útiles *Other useful words*

muy *very*
(un) poco *(a) little*

Vocabulario útil *Useful vocabulary*

más *plus*
menos *minus*
son *equals*
por ciento *percent*
por *times; by*
dividido por *divided by*

Capítulo 2 de *¡Anda! Curso elemental*

Las materias y las especialidades *Subjects and majors*

la administración de empresas *business*
la arquitectura *architecture*
el arte *art*
la biología *biology*
las ciencias (*pl.*) *science*
el derecho *law*
los idiomas (*pl.*) *languages*
la informática *computer science*
la literatura *literature*
las matemáticas (*pl.*) *mathematics*
la medicina *medicine*
la música *music*
la pedagogía *education*
el periodismo *journalism*
la psicología *psychology*
el semestre *semester*

En la sala de clase *In the classroom*

los apuntes (*pl.*) *notes*
el bolígrafo *ballpoint pen*
el borrador *eraser*
el/la compañero/a de clase *classmate*
la composición *composition*
el cuaderno *notebook*
el escritorio *desk*
el/la estudiante *student*
el examen *exam*
el lápiz *pencil*
el libro *book*
el mapa *map*
la mesa *table*
la mochila *book bag; knapsack*
el papel *paper*
la pared *wall*
la pizarra *chalkboard*
el/la profesor/a *professor*
la puerta *door*
la sala de clase *classroom*
la silla *chair*
la tarea *homework*
la tiza *chalk*
la ventana *window*

Los verbos *Verbs*

abrir *to open*
aprender *to learn*
comer *to eat*
comprar *to buy*
comprender *to understand*
contestar *to answer*
correr *to run*
creer *to believe*
enseñar *to teach; to show*
escribir *to write*
esperar *to wait for; to hope*
estar *to be*
estudiar *to study*
hablar *to speak*
leer *to read*
llegar *to arrive*
necesitar *to need*
preguntar *to ask (a question)*
preparar *to prepare; to get ready*
recibir *to receive*
regresar *to return*
terminar *to finish; to end*
tomar *to take; to drink*
trabajar *to work*
usar *to use*
vivir *to live*

Las palabras interrogativas *Interrogative words*

¿Adónde? *To where?*
¿Cómo? *How?*
¿Cuál? *Which (one)?*
¿Cuáles? *Which (ones)?*
¿Cuándo? *When?*
¿Cuánto/a? *How much?*
¿Cuántos/as? *How many?*
¿Dónde? *Where?*
¿Por qué? *Why?*
¿Qué? *What?*
¿Quién? *Who?*
¿Quiénes? *Who?*

Los números 100–1.000 *Numbers 100–1,000*

cien *100*
ciento uno *101*
ciento dos *102*
ciento dieciséis *116*
ciento veinte *120*
doscientos *200*
doscientos uno *201*
trescientos *300*
cuatrocientos *400*
quinientos *500*
seiscientos *600*
setecientos *700*
ochocientos *800*
novecientos *900*
mil *1,000*

Los lugares *Places*

el apartamento *apartment*
la biblioteca *library*
la cafetería *cafeteria*
el centro estudiantil *student center; student union*
el cuarto *room*
el edificio *building*
el estadio *stadium*
el gimnasio *gymnasium*
el laboratorio *laboratory*
la librería *bookstore*
la residencia estudiantil *dormitory*
la tienda *store*

La residencia *The dorm*

la calculadora *calculator*
el/la compañero/a de cuarto *roommate*
la computadora *computer*
el despertador *alarm clock*
el dinero *money*
el disco compacto (el CD) *compact disk*
el DVD *DVD*
el horario (de clases) *schedule (of classes)*
el radio/la radio *radio*
el reloj *clock; watch*
el reproductor de CD/DVD *CD/DVD player*
la televisión *television*

Los deportes y los pasatiempos *Sports and pastimes*

bailar *to dance*
caminar *to walk*
el equipo *team*
escuchar música *to listen to music*
hacer ejercicio *to exercise*
ir de compras *to go shopping*
jugar al básquetbol *to play basketball*
jugar al béisbol *to play baseball*
jugar al fútbol *to play soccer*
jugar al fútbol americano *to play football*
jugar al golf *to play golf*
jugar al tenis *to play tennis*
montar en bicicleta *to ride a bike*
nadar *to swim*
patinar *to skate*
la pelota *ball*
tocar un instrumento *to play an instrument*
tomar el sol *to sunbathe*
ver la televisión *to watch television*

Otras palabras útiles *Other useful words*

a menudo *often*
a veces *sometimes; from time to time*
difícil *difficult*
fácil *easy*
hay *there is; there are*
nunca *never*
pero *but*
también *too; also*
y *and*

Emociones y estados *Emotions and states of being*

aburrido/a *bored* (*with* estar)
cansado/a *tired*
contento/a *content; happy*
enfermo/a *ill; sick*
enojado/a *angry*
feliz *happy*
nervioso/a *upset; nervous*
preocupado/a *worried*
triste *sad*

Capítulo 3 de *¡Anda! Curso elemental*

La casa *The house*

el altillo *attic*
el balcón *balcony*
el baño *bathroom*
la cocina *kitchen*
el comedor *dining room*
el cuarto *room*
el dormitorio *bedroom*
la escalera *staircase*
el garaje *garage*
el jardín *garden*
la oficina *office*
el piso *floor; story*
la planta baja *ground floor*
el primer piso *second floor*
la sala *living room*
el segundo piso *third floor*
el sótano *basement*
el suelo *floor*
el techo *roof*
el tercer piso *fourth floor*

Los verbos *Verbs*

conocer *to be acquainted with*
dar *to give*
decir *to say; to tell*
hacer *to do; to make*
oír *to hear*
poder *to be able to*
poner *to put; to place*
querer *to want; to love*
salir *to leave; to go out*
traer *to bring*
venir *to come*
ver *to see*

Los muebles y otros objetos de la casa *Furniture and other objects in the house*

La sala y el comedor *The living room and dining room*

la alfombra *rug; carpet*
el estante *bookcase*
la lámpara *lamp*
el sillón *armchair*
el sofá *sofa*

La cocina *The kitchen*

la estufa *stove*
el lavaplatos *dishwasher*
el microondas *microwave*
el refrigerador *refrigerator*

El baño *The bathroom*

la bañera *bathtub*
el bidet *bidet*
la ducha *shower*
el inodoro *toilet*
el lavabo *sink*

El dormitorio *The bedroom*

la almohada *pillow*
la cama *bed*
la colcha *bedspread; comforter*
la manta *blanket*
las sábanas *sheets*
el tocador *dresser*

Otras palabras útiles en la casa *Other useful words in the house*

amueblado/a *furnished*
el armario *armoire; closet; cabinet*
la cosa *thing*
el cuadro *picture; painting*
el mueble *piece of furniture*
los muebles *furniture*
el objeto *object*

Los quehaceres de la casa *Household chores*

arreglar *to straighten up; to fix*
ayudar *to help*
cocinar, preparar la comida *to cook*
guardar *to put away; to keep*
hacer la cama *to make the bed*
lavar los platos *to wash dishes*
limpiar *to clean*
pasar la aspiradora *to vacuum*
poner la mesa *to set the table*
sacar la basura *to take out the garbage*
sacudir los muebles *to dust*

Los colores *Colors*

amarillo *yellow*
anaranjado *orange*
azul *blue*
beige *beige*
blanco *white*
gris *gray*
marrón *brown*
morado *purple*
negro *black*
rojo *red*
rosado *pink*
verde *green*

Expresiones con *tener* *Expressions with tener*

tener... años *to be . . . years old*
tener calor *to be hot*
tener cuidado *to be careful*
tener éxito *to be successful*
tener frío *to be cold*
tener ganas de + (*infinitive*) *to feel like + (verb)*
tener hambre *to be hungry*
tener miedo *to be afraid*
tener prisa *to be in a hurry*
tener que + (*infinitive*) *to have to + (verb)*
tener razón *to be right*
tener sed *to be thirsty*
tener sueño *to be sleepy*
tener suerte *to be lucky*
tener vergüenza *to be embarrassed*

Los números 1.000–100.000.000 *Numbers 1,000–100,000,000*

mil *1,000*
mil uno *1,001*
mil diez *1,010*
dos mil *2,000*
treinta mil *30,000*
cien mil *100,000*
cuatrocientos mil *400,000*
un millón *1,000,000*
dos millones *2,000,000*
cien millones *100,000,000*

Otras palabras útiles *Other useful words*

a la derecha (de) *to the right (of)*
a la izquierda (de) *to the left (of)*
al lado (de) *beside*
a menudo *often*
a veces *sometimes*
antiguo/a *old*
la calle *street*
el campo *country*
la ciudad *city*
contemporáneo/a *contemporary*
desordenado/a *messy*
encima (de) *on top (of)*
humilde *humble*
limpio/a *clean*
moderno/a *modern*
nuevo/a *new*
la ropa *clothes; clothing*
siempre *always*
sucio/a *dirty*
tradicional *traditional*
viejo/a *old*

Capítulo 4 de *¡Anda! Curso elemental*

Los lugares *Places*

el almacén *department store*
el banco *bank*
el bar; el club *bar; club*
el café *cafe*
el cajero automático *ATM machine*
el centro *downtown*
el centro comercial *mall; business / shopping district*
el cibercafé *Internet café*
el cine *movie theater*
la iglesia *church*
el mercado *market*
el museo *museum*
la oficina de correos; correos *post office*
el parque *park*
la plaza *town square*
el pueblo *town; village*
el restaurante *restaurant*
el supermercado *supermarket*
el teatro *theater*
el templo *temple*

Algunos verbos *Some verbs*

buscar *to look for*
estar de acuerdo *to agree*
mandar una carta *to send / mail a letter*

Otras palabras útiles *Other useful words*

la ciudad *city*
la cuenta *bill; account*
detrás (de) *behind*
enfrente (de) *in front (of)*
el/la mejor *the best*
la película *movie; film*
el/la peor *the worst*

Servicios a la comunidad *Community service*

apoyar a un/a candidato/a *to support a candidate*
ayudar a las personas mayores / los mayores *to help elderly people*
circular una petición *to circulate a petition*
dar un paseo *to go for a walk*
deber *ought to; should*
hacer artesanía *to make arts and crafts*
hacer una hoguera *to light a campfire*
ir de camping *to go camping*
ir de excursión *to take a short trip*
llevar a alguien al médico *to take someone to the doctor*
montar una tienda de campaña *to put up a tent*
organizar *to organize*
participar en una campaña política *to participate in a political campaign*
repartir comidas *to hand out / deliver food*
trabajar como consejero/a *to work as a counselor*
trabajar en un campamento de niños *to work in a summer camp*
trabajar como voluntario/a en la residencia de ancianos *to volunteer at a nursing home*
trabajar en política *to work in politics*
viajar en canoa *to canoe*

Otras palabras útiles *Other useful words*

el deber *obligation; duty*
el voluntariado *volunteerism*

¿Qué tienen que hacer? *What do they have to do?*

(Verbos con cambio de raíz) *(Stem-changing verbs)*

almorzar (ue) *to have lunch*
cerrar (ie) *to close*
comenzar (ie) *to begin*
costar (ue) *to cost*
demostrar (ue) *to demonstrate*
devolver (ue) *to return (an object)*
dormir (ue) *to sleep*
empezar (ie) *to begin*
encerrar (ie) *to enclose*
encontrar (ue) *to find*
entender (ie) *to understand*
jugar (ue) *to play*
mentir (ie) *to lie*
morir (ue) *to die*
mostrar (ue) *to show*
pedir (i) *to ask for*
pensar (ie) *to think*
perder (ie) *to lose; to waste*
perseguir (i) *to chase*
preferir (ie) *to prefer*
recomendar (ie) *to recommend*
recordar (ue) *to remember*
repetir (i) *to repeat*
seguir (i) *to follow; to continue (doing something)*
servir (i) *to serve*
volver (ue) *to return*

Otros verbos *Other verbs*

ir *to go*
saber *to know*

Expresiones afirmativas y negativas *Affirmative and negative expressions*

a veces *sometimes*
algo *something; anything*
alguien *someone*
algún *some; any*
alguno/a/os/as *some; any*
jamás *never; not ever* (emphatic)
nada *nothing*
nadie *no one; nobody*
ni... ni *neither . . . nor*
ningún *none*
ninguno/a/os/as *none*
nunca *never*
o... o *either . . . or*
siempre *always*

Capítulo 5 de *¡Anda! Curso elemental*

El mundo de la música *The world of music*

el/la artista *artist*
la batería *drums*
el/la baterista *drummer*
el/la cantante *singer*
el concierto *concert*
el conjunto *group; band*
el/la empresario/a *agent; manager*
la gira *tour*
las grabaciones *recordings*
la guitarra *guitar*
el/la guitarrista *guitarist*
el/la músico/a *musician*
la música *music*
la orquesta *orchestra*
el/la pianista *pianist*
el piano *piano*
el tambor *drum*
el/la tamborista *drummer*
la trompeta *trumpet*
el/la trompetista *trumpet player*

Algunos géneros musicales *Some musical genres*

el jazz *jazz*
la música clásica *classical music*
la música folklórica *folk music*
la música popular *pop music*
la música rap *rap music*
la ópera *opera*
el rock *rock*
la salsa *salsa*

Algunas características *Some characteristics*

apasionado/a *passionate*
cuidadoso/a *careful*
fino/a *fine; delicate*
lento/a *slow*
suave *smooth*

Algunos verbos *Some verbs*

dar un concierto *to give / perform a concert*
ensayar *to practice / rehearse*
grabar *to record*
hacer una gira *to tour*
sacar un CD *to release a CD*
tocar *to play (a musical instrument)*

Otras palabras útiles *Other useful words*

el/la aficionado/a *fan*
la fama *fame*
el género *genre*
la habilidad *ability; skill*
la letra *lyrics*
el ritmo *rhythm*
la voz *voice*

El mundo del cine *The world of cinema*

el actor *actor*
la actriz *actress*
el documental *documentary*
la entrada *ticket*
la estrella *star*
la pantalla *screen*
una película… *a . . . film; movie*
de acción *action*
de ciencia ficción *science fiction*
dramática *drama*
de guerra *war*
de humor *funny; comedy*
de misterio *mystery*
musical *musical*
romántica *romantic*
de terror *horror*

Otras palabras útiles *Other useful words*

el estreno *opening*
la película *film; movie*
una película… *a . . . movie*
aburrida *boring*
animada *animated*
conmovedora *moving*
creativa *creative*
emocionante *moving*
entretenida *entertaining*
épica *epic*
espantosa *scary*
estupenda *stupendous*
imaginativa *imaginative*
impresionante *impressive*
pésima *heavy; depressing*
sorprendente *surprising*
trágica *tragic*

Algunos verbos *Some verbs*

estrenar una película *to release a film / movie*
presentar una película *to show a film / movie*

Los números ordinales *Ordinal numbers*

primer, primero/a *first*
segundo/a *second*
tercer, tercero/a *third*
cuarto/a *fourth*
quinto/a *fifth*
sexto/a *sixth*
séptimo/a *seventh*
octavo/a *eighth*
noveno/a *ninth*
décimo/a *tenth*

Capítulo 7 de *¡Anda! Curso elemental*

Las carnes y las aves *Meat and poultry*

las aves *poultry*
el bistec *steak*
la carne *meat*
la hamburguesa *hamburger*
el jamón *ham*
el perro caliente *hot dog*
el pollo *chicken*

El pescado y los mariscos *Fish and seafood*

el atún *tuna*
los camarones (*pl.*) *shrimp*
el pescado *fish*

Las frutas *Fruit*

la banana *banana*
el limón *lemon*
la manzana *apple*
el melón *melon*
la naranja *orange*
la pera *pear*
el tomate *tomato*

Las verduras *Vegetables*

la cebolla *onion*
el chile *chili pepper*
la ensalada *salad*
los frijoles (*pl.*) *beans*
la lechuga *lettuce*
el maíz *corn*
la papa / la patata *potato*
las papas fritas (*pl.*) *french fries; potato chips*
la verdura *vegetable*

Los postres *Desserts*

los dulces *candy; sweets*
las galletas *cookies; crackers*
el helado *ice cream*
el pastel *pastry; pie*
el postre *dessert*
la torta *cake*

Las bebidas *Beverages*

el agua (con hielo) *water (with ice)*
el café *coffee*
la cerveza *beer*
el jugo *juice*
la leche *milk*
el refresco *soft drink*
el té (helado / caliente) *tea (iced / hot)*
el vino *wine*

Más comidas *More foods*

el arroz *rice*
el cereal *cereal*
el huevo *egg*
el pan *bread*
el queso *cheese*
la sopa *soup*
la tostada *toast*

Las comidas *Meals*

el almuerzo *lunch*
la cena *dinner*
la comida *food; meal*
el desayuno *breakfast*
la merienda *snack*

Verbos *Verbs*

almorzar (ue) *to have lunch*
andar *to walk*
beber *to drink*
cocinar *to cook*

conducir *to drive*
cenar *to have dinner*
desayunar *to have breakfast*
merendar *to have a snack*

Los condimentos y las especias *Condiments and spices*

el aceite *oil*
el azúcar *sugar*
la mantequilla *butter*
la mayonesa *mayonnaise*
la mermelada *jam; marmalade*
la mostaza *mustard*
la pimienta *pepper*
la sal *salt*
la salsa de tomate *ketchup*
el vinagre *vinegar*

Algunos términos de cocina *Cooking terms*

a la parrilla *grilled*
al horno *baked*
asado/a *roasted; grilled*
bien cocido/a *well done*
bien hecho/a *well cooked*
caliente *hot (temperature)*
cocido/a *boiled; baked*
crudo/a *rare; raw*
duro/a *hard-boiled*
fresco/a *fresh*
frito/a *fried*
helado/a *iced*
hervido/a *boiled*
picante *spicy*
poco hecho/a *rare*
término medio *medium*

En el restaurante *In the restaurant*

el/la camarero/a *waiter/waitress*
el/la cliente/a *customer; client*
el/la cocinero/a *cook*
la cuchara *soup spoon; tablespoon*
la cucharita *teaspoon*
el cuchillo *knife*
la especialidad de la casa *specialty of the house*
el mantel *tablecloth*
el menú *menu*
el plato *plate; dish*
la propina *tip*
la servilleta *napkin*
la tarjeta de crédito *credit card*
la tarjeta de débito *debit card*
la taza *cup*
el tenedor *fork*
el vaso *glass*

Verbos *Verbs*

pagar *to pay*
pedir *to order*
reservar una mesa *to reserve a table*

Otras palabras útiles *Other useful words*

anoche *last night*
anteayer *the day before yesterday*
el año pasado *last year*
ayer *yesterday*
barato/a *cheap*
¡Buen provecho! *Enjoy your meal!*
caro/a *expensive*
cerca (de) *near*
debajo (de) *under; underneath*
encima (de) *on top (of); above*
el fin de semana pasado *last weekend*
el… (jueves) pasado *last . . . (Thursday)*
La cuenta, por favor. *The check, please.*
la semana pasada *last week*
más tarde que *later than*
más temprano que *earlier than*

Capítulo 8 de ¡Anda! Curso elemental

La ropa *Clothing*

el abrigo *overcoat*
la bata *robe*
la blusa *blouse*
el bolso *purse*
las botas (*pl.*) *boots*
los calcetines (*pl.*) *socks*
la camisa *shirt*
la camiseta *T-shirt*
la chaqueta *jacket*
el cinturón *belt*
el conjunto *outfit*
la corbata *tie*
la falda *skirt*
la gorra *cap*
los guantes *gloves*
el impermeable *raincoat*
los jeans (*pl.*) *jeans*
las medias (*pl.*) *stockings; hose*
la moda *fashion*
los pantalones (*pl.*) *pants*
los pantalones cortos (*pl.*) *shorts*
el paraguas *umbrella*
el pijama *pajamas*
las prendas *articles of clothing*
la ropa interior *underwear*
las sandalias (*pl.*) *sandals*
el sombrero *hat*
la sudadera *sweatshirt*
el suéter *sweater*
los tenis (*pl.*) *tennis shoes*
el traje *suit*
el traje de baño *swimsuit; bathing suit*
el vestido *dress*
las zapatillas (*pl.*) *slippers*
los zapatos (*pl.*) *shoes*

Algunos verbos *Some verbs*

llevar *to wear; to take; to carry*
prestar *to loan; to lend*

Algunos verbos como *gustar* *Verbs similar to* gustar

encantar *to love; delight*
fascinar *to fascinate*
hacer falta *to need; to be lacking*
importar *to matter; to be important*
molestar *to bother*

Las telas y los materiales *Fabrics and materials*

el algodón *cotton*
el cuero *leather*
la lana *wool*
el poliéster *polyester*
la seda *silk*
la tela *fabric*

Algunos adjetivos *Some adjectives*

ancho/a *wide*
atrevido/a *daring*
claro/a *light (colored)*
cómodo/a *comfortable*
corto/a *short*
de cuadros *checked*
de lunares *polka-dotted*
de rayas *striped*
elegante *elegant*
estampado/a *print; with a design or pattern*
estrecho/a *narrow; tight*
formal *formal*
incómodo/a *uncomfortable*
informal *casual*
largo/a *long*
liso/a *solid-colored*
oscuro/a *dark*

Otra palabra útil *A useful word*

el/la modelo *model*

Un verbo *A verb*

quedar bien / mal *to fit well / poorly*

Algunos verbos reflexivos *Some reflexive verbs*

acordarse de (o → ue) *to remember*
acostarse (o → ue) *to go to bed*
afeitarse *to shave*
arreglarse *to get ready*
bañarse *to bathe*
callarse *to get / keep quiet*
cepillarse (el pelo, los dientes) *to brush (one's hair, teeth)*
despertarse (e → ie) *to wake up; to awaken*
divertirse (e → ie → i) *to enjoy oneself; to have fun*
dormirse (o → ue → u) *to fall asleep*
ducharse *to shower*
irse *to go away; to leave*
lavarse *to wash oneself*
levantarse *to get up; to stand up*
llamarse *to be called*
maquillarse *to put on makeup*
peinarse *to comb one's hair*
ponerse (la ropa) *to put on (one's clothes)*
ponerse (nervioso/a) *to get (nervous)*
quedarse *to stay; to remain*
quitarse (la ropa) *to take off (one's clothes)*
reunirse *to get together; to meet*
secarse *to dry off*
sentarse (e → ie) *to sit down*
sentirse (e → ie → i) *to feel*
vestirse (e → i → i) *to get dressed*

Capítulo 9 de ¡Anda! Curso elemental

El cuerpo humano *The human body*

la boca *mouth*
el brazo *arm*
la cabeza *head*
la cara *face*
la cintura *waist*
el corazón *heart*
el cuello *neck*
el cuerpo *body*
el dedo (de la mano) *finger*
el dedo (del pie) *toe*
el diente *tooth*
la espalda *back*
el estómago *stomach*
la garganta *throat*
la mano *hand*
la nariz *nose*
el oído *inner ear*
el ojo *eye*
la oreja *ear*
el pecho *chest*
el pelo *hair*
el pie *foot*
la pierna *leg*

Algunos verbos *Some verbs*

doler (ue) *to hurt*
estar enfermo/a *to be sick*
estar sano/a; saludable *to be healthy*
ser alérgico/a (a) *to be allergic (to)*

Otras palabras útiles *Other useful words*

la salud *health*
la sangre *blood*

Algunas enfermedades y tratamientos médicos *Illnesses and medical treatments*

el antiácido *antacid*
el antibiótico *antibiotic*
la aspirina *aspirin*
el catarro / el resfriado *cold*
la curita *adhesive bandage*
el/la doctor/a *doctor*
el dolor *pain*
el/la enfermero/a *nurse*
el estornudo *sneeze*
el examen físico *physical exam*
la farmacia *pharmacy*
la fiebre *fever*
la gripe *flu*
la herida *wound; injury*
el hospital *hospital*
la inyección *shot*
el jarabe *cough syrup*
el/la médico/a *doctor*
la náusea *nausea*
las pastillas *pills*
la receta *prescription*
la sala de urgencias *emergency room*
la tos *cough*
la venda / el vendaje *bandage*

Algunos verbos *Some verbs*

acabar de + (infinitive) *to have just finished + (something)*
caer(se) *to fall down*
cortar(se) *to cut (oneself)*
curar(se) *to cure; to be cured*
enfermar(se) *to get sick*
estornudar *to sneeze*
evitar *to avoid*
guardar cama *to stay in bed*
lastimar(se) *to get hurt*
mejorar(se) *to improve; to get better*
ocurrir *to occur*
quemar(se) *to burn; to get burned*
romper(se) *to break*
tener...
- alergia (a) *to be allergic (to)*
- (un) catarro, resfriado *to have a cold*
- (la/una) gripe *to have the flu*
- una infección *to have an infection*
- tos *to have a cough*
- un virus *to have a virus*

tener dolor de... *to have a . . .*
- cabeza *headache*
- espalda *backache*
- estómago *stomachache*
- garganta *sore throat*

toser *to cough*
tratar de *to try to*
vendar(se) *to bandage (oneself); to dress (a wound)*

Capítulo 10 de ¡Anda! Curso elemental

El transporte *Transportation*

el autobús *bus*
el avión *airplane*
la bicicleta *bicycle*
el camión *truck*
el carro/el coche *car*
el metro *subway*
la moto(cicleta) *motorcycle*
el taxi *taxi*
el tren *train*

Otras palabras útiles *Other useful words*

la autopista *highway; freeway*
el boleto *ticket*
la calle *street*
la cola *line (of people)*
el estacionamiento *parking*
la gasolinera *gas station*
la licencia (de conducir) *driver's license*
la multa *traffic ticket; fine*
la parada *bus stop*
el peatón *pedestrian*
el/la policía *policeman*

el ruido *noise*
el semáforo *auto repair shop*
el taller mecánico *traffic light*
el tráfico *traffic*

Algunas partes de un vehículo *Parts of a vehicle*

el aire acondicionado *air conditioning*
el baúl *trunk*
la calefacción *heat*
el limpiaparabrisas *windshield wiper*
la llanta *tire*
la llave *key*
el motor *motor; engine*
el parabrisas *windshield*
el tanque *gas tank*
el volante *steering wheel*

Algunos verbos útiles *Some useful verbs*

arreglar / hacer la maleta *to pack a suitcase*
bajar (de) *to get down (from); to get off (of)*
cambiar *to change*
caminar, ir a pie *to walk; to go on foot*
dejar *to leave*
doblar *to turn*
entrar *to enter*
estacionar *to park*
funcionar *to work; to function*
ir de vacaciones *to go on vacation*
ir de viaje *to go on a trip*
irse del hotel *to leave the hotel; to check out*
llenar *to fill*
manejar / conducir *to drive*
prestar *to loan; to lend*
registrarse (en el hotel) *to check in*
revisar *to check; to overhaul*
sacar la licencia *to get a driver's license*
subir (a) *to go up; to get on*
viajar *to travel*
visitar *to visit*
volar (o → ue) *to fly; to fly away*

El viaje *The trip*

el aeropuerto *airport*
la agencia de viajes *travel agency*
el/la agente de viajes *travel agent*
el barco *boat*
el boleto de ida y vuelta *round-trip ticket*
la estación (de tren, de autobús) *(train, bus) station*
el extranjero *abroad*
la maleta *suitcase*
el pasaporte *passport*
la reserva *reservation*
el sello *postage stamp*
la tarjeta postal *postcard*
las vacaciones *vacation*
los viajeros *travelers*
el vuelo *flight*

El hotel *The hotel*

el botones *bellman*
el cuarto doble *double room*
el cuarto individual *single room*
la recepción *front desk*

Algunos lugares *Some places*

el lago *lake*
las montañas *mountains*
el parque de atracciones *theme park*
la playa *beach*

Capítulo 11 de *¡Anda! Curso elemental*

Algunos animales *Some animals*

el caballo *horse*
el cerdo *pig*
el conejo *rabbit*
el elefante *elephant*
la gallina *chicken; hen*
el gato *cat*
la hormiga *ant*
el insecto *insect*
el león *lion*
la mosca *fly*
el mosquito *mosquito*
el oso *bear*
el pájaro / el ave *bird*
el perro *dog*
el pez (*pl.*, los peces) *fish*
la rana *frog*
la rata *rat*
el ratón *mouse*
la serpiente *snake*
el toro *bull*
la vaca *cow*

Algunos verbos *Some verbs*

cuidar *to take care of*
preocuparse (por) *to worry about; to concern oneself with*

Las cuestiones políticas *Political issues*

el bienestar *well-being; welfare*
la defensa *defense*
la delincuencia *crime*
el desempleo *unemployment*
la deuda (externa) (*foreign*) *debt*
el impuesto *tax*
la inflación *inflation*

Otras palabras útiles *Other useful words*

los animales domésticos *domesticated animals; pets*
los animales en peligro de extinción *endangered species*
los animales salvajes *wild animals*
el árbol *tree*
el bosque *forest*
la cueva *cave*
la finca *farm*
la granja *farm*
el hoyo *hole*
el lago *lake*
la montaña *mountain*
el océano *ocean*
peligroso/a *dangerous*
el río *river*
la selva *jungle*

El medio ambiente *The environment*

el aluminio *aluminum*
la botella *bottle*
la caja (de cartón) (*cardboard*) *box*
la contaminación *pollution*
el derrame de petróleo *oil spill*
el huracán *hurricane*
el incendio *fire*
la inundación *flood*
la lata *can*
el papel *paper*
el periódico *newspaper*
el plástico *plastic*
el terremoto *earthquake*
la tormenta *storm*
el tornado *tornado*
el tsunami *tsunami*
el vidrio *glass*

Algunos verbos *Some verbs*

apoyar *to support*
botar *to throw away*
combatir *to fight; to combat*
contaminar *to pollute*
cuidar *to take care of*
elegir *to elect*
estar en huelga *to be on strike*
evitar *to avoid*
hacer daño *to (do) damage; to harm*
llevar a cabo *to carry out*
luchar *to fight; to combat*
matar *to kill*
meterse en política *to get involved in politics*
plantar *to plant*

proteger *to protect*
reciclar *to recycle*
reforestar *to reforest*
reutilizar *to reuse*
resolver (o → ue) *to resolve*
sembrar (e → ie) *to sow*
votar *to vote*

La política *Politics*

el alcalde/la alcaldesa *mayor*
el/la candidato/a *candidate*
el/la dictador/a *dictator*
el/la diputado/a *deputy; representative*
el/la gobernador/a *governor*
la guerra *war*
la huelga *strike*
el/la juez/a *judge*
el juicio *jury*
el/la presidente/a *president*
el rey/la reina *king/queen*
el/la senador/a *senator*

Las preposiciones *Prepositions*

a *to; at*
a la derecha de *to the right of*
a la izquierda de *to the left of*
acerca de *about*
(a)fuera de *outside of*
al lado de *next to*
antes de *before* (*time / space*)
cerca de *near*
con *with*
de *of; from; about*
debajo de *under; underneath*
delante de *in front of*
dentro de *inside of*
desde *from*
después de *after*
detrás de *behind*
en *in*
encima de *on top of*
enfrente de *across from; facing*
entre *among; between*
hasta *until*
lejos de *far from*
para *for; in order to*
por *for; through; by; because of*
según *according to*
sin *without*
sobre *over; about*

Las administraciones y los regímenes *Administrations and regimes*

el congreso *congress*
la corte *court*
la democracia *democracy*
la dictadura *dictatorship*
el estado *state*
el gobierno *government*
la ley *law*
la monarquía *monarchy*
la presidencia *presidency*
la provincia *province*
la región *region*
el senado *senate*

Las elecciones *Elections*

la campaña *campaign*
el discurso *speech*
la encuesta *survey; poll*
el partido político *political party*
el voto *vote*

Otras palabras útiles *Other useful words*

el aire *air*
la basura *garbage*
la calidad *quality*
la capa de ozono *ozone layer*
el cielo *sky; heaven*
el desastre *disaster*
la destrucción *destruction*
la ecología *ecology*
el efecto invernadero *global warming*
la lluvia ácida *acid rain*
la naturaleza *nature*
el planeta *planet*
puro/a *pure*
el recurso natural *natural resource*
la selva tropical *jungle; (tropical) rain forest*
la Tierra *Earth*
la tierra *land; soil*
la tragedia *tragedy*
el vertedero *dump*
vivo/a *alive; living*

Appendix 3

Grammar from *¡Anda! Curso elemental*

Capítulo Preliminar A de *¡Anda! Curso elemental*

El alfabeto

The Spanish alphabet is quite similar to the English alphabet except in the ways the letters are pronounced. Learning the proper pronunciation of the individual letters in Spanish will help you pronounce new words and phrases.

Letter	Letter Name	Examples
a	a	adiós
b	be	**b**uenos
c	ce	**c**lase
d	de	**d**ía
e	e	**e**spañol
f	efe	por **f**avor
g	ge	lue**g**o
h	hache	**h**ola
i	i	señor**i**ta
j	jota	**j**ulio
k	ka	**k**ilómetro
l	ele	**l**uego
m	eme	**m**adre
n	ene	**n**oche
ñ	eñe	ma**ñ**ana
o	o	cóm**o**
p	pe	**p**or favor
q	cu	**q**ué
r	ere	seño**r**a
s	ese	**s**aludo**s**
t	te	**t**arde
u	u	**u**sted
v	uve	nue**v**e
w	doble ve o uve doble	**W**ashington
x	equis	e**x**amen
y	ye o i griega	**y**o
z	zeta	pi**z**arra

Los pronombres personales

The chart below lists the subject pronouns in Spanish and their equivalents in English. As you will note, Spanish has several equivalents for *you.*

yo	*I*	**nosotros/as**	*we*
tú	*you* (fam.)	**vosotros/as**	*you* (pl., Spain)
usted	*you* (form.)	**ustedes**	*you* (pl.)
él	*he*	**ellos**	*they* (masc.)
ella	*she*	**ellas**	*they* (fem.)

Generally speaking, **tú** (you, singular) is used for people with whom you are on a first-name basis, such as family members and friends.

Usted, abbreviated **Ud.,** is used with people you do not know well, or with people with whom you are not on a first-name basis. **Usted** is also used with older people, or with those to whom you want to show respect.

Spanish shows gender more clearly than English. **Nosotros** and **ellos** are used to refer to either all males or to a mixed group of males and females. **Nosotras** and **ellas** refer to an all-female group.

El verbo *ser*

You have already learned the subject pronouns in Spanish. It is time to put them together with a verb. First, consider the verb *to be* in English. The *to* form of a verb, as in *to be* or *to see* is called an *infinitive*. Note that *to be* has different forms for different subjects.

to be			
I	**am**	we	**are**
you	**are**	you (all)	**are**
he, she, it	**is**	they	**are**

Verbs in Spanish also have different forms for different subjects.

ser (*to be*)					
Singular			Plural		
yo	**soy**	*I am*	nosotros/as	**somos**	*we are*
tú	**eres**	*you are*	vosotros/as	**sois**	*you are*
Ud.	**es**	*you are*	Uds.	**son**	*you are*
él, ella	**es**	*he/she is*	ellos/as	**son**	*they are*

- In Spanish, subject pronouns are not required, but rather used for clarification or emphasis. Pronouns are indicated by the verb ending. For example:

  Soy means *I am.*

  Es means either *he is*, *she is*, or *you* (formal) *are.*

- If you are using a subject pronoun, it will appear first, followed by the form of the verb that corresponds to the subject pronoun, and then the rest of the sentence, as in the examples:

Yo **soy** Mark.	**Soy** Mark.
Él **es** inteligente.	**Es** inteligente.

Capítulo 1 de *¡Anda! Curso elemental*

El verbo *tener*

In **Capítulo Preliminar A** you learned the present tense of **ser.** Another very common verb in Spanish is **tener** (*to have*). The present tense forms of the verb **tener** follow.

tener (*to have*)

Singular			Plural		
yo	**tengo**	*I have*	nosotros/as	**tenemos**	*we have*
tú	**tienes**	*you have*	vosotros/as	**tenéis**	*you have*
Ud.	**tiene**	*you have*	Uds.	**tienen**	*you all have*
él, ella	**tiene**	*he/she has*	ellos/as	**tienen**	*they have*

Sustantivos singulares y plurales

To pluralize singular nouns and adjectives in Spanish, follow these simple guidelines.

1. If the word ends in a vowel, add **-s.**

hermana	→	hermanas	abuelo	→	abuelos
día	→	días	mi	→	mis

2. If the word ends in a consonant, add **-es.**

mes	→	meses	ciudad	→	ciudades
televisión	→	televisiones	joven	→	jóvenes

3. If the word ends in a **-z**, change the **z** to **c**, and add **-es.**

lápiz	→	lápices	feliz	→	felices

El masculino y el femenino

In Spanish, all nouns (people, places, and things) have a gender; they are either masculine or feminine. Use the following rules to help you determine the gender of nouns. If a noun does not belong to any of the following categories, you must memorize the gender as you learn that noun.

1. Most words ending in **-a** are feminine.

   la hermana, la hija, la mamá, la tía

   *Some exceptions: **el día, el papá,** and words of Greek origin ending in **-ma,** such as **el problema** and **el programa.**

2. Most words ending in **-o** are masculine.

   el abuelo, el hermano, el hijo, el nieto

   *Some exceptions: **la foto** (*photo*), **la mano** (*hand*), **la moto** (*motorcycle*)
   *Note: **la foto** and **la moto** are shortened forms for **la fotografía** and **la motocicleta.**

3. Words ending in **-ción** and **-sión** are feminine.

   la discusión, la recepción, la televisión

   *Note: The suffix **-ción** is equivalent to the English *-tion.*

4. Words ending in **-dad** or **-tad** are feminine.

   la ciudad (*city*), **la libertad, la universidad**

   *Note: these suffixes are equivalent to the English *-ty.*

As you learned in **Capítulo Preliminar A,** words that look alike and have the same meaning in both English and Spanish, such as **discusión** and **universidad,** are known as *cognates*. Use them to help you decipher meaning and to form words.

Los artículos definidos e indefinidos

Like English, Spanish has two kinds of articles, definite and indefinite. The definite article in English is *the;* the indefinite articles are *a, an,* and *some.*

In Spanish, articles and other adjectives mirror the gender (masculine or feminine) and number (singular or plural) of the nouns to which they refer. For example, an article referring to a singular masculine noun must also be singular and masculine. Note the forms of the articles in the following charts.

Los artículos definidos			
el hermano	*the brother*	**los** hermanos	*the brothers / the brothers and sisters*
la hermana	*the sister*	**las** hermanas	*the sisters*

Los artículos indefinidos			
un hermano	*a / one brother*	**unos** hermanos	*some brothers / some brothers and sisters*
una hermana	*a / one sister*	**unas** hermanas	*some sisters*

1. ***Definite articles*** are used to refer to **the** person, place, or thing.
2. ***Indefinite articles*** are used to refer to **a** or **some** person, place, or thing.

Adriana es **la** hermana de Eduardo y **los** abuelos de él se llaman Carmen y Manuel.	*Adriana is Eduardo's sister, and his grandparents' names are Carmen and Manuel.*
Jorge tiene **una** tía y **unos** tíos.	*Jorge has an aunt and some uncles.*

Los adjetivos posesivos

You have already used the possessive adjective **mi** (*my*). Other forms of possessive adjectives are also useful in conversation.

Look at the following chart to see how to personalize talk about your family (*our* dad, *his* sister, *our* cousins, etc.) using possessive adjectives.

Los adjetivos posesivos

mi, mis	*my*	**nuestro/a/os/as**	*our*
tu, tus	*your*	**vuestro/a/os/as**	*your*
su, sus	*your*	**su, sus**	*your*
su, sus	*his, her, its*	**su, sus**	*their*

Note:

1. Possessive adjectives agree in form with the person, place, or thing possessed, *not with the possessor.*
2. Possessive adjectives agree in number (singular or plural), and in addition, **nuestro** and **vuestro** indicate gender (masculine or feminine).
3. The possessive adjectives **tu/tus** (*your*) refer to someone with whom you are familiar and/or on a first name basis. **Su/sus** (*your*) is used when you are referring to people to whom you refer with *usted* and *ustedes*, that is, more formally and perhaps not on a first-name basis. **Su/sus** (*your* plural or *their*) is used when referring to individuals whom you are addressing with *ustedes* or when expressing possession with *ellos* and *ellas*.

mi hermano	*my brother*	**mis** hermanos	*my brothers / siblings*
tu primo	*your cousin*	**tus** primos	*your cousins*
su tía	*her/his/your/their aunt*	**sus** tías	*her/his/your/their aunts*
nuestra familia	*our family*	**nuestras** familias	*our families*
vuestra mamá	*your mom*	**vuestras** mamás	*your moms*
su hija	*your/their daughter*	**sus** hijas	*your* (plural)/ *their daughters*

Eduardo tiene una novia.	*Eduardo has a girlfriend.*
Su novia se llama Julia.	*His girlfriend's name is Julia.*
Nuestros padres tienen dos amigos.	*Our parents have two friends.*
Sus amigos son Jorge y Marta.	*Their friends are Jorge and Marta.*

Los adjetivos descriptivos

Descriptive adjectives are words that describe people, places, and things.

1. In English, adjectives usually come before the words they describe (e.g., **the *red* car**), but in Spanish, they usually follow the word (e.g., **el coche *rojo***).
2. Adjectives in Spanish agree with the nouns they modify in number (singular or plural) and in gender (masculine or feminine).

Carlos es un **chico** simpátic**o.**	*Carlos is a nice boy.*
Adela es una **chica** simpátic**a.**	*Adela is a nice girl.*
Carlos y Adela son (unos) **chicos** simpátic**os.**	*Carlos and Adela are (some) nice children.*

3. A descriptive adjective can also follow the verb **ser** directly. When it does, it still agrees with the noun to which it refers, which is the subject in this case.

Carlos es simpátic**o.**	*Carlos is nice.*
Adela es simpátic**a.**	*Adela is nice.*
Carlos y Adela son simpátic**os.**	*Carlos and Adela are nice.*

Las características físicas, la personalidad y otros rasgos

La personalidad	***Personality***
aburrido/a	*boring*
alto/a	*tall*
antipático/a	*unpleasant*
bajo/a	*short*
bueno/a	*good*
cómico/a	*funny; comical*
débil	*weak*
delgado/a	*thin*
fuerte	*strong*
gordo/a	*fat*
guapo/a	*handsome/pretty*
inteligente	*intelligent*
interesante	*interesting*
joven	*young*
malo/a	*bad*
mayor	*old*
paciente	*patient*
perezoso/a	*lazy*
pobre	*poor*
responsable	*responsible*
rico/a	*rich*
simpático/a	*nice*
tonto/a	*silly; dumb*
trabajador/a	*hard-working*

Las características físicas	*Physical characteristics*
bonito/a	*pretty*
feo/a	*ugly*
grande	*big; large*
pequeño/a	*small*

Otras palabras útiles	*Other useful words*
muy	*very*
(un) poco	*(a) little*

Capítulo 2 de *¡Anda! Curso elemental*

Presente indicativo de verbos regulares

Spanish has three groups of verbs which are categorized by the ending of the infinitive. Remember that an infinitive is expressed in English by the word *to: to have, to be*, and *to speak* are all infinitive forms of English verbs. Spanish infinitives end in **-ar, -er,** or **-ir.**

Verbos que terminan en *-ar*

comprar	*to buy*	**preguntar**	*to ask (a question)*
contestar	*to answer*	**preparar**	*to prepare; to get ready*
enseñar	*to teach; to show*	**regresar**	*to return*
esperar	*to wait for; to hope*	**terminar**	*to finish; to end*
estudiar	*to study*	**tomar**	*to take; to drink*
hablar	*to speak*	**trabajar**	*to work*
llegar	*to arrive*	**usar**	*to use*
necesitar	*to need*		

Verbos que terminan en *-er*

aprender	*to learn*	**correr**	*to run*
comer	*to eat*	**creer**	*to believe*
comprender	*to understand*	**leer**	*to read*

Verbos que terminan en *-ir*

abrir	*to open*	**recibir**	*to receive*
escribir	*to write*	**vivir**	*to live*

To talk about daily or ongoing activities or actions, you need to use the present tense. You can also use the present tense to express future events.

Mario **lee** en la biblioteca. — *Mario reads in the library.* / *Mario is reading in the library.*

Mario **lee** en la biblioteca mañana. — *Mario will read in the library tomorrow.*

To form the present indicative, drop the **-ar, -er,** or **-ir** ending from the infinitive, and add the appropriate ending. The endings are highlighted in the following chart. Follow this simple pattern with all regular verbs.

	hablar (*to speak*)	**comer (*to eat*)**	**vivir (*to live*)**
yo	habl**o**	com**o**	viv**o**
tú	habl**as**	com**es**	viv**es**
Ud.	habl**a**	com**e**	viv**e**
él, ella	habl**a**	com**e**	viv**e**
nosotros/as	habl**amos**	com**emos**	viv**imos**
vosotros/as	habl**áis**	com**éis**	viv**ís**
Uds.	habl**an**	com**en**	viv**en**
ellos/as	habl**an**	com**en**	viv**en**

La formación de preguntas y las palabras interrogativas

Asking yes/no questions

Yes/no questions in Spanish are formed in two different ways:

a. Adding question marks to the statement.

Antonio habla español. → ¿Antonio habla español?

Antonio speaks Spanish. — *Does Antonio speak Spanish?* or *Antonio speaks Spanish?*

As in English, your voice goes up at the end of the sentence. Remember that written Spanish has an upside-down question mark at the beginning of a question.

b. Inverting the order of the subject and the verb.

Antonio habla español. → ¿Habla Antonio español?

SUBJECT + VERB — VERB + SUBJECT

Antonio speaks Spanish. — *Does Antonio speak Spanish?*

Answering yes/no questions

Answering questions is also like English.

¿Habla Antonio español? — *Does Antonio speak Spanish?*

Sí, habla español. — *Yes, he speaks Spanish.*

No, no habla español. — *No, he does not speak Spanish.*

Notice that in the negative response to the question above, both English and Spanish have two negative words.

Information questions

Information questions begin with interrogative words. Study the list of question words below and remember, accents are used on all interrogative words and also on exclamatory words: **¡Qué bueno!** (*That's great!*)

Las palabras interrogativas

¿Qué?	*What?*	**¿Qué** idioma habla Antonio?	*What language does Antonio speak?*
¿Por qué?	*Why?*	**¿Por qué** no trabaja Antonio?	*Why doesn't Antonio work?*
¿Cómo?	*How?*	**¿Cómo** está Antonio?	*How is Antonio?*
¿Cuándo?	*When?*	**¿Cuándo** es la clase?	*When is the class?*
¿Adónde?	*To where?*	**¿Adónde** va Antonio?	*(To) Where is Antonio going?*
¿Dónde?	*Where?*	**¿Dónde** vive Antonio?	*Where does Antonio live?*
¿De dónde?	*From where?*	**¿De dónde** regresa Antonio?	*Where is Antonio coming back from?*
¿Cuánto/a?	*How much?*	**¿Cuánto** estudia Antonio para la clase?	*How much does Antonio study for the class?*
¿Cuántos/as?	*How many?*	**¿Cuántos** idiomas habla Antonio?	*How many languages does he speak?*
¿Cuál?	*Which (one)?*	**¿Cuál** es su clase favorita?	*Which is his favorite class?*
¿Cuáles?	*Which (ones)?*	**¿Cuáles** son sus clases favoritas?	*Which are his favorite classes?*
¿Quién?	*Who?*	**¿Quién** habla cinco idomas?	*Who speaks five languages?*
¿Quiénes?	*Who? (pl.)*	**¿Quiénes** hablan cinco idiomas?	*Who speaks five languages?*

Note that, although it is not always necessary, when the subject is included in the sentence it follows the verb.

El verbo estar

Another verb that expresses *to be* in Spanish is **estar.** Like **tener** and **ser, estar** is not a regular verb; that is, you cannot simply drop the infinitive ending and add the usual **-ar** endings.

estar (*to be*)

Singular		Plural	
yo	**estoy**	nosotros/as	**estamos**
tú	**estás**	vosotros/as	**estáis**
Ud.	**está**	Uds.	**están**
él, ella	**está**	ellos/as	**están**

Ser and **estar** are not interchangeable because they are used differently. Two uses of **estar** are:

1. To describe the location of someone or something.

   Manuel **está** en la sala de clase. — *Manuel is in the classroom.*

   Nuestros padres **están** en México. — *Our parents are in Mexico.*

2. To describe how someone is feeling or to express a change from the norm.

   Estoy bien. ¿Y tú? — *I'm fine. And you?*

   Estamos tristes hoy. — *We are sad today. (Normally we are upbeat and happy.)*

Capítulo 3 de *¡Anda! Curso elemental*

Algunos verbos irregulares

Look at the present tense forms of the following verbs. In the first group, note that they all follow the same patterns that you learned in **Capítulo 2** to form the present tense of regular verbs, *except* in the **yo** form.

Group 1

	conocer (*to be acquainted with*)	dar (*to give*)	hacer (*to do; to make*)	poner (*to put; to place*)
yo	cono**zco**	d**oy**	ha**go**	pon**go**
tú	conoces	das	haces	pones
Ud.	conoce	da	hace	pone
él, ella	conoce	da	hace	pone
nosotros/as	conocemos	damos	hacemos	ponemos
vosotros/as	conocéis	dais	hacéis	ponéis
Uds.	conocen	dan	hacen	ponen
ellos/as	conocen	dan	hacen	ponen

	salir (*to leave; to go out*)	traer (*to bring*)	ver (*to see*)
yo	sal**go**	trai**go**	ve**o**
tú	sales	traes	ves
Ud.	sale	trae	ve
él, ella	sale	trae	ve
nosotros/as	salimos	traemos	vemos
vosotros/as	salís	traéis	veis
Uds.	salen	traen	ven
ellos/as	salen	traen	ven

Group 2

In the second group, note that **venir** is formed similarly to **tener.**

venir (*to come*)	
yo	ven**go**
tú	vienes
Ud.	viene
él, ella	viene
nosotros/as	venimos
vosotros/as	venís
Uds.	vienen
ellos/as	vienen

Group 3

In the third group of verbs, note that all of the verb forms have a spelling change except in the **nosotros** and **vosotros** forms.

	decir (*to say; to tell*)	oír (*to hear*)
yo	**digo**	**oigo**
tú	dices	oyes
Ud.	dice	oye
él, ella	dice	oye
nosotros/as	decimos	oímos
vosotros/as	decís	oís
Uds.	dicen	oyen
ellos/as	dicen	oyen

	poder (*to be able to*)	querer (*to want; to love*)
yo	puedo	quiero
tú	puedes	quieres
Ud.	puede	quiere
él, ella	puede	quiere
nosotros/as	podemos	queremos
vosotros/as	podéis	queréis
Uds.	pueden	quieren
ellos/as	pueden	quieren

Algunas expresiones con *tener*

The verb **tener,** besides meaning *to have,* is used in a variety of expressions.

tener… años	*to be . . . years old*
tener calor	*to be hot*
tener cuidado	*to be careful*
tener éxito	*to be successful*
tener frío	*to be cold*
tener ganas de + (*infinitive*)	*to feel like + (verb)*
tener hambre	*to be hungry*
tener miedo	*to be afraid*
tener prisa	*to be in a hurry*
tener que + (*infinitive*)	*to have to + (verb)*
tener razón	*to be right*
tener sed	*to be thirsty*
tener sueño	*to be sleepy*
tener suerte	*to be lucky*
tener vergüenza	*to be embarrassed*

—Mamá, **tengo hambre.** ¿Cuándo comemos? — *Mom, I'm hungry. When are we eating?*

—**Tienes suerte,** hijo. Salimos para el restaurante Tío Tapas en diez minutos. — *You are lucky, son. We are leaving for Tío Tapas Restaurant in ten minutes.*

Hay

In **Capítulo 2,** you became familiar with **hay** when you described your classroom. To say *there is* or *there are* in Spanish you use **hay.** The irregular form **hay** comes from the verb **haber.**

Hay un baño en mi casa. — *There is one bathroom in my house.*

Hay cuatro dormitorios también. — *There are also four bedrooms.*

—¿**Hay** tres baños en tu casa? — *Are there three bathrooms in your house?*

—No, no **hay** tres baños. — *No, there aren't three bathrooms.*

Saber y *conocer*

In **Capítulo 3,** you learned that **conocer** means *to know*. Another verb, **saber,** also expresses *to know*.

saber (*to know*)

Singular		Plural	
yo	**sé**	nosotros/as	**sabemos**
tú	**sabes**	vosotros/as	**sabéis**
Ud.	**sabe**	Uds.	**saben**
él, ella	**sabe**	ellos/as	**saben**

The verbs are not interchangeable. Note when to use each.

Conocer

- Use **conocer** to express ***being familiar or acquainted with people, places, and things.***

  Ellos **conocen** los mejores restaurantes de la ciudad. — *They know the best restaurants in the city.*

  Yo **conozco** a tu hermano, pero no muy bien. — *I know your brother, but not very well.*

Note:

1. When expressing that *a person* is known, you must use the personal "a." For example, *Conozco **a** tu hermano…*
2. When **a** is followed by **el, a + el = al.** For example, **Conozco *al* señor (a + el señor)…**

Saber

- Use **saber** to express ***knowing facts, pieces of information,*** or ***how to do something.***

  ¿Qué **sabes** sobre la música de Guatemala? — *What do you know about Guatemalan music?*

  Yo **sé** tocar la guitarra. — *I know how to play the guitar.*

Los verbos con cambio de raíz

In **Capítulo 3,** you learned a variety of common verbs that are irregular. Two of those verbs were **querer** and **poder,** which are irregular due to some changes in their stems. Look at the following verb groups.

Change e → ie
cerrar (*to close*)

Singular		Plural	
yo	ci**e**rro	nosotros/as	cerramos
tú	ci**e**rras	vosotros/as	cerráis
Ud.	ci**e**rra	Uds.	ci**e**rran
él, ella	ci**e**rra	ellos/as	ci**e**rran

Other verbs like **cerrar (e → ie)** are:

comenzar	*to begin*	**pensar**	*to think*
empezar	*to begin*	**perder**	*to lose; to waste*
entender	*to understand*	**preferir**	*to prefer*
mentir	*to lie*	**recomendar**	*to recommend*

Change e → i
pedir (*to ask for*)

Singular		Plural	
yo	pido	nosotros/as	pedimos
tú	pides	vosotros/as	pedís
Ud.	pide	Uds.	piden
él, ella	pide	ellos/as	piden

Other verbs like **pedir (e → i)** are:

repetir	*to repeat*
seguir*	*to follow; to continue (doing something)*
servir	*to serve*

*Note: The **yo** form of **seguir** is **sigo.**

Change o → ue
encontrar (*to find*)

Singular		Plural	
yo	enc**ue**ntro	nosotros/as	encontramos
tú	enc**ue**ntras	vosotros/as	encontráis
Ud.	enc**ue**ntra	Uds.	enc**ue**ntran
él, ella	enc**ue**ntra	ellos/as	enc**ue**ntran

Other verbs like **encontrar (o → ue)** are:

almorzar	*to have lunch*	**mostrar**	*to show*
costar	*to cost*	**recordar**	*to remember*
dormir	*to sleep*	**volver**	*to return*
morir	*to die*		

Change u → ue
jugar (*to play*)

Singular		Plural	
yo	j**ue**go	nosotros/as	jugamos
tú	j**ue**gas	vosotros/as	jugáis
Ud.	j**ue**ga	Uds.	j**ue**gan
él, ella	j**ue**ga	ellos/as	j**ue**gan

El verbo *ir*

Another important verb in Spanish is **ir.** Note its irregular present tense forms.

ir (*to go*)

Singular		Plural	
yo	**voy**	nosotros/as	**vamos**
tú	**vas**	vosotros/as	**vais**
Ud.	**va**	Uds.	**van**

ir (*to go*)	
Singular	**Plural**
él, ella **va**	ellos/as **van**

Voy al parque. ¿**Van** ustedes también? — *I'm going to the park. Are you all going too?*

No, no **vamos** ahora. Preferimos **ir** más tarde. — *No, we're not going now. We prefer to go later.*

Ir + *a* + infinitivo

You can use a present tense form of **ir** + **a** + an infinitive to talk about actions that will take place in the future.

Voy a mandar esta carta. ¿Quieres ir? — *I'm going to mail this letter. Do you want to come?*

Sí. Luego, **¿vas a almorzar?** — *Yes. Then, are you going to have lunch?*

Sí, **vamos a comer** comida guatemalteca. — *Yes, we are going to eat Guatemalan food.*

¡Perfecto! Ya sé que **voy a pedir** unos tamales. — *Perfect! I already know that I am going to order some tamales.*

Pero, primero, **¡vamos a ir** al banco! — *But first we are going to go to the bank!*

Las expresiones afirmativas y negativas

In the previous chapters, you have seen and used a number of the affirmative and negative expressions listed below. Study the list, and learn the ones that are new to you.

Expresiones afirmativas		Expresiones negativas	
a veces	*sometimes*	**jamás**	*never; not ever* (emphatic)
algo	*something; anything*	**nada**	*nothing*
alguien	*someone*	**nadie**	*no one; nobody*
algún	*some; any*	**ningún**	*none*
alguno/a/os/as	*some; any*	**ninguno/a/os/as**	*none*
siempre	*always*	**nunca**	*never*
o... o	*either . . . or*	**ni... ni**	*neither . . . nor*

Look at the following sentences, paying special attention to the position of the negative words, and answer the questions that follow.

—¿Quién llama? — *Who is calling?*

—**Nadie** llama. (**No** llama **nadie.**) — *No one is calling.*

—¿Vas al gimnasio todos los días? — *Do you go to the gym every day?*

—No, **nunca** voy. (No, **no** voy **nunca.**) — *No, I never go.*

Algún and *ningún*

1. Forms of **algún** and **ningún** need to agree in gender and number with the nouns they modify.
2. **Alguno** and **ninguno** are shortened to **algún** and **ningún** when they are followed by *masculine, singular nouns.*
3. When no noun follows, use **alguno** or **ninguno** when referring to masculine, singular nouns.
4. The plural form **ningunos** is rarely used.

Study the following sentences.

MARÍA: ¿Tienes **alguna** clase fácil este semestre?

JUAN: No, no tengo **ninguna.** ¡Y **ningún** profesor es simpático!

MARÍA: Vaya, ¿y puedes hacer **algún** cambio?

JUAN: No, no puedo hacer **ninguno.** (No, no puedo tomar **ningún** otro curso.)

Un repaso de *ser* y *estar*

You have learned two Spanish verbs that mean ***to be*** in English. These verbs, **ser** and **estar,** are contrasted below.

SER
Ser is used:

- **To describe physical or personality characteristics that remain relatively constant**

  Gregorio **es** inteligente. — *Gregorio is intelligent.*

  Yanina **es** guapa. — *Yanina is pretty.*

  Su tienda de campaña **es** amarilla. — *Their tent is yellow.*

  Las casas **son** grandes. — *The houses are large.*

- **To explain what or who someone or something is**

  El Dr. Suárez **es** profesor de literatura. — *Dr. Suárez is a literature professor.*

  Marisol **es** mi hermana. — *Marisol is my sister.*

- **To tell time, or to tell when or where an event takes place**

  ¿Qué hora **es**? — *What time is it?*

  Son las ocho. — *It's eight o'clock.*

  Mi clase de español **es** a las ocho y **es** en Peabody Hall. — *My Spanish class is at eight o'clock and is in Peabody Hall.*

- **To tell where someone is from and to express nationality**

  Somos de Honduras. — *We are from Honduras.*

  Somos hondureños. — *We are Honduran.*

  Ellos **son** de Guatemala. — *They are from Guatemala.*

  Son guatemaltecos. — *They are Guatemalan.*

ESTAR

Estar is used:

- **To describe physical or personality characteristics that can change, or to indicate a change in condition**

María **está** enferma hoy.	*María is sick today.*
Jorge y Julia **están** tristes.	*Jorge and Julia are sad.*
La cocina **está** sucia.	*The kitchen is dirty.*

- **To describe the location of people or places**

El museo **está** en la calle Quiroga.	*The museum is on Quiroga Street.*
Estamos en el centro comercial.	*We're at the mall.*
¿Dónde **estás** tú?	*Where are you?*

Capítulo 5 de *¡Anda! Curso elemental*

Los adjetivos demostrativos

When you want to point out a specific person, place, thing, or idea, you use a *demonstrative adjective*. In Spanish, they are:

Demonstrative adjectives	Meaning	From the perspective of the speaker, it refers to . . .
este, esta, estos, estas	*this, these*	something nearby
ese, esa, esos, esas	*that, those over there*	something farther away
aquel, aquella, aquellos, aquellas	*that, those (way) over there*	something even farther away in distance and/or time . . . perhaps not even visible

Since forms of **este, ese,** and **aquel** are adjectives, they must agree in gender and number with the nouns they modify. Note the following examples.

Este conjunto es fantástico.	*This group is fantastic.*
Esta cantante es fenomenal.	*This singer is phenomenal.*
Estos conjuntos son fantásticos.	*These groups are fantastic.*
Estas cantantes son fenomenales.	*These singers are phenomenal.*
Ese conjunto es fantástico.	*That group is fantastic.*
Esa cantante es fenomenal.	*That singer is phenomenal.*
Esos conjuntos son fantásticos.	*Those groups are fantastic.*
Esas cantantes son fenomenales.	*Those singers are phenomenal.*
Aquel conjunto es fantástico.	*That group (over there) is fantastic.*
Aquella cantante es fenomenal.	*That singer (over there) is phenomenal.*
Aquellos conjuntos son fantásticos.	*Those groups (over there) are fantastic.*
Aquellas cantantes son fenomenales.	*Those singers (over there) are phenomenal.*

Los pronombres demostrativos

Demonstrative pronouns take the place of nouns. They are identical in form and meaning to demonstrative adjectives.

Masculino	Femenino	*Meaning*
este	**esta**	*this one*
estos	**estas**	*these*
ese	**esa**	*that one*
esos	**esas**	*those*
aquel	**aquella**	*that one (way over there / not visible)*
aquellos	**aquellas**	*those (way over there / not visible)*

A demonstrative pronoun must agree in gender and number with the noun it replaces. Observe how demonstrative adjectives and demonstrative pronouns are used in the following sentences.

Yo quiero comprar **este CD,** pero mi hermana quiere comprar **ese.**	*I want to buy this CD, but my sister wants to buy that one.*
—¿Te gusta **esa guitarra**?	*Do you like that guitar?*
—No, a mí me gusta **esta.**	*No, I like this one.*
Estos instrumentos son interesantes, pero prefiero tocar **esos.**	*These instruments are interesting, but I prefer to play those.*
En **esta** calle hay varios cines. ¿Quieres ir a **aquel**?	*There are several movie theaters on this street. Do you want to go to that one over there?*

Los adverbios

An adverb usually describes a verb and answers the question "how." Many Spanish adverbs end in **-mente,** which is equivalent to the English *-ly*. These Spanish adverbs are formed as follows:

1. Add **-mente** to the *feminine singular* form of an *adjective*.

ADJETIVOS				ADVERBIOS
Masculino		**Femenino**		
rápido	→	*rápida* + -mente	→	**rápidamente**
lento	→	*lenta* + -mente	→	**lentamente**
tranquilo	→	*tranquila* + -mente	→	**tranquilamente**

2. If an *adjective* ends in a *consonant* or in **-e,** simply add **-mente.**

ADJETIVOS		ADVERBIOS
Masculino	**Femenino**	
fácil →	*fácil* + -mente →	**fácilmente**
suave →	*suave* + -mente →	**suavemente**

Note: If an adjective has a written accent, it is retained when **-mente** is added.

El presente progresivo

So far you have been learning and using the present tense to communicate ideas. If you want to emphasize that an action is occurring at the moment and is in progress, you can use the *present progressive* tense.

The English present progressive is made up of a form of the verb *to be* + *present participle* (*-ing*). Look at the following sentences and formulate a rule for creating the present progressive in Spanish. Use the following questions to guide you.

—¿Qué *estás* **haciendo**?	*What are you doing?*
—*Estoy* **ensayando.**	*I'm rehearsing.*
—¿*Está* **escuchando** música tu hermano?	*Is your brother listening to music?*
—No, *está* **tocando** la guitarra.	*No, he is playing the guitar.*
—¿*Están* **viendo** ustedes la televisión?	*Are you watching television?*
—No, les *estamos* **escribiendo** una carta a nuestros padres.	*No, we are writing a letter to our parents.*

Note: The following are some verbs that have irregular forms in this tense.

creer	creyendo	perseguir	persiguiendo
leer	leyendo	repetir	repitiendo
ir	yendo	seguir	siguiendo
decir	diciendo	servir	sirviendo
mentir	mintiendo	dormir	durmiendo
pedir	pidiendo	morir	muriendo
preferir	prefiriendo		

Los números ordinales

An ordinal number indicates position in a series or order. The first ten ordinal numbers in Spanish are listed below. Ordinal numbers above *décimo* are rarely used.

primer, primero/a	*first*
segundo/a	*second*
tercer, tercero/a	*third*
cuarto/a	*fourth*
quinto/a	*fifth*
sexto/a	*sixth*
séptimo/a	*seventh*
octavo/a	*eighth*
noveno/a	*ninth*
décimo/a	*tenth*

1. Ordinal numbers are adjectives and agree in number and gender with the nouns they modify. They usually *precede* nouns.

   el **cuarto** año — *the fourth year*

   la **octava** sinfonía — *the eighth symphony*

2. Before masculine, singular nouns, **primero** and **tercero** are shortened to **primer** and **tercer.**

   el **primer** concierto — *the first concert*

   el **tercer** curso de español — *the third Spanish course*

3. After *décimo*, a cardinal number is used and *follows* the noun.

   el piso **catorce**

Hay que + infinitivo

So far when you have wanted to talk about what someone should do, needs to do, or has to do, you have used the expressions **debe, necesita,** or **tiene que.** The expression **hay que** + *infinitive* is another way to communicate responsibility, obligation, or the importance of something. **Hay que** + *infinitive* means:

It is necessary to . . .
You must . . .
One must / should . . .

Para ser un músico bueno **hay que** ensayar mucho.	*To be a good musician it is necessary to rehearse a lot.*
Hay que terminar nuestro trabajo antes de ir al cine.	*We must finish our work before we go to the movie theater.*
Hay que ver la nueva película de Almodóvar.	*You must see the new Almodóvar film.*

Los pronombres de complemento directo y la "a" personal

Direct objects receive the action of the verb and answer the questions *What?* or *Whom?* Note the following examples.

A: I need to do *what?*

B: You need to buy *the concert tickets* by Monday.

A: Yes, I do need to buy *them.*

A: I have to call *whom?*

B: You have to call *your agent.*

A: Yes, I do have to call *him.*

Note the following examples of *direct objects* in Spanish.

María toca **dos instrumentos** muy bien.	*María plays two instruments very well.*
Sacamos **un CD** el primero de septiembre.	*We are releasing a CD the first of September.*
¿Tienes **las entradas**?	*Do you have the tickets?*
No conozco a **Benicio del Toro.**	*I do not know Benicio del Toro.*
Siempre veo a **Selena Gómez** en la televisión.	*I always see Selena Gómez on television.*

Note: In **Capítulo 4,** you learned that to express knowing a person, you put **a** after the verb (**conocer + a +** person). Now that you have learned about direct objects, a more global way of stating the rule is: When direct objects refer to *people*, you must use the personal **"a."** Review the following examples.

People	Things
¡Veo a *Cameron Díaz*!	¡Veo *el coche* de Cameron Díaz!
Hay que ver a *mis padres*.	Hay que ver *la película*.
¿A qué *actores* conoces?	¿Qué *ciudades* conoces?

As in English, we can replace direct objects nouns with *direct object pronouns.*

María **los** toca muy bien.	*María plays them very well.*
Lo sacamos el primero de septiembre.	*We are releasing it the first of September.*
¿**Las** tienes?	*Do you have them?*
No **lo** conozco.	*I do not know him.*
Siempre **la** veo en la televisión.	*I always see her on television.*

In Spanish, direct object pronouns *agree in gender and number with the nouns they replace.* The following chart lists the direct object pronouns.

Singular		Plural	
me	*me*	**nos**	*us*
te	*you*	**os**	*you all*
lo, la	*you*	**los, las**	*you all*
lo, la	*him, her, it*	**los, las**	*them*

Placement of direct object pronouns

Direct object pronouns are:

1. Placed before verbs.
2. Attached to *infinitives* or to *present participles* (**-ando, -iendo**).

¿Tienes los discos compactos? → Sí, **los** tengo.

Tengo que traer los instrumentos. → **Los** tengo que traer. / Tengo que traer**los.**

Tiene que llevar su guitarra. → **La** tiene que llevar. / Tiene que llevar**la.**

—¿Por qué estás escribiendo una canción para tu madre?

—**La** estoy escribiendo porque es su cumpleaños. / Estoy escribiéndo**la** porque es su cumpleaños.

Capítulo 7 de *¡Anda! Curso elemental*

El pretérito (Parte I)

Up to this point, you have been expressing ideas or actions that take place in the present and future. To talk about something you did or something that occurred in the past, you can use the **pretérito** (*preterit*).

Los verbos regulares

Note the endings for regular verbs in the **pretérito** below.

	-ar: comprar	-er: comer	-ir: vivir
yo	compré	comí	viví
tú	compraste	comiste	viviste
Ud.	compró	comió	vivió
él/ella	compró	comió	vivió
nosotros/as	compramos	comimos	vivimos
vosotros/as	comprasteis	comisteis	vivisteis
Uds.	compraron	comieron	vivieron
ellos/as	compraron	comieron	vivieron

—¿Dónde está el vino que **compré** ayer?	*Where is the wine that I bought yesterday?*
—Mis primos **bebieron** la botella entera anoche.	*My cousins drank the whole bottle last night.*
—¿Ah, sí? ¿**Comieron** ustedes en casa?	*Really? Did you all eat at home?*
—No, **comimos** en un restaurante chino. ¡**Terminaron** el vino antes de salir a cenar!	*No, we ate at a Chinese restaurant. They finished the wine before we went out to dinner!*

El pretérito (Parte II)

Several verbs have small spelling changes in the preterit. Look at the following charts.

tocar (c → qu)		empezar (z → c)	
yo	toqué	yo	empecé
tú	tocaste	tú	empezaste
Ud.	tocó	Ud.	empezó
él/ella	tocó	él/ella	empezó
nosotros/as	tocamos	nosotros/as	empezamos
vosotros/as	tocasteis	vosotros/as	empezasteis
Uds.	tocaron	Uds.	empezaron
ellos/as	tocaron	ellos/as	empezaron
*(**sacar** and **buscar** have the same spelling change)		*(**comenzar** and **organizar** have the same spelling change)	

jugar (g → gu)		leer (i → y)	
yo	jugué	yo	leí
tú	jugaste	tú	leíste
Ud.	jugó	Ud.	leyó
él/ella	jugó	él/ella	leyó
nosotros/as	jugamos	nosotros/as	leímos
vosotros/as	jugasteis	vosotros/as	leísteis
Uds.	jugaron	Uds.	leyeron
ellos/as	jugaron	ellos/as	leyeron
*(**llegar** has the same spelling change)		*(**creer** and **oír** have the same spelling change)	

—**Toqué** la guitarra con el conjunto de mariachis en un restaurante mexicano anoche. — *I played the guitar with a mariachi band at a Mexican restaurant last night.*

—¿A qué hora **empezaste**? — *At what time did you begin?*

—**Empecé** a las nueve. — *I began at nine.*

—¿**Jugaron** tus hermanos al béisbol hoy? — *Did your brothers play baseball today?*

—No, **leyeron** un libro de recetas porque van a cocinar una cena especial para nuestros padres. — *No, they read a recipe book because they are going to cook a special dinner for our parents.*

Some things to remember:

1. With verbs that end in **-car,** the **c** changes to **qu** in the **yo** form to preserve the sound of the hard **c** of the infinitive.
2. With verbs that end in **-zar,** the **z** changes to **c** before **e.**
3. With verbs that end in **-gar,** the **g** changes to **gu** to preserve the sound of the hard **g** (**g** before **e** or **i** sounds like the **j** sound in Spanish).
4. For **leer, creer,** and **oír,** change the **i** to **y** in the third-person singular and plural.

Algunos verbos irregulares en el pretérito

In the first **Comunicación** you learned about verbs that are regular in the **pretérito** and others that have spelling changes. The following verbs are *irregular* in the **pretérito;** they follow patterns of their own. Study the verb charts to determine the similarities and differences among the forms.

	andar (*to walk*)	estar	tener
yo	and**uve**	est**uve**	t**uve**
tú	and**uviste**	est**uviste**	t**uviste**
Ud.	and**uvo**	est**uvo**	t**uvo**
él/ella	and**uvo**	est**uvo**	t**uvo**
nosotros/as	and**uvimos**	est**uvimos**	t**uvimos**
vosotros/as	and**uvisteis**	est**uvisteis**	t**uvisteis**
Uds.	and**uvieron**	est**uvieron**	t**uvieron**
ellos/as	and**uvieron**	est**uvieron**	t**uvieron**

—El lunes pasado llegamos a Santiago y **anduvimos** mucho por la ciudad. — *Last Monday we arrived in Santiago and walked a lot throughout the city.*

—¿**Estuvieron** en un restaurante o bar interesante? — *Were you all in an interesting restaurant or bar?*

—Sí, **tuvimos** muy buena suerte y comimos en el mejor restaurante de la ciudad. — *Yes, we were very lucky and we ate at the best restaurant in the city.*

	conducir (*to drive*)	traer	decir
yo	cond**uje**	tra**je**	di**je**
tú	cond**ujiste**	tra**jiste**	di**jiste**
Ud.	cond**ujo**	tra**jo**	di**jo**
él/ella	cond**ujo**	tra**jo**	di**jo**
nosotros/as	cond**ujimos**	tra**jimos**	di**jimos**
vosotros/as	cond**ujisteis**	tra**jisteis**	di**jisteis**
Uds.	cond**ujeron**	tra**jeron**	di**jeron**
ellos/as	cond**ujeron**	tra**jeron**	di**jeron**

—¿**Condujiste** de Santiago a Valparaiso? — *Did you drive from Santiago to Valparaiso?*

—No pude conducir porque no **traje** mi licencia. — *I couldn't drive because I didn't bring my driver's license.*

—¿Qué te **dijeron** en la agencia Avis? — *What did they tell you at the Avis (car rental) agency?*

	ir	ser
yo	fui	fui
tú	fuiste	fuiste
Ud.	fue	fue
él/ella	fue	fue
nosotros/as	fuimos	fuimos
vosotros/as	fuisteis	fuisteis
Uds.	fueron	fueron
ellos/as	fueron	fueron

—¿Cómo **fue** el viaje a Chile? *How was the trip to Chile?*

—¡Fue increíble! Después de Valparaiso **fuimos** a Patagonia. *It was incredible! After Valparaiso, we went to Patagonia.*

	dar	ver	venir
yo	di	vi	vine
tú	diste	viste	viniste
Ud.	dio	vio	vino
él/ella	dio	vio	vino
nosotros/as	dimos	vimos	vinimos
vosotros/as	disteis	visteis	vinisteis
Uds.	dieron	vieron	vinieron
ellos/as	dieron	vieron	vinieron

	hacer	querer
yo	hice	quise
tú	hiciste	quisiste
Ud.	hizo	quiso
él/ella	hizo	quiso
nosotros/as	hicimos	quisimos
vosotros/as	hicisteis	quisisteis
Uds.	hicieron	quisieron
ellos/as	hicieron	quisieron

	poder	poner	saber
yo	pude	puse	supe
tú	pudiste	pusiste	supiste
Ud.	pudo	puso	supo
él/ella	pudo	puso	supo
nosotros/as	pudimos	pusimos	supimos
vosotros/as	pudisteis	pusisteis	supisteis
Uds.	pudieron	pusieron	supieron
ellos/as	pudieron	pusieron	supieron

—En Santiago **vimos** a mucha gente de la familia de Carlos. *In Santiago we saw a lot of people in Carlos's family.*

—Sí, ¿y les **diste** los regalos que tu familia mandó? *Yes, and did you give them the gifts your family sent?*

—Mi madre **vino** con nosotros y ella misma **pudo** darles los regalos. *My mother came with us and she was able to give them the gifts herself.*

—¿Qué **hiciste** después de visitar a la familia de Carlos? *What did you do after visiting Carlos's family?*

Verbos con cambio de raíz

The next group of verbs also follows its own pattern. In these stem-changing verbs, the first letters next to the infinitives, listed in parentheses, represent the present-tense spelling changes; the last letters indicate the spelling changes in the **él** and **ellos** forms of the **pretérito.**

	dormir (o → ue → u)	pedir (e → i → i)	preferir (e → ie → i)
yo	dormí	pedí	preferí
tú	dormiste	pediste	preferiste
Ud.	durmió	pidió	prefirió
él/ella	durmió	pidió	prefirió
nosotros/as	dormimos	pedimos	preferimos
vosotros/as	dormisteis	pedisteis	preferisteis
Uds.	durmieron	pidieron	prefirieron
ellos/as	durmieron	pidieron	prefirieron

—Cuando fuiste al restaurante en Valparaíso, ¿qué **pediste**? *What did you order when you went to the restaurant in Valparaíso?*

—**Pedí** carne de res, pero mi madre **prefirió** pescado. Y después de comer mi madre **durmió** la siesta. *I ordered beef, but my mother preferred fish. And after eating, my mother took a nap.*

Capítulo 8 de ¡Anda! Curso elemental

Los pronombres de complemento indirecto

The **indirect object** indicates *to whom* or *for whom* an action is done. Note these examples:

A: My mom bought this dress *for whom*?

B: She bought this dress *for you*.

A: Yes, she bought *me* this dress.

Review the chart of the indirect object pronouns and their English equivalents:

Los pronombres de complemento indirecto	
me	*to / for me*
te	*to / for you*
le	*to / for you* (Ud.)
le	*to / for him, her*
nos	*to / for us*
os	*to / for you all* (vosotros)
les	*to / for you all* (Uds.)
les	*to / for them*

Some things to remember:

1. Like direct object pronouns, indirect object pronouns *precede* verb forms and can also be *attached to infinitives and present participles* (**-ando, -iendo**).

¿**Me** quieres dar la chaqueta? ¿Quieres dar**me** la chaqueta?	*Do you want to give me the jacket ?*
¿**Me** vas a dar la chaqueta? ¿Vas a dar**me** la chaqueta?	*Are you going to give me the jacket?*
¿**Me** estás dando la chaqueta? ¿Estás dándo**me** la chaqueta?	*Are you giving me the jacket?*
Manolo **te** puede comprar la gorra en la tienda. Manolo puede comprar**te** la gorra en la tienda.	*Manolo can buy you the hat at the store.*
Su hermano **le** va a regalar una camiseta. Su hermano va a regalar**le** una camiseta.	*Her brother is going to give her a T-shirt.*

2. To clarify or emphasize the indirect object, a prepositional phrase (**a** + *prepositional pronoun*) can be added, as in the following sentences. Clarification of **le** and **les** is especially important since they can refer to different people (*him, her, you, them, you all*).

Le presto el abrigo **a él** pero no **le** presto nada **a ella.**	*I'm loaning him my coat, but I'm not loaning her anything.* (clarification)
¿**Me** preguntas **a mí**?	*Are you asking me?* (emphasis)

3. It is common for Spanish speakers to include both an indirect object noun and pronoun in the same sentence, especially when the third person form is used. This is most often done to clarify or emphasize something.

Gustar y verbos como *gustar*

As you already know, the verb **gustar** is used to express likes and dislikes. **Gustar** functions differently from other verbs you have studied so far.

- The person, thing, or idea that is liked is the *subject* (S) of the sentence.
- The person who likes the other person, thing, or idea is the *indirect object* (IO).

(A mí)	**me**	gusta el traje.	*I like the suit.*
(A ti)	**te**	gusta el traje.	*You like the suit.*
(A Ud.)	**le**	gusta el traje.	*You like the suit.*
(A él)	**le**	gusta el traje.	*He likes the suit.*
(A ella)	**le**	gusta el traje.	*She likes the suit.*
(A nosotros/as)	**nos**	gusta el traje.	*We like the suit.*
(A vosotros/as)	**os**	gusta el traje.	*You (all) like the suit.*
(A Uds.)	**les**	gusta el traje.	*You (all) like the suit.*
(A ellos/as)	**les**	gusta el traje.	*They like the suit.*

Note the following:

1. The construction **a** + *pronoun* (**a mí, a ti, a él,** etc.) or **a** + *noun* is optional most of the time. It is used for clarification or emphasis. Clarification of **le gusta** and **les gusta** is especially important since the indirect object pronouns **le** and **les** can refer to different people (*him, her, you, them, you all*).

A él le gusta llevar ropa cómoda. (clarification)	*He likes to wear comfortable clothes.*
A Ana le gusta llevar pantalones cortos. (clarification)	*Ana likes to wear shorts.*
Me gustan esos pantalones largos.	*I like those long pants.*
A mí me gustan más esos cortos (emphasis).	*I like those short ones even more.*

2. Use the plural form **gusta<u>n</u>** when what is liked (the subject of the sentence) is plural.

Me gusta **el traje.**	→	Me gusta**n los trajes.**
I like the suit.		*I like the suits.*

3. To express the idea that one likes *to do* something, **gustar** is followed by an infinitive. In that case you always use the singular **gusta,** even when you use more than one infinitive in the sentence:

Me gusta ir de compras por la mañana.	*I like to go shopping in the morning.*
A Pepe **le gusta leer** revistas de moda y **llevar** ropa atrevida.	*Pepe likes to read fashion magazines and wear daring clothing.*
Nos gusta llevar zapatos cómodos cuando hacemos ejercicio.	*We like to wear comfortable shoes when we exercise.*

The verbs listed below function like **gustar:**

encantar	*to love; to like very much*
fascinar	*to fascinate*
hacer falta	*to need; to be lacking*
importar	*to matter; to be important*
molestar	*to bother*

Me encanta ir de compras.	*I love to go shopping. (I like shopping very much.)*
A Doug y a David **les fascina** la tienda de ropa Rugby.	*The Rugby clothing store fascinates (is fascinating to) Doug and David.*

¿**Te hace falta** dinero para comprar el vestido? — *Do you need (are you lacking) money to buy the dress?*

A Juan **le importa** el precio de la ropa, no la moda. — *The price of the clothing, not the style, matters (is important) to Juan.*

Nos molestan las personas que llevan sandalias en invierno. — *People who wear sandals in the winter bother us.*

Los pronombres de complemento directo e indirecto usados juntos

You have worked with two types of object pronouns, direct and indirect. Now, note how they are used together in the same sentence.

Paula **nos** está devolviendo **las botas.** → Paula **nos las** está devolviendo.

Paula is giving us back the boots. — *Paula is giving them back to us.*

Ella nunca **nos** presta **sus zapatos.** → Ella nunca **nos los** presta.

She never loans us her shoes. — *She never loans them to us.*

Paula **me** pide **el bolso** ahora. → Paula **me lo** pide ahora.

Paula is asking me for my purse now. — *Paula is asking me for it now.*

Mi novio **me** compró **una blusa blanca.** → Mi novio **me la** compró.

My boyfriend bought me a white blouse. — *My boyfriend bought it for me.*

¡OJO! A change occurs when you use **le** or **les** along with a direct object pronoun that begins with **l:** (**lo, la, los, las**): **le** or **les** changes to **se.**

le → se

Paula **le** pide **el bolso a mi hermana.** → Paula **se lo** pide.

Paula is asking my sister for her purse. — *Paula is asking her for it.*

Su novio no **le** compró **una chaqueta.** → Su novio no **se la** compró.

Her boyfriend did not buy her a jacket. — *Her boyfriend did not buy it for her.*

Su novio **le** va a comprar **un traje.** → Su novio **se lo** va a comprar.

Her boyfriend is going to buy her a suit. — *Her boyfriend is going to buy it for her.*

les → se

Paula **les** devuelve **las botas a ellas.** → Paula **se las** devuelve.

Paula is returning the boots to her. — *Paula is returning them to her.*

Yo **le** presto **mis zapatos a mi hermana.** → Yo **se los** presto.

I am loaning my shoes to my sister. — *I am loaning them to her.*

Paula nunca **les** presta **sus cosas.** → Paula nunca **se las** presta.

Paula never loans her things to them. — *Paula never loans them to them.*

Direct and indirect object pronouns may also be attached to infinitives and present participles. Note that when one is attached, an accent is placed over the final vowel of the infinitive and the next-to-last vowel of the participle.

¿Aquel abrigo? Mi madre **me lo** va a comprar.
¿Aquel abrigo? Mi madre va a comprár**melo.** — *That coat over there? My mother is going to buy it for me.*

Me lo está comprando ahora.
Está comprándo**melo** ahora. — *She is buying it for me now.*

Las construcciones reflexivas

Los verbos reflexivos

When the subject both performs and receives the action of the verb, a reflexive verb and pronoun are used.

Reflexive pronouns			
Yo	**me**	divierto	en las fiestas.
Tú	**te**	diviertes	en las fiestas.
Usted	**se**	divierte	en las fiestas.
Él / Ella	**se**	divierte	en las fiestas.
Nosotros	**nos**	divertimos	en las fiestas.
Vosotros	**os**	divertís	en las fiestas.
Ustedes	**se**	divierten	en las fiestas.
Ellos / Ellas	**se**	divierten	en las fiestas.

Reflexive pronouns follow the same rules for position as other object pronouns. Reflexive pronouns:

1. precede conjugated verbs.
2. can be attached to *infinitives* and *present participles* (**-ando, -iendo**).

Te vas a dormir.
Vas a dormir**te**. — *You are falling asleep.*

¿**Se** van a dormir esta noche?
¿Van a dormir**se** esta noche? — *Are they going to fall asleep tonight?*

¿**Se** están durmiendo?
¿Están durmiéndo**se**? — *Are you all falling asleep?*

Algunos verbos reflexivos	
acordarse de (o → ue)	*to remember*
arreglarse	*to get ready*
callarse	*to get / keep quiet*
divertirse (e → ie → i)	*to enjoy oneself; to have fun*
irse	*to go away; to leave*
lavarse	*to wash oneself*
levantarse	*to get up; to stand up*
llamarse	*to be called*
ponerse (la ropa)	*to put on (one's clothes)*
ponerse (nervioso/ a)	*to get (nervous)*
probarse (o → ue) la ropa	*to try on clothing*
quedarse	*to stay; to remain*
quitarse (la ropa)	*to take off (one's clothes)*
reunirse	*to get together; to meet*
secarse	*to dry off*
sentarse (e → ie)	*to sit down*
sentirse (e → ie → i)	*to feel*

Note: To identify all of the previous verbs as *reflexive*, the infinitives end in **-se.**

El imperfecto

In **Capítulo 7** you learned how to express certain ideas and notions that happened in the past with the preterit. Spanish has another past tense, **el imperfecto,** that *expresses habitual or ongoing past actions, provides descriptions,* or *describes conditions.*

	-ar: hablar	-er: comer	-ir: vivir
yo	habl**aba**	com**ía**	viv**ía**
tú	habl**abas**	com**ías**	viv**ías**
Ud.	habl**aba**	com**ía**	viv**ía**
él/ella	habl**aba**	com**ía**	viv**ía**
nosotros/as	habl**ábamos**	com**íamos**	viv**íamos**
vosotros/as	habl**abais**	com**íais**	viv**íais**
Uds.	habl**aban**	com**ían**	viv**ían**
ellos/as	habl**aban**	com**ían**	viv**ían**

There are only *three irregular verbs* in the imperfect: **ir, ser,** and **ver.**

	ir	ser	ver
yo	iba	era	veía
tú	ibas	eras	veías
Ud.	iba	era	veía
él/ella	iba	era	veía
nosotros/as	íbamos	éramos	veíamos
vosotros/as	ibais	erais	veíais
Uds.	iban	eran	veían
ellos/as	iban	eran	veían

The imperfect is used to:

1. **provide background information, set the stage, or express a condition that existed**

Llovía mucho. — *It was raining a lot.*

Era una noche oscura y nublada. — *It was a dark and cloudy night.*

La mujer **llevaba** un vestido largo y elegante. — *The woman was wearing a long, elegant dress.*

Estábamos en el segundo año de la universidad. — *We were in our second year of college.*

Adriana **estaba** enferma y no **quería** levantarse. — *Adriana was ill and didn't want to get up / get out of bed.*

2. **describe habitual or often repeated actions**

Íbamos al centro comercial todos los viernes. Nos **divertíamos** mucho. — *We went (used to go) to the mall / shopping district every Friday. We had a lot of fun.*

Cuando **era** pequeño, LeBron **jugaba** al básquetbol por lo menos dos horas al día. — *When he was little, LeBron played (used to play) basketball for at least two hours a day.*

Mis padres siempre **se vestían muy bien** los domingos para ir a la iglesia. — *My parents always dressed very well on Sundays to go to church.*

Some words or expressions for describing habitual and repeated actions are:

a menudo	*often*
casi siempre	*almost always*
frecuentemente	*frequently*
generalmente	*generally*
mientras	*while*
muchas veces	*many times*
mucho	*a lot*
normalmente	*normally*
siempre	*always*
todos los días	*every day*

3. **express *was* or *were* + *-ing***

¿**Dormías**? — *Were you sleeping?*

Me duchaba cuando Juan llamó. — *I was showering when Juan called.*

Alberto **leía** mientras Alicia **escuchaba** música. — *Alberto was reading while Alicia was listening to music.*

4. **tell time in the past**

Era la una y yo todavía **estudiaba.** — *It was 1:00 and I was still studying.*

Eran las siete y media y los niños **se dormían.** — *It was 7:30 and the children were falling asleep.*

Un resumen de los pronombres de complemento directo e indirecto y reflexivos

You have already learned the forms, functions, and positioning of the *direct* and *indirect object pronouns*, as well as the *reflexive pronouns*. The following is a review:

LOS PRONOMBRES DE COMPLEMENTO **DIRECTO**		LOS PRONOMBRES DE COMPLEMENTO **INDIRECTO**		LOS PRONOMBRES **REFLEXIVOS**	
Direct object pronouns tell *what* or *who* receives the action of the verb. They replace direct object nouns and are used to avoid repetition.		Indirect object pronouns tell *to whom* or *for whom* something is done or given.		Reflexive pronouns indicate that the *subject* of a sentence or clause *receives the action of the verb.*	
me	*me*	**me**	*to / for me*	**me**	*myself*
te	*you*	**te**	*to / for you*	**te**	*yourself*
lo, la	*you*	**le (se)**	*to / for you*	**se**	*yourself*
lo, la	*him/her/it*	**le (se)**	*to / for him/ her*	**se**	*himself/herself*
nos	*us*	**nos**	*to / for us*	**nos**	*ourselves*
os	*you (all)*	**os**	*to / for you (all)*	**os**	*yourselves*
los, las	*you (all)*	**les (se)**	*to / for you (all)*	**se**	*yourselves*
los, las	*them/you*	**les (se)**	*to / for them/ you*	**se**	*themselves/ yourselves*
Compré la medicina ayer. **La** compré en la Farmacia Fénix. Tengo que dár**sela** a mi hijo.		**Le** compré la medicina ayer. **Le** voy a dar la medicina esta noche.		**Me** cepillo los dientes tres veces al día.	
I bought the medicine yesterday. I bought it it at Fénix Pharmacy. I have to give it to my son.		*I bought him the medicine yesterday. I am going to give him the medicine tonight.*		*I brush my teeth three times a day.*	

Remember the following guidelines on position and sequence:

Position

- Object pronouns and reflexive pronouns come **before** the verb.

El doctor Sánchez **le** dio una inyección a David. — *Dr. Sánchez gave David a shot.*

Después **se** sintió aliviado. — *Then he felt relieved.*

- Object pronouns and reflexive pronouns can also be placed before or be attached to the end of:

a. **infinitives**

La enfermera **me** va a llamar.
La enfermera va a llamar**me.** — *The nurse is going to call me.*

Después **se** va a ir a su casa.
Después va a ir**se** a su casa. — *Then she is going to go home.*

b. **present participles (*-ando, -endo,* and *-iendo*)**

La está tomando ahora.
Está tomándo**la** ahora. — *He is taking it now.*

Se está poniendo nervioso.
Está poniéndo**se** nervioso. — *He is getting nervous.*

Sequence

- When a direct (DO) and indirect object (IO) pronoun are used together, ***the indirect object precedes the direct object.***
- If both the direct and the indirect object pronoun begin with the letter "*l*" the indirect object pronoun changes from **le** or **les** to **se,** as in the following example.

Quiero mandar la carta al director ahora.

□ □
DO **IO**
la le (se)
IO **DO**
se la

I want to send the letter to the director now.

□ □
DO **IO**

Se la quiero mandar ahora mismo.
Quiero mandár**sela** ahora mismo. — *I want to send it to him right now.*

¡Qué! y ¡cuánto!

So far you have used **qué** and **cuánto** as interrogative words, but these words can also be used in exclamatory sentences.

—Felipe, ¡**qué** fiebre tienes! — *Felipe, what a fever you have!*
—María, ¡**cuánto** estornudas! — *María, you are sneezing so much!*
—Mi cabeza, ¡**qué** dolor! — *My head—what pain!*
—**Cuánto** lo siento. — *I'm so sorry. (How sorry I am.)*
—¡**Qué** susto! ¡Se cortó el dedo! — *What a scare! He cut his finger!*
—Se ve muy mal. ¡**Qué** feo! — *It looks really bad. How awful! (It looks awful/ugly.)*
—¡**Qué** doctor! Le salvó la vida. — *What a doctor! He saved his life.*
—**Cuánto** se lo agradezco. — *I'm so thankful. (How grateful I am.)*

Note that in the examples above, **cuánto** accompanies *verbs* and is masculine and singular. When **cuánto** accompanies *nouns* it must agree with them in gender and number:

—¡**Cuántas** recetas y todavía estoy tosiendo! — *So many prescriptions and I am still coughing!*
—Sí, y ¡**cuántos** estudiantes con la misma cosa! — *Yes, and so many students with the same thing!*

El pretérito y el imperfecto

In **Capítulos 7** and **8** you learned about two aspects of the past tense in Spanish, **el pretérito** and **el imperfecto,** which are not interchangeable. Their uses are contrasted below.

The preterit is used:	The imperfect is used:
1. To relate an event or occurrence that refers to *one specific time in the past* ■ **Fuimos** a Cuzco el año pasado. *We went to Cuzco last year.* ■ **Comimos** en el restaurante El Sol y **nos gustó** mucho. *We ate at El Sol restaurant and liked it a lot.*	**1.** To express *habitual* or often *repeated actions* ■ **Íbamos** a Cuzco todos los veranos. *We used to go to Cuzco every summer.* ■ **Comíamos** en el restaurante El Sol todos los lunes. *We used to eat at El Sol Restaurant every Monday.*
2. To relate an act *begun or completed in the past* ■ **Empezó** a llover. *It started to rain.* ■ **Comenzaron** los juegos. *The games began.* ■ La gira **terminó.** *The tour ended.*	**2.** To express *was / were + -ing* ■ **Llovía** sin parar. *It rained without stopping.* ■ **Comenzaban** los juegos cuando llegamos. *The games were beginning when we arrived.* ■ La gira **transcurría** sin ningún problema. *The tour continued without any problems.*
3. To relate a *sequence of events or actions*, each completed and moving the narrative along toward its conclusion ■ **Llegamos** en avión, **recogimos** las maletas y **fuimos** al hotel. *We arrived by plane, picked up our luggage, and went to the hotel.* ■ Al día siguiente **decidimos** ir a Machu Picchu. *The next day we decided to go to Machu Picchu.* ■ **Vimos** muchos ejemplos de la magnífica arquitectura incaica. Después **anduvimos** un poco por el camino de los incas. **Nos divertimos** mucho. *We saw many examples of the magnificent Incan architecture. Afterward we walked a bit on the Incan road. We had a great time.*	**3.** To provide *background* information, set the stage, or express a pre-existing condition ■ **Era** un día oscuro. **Llovía** de vez en cuando. *It was a dark day and it rained once in a while.* ■ Los turistas **llevaban** pantalones cortos y lentes de sol. *The tourists were wearing shorts and sunglasses.* ■ El camino **era** estrecho y **había** muchos turistas. *The path was narrow and there were many tourists.*
4. To relate an action that took place within a specified or *specific amount* (segment) *of time* **Caminé** (por) dos horas. *I walked for two hours.* **Hablamos** (por) cinco minutos. *We talked for five minutes.* **Contemplaron** el templo un rato. *They contemplated the temple for a while.* **Viví** en Ecuador (por) seis años. *I lived in Ecuador for six years.*	**4.** To *tell time* in the past **Era** la una. *It was 1:00.* **Eran** las tres y media. *It was 3:30.* **Era** muy tarde. *It was very late.* **Era** la medianoche. *It was midnight.*
	5. To describe physical and emotional states or characteristics Después del viaje **queríamos** descansar. Yo **tenía** dolor de cabeza y no **me sentía** muy bien. *After the trip we wanted to rest. I had a headache and did not feel well.*

WORDS AND EXPRESSIONS THAT COMMONLY SIGNAL:

Preterit	Imperfect
anoche	a menudo
anteayer	cada semana / mes / año
ayer	con frecuencia
de repente (*suddenly*)	de vez en cuando (*once in a while*)
el fin de semana pasado	mientras
el mes pasado	muchas veces
el lunes pasado / el martes pasado, etc.	frecuentemente
esta mañana	todos los lunes / martes, etc.
una vez, dos veces, etc.	todas las semanas
	todos los días / meses / años
	siempre

Note: The **pretérito** and the **imperfecto** can be used in the same sentence.

Veían la televisión cuando **sonó** el teléfono. *They were watching television when the phone rang.*

In the preceding sentence, an action was going on (**veían**) when it was interrupted by another action (**sonó el teléfono**).

Expresiones con *hacer*

The verb **hacer** means *to do* or *to make*. You have also used **hacer** in idiomatic expressions dealing with weather.

There are some additional special constructions with **hacer** that deal with time. **Hace** is used:

1. **to discuss an action that began in the past but is still going on in the present.**

hace + *period of time* + **que** + *verb in present tense*

Hace cuatro días **que** tengo la gripe. — *I've had the flu for four days (and still have it).*

Hace dos años **que** soy enfermera. — *I've been a nurse for two years.*

2. **to ask how long something has been going on.**

cuánto (tiempo) + **hace** + **que** + *verb in present tense*

¿Cuántos años **hace que** estudias medicina? — *How many years have you been studying medicine?*

¿Cuánto tiempo **hace que** estudias medicina? — *How long have you been studying medicine?*

¿Cuántos meses **hace que** tu abuela guarda cama? — *How many months has your grandmother been staying in bed?*

¿Cuánto tiempo **hace que** tu abuela guarda cama? — *How long has your grandmother been staying in bed?*

3. **in the preterit to tell how long ago something happened.**

hace + *period of time* + **que** + *verb in preterit*

Hace cuatro años **que** empecé a estudiar medicina. — *I began to study medicine four years ago.*

Hace seis años **que** me mudé aquí para estudiar. — *I moved here six years ago to study.*

or

verb in the preterit + **hace** + *period of time*

Empecé a estudiar medicina **hace** cuatro años. — *I began to study medicine four years ago.*

Me mudé aquí **hace** seis años. — *I moved here six years ago.*

Note that in this construction **hace** can either precede or follow the rest of the sentence. When it follows, **que** is not used.

4. **to ask how long ago something happened.**

cuánto (tiempo) + **hace** + **que** + *verb in preterit*

¿Cuánto tiempo **hace que** empezaste a estudiar medicina? — *How long ago did you begin to study medicine?*

¿Cuánto tiempo **hace que** te enfermaste? — *How long ago did you get sick?*

Los mandatos informales

When you need to give orders, advise, or ask people to do something, you use commands. If you are addressing a friend or someone you normally address as **tú,** you use informal commands. You have been responding to **tú** commands since the beginning of ***¡Anda! Curso elemental*:** **escucha, escribe, abre tu libro en la página…,** etc.

1. **The affirmative *tú* command form is the same as the *él, ella, Ud.* form of the present tense of the verb:**

Infinitive		Present tense	Affirmative *tú* command
llen**ar**	él, ella, Ud.	llen**a**	llen**a**
le**er**	él, ella, Ud.	le**e**	le**e**
ped**ir**	él, ella, Ud.	pid**e**	pid**e**

Llen**a** el tanque. *Fill the tank.*

Dobl**a** a la derecha. *Turn to the right.*

Conduc**e** con cuidado. *Drive carefully.*

Pid**e** permiso. *Ask permission.*

There are eight common verbs that have irregular affirmative *tú* commands:

decir	→	**di**	ir	→	**ve**
hacer	→	**haz**	poner	→	**pon**
salir	→	**sal**	tener	→	**ten**
ser	→	**sé**	venir	→	**ven**

Sé respetuoso con los peatones. *Be respectful of pedestrians.*

Ten cuidado al conducir. *Be careful when driving.*

Ven al aeropuerto con tu pasaporte. *Come to the airport with your passport.*

Pon las llaves en la mesa. *Put the keys on the table.*

2. **To form the negative *tú* (informal) commands:**
   1. Take the **yo** form of the present tense of the verb.
   2. Drop the **-o** ending.
   3. Add ***-es*** for **-ar** verbs, and add ***-as*** for **-er** and **-ir** verbs.

Infinitive	Present tense		Negative *tú* command
llenar	yo llenø	+ es	no llenes
leer	yo leø	+ as	no leas
pedir	yo pidø	+ as	no pidas

No llen**es** el tanque. *Don't fill the tank.*

No dobl**es** a la derecha. *Don't turn to the right.*

No conduzc**as** muy rápido. *Don't drive very fast.*

No pid**as** permiso. *Don't ask permission.*

Verbs ending in **-car, -gar,** and **-zar** have spelling changes in the negative **tú** command. These spelling changes are needed to preserve the sounds of the infinitive endings.

Infinitive	Present tense		Negative *tú* command
sa**car**	yo sacø	**c → qu**	no sa**qu**es
lle**gar**	yo lle**g**ø	**g → gu**	no lle**gu**es
empe**zar**	yo empie**z**ø	**z → c**	no empie**c**es

3. **Object and reflexive pronouns are used with *tú* commands in the following ways:**
   a. They are *attached* to the ends of *affirmative* commands. When a command is made up of more than two syllables after the pronoun(s) is / are attached, a written accent mark is placed over the stressed vowel.

Se pinchó una llanta. **¡Cámbiamela!** *I've got a flat tire. Change it for me!*

Tu bicicleta no funciona. **Revísala.** *Your bike does not work. Check it.*

Me gusta tu coche. **Préstamelo.** *I like your car. Loan it to me.*

Llegamos tarde. **¡Estaciónate,** por favor! *We are late. Park, please!*

   b. They are placed *before negative* **tú** commands.

No se nos pinchó una llanta. *We don't have a flat tire.*

¡No **me la** cambies! *Don't change it for me!*

Tu bicicleta funciona. *Your bicycle works.*

No **la** revises. *Don't check it.*

No me gusta tu coche. *I don't like your car.*

No **me lo** prestes. *Don't loan it to me.*

Llegamos tarde. *We are late.*

No **te** estaciones aquí, por favor. *Do not park here, please.*

Los mandatos formales

When you need to influence others by making a request, giving advice, giving instructions, or giving orders to people you normally treat as **Ud.** or **Uds.,** you are going to use a different set of commands: **formal** commands. The forms of these commands are similar to the negative **tú** command forms.

1. **To form the *Ud.* and *Uds.* commands:**
   1. Take the **yo** form of the present tense of the verb.
   2. Drop the **-o** ending.
   3. Add ***-e(n)*** for **-ar** verbs, and add ***-a(n)*** for **-er** and **-ir** verbs.

Infinitive	Present tense		*Ud.* commands	*Uds.* commands
limpiar	yo limpiø	+ e(n)	(no) limpie	(no) limpien
leer	yo leø	+ a(n)	(no) lea	(no) lean
pedir	yo pidø	+ a(n)	(no) pida	(no) pidan

Llene el tanque. **Llénelo.** — *Fill up the tank. Fill it.*

No limpie el parabrisas. **No lo limpie.** — *Don't clean the windshield. Don't clean it.*

Conduzca el camión para su tío. **Condúzcalo.** — *Drive the truck for your uncle. Drive it.*

No ponga esa gasolina cara en el coche. — *Don't put that expensive gasoline in the car.*

No la ponga en el coche. — *Don't put it in the car.*

Traiga su licencia. **Tráigala.** — *Bring your license. Bring it.*

No busquen sus llaves. **No las busquen.** — *Don't look for your keys. Don't look for them.*

2. **Verbs ending in *-car*, *-gar*, and *-zar* have spelling changes in the *Ud.* and *Uds.*** commands. These spelling changes are needed to preserve the sounds of the infinitive endings.

Infinitive	Present tense		*Ud/Uds.* commands
sacar	yo sacø	c → qu	saque(n)
llegar	yo llegø	g → gu	llegue(n)
empezar	yo empiezø	z → c	empiece(n)

3. **These verbs also have irregular forms for the *Ud.* / *Uds.* commands:**

dar	**dé(n)**	ir	**vaya(n)**	ser	**sea(n)**
estar	**esté(n)**	saber	**sepa(n)**		

Finally, compare the forms of the *tú* and *Ud.* / *Uds.* commands:

	***Tú* commands**		***Ud.* / *Uds.* commands**	
	Affirmative	**Negative**	**Affirmative**	**Negative**
hablar	habla	no hables	hable(n)	no hable(n)
comer	come	no comas	coma(n)	no coma(n)
pedir	pide	no pidas	pida(n)	no pida(n)

Otras formas del posesivo

In **Capítulo 1,** you learned how to say *my, your, his, ours,* etc. (**mi/s, tu/s, su/s, nuestro/a/os/as, vuestro/a/os/as, su/s**). In Spanish you can also show possession with the long (or stressed) forms, the equivalents of the English *of mine, of yours, of his, of hers, of ours,* and *of theirs.*

Singular		**Plural**		
Masculine	**Feminine**	**Masculine**	**Feminine**	
mío	mía	míos	mías	*mine*
tuyo	tuya	tuyos	tuyas	*yours* (fam.)
suyo	suya	suyos	suyas	*his, hers, yours* (for.), *theirs* (form.)
nuestro	nuestra	nuestros	nuestras	*ours*
vuestro	vuestra	vuestros	vuestras	*yours* (fam.)

Mi coche funciona bien.	**El coche mío** funciona bien.	**El mío** funciona bien.
Nuestros boletos cuestan mucho.	**Los boletos nuestros** cuestan mucho.	**Los nuestros** cuestan mucho.
¿Dónde están **tus** llaves?	¿Dónde están **las llaves tuyas**?	¿Dónde están **las tuyas**?
Su multa es de $100.	**La multa suya** es de $100.	**La suya** es de $100.

Note that the third-person forms (**suyo/a/os/as**) can have more than one meaning. To avoid confusion, you can use:

article + *noun* + de + *subject pronoun:*

el coche suyo {
el coche de él/ella
el coche de Ud.
el coche de ellos/ellas
el coche de Uds.

El comparativo y el superlativo

El comparativo

Just as English does, Spanish uses comparisons to specify which of two people, places, or things has a lesser, equal, or greater degree of a particular quality.

1. **The formula for comparing unequal things follows the same pattern as in English:**

   más + *adjective / adverb / noun* + **que** — *more . . . than*

   menos + *adjective / adverb / noun* + **que** — *less . . . than*

El Hotel Hilton es **más** caro **que** el Motel 6. — *The Hilton is **more** expensive **than** Motel 6.*

El Motel 6 hace reservas **más** rápidamente **que** el Hotel Hilton. — *Motel 6 makes reservations **faster than** the Hilton.*

En esta ciudad hay **menos** hoteles **que** moteles. — *In this city there are **fewer** hotels **than** motels.*

- When comparing numbers, **de** is used instead of **que:**

El Hilton de Bogotá tiene **más de** doscientos cuartos. — *The Bogotá Hilton has **more than** two hundred rooms.*

2. **The formula for comparing two or more *equal* things also follows the same pattern as in English:**

tan + *adjective / adverb* + **como** — *as . . . as*

tanto(a/os/as) + *noun* + **como** — *as much / many . . . as*

La agencia de viajes Mundotur es **tan** conocida **como** Meliá. — *The Mundotur travel agency is **as** well known **as** Meliá.*

Estos vuelos son **tan** caros **como** esos. — *These flights are **as** expensive **as** those.*

Mi coche va **tan** rápido **como** un Ferrari. — *My car is **as** fast **as** a Ferrari.*

No tengo **tantas** maletas **como** tú. — *I don't have **as many** suitcases **as** you (do).*

No hay **tanto** tráfico **como** ayer. — *There isn't **as much** traffic **as** yesterday.*

El superlativo

1. **To compare three or more people or things, use the superlative. The formula for expressing the superlative is:**

el, la, los, las (*noun*) + **más / menos** + *adjective* (+ **de**)

La agencia de viajes Viking es **la** agencia **más** popular **de** nuestro pueblo. — *The Viking Travel Agency is the most popular (travel) agency in our town.*

—¿Es el aeropuerto Hartsfield de Atlanta **el** aeropuerto **más** concurrido **de** los Estados Unidos? — *Is Atlanta's Hartsfield Airport the busiest airport in the United States?*

—Sí, ¡y el aeropuerto de mi ciudad es **el menos** concurrido! — *Yes, and my city's airport is the least busy!*

2. **The following adjectives have irregular comparative and superlative forms.**

		Comparative		Superlative	
bueno/a	*good*	**mejor**	*better*	**el/la mejor**	*the best*
malo/a	*bad*	**peor**	*worse*	**el/la peor**	*the worst*
grande	*big*	**mayor**	*bigger*	**el/la mayor**	*the biggest*
pequeño/a	*small*	**menor**	*smaller*	**el/la menor**	*the smallest*
joven	*young*	**menor**	*younger*	**el/la menor**	*the youngest*
viejo/a	old	**mayor**	*older*	**el/la mayor**	*the eldest*

Comparative:

Mi clase de español es **mejor que** mis otras clases. — *My Spanish class is better than my other classes.*

Superlative:

Mi clase de español es **la mejor de** mis clases. — *My Spanish class is the best (one) of my classes.*

Capítulo 11 de *¡Anda! Curso elemental*

In Spanish, *tenses* such as the present, past, and future are grouped under two different moods, the **indicative** mood and the **subjunctive** mood.

Up to this point you have studied tenses grouped under the *indicative* mood (with the exception of commands) to report what happened, is happening, or will happen. The *subjunctive* mood, on the other hand, is used to express doubt, insecurity, influence, opinion, feelings, hope, wishes, or desires that can be happening now, have happened in the past, or will happen in the future. In this chapter you will learn the present tense of the *subjunctive mood*.

Present subjunctive

To form the subjunctive, take the **yo** form of the present indicative, drop the final **-o,** and add the following endings.

Present indicative	*yo* form		Present subjunctive
estudiar	estudiø	+ e	**estudie**
comer	comø	+ a	**coma**
vivir	vivø	+ a	**viva**

	estudiar	**comer**	**vivir**
yo	estudie	coma	viva
tú	estudies	comas	vivas
Ud.	estudie	coma	viva
él, ella	estudie	coma	viva
nosotros/as	estudiemos	comamos	vivamos
vosotros/as	estudiéis	comáis	viváis
Uds.	estudien	coman	vivan
ellos/as	estudien	coman	vivan

Irregular forms

- Verbs with irregular **yo** forms maintain this irregularity in all forms of the present subjunctive. Note the following examples.

	conocer	**hacer**	**poner**	**venir**
yo	conozca	haga	ponga	venga
tú	conozcas	hagas	pongas	vengas
Ud.	conozca	haga	ponga	venga
él, ella	conozca	haga	ponga	venga

	conocer	hacer	poner	venir
nosotros/as	cono**zcamos**	ha**gamos**	pon**gamos**	ven**gamos**
vosotros/as	cono**zcáis**	ha**gáis**	pon**gáis**	ven**gáis**
Uds.	cono**zcan**	ha**gan**	pon**gan**	ven**gan**
ellos/as	cono**zcan**	ha**gan**	pon**gan**	ven**gan**

- Verbs ending in **-car, -gar,** and **-zar** have spelling changes in all present subjunctive forms, in order to maintain the sounds of the infinitives.

		Present indicative	Present subjunctive
buscar	c → qu	yo busco	busque
pagar	g → gu	yo pago	pague
empezar	z → c	yo empiezo	empiece

	buscar	pagar	empezar
yo	bus**que**	pa**gue**	empie**ce**
tú	bus**ques**	pa**gues**	empie**ces**
Ud.	bus**que**	pa**gue**	empie**ce**
él, ella	bus**que**	pa**gue**	empie**ce**
nosotros/as	bus**quemos**	pa**guemos**	empe**cemos**
vosotros/as	bus**quéis**	pa**guéis**	empe**céis**
Uds.	bus**quen**	pa**guen**	empie**cen**
ellos/as	bus**quen**	pa**guen**	empie**cen**

Stem-changing verbs

In the present subjunctive, stem-changing **-ar** and **-er** verbs make the same vowel changes that they do in the present indicative: **e → ie** and **o → ue.**

	pensar (e → ie)	poder (o → ue)
yo	piense	pueda
tú	pienses	puedas
Ud.	piense	pueda
él, ella	piense	pueda
nosotros/as	pensemos	podamos
vosotros/as	penséis	podáis
Uds.	piensen	puedan
ellos/as	piensen	puedan

The pattern is different with the **-ir** stem-changing verbs. In addition to their usual changes of **e → ie, e → i,** and **o → ue,** in the **nosotros** and **vosotros** forms the stem vowels change **ie → i** and **ue → u.**

	sentir (e → ie, i)	dormir (o → ue, u)
yo	sienta	duerma
tú	sientas	duermas
Ud.	sienta	duerma
él, ella	sienta	duerma
nosotros/as	sintamos	durmamos
vosotros/as	sintáis	durmáis
Uds.	sientan	duerman
ellos/as	sientan	duerman

The **e → i** stem-changing verbs keep the change in all forms.

	pedir (e → i, i)
yo	pida
tú	pidas
Ud.	pida
él, ella	pida
nosotros/as	pidamos
vosotros/as	pidáis
Uds.	pidan
ellos/as	pidan

Irregular verbs in the present subjunctive

- The following verbs are irregular in the subjunctive.

	dar	estar	saber	ser	ir
yo	dé	esté	sepa	sea	vaya
tú	des	estés	sepas	seas	vayas
Ud.	dé	esté	sepa	sea	vaya
él, ella	dé	esté	sepa	sea	vaya
nosotros/as	demos	estemos	sepamos	seamos	vayamos
vosotros/as	deis	estéis	sepáis	seáis	vayáis
Uds.	den	estén	sepan	sean	vayan
ellos/as	den	estén	sepan	sean	vayan

Dar has written accents on the first- and third-person singular forms (**dé**) to distinguish them from the preposition **de.** All forms of **estar,** except the **nosotros** form, have written accents in the present subjunctive.

Using the subjunctive

One of the uses of the subjunctive is with fixed expressions that communicate opinion, doubt, probability, and wishes. They are always followed by the subjunctive.

Opinion

Es bueno / malo / mejor que...	*It's good / bad / better that . . .*
Es importante que...	*It's important that . . .*
Es increíble que...	*It's incredible that . . .*
Es una lástima que...	*It's a pity that . . .*
Es necesario que...	*It's necessary that . . .*
Es preferible que...	*It's preferable that . . .*
Es raro que...	*It's rare that . . .*

Doubt and probability

Es dudoso que...	*It's doubtful that . . .*
Es imposible que...	*It's impossible that . . .*
Es improbable que...	*It's unlikely that . . .*
Es posible que...	*It's possible that . . .*
Es probable que...	*It's likely that . . .*

Wishes and hopes

Ojalá (que)... — *Let's hope that... / Hopefully...*

Es necesario que protejamos los animales en peligro de extinción. — *It's necessary that we protect endangered species.*

Es una lástima que algunas personas no quieran reciclar el plástico, el vidrio, el aluminio y el papel. — *It's a shame that some people don't want to recycle plastic, glass, aluminum, and paper.*

Ojalá (que) haya menos destrucción del medio ambiente en el futuro. — *Let's hope that there is less destruction of the environment in the future.*

Por y para

As you have seen, Spanish has two main words to express *for:* **por** and **para.** They have distinct uses and are not interchangeable.

POR is used to express:	**PARA is used to express:**
1. Duration of time (*during, for*) El presidente ocupa la presidencia (**por**) cuatro años consecutivos. *The president holds the presidency for four consecutive years.* El alcalde habló (**por**) más de media hora. *The mayor spoke for more than a half hour.*	**1. Point in time or a deadline (*for, by*)** Es dudoso que todos los problemas se solucionen **para** el final de su presidencia. *It is doubtful that all the problems will be solved by the end of her presidency.* Es importante que bajemos los impuestos **para** el próximo año. *It is important that we lower taxes by next year.*
2. Movement or location (*through, along, past, around*) Los candidatos van **por** la calle hablando con la gente. *The candidates are going through the streets talking with the people.* El rey saluda **por** la ventana. *The king is waving through the window.*	**2. Destination (*for*)** La reina sale hoy **para** Puerto Rico. *The queen leaves for Puerto Rico today.* Los diputados se fueron **para** el Capitolio. *The representatives left for the Capitol.*
3. Motive (*on account of, because of, for*) Decidimos meternos en política **por** nuestros hijos. Queremos asegurarles un futuro mejor. *We decided to get involved in politics because of our children. We want to assure them a better future.* En resumen, nos dijeron que hay que reciclar **por** el futuro de nuestro planeta. *In short, they told us that we must recycle for the future of our planet.*	**3. Recipients or intended person or persons (*for*)** Mi hermano escribe discursos **para** la gobernadora. *My brother writes speeches for the governor.* Necesitamos un avión **para** el dictador. *We need a plane for the dictator.*
4. Exchange (*in exchange for*) Gracias **por** su ayuda, señora Presidenta. *Thank you for your help, Madam President.* Limpiaron el vertedero **por** diez mil dólares. *They cleaned the dump for ten thousand dollars.*	**4. Comparison (*for*)** **Para** un hombre que sabe tanto de la política, no tiene ni idea sobre la delincuencia de nuestras calles. *For a man who knows so much about politics, he has no idea about the crime on our streets.* La tasa de desempleo es bastante baja **para** un país en desarrollo. *The unemployment rate is quite low for a developing country.*

POR is used to express:	PARA is used to express:
5. Means (*by*)	**5. Purpose or goal (*to, in order to*)**
Los diputados discutieron los resultados de las elecciones **por** teléfono.	**Para** recibir más votos, la candidata necesita proponer soluciones **para** los problemas con la deuda externa.
The representatives argued about the election results over the phone.	*(In order) To receive more votes, the candidate needs to propose solutions to the problems with foreign debt.*
¿Los reyes van a viajar **por** barco o **por** avión?	Hay que luchar contra la contaminacón **para** proteger el medio ambiente.
Are the king and queen going to travel by ship or by plane?	*One needs to fight pollution to protect the environment.*

Las preposiciones y los pronombres preposicionales

Besides the prepositions **por** and **para,** there is a variety of useful prepositions and prepositional phrases, many of which you have already been using throughout ***¡Anda! Curso elemental.*** Study the following list to review the ones you already know and to acquaint yourself with those that may be new to you.

a	*to; at*
a la derecha de	*to the right of*
a la izquierda de	*to the left of*
acerca de	*about*
(a)fuera de	*outside of*
al lado de	*next to*
antes de	*before (time / space)*
cerca de	*near*
con	*with*
de	*of; from; about*
debajo de	*under; underneath*
delante de	*in front of*
dentro de	*inside of*
desde	*from*
después de	*after*
detrás de	*behind*
en	*in*
encima de	*on top of*
enfrente de	*across from; facing*
entre	*among; between*
hasta	*until*
lejos de	*far from*
para	*for; in order to*
por	*for; through; by; because of*
según	*according to*
sin	*without*
sobre	*over; about*

El centro de reciclaje está **a la derecha del** supermercado.	*The recycling center is to the right of the supermarket.*
La alcadesa va a hablar **acerca de** los problemas que tenemos con la protección del cocodrilo cubano.	*The mayor is going to speak about the problems we are having with the protection of the Cuban crocodile.*
Vimos un montón de plástico **encima del** papel.	*We saw a mountain of plastic on top of the paper.*
Quieren sembrar flores **enfrente del** vertedero.	*They want to plant flowers in front of the dump.*
El proyecto no puede tener éxito **sin** el apoyo del gobierno local.	*The project cannot be successful without the support of the local government.*

Los pronombres preposicionales

Study the list of pronouns that are used following prepositions.

mí	*me*	**nosotros/as**	*us*
ti	*you*	**vosotros/as**	*you*
usted	*you*	**ustedes**	*you*
él	*him*	**ellos**	*them*
ella	*her*	**ellas**	*them*

Para mí, es muy importante resolver el problema de la lluvia ácida.	*For me, it's really important to solve the problem of acid rain.*
¿Qué candidato está sentado **enfrente de ti**?	*Which candidate is seated in front of you?*
Se fueron de la huelga **sin nosotros.**	*They left the strike without us.*
Trabajamos **con ellos** para proteger el medio ambiente.	*We work with them to protect the environment.*

*Note that **con** has two special forms:

1. con + mí = **conmigo**

—¿Vienes **conmigo** al discurso?

Are you coming with me to listen to the speech?

2. con + ti = **contigo** *with you*

—Sí, voy **contigo.**

Yes, I'm going with you.

El infinitivo después de preposiciones

In Spanish, if you need to use a verb immediately after a preposition, it must always be in the **infinitive** form. Study the following examples:

Antes de reciclar las latas debes limpiarlas. — *Before recycling the cans, you should clean them.*

Después de pisar la hormiga la niña empezó a llorar. — *After stepping on the ant, the little girl began to cry.*

Es fácil decidir **entre reciclar** y **botar.** — *It is easy to decide between recycling and throwing away.*

Necesitamos trabajar con personas de todos los países **para proteger** mejor la Tierra. — *We need to work with people from all countries in order to better protect the Earth.*

Ganaste el premio **por estar** tan interesado en el medio ambiente. — *You won the prize for being so interested in the environment.*

No podemos vivir **sin trabajar** juntos. — *We cannot live without working together.*

Appendix 4

Verb Charts

Regular Verbs: Simple Tenses

Infinitive Present Participle Past Participle	Indicative					Subjunctive		Imperative
	Present	Imperfect	Preterit	Future	Conditional	Present	Imperfect	Commands
hablar hablando hablado	hablo hablas habla hablamos habláis hablan	hablaba hablabas hablaba hablábamos hablabais hablaban	hablé hablaste habló hablamos hablasteis hablaron	hablaré hablarás hablará hablaremos hablaréis hablarán	hablaría hablarías hablaría hablaríamos hablaríais hablarían	hable hables hable hablemos habléis hablen	hablara hablaras hablara habláramos hablarais hablaran	habla (tú), no hables hable (usted) hablemos hablad (vosotros), no habléis hablen (Uds.)
comer comiendo comido	como comes come comemos coméis comen	comía comías comía comíamos comíais comían	comí comiste comió comimos comisteis comieron	comeré comerás comerá comeremos comeréis comerán	comería comerías comería comeríamos comeríais comerían	coma comas coma comamos comáis coman	comiera comieras comiera comiéramos comierais comieran	come (tú), no comas coma (usted) comamos comed (vosotros), no comáis coman (Uds.)
vivir viviendo vivido	vivo vives vive vivimos vivís viven	vivía vivías vivía vivíamos vivíais vivían	viví viviste vivió vivimos vivisteis vivieron	viviré vivirás vivirá viviremos viviréis vivirán	viviría vivirías viviría viviríamos viviríais vivirían	viva vivas viva vivamos viváis vivan	viviera vivieras viviera viviéramos vivierais vivieran	vive (tú), no vivas viva (usted) vivamos vivid (vosotros), no viváis vivan (Uds.)

Regular Verbs: Perfect Tenses

Indicative										Subjunctive			
Present Perfect		Past Perfect		Preterit Perfect		Future Perfect		Conditional Perfect		Present Perfect		Past Perfect	
he has ha hemos habéis han	hablado comido vivido	había habías había habíamos habíais habían	hablado comido vivido	hube hubiste hubo hubimos hubisteis hubieron	hablado comido vivido	habré habrás habrá habremos habréis habrán	hablado comido vivido	habría habrías habría habríamos habríais habrían	hablado comido vivido	haya hayas haya hayamos hayáis hayan	hablado comido vivido	hubiera hubieras hubiera hubiéramos hubierais hubieran	hablado comido vivido

Irregular Verbs

Infinitive Present Participle Past Participle	Indicative					Subjunctive		Imperative
	Present	Imperfect	Preterit	Future	Conditional	Present	Imperfect	Commands
andar andando andado	ando andas anda andamos andáis andan	andaba andabas andaba andábamos andabais andaban	anduve anduviste anduvo anduvimos anduvisteis anduvieron	andaré andarás andará andaremos andaréis andarán	andaría andarías andaría andaríamos andaríais andarían	ande andes ande andemos andéis anden	anduviera anduvieras anduviera anduviéramos anduvierais anduvieran	anda (tú), no andes ande (usted) andemos andad (vosotros), no andéis anden (Uds.)
caer cayendo caído	caigo caes cae caemos caéis caen	caía caías caía caíamos caíais caían	caí caíste cayó caímos caísteis cayeron	caeré caerás caerá caeremos caeréis caerán	caería caerías caería caeríamos caeríais caerían	caiga caigas caiga caigamos caigáis caigan	cayera cayeras cayera cayéramos cayerais cayeran	cae (tú), no caigas caiga (usted) caigamos caed (vosotros), no caigáis caigan (Uds.)
dar dando dado	doy das da damos dais dan	daba dabas daba dábamos dabais daban	di diste dio dimos disteis dieron	daré darás dará daremos daréis darán	daría darías daría daríamos daríais darían	dé des dé demos deis den	diera dieras diera diéramos dierais dieran	da (tú), no des dé (usted) demos dad (vosotros), no deis den (Uds.)
decir diciendo dicho	digo dices dice decimos decís dicen	decía decías decía decíamos decíais decían	dije dijiste dijo dijimos dijisteis dijeron	diré dirás dirá diremos diréis dirán	diría dirías diría diríamos diríais dirían	diga digas diga digamos digáis digan	dijera dijeras dijera dijéramos dijerais dijeran	di (tú), no digas diga (usted) digamos decid (vosotros), no digáis digan (Uds.)

Irregular Verbs (continued)

Infinitive Present Participle Past Participle	Indicative					Subjunctive		Imperative
	Present	Imperfect	Preterit	Future	Conditional	Present	Imperfect	Commands
estar estando estado	estoy estás está estamos estáis están	estaba estabas estaba estábamos estabais estaban	estuve estuviste estuvo estuvimos estuvisteis estuvieron	estaré estarás estará estaremos estaréis estarán	estaría estarías estaría estaríamos estaríais estarían	esté estés esté estemos estéis estén	estuviera estuvieras estuviera estuviéramos estuvierais estuvieran	está (tú), no estés esté (usted) estemos estad (vosotros), no estéis estén (Uds.)
haber habiendo habido	he has ha hemos habéis han	había habías había habíamos habíais habían	hube hubiste hubo hubimos hubisteis hubieron	habré habrás habrá habremos habréis habrán	habría habrías habría habríamos habríais habrían	haya hayas haya hayamos hayáis hayan	hubiera hubieras hubiera hubiéramos hubierais hubieran	
hacer haciendo hecho	hago haces hace hacemos hacéis hacen	hacía hacías hacía hacíamos hacíais hacían	hice hiciste hizo hicimos hicisteis hicieron	haré harás hará haremos haréis harán	haría harías haría haríamos haríais harían	haga hagas haga hagamos hagáis hagan	hiciera hicieras hiciera hiciéramos hicierais hicieran	haz (tú), no hagas haga (usted) hagamos haced (vosotros), no hagáis hagan (Uds.)
ir yendo ido	voy vas va vamos vais van	iba ibas iba íbamos ibais iban	fui fuiste fue fuimos fuisteis fueron	iré irás irá iremos iréis irán	iría irías iría iríamos iríais irían	vaya vayas vaya vayamos vayáis vayan	fuera fueras fuera fuéramos fuerais fueran	ve (tú), no vayas vaya (usted) vamos, no vayamos id (vosotros), no vayáis vayan (Uds.)
oír oyendo oído	oigo oyes oye oímos oís oyen	oía oías oía oíamos oíais oían	oí oíste oyó oímos oísteis oyeron	oiré oirás oirá oiremos oiréis oirán	oiría oirías oiría oiríamos oiríais oirían	oiga oigas oiga oigamos oigáis oigan	oyera oyeras oyera oyéramos oyerais oyeran	oye (tú), no oigas oiga (usted) oigamos oíd (vosotros), no oigáis oigan (Uds.)

Irregular Verbs (continued)

Infinitive Present Participle Past Participle	Indicative					Subjunctive		Imperative
	Present	Imperfect	Preterit	Future	Conditional	Present	Imperfect	Commands
poder pudiendo podido	puedo puedes puede podemos podéis pueden	podía podías podía podíamos podíais podían	pude pudiste pudo pudimos pudisteis pudieron	podré podrás podrá podremos podréis podrán	podría podrías podría podríamos podríais podrían	pueda puedas pueda podamos podáis puedan	pudiera pudieras pudiera pudiéramos pudierais pudieran	
poner poniendo puesto	pongo pones pone ponemos ponéis ponen	ponía ponías ponía poníamos poníais ponían	puse pusiste puso pusimos pusisteis pusieron	pondré pondrás pondrá pondremos pondréis pondrán	pondría pondrías pondría pondríamos pondríais pondrían	ponga pongas ponga pongamos pongáis pongan	pusiera pusieras pusiera pusiéramos pusierais pusieran	pon (tú), no pongas ponga (usted) pongamos poned (vosotros), no pongáis pongan (Uds.)
querer queriendo querido	quiero quieres quiere queremos queréis quieren	quería querías quería queríamos queríais querían	quise quisiste quiso quisimos quisisteis quisieron	querré querrás querrá querremos querréis querrán	querría querrías querría querríamos querríais querrían	quiera quieras quiera queramos queráis quieran	quisiera quisieras quisiera quisiéramos quisierais quisieran	quiere (tú), no quieras quiera (usted) queramos quered (vosotros), no queráis quieran (Uds.)
saber sabiendo sabido	sé sabes sabe sabemos sabéis saben	sabía sabías sabía sabíamos sabíais sabían	supe supiste supo supimos supisteis supieron	sabré sabrás sabrá sabremos sabréis sabrán	sabría sabrías sabría sabríamos sabríais sabrían	sepa sepas sepa sepamos sepáis sepan	supiera supieras supiera supiéramos supierais supieran	sabe (tú), no sepas sepa (usted) sepamos sabed (vosotros), no sepáis sepan (Uds.)
salir saliendo salido	salgo sales sale salimos salís salen	salía salías salía salíamos salíais salían	salí saliste salió salimos salisteis salieron	saldré saldrás saldrá saldremos saldréis saldrán	saldría saldrías saldría saldríamos saldríais saldrían	salga salgas salga salgamos salgáis salgan	saliera salieras saliera saliéramos salierais salieran	sal (tú), no salgas salga (usted) salgamos salid (vosotros), no salgáis salgan (Uds.)

Irregular Verbs (continued)

Infinitive Present Participle Past Participle	Indicative					Subjunctive		Imperative
	Present	Imperfect	Preterit	Future	Conditional	Present	Imperfect	Commands
ser siendo sido	soy eres es somos sois son	era eras era éramos erais eran	fui fuiste fue fuimos fuisteis fueron	seré serás será seremos seréis serán	sería serías sería seríamos seríais serían	sea seas sea seamos seáis sean	fuera fueras fuera fuéramos fuerais fueran	sé (tú), no seas sea (usted) seamos sed (vosotros), no seáis sean (Uds.)
tener teniendo tenido	tengo tienes tiene tenemos tenéis tienen	tenía tenías tenía teníamos teníais tenían	tuve tuviste tuvo tuvimos tuvisteis tuvieron	tendré tendrás tendrá tendremos tendréis tendrán	tendría tendrías tendría tendríamos tendríais tendrían	tenga tengas tenga tengamos tengáis tengan	tuviera tuvieras tuviera tuviéramos tuvierais tuvieran	ten (tú), no tengas tenga (usted) tengamos tened (vosotros), no tengáis tengan (Uds.)
traer trayendo traído	traigo traes trae traemos traéis traen	traía traías traía traíamos traíais traían	traje trajiste trajo trajimos trajisteis trajeron	traeré traerás traerá traeremos traeréis traerán	traería traerías traería traeríamos traeríais traerían	traiga traigas traiga traigamos traigáis traigan	trajera trajeras trajera trajéramos trajerais trajeran	trae (tú), no traigas traiga (usted) traigamos traed (vosotros), no traigáis traigan (Uds.)
venir viniendo venido	vengo vienes viene venimos venís vienen	venía venías venía veníamos veníais venían	vine viniste vino vinimos vinisteis vinieron	vendré vendrás vendrá vendremos vendréis vendrán	vendría vendrías vendría vendríamos vendríais vendrían	venga vengas venga vengamos vengáis vengan	viniera vinieras viniera viniéramos vinierais vinieran	ven (tú), no vengas venga (usted) vengamos venid (vosotros), no vengáis vengan (Uds.)
ver viendo visto	veo ves ve vemos veis ven	veía veías veía veíamos veíais veían	vi viste vio vimos visteis vieron	veré verás verá veremos veréis verán	vería verías vería veríamos veríais verían	vea veas vea veamos veáis vean	viera vieras viera viéramos vierais vieran	ve (tú), no veas vea (usted) veamos ved (vosotros), no veáis vean (Uds.)

Stem-Changing and Orthographic-Changing Verbs

Infinitive Present Participle Past Participle	Indicative					Subjunctive		Imperative
	Present	Imperfect	Preterit	Future	Conditional	Present	Imperfect	Commands
almorzar (ue) (c) almorzando almorzado	almuerzo almuerzas almuerza almorzamos almorzáis almuerzan	almorzaba almorzabas almorzaba almorzábamos almorzabais almorzaban	almorcé almorzaste almorzó almorzamos almorzasteis almorzaron	almorzaré almorzarás almorzará almorzaremos almorzaréis almorzarán	almorzaría almorzarías almorzaría almorzaríamos almorzaríais almorzarían	almuerce almuerces almuerce almorcemos almorcéis almuercen	almorzara almorzaras almorzara almorzáramos almorzarais almorzaran	almuerza (tú), no almuerces almuerce (usted) almorcemos almorzad (vosotros), no almorcéis almuercen (Uds.)
buscar (qu) buscando buscado	busco buscas busca buscamos buscáis buscan	buscaba buscabas buscaba buscábamos buscabais buscaban	busqué buscaste buscó buscamos buscasteis buscaron	buscaré buscarás buscará buscaremos buscaréis buscarán	buscaría buscarías buscaría buscaríamos buscaríais buscarían	busque busques busque busquemos busquéis busquen	buscara buscaras buscara buscáramos buscarais buscaran	busca (tú), no busques busque (usted) busquemos buscad (vosotros), no busquéis busquen (Uds.)
corregir (i, i) (j) corrigiendo corregido	corrijo corriges corrige corregimos corregís corrigen	corregía corregías corregía corregíamos corregíais corregían	corregí corregiste corrigió corregimos corregisteis corrigieron	corregiré corregirás corregirá corregiremos corregiréis corregirán	corregiría corregirías corregiría corregiríamos corregiríais corregirían	corrija corrijas corrija corrijamos corrijáis corrijan	corrigiera corrigieras corrigiera corrigiéramos corrigierais corrigieran	corrige (tú), no corrijas corrija (usted) corrijamos corregid (vosotros), no corrijáis corrijan (Uds.)
dormir (ue, u) durmiendo dormido	duermo duermes duerme dormimos dormís duermen	dormía dormías dormía dormíamos dormíais dormían	dormí dormiste durmió dormimos dormisteis durmieron	dormiré dormirás dormirá dormiremos dormiréis dormirán	dormiría dormirías dormiría dormiríamos dormiríais dormirían	duerma duermas duerma durmamos durmáis duerman	durmiera durmieras durmiera durmiéramos durmierais durmieran	duerme (tú), no duermas duerma (usted) durmamos dormid (vosotros), no durmáis duerman (Uds.)
incluir (y) incluyendo incluido	incluyo incluyes incluye incluimos incluís incluyen	incluía incluías incluía incluíamos incluíais incluían	incluí incluiste incluyó incluimos incluisteis incluyeron	incluiré incluirás incluirá incluiremos incluiréis incluirán	incluiría incluirías incluiría incluiríamos incluiríais incluirían	incluya incluyas incluya incluyamos incluyáis incluyan	incluyera incluyeras incluyera incluyéramos incluyerais incluyeran	incluye (tú), no incluyas incluya (usted) incluyamos incluid (vosotros), no incluyáis incluyan (Uds.)

Stem-Changing and Orthographic-Changing Verbs (continued)

Infinitive Present Participle Past Participle	Indicative					Subjunctive		Imperative
	Present	Imperfect	Preterit	Future	Conditional	Present	Imperfect	Commands
llegar (gu) llegando llegado	llego llegas llega llegamos llegáis llegan	llegaba llegabas llegaba llegábamos llegabais llegaban	llegué llegaste llegó llegamos llegasteis llegaron	llegaré llegarás llegará llegaremos llegaréis llegarán	llegaría llegarías llegaría llegaríamos llegaríais llegarían	llegue llegues llegue lleguemos lleguéis lleguen	llegara llegaras llegara llegáramos llegarais llegaran	llega (tú), no llegues llegue (usted) lleguemos llegad (vosotros), no lleguéis lleguen (Uds.)
pedir (i, i) pidiendo pedido	pido pides pide pedimos pedís piden	pedía pedías pedía pedíamos pedíais pedían	pedí pediste pidió pedimos pedisteis pidieron	pediré pedirás pedirá pediremos pediréis pedirán	pediría pedirías pediría pediríamos pediríais pedirían	pida pidas pida pidamos pidáis pidan	pidiera pidieras pidiera pidiéramos pidierais pidieran	pide (tú), no pidas pida (usted) pidamos pedid (vosotros), no pidáis pidan (Uds.)
pensar (ie) pensando pensado	pienso piensas piensa pensamos pensáis piensan	pensaba pensabas pensaba pensábamos pensabais pensaban	pensé pensaste pensó pensamos pensasteis pensaron	pensaré pensarás pensará pensaremos pensaréis pensarán	pensaría pensarías pensaría pensaríamos pensaríais pensarían	piense pienses piense pensemos penséis piensen	pensara pensaras pensara pensáramos pensarais pensaran	piensa (tú), no pienses piense (usted) pensemos pensad (vosotros), no penséis piensen (Uds.)
producir (zc) (j) produciendo producido	produzco produces produce producimos producís producen	producía producías producía producíamos producíais producían	produje produjiste produjo produjimos produjisteis produjeron	produciré producirás producirá produciremos produciréis producirán	produciría producirías produciría produciríamos produciríais producirían	produzca produzcas produzca produzcamos produzcáis produzcan	produjera produjeras produjera produjéramos produjerais produjeran	produce (tú), no produzcas produzca (usted) produzcamos producid (vosotros), no produzcáis produzcan (Uds.)
reír (i, i) riendo reído	río ríes ríe reímos reís ríen	reía reías reía reíamos reíais reían	reí reíste rio reímos reísteis rieron	reiré reirás reirá reiremos reiréis reirán	reiría reirías reiría reiríamos reiríais reirían	ría rías ría riamos riáis rían	riera rieras riera riéramos rierais rieran	ríe (tú), no rías ría (usted) riamos reíd (vosotros), no riáis rían (Uds.)

Stem-Changing and Orthographic-Changing Verbs (continued)

Infinitive Present Participle Past Participle	Indicative					Subjunctive		Imperative
	Present	Imperfect	Preterit	Future	Conditional	Present	Imperfect	Commands
seguir (i, i) (ga) siguiendo seguido	sigo sigues sigue seguimos seguís siguen	seguía seguías seguía seguíamos seguíais seguían	seguí seguiste siguió seguimos seguisteis siguieron	seguiré seguirás seguirá seguiremos seguiréis seguirán	seguiría seguirías seguiría seguiríamos seguiríais seguirían	siga sigas siga sigamos sigáis sigan	siguiera siguieras siguiera siguiéramos siguierais siguieran	sigue (tú), no sigas siga (usted) sigamos seguid (vosotros), no sigáis sigan (Uds.)
sentir (ie, i) sintiendo sentido	siento sientes siente sentimos sentís sienten	sentía sentías sentía sentíamos sentíais sentían	sentí sentiste sintió sentimos sentisteis sintieron	sentiré sentirás sentirá sentiremos sentiréis sentirán	sentiría sentirías sentiría sentiríamos sentiríais sentirían	sienta sientas sienta sintamos sintáis sientan	sintiera sintieras sintiera sintiéramos sintierais sintieran	siente (tú), no sientas sienta (usted) sintamos sentid (vosotros), no sintáis sientan (Uds.)
volver (ue) volviendo vuelto	vuelvo vuelves vuelve volvemos volvéis vuelven	volvía volvías volvía volvíamos volvíais volvían	volví volviste volvió volvimos volvisteis volvieron	volveré volverás volverá volveremos volveréis volverán	volvería volverías volvería volveríamos volveríais volverían	vuelva vuelvas vuelva volvamos volváis vuelvan	volviera volvieras volviera volviéramos volvierais volvieran	vuelve (tú), no vuelvas vuelva (usted) volvamos volved (vosotros), no volváis vuelvan (Uds.)

Appendix 5

Spanish–English Glossary

A

a bordo on board (5)
a causa de because of (5)
a continuación following (2)
a la derecha de to the right of (7)
a la izquierda de to the left of (7)
a la parrilla grilled; barbecued (**4**, PB)
a menos que unless (**7**)
a menudo often (PA)
a pesar de que in spite of (**7**)
a propósito by the way (4)
A quién corresponda To whom it may concern (8)
a veces sometimes (11)
A ver... Let's see . . . (**11**)
abeja, la bee (**10**)
abogado/a, el/la lawyer (**8**)
abrazar to hug (2, **11**)
Abrazos Hugs (8)
abrir to open (PA, **1**)
Absolutamente. Absolutely. (10)
abuelo/a, el/la grandfather / grandmother (PA)
acá here (1)
aceituna, la olive (**4**)
acelerador, el accelerator; gas pedal (**5**)
aceptar una invitación to accept an invitation (3)
acera, la sidewalk (**3**)
aclarar to clarify (5)
acogedor/a cozy (4)
aconsejar to recommend; to advise; to counsel (1, 2, 4, 9)
acordarse (o → ue) de to remember (PA)
actual current; present (**8**)
actualizar to update (**5**)
actuar to act (8, **9**)
acuarela, la watercolor (4, **9**)
acuerdo, el compromise; agreement (2, **8**, **10**)
además besides (**10**)
adentro inside (3)
adivinar to guess (PA, 1, 8)
adjunto/a attached (PB)
administración de hoteles, la hotel management (8)
administrativo/a administrative (**8**)
adobe, el adobe (**3**)
adolescencia, la adolescence (**1**)
adquisición, la acquisition (**8**)
aduana, la customs (**5**)
afeitarse to shave (11)
aficionado/a, el/la fan (1, 2, 4)
afirmativamente affirmatively (1)
afueras, las outskirts (7)
agencia de viajes, la travel agency (6)
agencia, la agency (**8**)
agente, el/la agent (**8**)
agobiado/a weighed down; feeling down; overwhelmed (7, 10)
agotado/a exhausted (**1**)
agotamiento, el depletion (10)
agradable agreeable; pleasant (**1**)
agradecido/a grateful (3)
agua corriente, el running water (3)
agua dulce, el fresh water (5)
aguacate, el avocado (**4**)
aguantar to tolerate (9)
ahijado/a, el/la godson / daughter (**1**)
ahora que now that (**7**)
ahorrar to save (**8**)
ahorro, el savings (**8**)
aire acondicionado, el air conditioning (**3**)
aislado/a isolated (11)
aislamiento, el isolation (10)
ajo, el garlic (**4**)
ajustarse to fit (3)
al aire libre in the open air (2)
Al contrario. On / To the contrary. (10)
al final at the end (4)
Al llegar a..., doble/n... When you get to . . . , turn . . . (4)
al principio at first; first; in the beginning (3, 4)
alacena, la cupboard (**3**)
alcoba, la room (3)
alcoholismo, el alcoholism (**11**)
alegrarse (de) to be happy (about) (3, 9)
alegre happy; cheerful (1)
alergia, la allergy (**11**)
alfarería, la pottery; pottery making (**9**)
alfarero/a, el/la potter (**9**)
alfombra, la rug (4)
algodón, el cotton (7)
alma, el soul (2)
almohada, la pillow (**3**)
almorzar (ue) to have lunch (PA)
Aló. Hello. (7)
alquilar to rent (**3**)
alquilar un coche to rent a car (**5**)
alquiler, el rent (**3**)
alrededores, los surroundings (**3**)
altar, el altar (4)
altura, la height (5)
aludir to allude (4, 7)
amo/a de casa, el homemaker (**8**)
amable nice (**1**)
ámbito, el space (7)
ambos/as both (PB)
amenaza, la threat (10)
amenazar to threaten (**10**)
amortiguar to absorb shock (11)
amplio/a ample (3)
anaranjado/a orange (4)
ancho/a wide (**11**)
anciano/a elderly (**1**)
andar to walk (1)
anfitrión / anfitriona, el/la host / hostess (7, 12)
anillo, el ring (**7**)
animal, el animal (**10**)
animales en peligro de extinción, los endangered species (**10**)
animar to encourage (2)
¡Ánimo! Cheer up!; Hang in there! (8)
aniversario de boda, el wedding anniversary (**4**)
antes (de) que before (*time / space*) (4, **7**)
antihistamínico, el antihistamine (**11**)
antorcha, la torch (4)
anuncio, el advertisement (PA)
añadir to add (PA, **3**, **4**, 8)
aparato, el apparatus (5)
apariencia, la appearance (**1**)
apendicitis, la appendicitis (**11**)
apio, el celery (**4**)
aplaudir to applaud (**9**)
aplicado/a applied (5)
apoyo, el support (1)
apreciar to appreciate (5)
aprender to learn (PA)
apretado/a tight (**7**)
apropiado/a appropriate (**2**)
apropiarse to take over; to appropriate (**8**)
apuntar jot down (11)
aquel entonces back then (10)
árbitro/a, el/la referee; umpire (**2**)
archivo, el file (**5**)
archivo adjunto, el attachment (**5**)
ardilla, la squirrel (**10**)
arena, la sand (**5**)
aretes, los earrings (**7**)
árido/a arid; dry (**10**)
arpa, el harp (7)
arquitecto/a, el/la architect (3)
arrancar to boot up; to start up (**5**)
arrecife, el coral reef (**10**)
arreglar to straighten up; to fix (1, 8)
arreglo, el arrangement (5)
arrepentirse de (ie, i) to regret (4, PB)
arriba above; up (5)
arroba, la at (in an e-mail address / message); @ (**5**)
arroyo, el stream (**10**)
arruinar to ruin (8)
arte dramático, el performance art (**9**)
arte visual, el visual arts (**9**)
artes aplicadas, las applied arts (**9**)
artes decorativas, las decorative arts (**9**)
artes marciales, las martial arts (2)
artesanía, la arts and crafts (**9**)
artesano/a, el/la artisan (**9**)
articulación, la joint (11)
artículo, el item; article (7)
artista, el/la artist (**9**)

artritis, la arthritis (11)
asado/a grilled (4, PB)
asar to roast; to broil (4)
ascender (e → ie) to advance; to be promoted; to promote (8)
aserrín, el sawdust (4)
Así es. That's it. (7, 10)
así thus (2)
asistente de vuelo, el/la flight attendant (8)
asistir a to attend (5)
aspecto físico, el physical appearance (1)
aspirante, el/la applicant (8)
asqueado/a disgusted (1)
asustado/a frightened (1)
atado/a tied (8)
ataque al corazón, el heart attack (11)
atasco, el traffic jam (5)
atención médica, la medical attention (11)
Atentamente Sincerely (8)
atleta, el/la athlete (2)
atlético/a athletic (2)
atletismo, el track and field (2)
atraer to attract (10)
aun cuando even when (7)
aunque although; even if (7)
austral southern (5)
autopista, la turnpike; highway; freeway (5)
autorretrato, el self-portrait (9)
ave, el (*f.*) bird (5)
avergonzado/a embarrassed; ashamed (1)
avergonzarse (o → ue) de to feel / be ashamed of (3, 9)
averiguar to find out (PA)
aves, las poultry; birds (4)
ayuda, la help (3)
ayudar to help (5)
azulejos, los ceramic tiles (3)

B

bahía, la bay (10)
bailar to dance (PA)
baile, el dance (4)
bajar de to get off (2)
ballena, la whale (10)
ballet, el ballet (9)
banca, la banking (8)
bancarrota, la bankruptcy (8)
bandeja, la tray (11)
banquero/a, el/la banker (8)
banquito, el little stool (4)
barba, la beard (1)
barbacoa, la barbecue (3)
barra, la slash (*in a URL*); / (5)
barrer to sweep (3)
barrio, el neighborhood (2, 3)
barro, el clay (9)
bastón de esquí, el ski pole (2)
bate, el bat (2)
batido, el milkshake (4)
batidora, la handheld beater; mixer; blender (3)
batir to beat (4)
bautizo, el baptism (4)
bebé, el baby (4)
beber to drink (PA)
beneficios, los benefits (8, 11)
beneficioso/a beneficial (5)
besar to kiss (11)
besito, el little kiss (2)
beso, el kiss (4)
bibliotecario/a, el/la librarian (5)
bien hecho/a well done (5)
bienes, los goods (7)
bienes raíces, los real estate (3)
bigote, el moustache (1)
billetera, la wallet (7)
biodegradable biodegradable (10)
bisabuelo/a, el/la great-grandfather / great-grandmother (1)
bocina, la (car) horn (5)
boda, la wedding (3, 4)
bolsa, la stock market (8)
bolsillo, el pocket (7)
bolso, el handbag (7)
bombero/a, el/la firefighter (8)
bombilla, la lightbulb (7)
bombón, el sweet; candy (4)
bono, el bonus (8)
bordado a mano, el hand embroidered (7)
borrar to delete; to erase (5)
botana, la snack (4)
boxear to box (2)
brisa, la breeze (4)
broma, la joke (3, 4)
bromear to joke around (5)
bronquitis, la bronchitis (11)
bruscamente brusquely (4)
bucear to scuba dive (2)
buceo, el diving (2)
¡Bueno! Good! (8)
Bueno. Hello? (7)
Bueno... Well . . . ; OK . . . (11)
Buenas. Hello. (1)
bufanda, la scarf (7)
búsqueda, la search (2)
buzón, el mailbox (8)

C

cabestrillo, el sling (11)
cabeza, la head (1)
cabra, la goat (10)
cacerola, la saucepan (3)
cada each (PA)
cadáver, el corpse (9)
cadena (de televisión), la (television) network (PA)
cadera, la hip (11)
caer bien / mal to like / dislike someone (1)
cafetera, la coffeemaker (3)
caída, la fall (3)
caimán, el alligator (5)
cajero/a, el/la cashier (8)
calabaza, la squash; pumpkin (4)
calavera, la skull (4)
calentar (e → ie) to heat (3, 4)
calidad, la quality (5)
calificación, la qualification; score (8, 11)
callado/a quiet (1)
callarse to become quiet; to keep quiet (PA)
caluroso/a hot (7)
calvo/a bald (1)
cámara, la camera (5)
cámara digital, la digital camera (5)
cámara web, la web camera (5)
camarero/a, el/la maid (5)
camarones, los shrimp (4)
camello, el camel (10)
camilla, la stretcher (11)
caminata, la long walk (1)
camino, el route; path; dirt road (5)
camioneta, la van; station wagon; small truck (5)
campeón, el champion (male) (2)
campeona, la champion (female) (2)
campeonato, el championship (2)
campo, el field (2)
campo de golf, el golf course (7)
canal, el canal (5); channel (5, 9)
canas, las gray hair (1)
cáncer, el cancer (11)
cancha, la court (sports) (2)
cangrejo, el crab (4, 10)
cantante, el/la singer (PA)
cantar to sing (PA)
caña de azucar, la sugar cane (5)
capa, la layer (7)
cara, la face (1, 11)
características notables, las notable characteristics (1)
características personales, las personal characteristics (1)
cárcel, la prison (11)
carga, la cargo (8)
cargar to carry (10)
carne, la meat (4)
carne de cerdo, la pork (4)
carne de cordero, la lamb (4)
carne de res, la beef (4)
carne molida, la ground beef (4)
carnicería, la butcher shop (7)
caro/a expensive (2)
carpintero/a, el/la carpenter (3)
carrera, la race (2)
carretera, la highway (5)
carta, la menu (4)
carta de presentación, la cover letter (8)
carta de recomendación, la letter of recommendation (8)
carta personal, la personal letter (8)
cartel, el poster (12)
cartero/a, el/la mail carrier (8)
casa de tus sueños, la dream house (PB)
casado/a married (1)
casarse to marry; to get married (1)
casco, el helmet (2)
casi almost (5)
castaño/a brunette; brown (1)
castillo, el castle (2)
casualidad, la coincidence (5, 7, 11)
catarata, la waterfall (10)
catedral, la cathedral (7)
cazar to go hunting (2)
ceja, la eyebrow (1, 11)
celebración, la celebration (4)
celebrar to celebrate (4)
celoso/a jealous (1)
cemento, el cement (3)
cenar to have dinner (3)
cepillo, el brush (7)
cepillo de dientes, el toothbrush (7)
cerámica, la ceramics (9)
cerca, la fence (3)
cerca de near (10)
cercano/a close by (5)

cerebro, el brain (11)
ceremonia de premiación, la awards ceremony (1)
cereza, la cherry (4)
cerrar (ie) to close (PA)
césped, el grass; lawn (3)
cesta, la basket; shopping basket (2)
cestería, la basket weaving; basketry (9)
cetrería, la falconry (10)
champú, el shampoo (7)
Chao. Bye. (1)
charco, el puddle (11)
charla, la talk (PB)
chicle, el gum (7)
chimenea, la fireplace; chimney (3)
chistoso/a funny (1)
chófer, el/la chauffeur; driver (5)
chuleta, la chop (4)
cicatriz, la scar (1)
ciencias (políticas), las (political) science (8)
ciertas cosas, certain things (5)
ciervo, el deer (10)
cifra, la figure; number (10)
cifrar to encrypt (5)
cine, el cinema; films; movies (9)
cinematógrafo/a, el/la cinematographer (9)
cinturón de seguridad, el seat belt (5)
ciruela, la plum (4)
cita, la date (4)
ciudadano/a, el/la citizen (10)
clarinete, el clarinet (9)
¡Claro! Sure!; Of course! (1, 3)
Claro que no. Of course not. (10)
Claro que sí. Of course. (3, 7, 10)
clavadismo, el cliff diving (2)
clave, la clue (9)
clavo, el nail (7)
clima, el climate (10)
climático/a climatic (10)
coche, el car (5)
cocina, la kitchen (3)
cocinar to cook (PA)
codo, el elbow (11)
col, la cabbage (4)
colaborador/a, el/la collaborator (4)
coleccionar to collect (2)
coleccionar tarjetas de béisbol to collect baseball cards (2)
colega, el/la colleague (1, 8)
colgar (o → ue) to hang (3)
coliflor, la cauliflower (4)
collar, el necklace (7)
colonia, la cologne (7)
combustible, el fuel (10)
comedia, la comedy (9)
comentar en un blog to post to a blog (2)
comenzar (ie) to begin (PA)
comer to eat (PA)
comerciante, el/la shopkeeper; merchant (8)
comercio, el business (8)
comida, la food (4)
comisaría, la police station (PB, 7)
¿Cómo? What? (2)
¿Cómo amaneció usted / amaneciste? How are you this morning? (1)
¿Cómo andas? How are you doing? (PA)
Cómo no. Of course. (7, 10)
¿Cómo voy / llego a...? How do I go / get to . . . ? (4)
comparar con to compare with (3)
compartir to share (PA, 1)
compatible compatible (5)
competencia, la competition (2)
competición, la competition (2)
competir (e → i → i) to compete (2)
competitivo/a competitive (2)
cómplice, el/la accomplice (5)
componer to repair; to fix an object (3); to compose (9)
comportamiento, el behavior (4)
comportarse to behave (11)
compositor/a, el/la composer (9)
comprar to buy (PA)
comprender to understand (PA)
comprobar (o → ue) to check; to confirm (11)
compromiso, el engagement (4)
computador/computadora, el/la computer (5)
común common (4)
Con cariño With love (8)
¡Con mucho gusto! It would be a pleasure! (3)
Con permiso. With your permission; Excuse me. (2)
con tal (de) que provided that (7)
concordancia, la agreement (5, 7)
concurso, el game show; pageant; contest (5, 9)
condición, la condition (11)
conectado online (5)
conectar to connect (5)
confundido/a confused (1)
congelar to freeze; to crash (5)
conocer to be acquainted with (PA)
conocido/a acquaintance; known (1)
conseguir (i) to get (PA)
conseguir un puesto de... to get a job / position as . . . (8)
consejero/a, el/la counselor (1, 8)
conservar to conserve (10)
construir to construct (3)
consuelo, el sympathy (8)
consultorio, el doctor's office (7)
consumo, el consumption (10)
contador/a, el/la accountant (8)
contaminante, el contaminant (10)
contar (ue) to tell; to count on (1)
contener (ie) to contain (PA)
contestar to answer (PA)
contigo with you (2)
contraseña, la password (5)
contratar to hire (8)
contratista, el/la contractor (3)
controvertido/a controversial (3)
copa, la goblet; wine glass (3)
Cordialmente Cordially (8)
coro, el choir (9)
corregir (i) to correct (PA)
correo de voz, el voicemail (5)
correo electrónico, el e-mail (4, 5)
correr to run (PA)
cortar to cut (5)
cortar el césped to cut the grass (3)
corto/a short (11)
cortometraje, el short (film) (9)
cosechar to harvest (10)
coser to sew (2)
costar (ue) to cost (PA)
costilla, la rib (11)
cotidiano/a everyday; daily (9)
crear to create (PA, 9)
creencia, la belief (4)
creer to believe (PA)
crema de afeitar, la shaving cream (7)
criar to raise (10)
crónica, la chronicle (5)
crucero, el cruise ship (5)
crudo/a raw (4, PB)
cruzar to cross (5)
cuadra, la city block (1, 3)
cuadro, el square (PA)
cuando when (2, 7)
cuarteto, el quartet (9)
cuarto, el room (3); one quarter (PB)
cubierto/a covered (8)
cubrir to cover (3, 4)
cuchillo, el knife (1)
cuentista, el/la short-story writer (9)
cuerdas, las strings; string instruments (7, 9)
cuerpo humano, el human body (11)
cueva, la cave (3)
cuidado, el care (2)
Cuídese. / Cuídate. Take care. (1)
culpa, la blame (4)
culpable guilty (7)
cumpleaños, el birthday (1, 4)
cumplir... años to have a birthday; to turn . . . years old (4)
cuñado/a, el/la brother-in-law / sister-in-law (1)
cura, el priest (4)
cura, la cure (11)
curativo/a curative (3)
currículum (vitae) (C.V.), el résumé (8)
curso, el class (3)
cursor, el cursor (5)

D

danza, la dance (9)
dañar to damage; to harm (10)
dañino/a harmful (11)
daño, el harm (10)
dar to give (PA)
dar a luz to give birth (4)
darse prisa to hurry (PA)
datos, los data (5); information (8)
de buena / mala calidad good / poor quality (7)
de mal en peor from bad to worse (11)
de manera que so that (7)
de modo que so that (7)
De ninguna manera. No way. (10)
de nuevo again (1)
¿De parte de quién? Who shall I say is calling? (7)
de repente all of a sudden (5)
¿De veras? Really? (11)
deber (+ inf.) should; must (PA)
decir to say; to tell (PA, 1, PB)
declarar to testify (7)
declive, el decline (10)
decorado, el set (9)
decorar to decorate (2)
decreto, el decree (4)
deforestación, la deforestation (10)
dejar de to stop; to cease (2, 8)
dejar de fumar cigarrillos to quit smoking cigarettes (11)

delantero forward (soccer) (2)
demasiado/a/os/as too much / many (1)
demostrar (ue) to demonstrate (PA)
dentista, el/la dentist (8)
dependiente/a, el/la store clerk (7)
deportes, los sports (2)
deportista sporty; sports-loving person (2)
deportivo/a sports-related (2)
depresión, la depression (11)
deprimido/a depressed (1)
derretir (e → i → i) to melt (4)
desacuerdo, el disagreement (10)
desafío, el challenge (2)
desaparecer to disappear (10)
desaparición, la disappearance (2)
desastre, el disaster (10)
descalzo/a barefoot (11)
descanso, el rest (1)
descargar to download (5)
desconectado/a offline (5)
descongelar to thaw (10)
desconocido/a unknown (5)
describir to describe (PA)
descubrir to discover (1)
Desde luego. Of course. (7, 10)
deseado/a desired (5)
desear to wish (2, 9)
desenchufar to unplug (5)
deseo, el wish (2)
desfile, el parade (4)
deshacer to undo (5)
desierto, el desert (10)
desmayarse to faint (3, 11)
desodorante, el deodorant (7)
desorganizado/a disorganized (1)
despedida, la farewell (1); closing (*of a letter*) (8)
despedir (e → i → i) to fire (from a job) (8)
despedirse (e → i → i) to say goodbye (1, 11)
despensa, la pantry (3)
desperdiciar to waste (10)
desperdicio/desperdicios, el/los waste; waste products (5, 10)
despistado/a absentminded; scatterbrained (1)
desplazado/a displaced (10)
después (de) (que) afterward; after (4, 7, 10)
destacar(se) to stand out (3)
destreza, la skill (8)
destruir to destroy (10)
detalle, el detail (3)
detener (ie) to detain (11)
detrás de behind (7, 10)
deuda, la debt (2)
devolver (ue) to return (an object) (PA)
Día de la Independencia, el Independence Day (4)
Día de la Madre, el Mother's Day (4)
Día de las Brujas, el Halloween (4)
Día de los Muertos, el Day of the Dead (4)
Día de San Valentín, el Valentine's Day (4)
Día del Padre, el Father's Day (4)
diabetes, la diabetes (11)
diablo, el devil (5)
diálogo, el dialogue (1)
diamante, el diamond (7)
dibujar to draw (PA, 9)
dibujo, el drawing (PA, 9)
dibujos animados, los cartoons (9)
dientes de juicio, los wisdom teeth (8)
Diga. / Dígame. Hello? (7)
digital digital (5)
digitalizar to digitalize (5)
dinero en efectivo, el cash (7)
dinosaurio, el dinosaur (10)
dirección, la address (5)
director/a, el/la director (9)
director/a de escena, el/la stage manager (9)
discapacitado/a physically / psychologically handicapped (1)
disco duro, el hard drive (5)
discordia, la discord (3)
Disculpa. / Discúlpame. Excuse me. (*fam.*) (2)
disculparse to apologize (2)
Disculpe. / Discúlpeme. Excuse me. (*form.*) (2)
Disculpen. / Discúlpenme. Excuse me. (*form. pl.*) (2)
discurso, el speech (9)
discutir to argue; to discuss (4)
diseñador/a, el/la designer (3)
diseño, el design (9)
disfrazarse to wear a costume; to disguise oneself (4)
disfrutar to enjoy (2)
disminuir to diminish (11)
distraerse to get distracted (4)
diva, la diva (9)
divertirse (e → ie → i) to enjoy oneself; to have fun (PA)
divorciado/a divorced (1)
divorciarse to divorce; to get divorced (1)
doblar to turn (7)
doblarse to bend (11)
Doble/n a la derecha / izquierda. Turn right / left. (4)
dolor de cabeza, el headache (11)
dona, la donut (4)
dormir (ue, u) to sleep (PA)
dormitorio, el bedroom (3)
dosis, la dosage (11)
drama, el drama (9)
dramaturgo/a, el/la playwright (9)
drogadicto/a, el/la drug addict (11)
ducharse to shower (11)
duda, la doubt (3)
dudar to doubt (3, 9)
dueño/a, el/la owner (3)
dulce sweet (3)
dulces, los candies (4)
durazno, el peach (4)

E

ecológico/a ecological (10)
ecosistema, el ecosystem (10)
edad, la age (1)
editar to edit (9)
educado/a polite (1)
Efectivamente. Precisely. (10)
efecto invernadero, el greenhouse effect (10)
egoísta selfish (1)
ejecutivo/a, el/la executive (8)
electricista, el/la electrician (3)
elote, el ear of corn (4)
email, el e-mail (5)
embarazada pregnant (1)
embarazo, el pregnancy (4)
emoción, la excitement (2)
emocionante exciting (5)
empaquetar to pack up (12)
empate, el tie (game) (2)
empezar (ie) to begin (PA)
empleado/a, el/la employee (8)
emplear to use; to employ (7, 8)
empleo, el job (1)
empresa, la corporation; business (8)
En absoluto. Absolutely. (1, 10)
en aquel entonces back then (10)
en caso (de) que in case (7)
en cuanto as soon as (7)
En mi vida. Never in my life. (10)
En otras palabras... In other words . . . (9)
en seguida immediately (after) (4)
¿En serio? Seriously? (11)
enamorado/a in love (1)
enamorarse (de) to fall in love (with) (4)
encantar to love; to like very much (1)
encargado/a in charge (7)
encargarle (a alguien) to commission (someone) (9)
encerrar (ie) to enclose (PA)
enchufar to plug in (5)
enchufe, el plug (5)
encima in addition (3)
encima de on top of (5, 10)
encontrar (ue) to find (PA)
encuesta, la survey (11)
enfermedad, la illness (11)
enfermería, la nursing (8)
enfocarse (en) to focus (on) (PB)
enfoque, el focus (4)
enfrente (de) in front (of); across from; facing (3)
engañar to deceive (4)
engendrar to generate (11)
¡Enhorabuena! Congratulations! (8)
enlace, el link (5)
enseñar to teach; to show (PA)
entender (ie) to understand (PA)
entre sí among themselves (1)
entrenador/a, el/la coach; trainer (1, 2)
entrenamiento, el training (11)
entrenar to train (2, 8)
entretener (ie) to entertain (7)
entrevista, la interview (PA, 8)
entrevistar to interview (2, PB, 8)
envase, el package; container (10)
envejecer to grow old; to age (1)
envejecimiento, el aging (11)
enyesar to put a cast on (11)
equipaje, el luggage (5)
equipo, el team (2)
equipo de cámara / sonido, el camera / sound crew (9)
equipo deportivo, el sporting equipment (2)
equivocado/a wrong (5)
erosión, la erosion (10)
Es... This is . . . (7)
es bueno / malo it's good / bad (9)
Es cierto. It's true. (10)
Es decir... That's to say . . . (9)
Es dudoso to be doubtful (9)

Es importante que... It is important that . . . (2, 9, **11**)
Es imprescindible que... It is essential that . . . (**11**)
Es mejor que... It's better that / than . . . (2, 9)
Es necesario que... It's necessary that . . . (2, 9, **11**)
Es preferible que... It's preferable that . . . (2, 9)
es probable it's probable (9)
Es que... It's that . . . ; The fact is that . . . (9)
es una lástima it's a shame (9)
Es verdad. It's true. (PA, 10)
escalar to climb (**2**)
escalofríos, los chills (**11**)
escanear to scan (**5**)
escáner, el scanner (**5**)
escaparate, el store window (**7**)
escasez, la scarcity (**10**)
escenario, el stage (**9**)
escoger to choose (PA)
escolar school (*adj.*) (2)
esconder to hide (3)
escribir to write (PA, **1**)
escritor/a, el/la writer, author (**8**)
escuela secundaria, la high school (1)
esculpir to sculpt (**9**)
escultor/a, el/la sculptor (**9**)
escultura, la sculpture (**9**)
esfuerzo, el effort (6)
esmalte de uñas, el nail polish (**7**)
esmog, el smog (**10**)
Eso es. That's it. (7, 10)
espárragos, los asparagus (**4**)
especialidad, la specialty (7)
espectáculo, el show (**9**)
espejito, el little mirror (1)
espejo, el mirror (**3**)
espejo retrovisor, el rearview mirror (**5**)
esperar to wait for; to hope (PA, 2, 9)
espinacas, las spinach (**4**)
esqueleto, el skeleton (4)
esquiar to ski (**2**)
esquina, la corner (4)
¿Está ____ (en casa)? Is ___ there? / at home? (7)
Está bien. Okay; It's alright. (10)
establecer to establish (9)
estación, la station (4)
estacionamiento, el parking lot (11)
estadio, el stadium (2)
estado, el state (PA)
estanque, el pond (**3**)
estante, el shelf (2)
estar to be (PA, 7)
estar comprometido/a to be engaged (**4**)
estar embarazada to be pregnant (**4**)
este, el east (**5**)
Este... Well . . . ; Um . . . (11)
estético/a aesthetic (**9**)
estilo, el style (1)
Estimado/a señor/a... Dear Mr. / Mrs . . . (8)
estirarse to stretch (**11**)
Esto pasará pronto. This will soon pass. (8)
Estoy de acuerdo. Okay; I agree. (7, 10)
Estoy perdido/a. I'm lost. (4)
estrella, la star (4)
estrenar to show for the first time (1)
estrés, el stress (2)
estudiar to study (PA)
estufa, la stove (4)
etapas de la vida, las stages of life (**1**)
etiqueta, la etiquette (8)
evento de la vida, el life event (**4**)
evitar to avoid (8)
Exactamente. Exactly. (7, 10)
Exacto. Exactly. (7, 10)
examen físico, el physical exam (**11**)
excursionista, el/la hiker (**2**)
exhibir to exhibit (**9**)
exigente demanding (3)
exigir to demand (2, 9)
existente existing (3)
explicación, la explanation (6)
exterminado/a exterminated (**10**)
extraer to extract (3)
extranjero, el abroad (**5**)
extraterrestre otherworldly (5)
extrovertido/a extroverted (**1**)

F

fábrica, la factory (**7**)
fabricar to manufacture; to make; to produce (**8, 10**)
factura (mensual), la (monthly) bill (**3**)
fallar to fail (11)
faltar to need; to lack (**1**)
fama, la fame (3)
familia, la family (PA, **1**)
farmacia, la pharmacy (**7**)
faro, el headlight (**5**)
fascinar to fascinate (**1**)
fecha, la date (4)
fecha límite, la deadline (8)
¡Felicidades! Congratulations! (8)
felicitar to express good wishes (8)
¡Fenomenal! Phenomenal! (5, 8)
ferretería, la hardware store (**7**)
fertilizante, el fertilizer (**10**)
festejar to celebrate (6)
fiebre, la fever (7)
¡Figúrate! Imagine! (10)
fijarse en to pay attention to (4)
filmar to film (**9**)
finalmente finally (4)
financiero/a financial (**8**)
fingir to pretend (5)
firmar (los documentos) to sign (papers) (PA, **5**)
firmeza, la firmness (7)
flamenco, el flamenco (**9**)
flan, el caramel custard (**4**)
flojo/a lazy (**1**)
florero, el vase (**3**)
flotante floating (2)
foca, la seal (**10**)
fondos, los funds (9)
formación, la education; training (5, **8**)
¡Formidable! Super! (5)
foto, la photo (PA)
fracturar(se) to break; to fracture (**11**)
fregadero, el kitchen sink (**3**)
freír (e → i → i) to fry (**4**)
frenesí, el frenzy (6)
frenos, los braces (**1**); brakes (**5**)
frente, la forehead (**1, 11**)
fresa, la strawberry (**4**)
frito/a fried (**4**, PB)
frontera, la border (**5**)
fruta, la fruit (**4**)
frutería, la fruit store (**7**)
fuego, el fire (**3**)
fuego (lento, mediano, alto), el (low, medium, high) heat (**4**)
fuente, la fountain (**7**); source (8)
fuerte strong (**11**)
función, la show; production (**9**)
funda (de almohada), la pillowcase (**3**)
furioso/a furious (**1**)

G

gallo, el rooster (**10**)
ganado de vacuno / vacas, el cattle (8)
ganar to win (**2**)
ganar la vidato earn a living (2)
ganga, la bargain (**7**)
gastador/a extravagant; wasteful (**1**)
gastar to spend; to wear out; to waste (2, **3**)
gaucho, el cowboy (8)
gemelos, los twins (**1**)
generoso/a generous (**1**)
geográfico/a geographical (**10**)
gerencia de hotel, la hotel management (8)
gerente/a, el/la manager (4, **8**)
gesto, el gesture (8, 10)
gira, la tour (5)
gobierno, el government (3)
gorila, el gorilla (**10**)
gotas para los ojos, las eyedrops (**11**)
grabado, el etching (**9**)
Gracias por haber(me) llamado. Thank you for calling (me). (7)
graduación, la graduation (**4**)
gráfico/a graphic (**9**)
granjero/a, el/la farmer (**8**)
gratis free (2)
grosero/a rude (**1**)
guardar to put away; to keep; to save; to file (3, **5**)
guardia de seguridad, el/la security guard (**5**)
guía, el/la guide (**5**)
guiar to guide (4)
guión, el script (**9**)
guionista, el/la scriptwriter; screenwriter (**9**)
guisado, el stew (4)
guisantes, los peas (**4**)
gustar to like (3, 9)
Gusto en verlo/la/te. Nice to see you. (1)
gustos, los likes (1)

H

hábil capable (3)
habitación, la room (3)
habitar to live in (3)
hábitat, el habitat (**10**)
hablar to speak (PA)
hacer to do; to make (PA, **1**)
hacer a mano to make by hand (**9**)
hacer artesanía to do crafts (**2**)
hacer clic to click (**5**)
hacer el papel to play the role (3, **9**)

hacer falta to need; to be lacking (**1**)
hacer gárgaras to gargle (**11**)
hacer jogging to jog (**2**)
hacer la conexión to log on (**5**)
hacer mímica to play charades (PA, 9)
hacer pilates to do Pilates (**2**)
hacer publicidad to advertise (**8**)
hacer ruido to make noise (**10**)
hacer surf to surf (**2**)
hacer trabajo de carpintería to do woodworking (**2**)
hacer un crucero to go on a cruise (**5**)
hacer un pedido to place an order (7)
hacer una huelga to strike; to go on strike (**8**)
hacer volar un volantín to fly a kite (7)
hacer yoga to do yoga (**2**)
hacerse to become (**8**)
harina, la flour (**4**)
harto/a fed up (**1**)
hasta (que) until (**7**)
Hasta la próxima. Till the next time. (1)
hecho, el deed (11)
hecho de nilón made of nylon (**7**)
hecho de oro made of gold (**7**)
hecho de piel made of leather / fur (**7**)
hecho de plata made of silver (**7**)
hectárea, la 2.471 acres (4)
heladería, la ice-cream store (**7**)
herencia, la heritage; inheritance (PA, **1**)
hermanastro/a, el/la stepbrother / stepsister (**1**)
hermano/a, el/la brother / sister (PA)
herramienta, la tool (3)
hervido/a boiled (**4**, PB)
hervir (e → ie → i) to boil (**4**)
hierba, la grass (3); herb (11)
hijastro/a, el/la stepson / stepdaughter (**1**)
hijo/a, el/la son / daughter (PA)
hijo/a único/a, el/la only child (**1**)
hincharse to swell (**11**)
hipertensión, la high blood pressure (**11**)
hipoteca, la mortgage (**3**)
historia, la story (4)
hogar, el home (**3**)
hombre de negocios, el businessman (**8**)
hombro, el shoulder (**11**)
honesto/a honest (**1**)
hongos, los mushrooms (**4**)
honradez, la honesty; integrity (4)
horario, el schedule; timetable (1, **8**)
horno, el oven (**3**)
hotel de lujo, el luxury hotel (**5**)
huelga, la strike (**8**)
hueso, el bone (10, **11**)
huésped, el/la guest (2, **5**)
humilde humble (4)
humo, el smoke (**10**)

I

icono, el icon (**5**)
igual same (1)
iguana, la iguana (**10**)
imagen, la image (**5, 9**)
¡Imagínate! Imagine! (**10**)
importar to matter; to be important (**1**)
imprescindible essential (7)
impresora, la printer (**5**)
imprevisto/a unforeseen (11)
imprimir to print (**5**)
improvisar to improvise (**9**)
incluso including (5)
incómodo/a uncomfortable (5)
incredulidad, la disbelief (**11**)
indicaciones, las directions (4, 7)
indicar to indicate (PA)
indignado/a indignant (4)
infanta, la daughter of a king of Spain (1)
inflamación, la inflammation (**11**)
informar to inform, to tell (**9**)
informática, la computer science (**5**)
informe, el report (3)
infraestructura, la infrastructure (**10**)
ingeniería, la engineering (3, **8**)
ingeniero/a (químico/a), el/la (chemical) engineer (**8**)
ingenuo/a naive (11)
ingrediente, el ingredient (**4**)
ingresar to be admitted (11)
inminente imminent (8)
innovador/a innovative (**9**)
inolvidable unforgettable (1)
insecticida, el insecticide (**10**)
insinuante flirtatious (1)
insistir (en) to insist (2, 9)
inspeccionar to inspect (**9**)
instrumentos de metal, los brass instruments (**9**)
instrumentos de viento / madera, los wood instruments; woodwinds (**9**)
insuperable unsurpassable (9)
intentar to try (1)
intento, el intention (3)
intercambiar to exchange (5)
intercambio, el exchange (5)
interesar to interest (**1**)
Internet, el Internet (**5**)
introvertido/a introverted (**1**)
invertir (e → ie → i) to invest (**8**)
invitado/a, el/la guest (4, 5)
invitar a alguien to extend an invitation; to invite someone (3)
involucrarse to get involved (10)
ir to go (PA)
ir de camping to go camping (**2**)
irse to go away; to leave (PA)
isla, la island (**10**)
itinerario, el itinerary (**5**)

J

jabón, el soap (**7**)
jamás never; not ever (emphatic) (2, 11)
jaqueca, la migraine; severe headache (**11**)
jardín, el garden (3)
jardinería, la gardening (3)
jardinero/a, el/la gardener (**3**)
jarra, la pitcher (**3**)
jefe/a, el/la boss (**8**)
jirafa, la giraffe (**10**)
jornada completa / parcial, la full-time / part-time workday (**8**)
joven, el/la young person (9)
joyas, las jewelery (7)
joyería, la jewelery store (4)
jubilación, la retirement (**1, 8**)
jubilarse to retire (**8**)
jugar (o → ue) to play (PA)
jugar a las cartas to play cards (**2**)
jugar a las damas to play checkers (**2**)
jugar a videojuegos to play video games (**2**)
jugar al ajedrez to play chess (**2**)
jugar al boliche to bowl (**2**)
jugar al hockey (sobre hielo; sobre hierba) to play hockey (ice; field) (**2**)
jugar al horcado to play hangman (PB)
jugar al póquer to play poker (**2**)
jugar al voleibol to play volleyball (**2**)
juguete, el toy (1, 5)
juguetería, la toy store (**7**)
junta, la commission; board; committee (**8**)
junto/a together (PA)
justicia criminal, la criminal justice (**8**)
justo/a just; right (4)
juventud, la youth (**1**)

K

karting, el go-kart racing (5)
kilogramo, el kilogram (2.2 pounds) (**4**)

L

La verdad es que... The truth is . . . (11)
laberinto, el labyrinth (1)
labio, el lip (**1, 11**)
laboral work-related (**8**)
ladrillo, el brick (**3**)
ladrón/ladrona, el/la thief (5)
lago, el lake (5)
langosta, la lobster (**4**)
largo/a long (**11**)
Lástima pero... It's a shame / pity but . . . (3)
lavadora, la washing machine (**3**)
lavarse to wash oneself (PA)
¡Le / Te felicito! Congratulations! (8)
Le / Te habla... This is . . . (7)
¿Le / Te importa? Do you mind? (5)
¿Le / Te importa (si...)? Do you mind (if . . .)? (5)
¿Le / Te parece bien? Do you like the suggestion? (5)
leer to read (PA)
lema, el slogan (3)
lengua, la language (PA); tongue (**11**)
lentes de sol, los sunglasses (**5**)
letra, la letter (1)
letras, las letters (*literature*) (1)
letrero, el sign (11)
levantar pesas to lift weights (**2**)
levantarse to get up; to stand up (PA)
ley, la law (5)
libertad, la freedom (2)
lienzo, el canvas (**9**)
ligero/a light (2)
limusina, la limousine (**5**)
liquidación, la clearance sale (**7**)
liviano/a lightweight (7)
llamada, la phone call (2)
llamarse to be called; to be named (PA)
llamativo/a striking; colorful; showy; bright (3, **9**)
llanura, la plain (**10**)
llegar to arrive (PA)
Lo dudo. I doubt it. (11)
Lo / La / Te llamo más tarde. I will call you later. (**7**)
lo malo the bad thing (8)

lo mejor the best thing (8)
lo mismo the same thing (8)
lo peor the worst thing (8)
(Lo que) quiero decir... (What) I mean . . . (9)
Lo siento. I'm sorry. (8)
Lo siento, pero no puedo esta vez / en esta ocasión. Tengo otro compromiso. I'm sorry, but I can't this time. I have another commitment. / I have other plans. (3) (8)
lobo, el wolf (**10**)
loción, la lotion (**7**)
loro, el parrot (**10**)
lucir to show; to display (7)
lucro, el profit (**8**)
luego then; next (4)
luego que as soon as (**7**)
lugar, el place (**7**)
lujo, el luxury (2, 11)
luna de miel, la honeymoon (**4**)
lunar, el beauty mark; mole (**1**)

M

madera, la wood (**3**)
madrina, la godmother (**1**)
maestría, la masters (degree) (8)
maestro/a, el/la teacher (**8**)
maleducado/a impolite; rude (**1**)
malo/a bad (9)
maltratar to abuse (1)
malvado/a evil (4)
mamá, la mom (PA)
mamífero, el mammal (10)
manatí, el manatee (**10**)
manchita, la little spot (11)
manga corta, la short sleeve (**7**)
manga larga, la long sleeve (**7**)
mango, el mango (**4**)
manguera, la garden hose (**3**)
mano, la hand (PA)
mantener (ie) to maintain (PA, 2)
mantequilla, la butter (4)
mapa, el map (5)
maquillarse to put on makeup (PA)
máquina de afeitar, la electric shaver / razor (**7**)
máquina de fax, la fax machine (**5**)
mar, el sea (**10**)
marca, la brand (5, PB)
marcar to mark (8)
mareo/mareos, el/los dizziness (**11**)
mariachi, el mariachi (**9**)
marido, el husband (**1**)
mariposa, la butterfly (**10**)
mariscos, los seafood (**4**)
marrón brown (4)
martillo, el hammer (7)
más que nunca more than ever (4)
más tarde later (4)
masa, la dough (7)
máscara, la mask (2)
materia, la material; subject (**9**)
materiales de la casa, los housing materials (**3**)
mayoría, la majority (2)
Me da igual. It's all the same to me. (12)
Me da mucha pena pero... I'm really sorry but . . . (3)
Me estás tomando el pelo. You're kidding me / pulling my leg. (10)
¿Me podría/n decir cómo se llegar a...? Could you (all) tell me how to get to . . .? (4)
mecánico/a, el/la mechanic (**8**)
media manga half sleeve (**7**)
media naranja, la soul mate (9)
medicamento, el medicine (**11**)
medio, el middle (1)
medio ambiente, el environment (5, **10**)
medios, los means (9)
mejilla, la cheek (**1, 11**)
mejor better (PA, 9)
mejor, el/la the best (PA, 9)
mejoramiento, el improvement (3)
mejorar to improve (2, **10**)
menospreciar to underestimate (11)
mensaje de texto, el text message (**5**)
mente, la mind (4)
mentir (ie, i) to lie (PA)
mentira, la lie (2)
mentón, el chin (**1**)
mercadeo, el marketing (**8**)
mercado, el market (4)
mercado de pulgas, el flea market (7)
merengue, el merengue (**9**)
meta, la goal (3, **8**)
metano, el methane (5)
meter la pata to put your foot in your mouth (9)
meterse to get in(to) (**11**)
mezcla, la mixture (1)
mezclar to mix (**4**)
mezquita, la mosque (**7**)
mi/s my (PA)
Mi más sentido pésame. You have my sympathy. (8)
miedo de salir en escena, el stage fright (**9**)
miel, la honey (**4**)
mientras (que) while (PA, **7, 10**)
mío/a/os/as mine (PA)
Mire... / Mira... Look . . . (7)
mirón, el lurker (**5**)
Mis más sinceras condolencias. My most heartfelt condolences. (8)
mismo/a oneself (2)
mitad, la half (PB)
mito, el myth (2)
moda, la fashion (3, 8)
molestar to bother (**1**)
molesto/a annoyed (4)
mono, el monkey (**10**)
mononucleosis, la mononucleosis (**11**)
montaje, el staging; editing (**9**)
montar to assemble (9)
montar a caballo to go horseback riding (**2**)
monumento nacional, el national monument; monument of national importance (**5**)
moreno/a black (hair) (**1**)
morir (ue, u) to die (PA, **1**)
mortero, el mortar (3)
mostrador, el counter(top) (**3, 7**)
mostrar (ue) to show (PA)
motivo, el motif; theme (**9**)
moto, la motorcycle (PA)
mudarse to move (**3**)
muela de juicio, la wisdom tooth (8)
muerte, la death (**1**)
mujer, la wife (**1**)
mujer de negocios, la businesswoman (**8**)
muletas, las crutches (**11**)
multitarea, la multitasking (**5**)
mundial (*adj.*) world (2)
muñeca, la wrist (**11**)
mural, el mural (**9**)
muralista, el/la muralist (**9**)
murciélago, el bat (**10**)
muro, el wall (*around a house*) (**3**)
músculo, el muscle (**11**)
música, la music (**9**)
música alternativa, la alternative music (**9**)
música popular, la popular music (**9**)
muslo, el thigh (**11**)
musulmán/musulmana Muslim (7)
Muy atentamente Sincerely (8)
(Muy) Buenos / Buenas. Good morning / afternoon. (1)
Muy estimado/a señor/a... Dear Mr. / Mrs. . . . (8)
Muy señor/a mío/a... Dear Sir / Madam . . . (8)

N

nacer to be born (**1**)
nacimiento, el birth (**1, 4**)
Nada de eso. Of course not. (10)
narcomanía, la drug addiction (**11**)
naturaleza, la nature (**10**)
naturaleza muerta, la still life (**9**)
náuseas, las nausea (**11**)
navaja de afeitar, la razor (**7**)
navegador, el browser (**5**)
navegador personal, el GPS; navigation system (**5**)
navegar to navigate; to surf (**5**)
Navidad, la Christmas (**4**)
necesitar to need (PA, 2, 9)
negar (ie) to deny (3)
negociar to negotiate (**8**)
negocio/negocios, el/los business (PB, **8**)
nervio, el nerve (**11**)
¡Ni lo sueñes! Don't even think about it! (10)
nieto/a, el/la grandson / granddaughter (**1**)
nilón nylon (**7**)
niñez, la childhood (**1**)
nivel, el level (2, **4**)
No cabe duda. There's no doubt; Without a doubt. (10)
¿No cree(s)(n) que...? Don't you think that . . . ? (11)
no creer not to believe; not to think (3, 9)
No es verdad. It's not true. (PA)
No está. He / She is not home. (7)
no estar seguro (de) to be uncertain (3, 9)
No estoy de acuerdo. I don't agree. (10)
no hay de qué you're welcome (2)
No hay duda. There's no doubt; Without a doubt. (10)
No hay más remedio. There's no other way / solution. (10)
No lo creo. I don't believe it; I don't think so. (11)
¡No me diga/s! You don't say!; No way! (5, 7, 10, 11)
no obstante notwithstanding (**10**)

no pensar (e → ie) not to think (3, 9)
¡No puede ser! This / It can't be! (5, 10, 11)
No se encuentra. He / She is not home. (7)
No se / te preocupe/s. Don't worry. (8)
noreste northeast (5)
noroeste northwest (5)
norte, el north (**5**)
Nos / Me encantaría (pero)... We / I would love to (but) . . . (3)
Nos vemos. See you. (1)
noticiero, el news program (**9**)
novato, el rookie (2)
novato/novata, el/la novice, beginner (2)
noviazgo, el engagement; courtship (4)
novio/a, el/la boyfriend /girlfriend; groom / bride (**4**)
nuera, la daughter-in-law (**1**)
nuestro/a/os/as our/s (PA)

O

o or (**2**)
O sea... That is . . . (9, 11)
obesidad, la obesity (**11**)
obra, la work (3)
obra de teatro, la play (**9**)
obra maestra, la masterpiece (**9**)
obrero/a, el/la worker (**3**)
obtener (e → ie) to obtain (PA)
ocultar to hide (3)
ocupar to occupy (2)
oeste, el west (**5**)
oferta, la (special) offer (5, **7**)
oficina de turismo, la tourism office (**5**)
ofrecer to bid (7)
oído, el inner ear (11)
Oiga... Hey . . . (*form.*) (7)
oír to hear (PA)
ojalá (que) I hope so (2)
óleo, el oil painting (**9**)
olla, la pot (**3**)
onda, la wave (10)
operar to operate (**11**)
opuesto/a opposite (1)
oración, la sentence (PA)
ordenador, el computer (5)
orfebrería, la crafting of precious metals (9)
organista, el/la organist (**9**)
organizado/a organized (**1**)
organizar to organize (**9**)
órgano, el organ (**9**)
orgullo, el pride (5)
orgulloso/a proud (**1**)
oscuro/a dark (4)
oveja, la sheep (**10**)
Oye... Hey . . . (*fam.*) (7)

P

paciente, el/la patient (**11**)
padrino, el godfather (**1**)
página principal, inicial, de hogar, la homepage (**5**)
país, el country (PA)
paisaje, el countryside (**5**); landscape (**9**)
palo (de golf; de hockey), el golf club; hockey stick (**2**)
paloma, la pigeon; dove (**10**)
palomitas de maíz, las popcorn (4)
pan dulce, el sweet roll (**4**)
panadería, la bread store; bakery (**7**)
panqueque, el pancake (**4**)
pantalla, la screen (2, **5**)
pantano, el marsh (**10**)
pañal, el diaper (10)
papaya, la papaya (**4**)
papel, el paper; role (5, 9)
papel de envolver, el wrapping paper (**7**)
papel higiénico, el toilet paper (**7**)
papelería, la stationery shop (**7**)
papelito, el little piece of paper (PA)
paperas, las mumps (**11**)
paquete, el package (**5**)
par, el pair (2)
para for; in order to (**5**)
para aquel entonces by then (8)
para que so that (**7**)
parachoques, el bumper (**5**)
parada, la (bus) stop (2)
parador, el inn (3)
paráfrasis, la loose interpretation (8)
paraíso, el paradise (2)
Parece mentira. It's hard to believe. (11)
parecer to seem; to appear (**1**)
pareja, la couple; partner (**1**)
pariente/a, el/la relative (**1**)
párrafo, el paragraph (1)
partido, el game (2)
pasado, el past (3)
pasar to pass (2)
pasatiempos, los pastimes (**2**)
Pascua, la Easter (**4**)
pasear en barco (de vela) to sail (**2**)
paseo, el promenade (1)
pasillo, el hall (**3**)
paso, el step; stage (PA)
paso de peatones, el crosswalk (**5**)
pasta de dientes, la toothpaste (**7**)
pastelería, la pastry shop (**7**)
patinar en monopatín to skateboard (**2**)
patines, los skates (**2**)
pato, el duck (**10**)
patrocinador/a, el/la patron (9)
pavo, el turkey (**4**)
paz, la peace (10)
pecas, las freckles (**1**)
pedagogía, la teaching (**8**)
pedazo, el piece (**4**)
pedido, el request; order (2, 5)
pedir (e → i → i) to ask (for); to request (PA, 2, 9)
pedir clarificación to ask for clarification (2)
pegar to hit (1); to paste (**5**)
peinarse to comb one's hair (11)
pelar to peel (**4**)
pelear(se) to fight (**2, 4**)
peligro, el danger (2, **10**)
peligroso/a dangerous (1)
pelirrojo/a red-haired (**1**)
pelo, el hair (**1**)
pelo canoso, el gray hair (**1**)
pelo corto, el short hair (**1**)
pelo lacio, el straight hair (**1**)
pelo largo, el long hair (**1**)
pelo rizado, el curly hair (**1**)
pelota, la ball (PA, **2**)
peluca, la wig (**1**)
peluquero/a, el/la hair stylist (**8**)
penicilina, la penicillin (**11**)
pensar (ie) to think (PA)
peor worse (9)
peor, el/la the worst (9)
pepino, el cucumber (**4**)
perder (e → ie) to lose (PA)
perder (e → ie) peso to lose weight (**11**)
perderse (e → ie) to get lost (**5**)
Perdón. / Perdóname. Pardon. (*fam.*) (2)
Perdón, ¿sabe/n usted / ustedes llegar al...? Pardon, do you (all) know how to get to . . . ? (4)
Perdóneme. Pardon. (*form.*) (2)
perfil, el profile (1)
perforación del cuerpo, la body piercing (**1**)
perfume, el perfume (**7**)
periodista, el/la journalist (**8**)
pero but (**2**)
perseguir (i) to chase (PA)
persianas, las blinds (**3**)
personal, el personnel (**8**)
personalidad, la personality (**1**)
pesadilla, la nightmare (7)
pesado/a dull; tedious (**1**)
pesar, el regret; sorrow (8)
pesas, las weights (**2**)
pescadería, la fish store (**7**)
pescado, el fish (**4**)
pescar to fish (**2**)
pestañas, las eyelashes (**1, 11**)
pesticida, el pesticide (**10**)
picaflor, el hummingbird (**10**)
piedra, la stone (3)
piel, la skin (**1, 11**); fur; leather (**7**)
pieza musical, la musical piece (**9**)
pila, la battery (**7**)
pilates, el Pilates (**2**)
piloto/a, el/la pilot (**8**)
piloto/a de carreras, el/la race car driver (5)
pimiento, el pepper (**4**)
pincel, el paintbrush (**9**)
pingüino, el penguin (5, **10**)
pintado/a painted (5)
pintalabios, el lipstick (**7**)
pintar to paint (**2, 3**)
pintor/a, el/la painter (**9**)
pintura, la painting (**9**)
piña, la pineapple (**4**)
pirámide, la pyramid (1)
pisar to step on (2)
piscina, la swimming pool (3)
piso, el apartment (4)
pista, la track; rink (**2**); clue (5, PB)
planear to plan (**9**)
plátano, el plantain (**4**)
platillo, el saucer (**3**)
plato, el main dish (4)
plato hondo, el bowl (**3**)
playa, la beach (**10**)
plomero/a, el/la plumber (3)
poder (ue) to be able to (PA)
poder, el power (PA)
poderoso/a powerful (1)
político/a, el/la politician (**8**)
poner to put; to place (PA, **1**)
ponerse (la ropa) to put on (one's clothes) (PA)
ponerse (nervioso/a) to become (nervous) (PA)

ponerse de acuerdo to agree; to reach an agreement (2, **3**)
por for; through; by; because of (**5**)
por ciento percent (PB)
por ejemplo for example (3)
por eso for this reason (5, **10**)
por favor please (5)
por fin finally; in the end (PA, 4, 5)
por lo menos at least (PA, 5)
por lo tanto therefore (5)
por lo visto apparently (5)
por medio de by means of (10)
por otro lado on the other hand (**10**)
por suerte luckily (PA)
¡Por supuesto! Sure!; Of course! (3, 5, 7, 10)
por último last (in a list) (4)
porque because (**2**)
portada, la entrance (4)
portarse bien to behave well (**1**)
portarse mal to misbehave (**1**)
portero/a, el/la doorman (**5**)
postre, el dessert (**4**)
practicar artes marciales, las to do martial arts (**2**)
practicar ciclismo, el to go cycling (**2**)
practicar esquí acuático, el to go waterskiing (**2**)
practicar lucha libre, la to wrestle (**2**)
Precisamente. Precisely. (10)
precisar to say exactly; to specify (11)
predecir (i) to predict (1)
preferir (e → ie → i) to prefer (PA, 2, 9)
preguntar to ask (a question) (PA)
premio, el prize (1)
prenda, la garment (**7**)
prender to start (**5**)
preparar to prepare; to get ready (PA)
preparativos, los preparations (PB)
preservar to preserve (**10**)
presión alta / baja, la high / low (blood) pressure (**11**)
préstamo, el loan (**3**)
presumido/a conceited; arrogant (**1**)
presupuesto, el budget (**3**)
prevenir (e → ie) to prevent (**10**)
primer día / mes, el the first day / month (4)
primera comunión, la First Communion (**4**)
primero at first; first; in the beginning (**4**)
primito/a, el/la little cousin (2)
primo/a, el/la cousin (PA)
princesa, la princess (1)
príncipe, el prince (1)
probar (ue) to try (1)
procedente coming (8)
procedimiento, el procedure (11)
profesión, la profession (**8**)
profesional professional (**8**)
programa de computación, el software (**5**)
prohibir to prohibit (2, 9)
pronóstico del tiempo, el weather report (2)
pronto soon (4)
propiedad, la property (3)
propietario/a, el/la owner; landlord (**8**)
propina, la tip (3)
propio/a own (PA)
proponer to suggest; to recommend (2, 9)
Propongo que... I propose that . . . (11)
propósito, el purpose (11)
proyecto, el project (3)
prueba, la proof (10)
prueba médica, la medical test (**11**)
psicología, la psychology (**8**)
psicólogo/a, el/la psychologist (**8**)
publicidad, la advertising (**8**)
publicitar to advertise; to publicize (**8**)
¿Puede/n usted / ustedes decirme dónde está...? Can you tell me where . . . is? (4)
¿Puedo tomar algún recado? Can I take a message? (7)
puerto, el port (**5**)
pues well; since (**2**)
Pues... Um . . . ; Well . . . (11)
puesto, el job; position (**8**)
puesto que given that (**7**)
pulmón, el lung (**11**)
pulpo, el octopus (**10**)
pulsar el botón derecho to right-click (**5**)
pulsera, la bracelet (**7**)
puma, el puma (**10**)
punto, el dot (*in a URL*) (**5**)

Q

que that; who; which; whom (**2**, 5)
¡Qué barbaridad! How awful! (5)
¡Qué bueno! Good! (5)
¿Qué dice/s? What do you say? (5)
¿Qué dijiste / dijo? What did you say? (2)
¡Qué emoción! How exciting!; How cool! (5)
¡Qué estupendo! How stupendous! (8)
¡Qué extraordinario! Howextraordinary! (8)
(Qué) Gusto en verlo/la/te! How nice to see you! (1)
¿Qué hay de nuevo? What's new? (1)
¿Qué le / te parece? What do you think (about the idea)? (5)
Que le / te vaya bien. Take care. (1)
¡Qué maravilloso! How marvelous! (8)
¿Qué me cuentas? What do you say?; What's up? (1)
¿Qué opina/s? What do you think? (5)
¡Qué pena / lástima! What a pity / shame! (5, 8)
¿Qué quiere decir...? What does . . . mean? (2)
¿Qué significa...? What does . . . mean? (2)
¿Qué tal amaneció usted / amaneciste? How are you this morning? (1)
¡Qué va! No way! (10)
quedar to have something left (**1**)
quedarse to stay; to remain (PA)
quedarse sin hacer to be left undone (10)
queja, la complaint (11)
quemadura, la burn (**11**)
quemar to burn (**3**)
querer (e → ie) to want; to love; to wish (PA, 2, 9)
Querido/a... Dear . . . (8)
quien(es) that; who (**2**); whom (5)
quinceañera, la fifteenth birthday celebration (**4**)
Quisiera invitarte/le/les... I would like to invite you (all) . . . (**3**)
quitarse (la ropa) to take off (one's clothes) (PA)
quizás maybe (2)

R

radiografía, la X-ray (**11**)
raíces, las roots (1)
rapidez, la speed (5)
raqueta, la racket (**2**)
raro/a strange (**1**)
rato, el little while (3)
ratón, el mouse (**5**)
razón, la reason (PA)
real royal (1)
rebaja, la sale; discount (**7**)
recalentar (ie) to reheat (**4**)
recámara, la room (3)
recepcionista, el/la receptionist (**5**)
receptáculo, el receptacle (8)
receta, la recipe (**4**)
rechazar una invitación to decline an invitation (3)
recibir to receive (PA)
recién recently (PB)
recoger to pick up (1)
recomendar (e → ie) to recommend (PA, 2, 9)
Recomiendo que... I recommend that . . . (**11**)
reconocer to recognize; to admit (PA)
recordar (o → ue) to remember; to remind (PA, **1**)
recorrido, el trip (5)
recreativo/a recreational (2)
recuerdo, el souvenir (**5**)
reducir to reduce (**10**)
reemplazar to replace (**10**)
reflejar to reflect (**9**)
reflexionar to reflect (1)
regalar to give (3)
regalo, el present (**4**)
regar (e → ie) las flores to water the flowers (**3**)
regla, la rule (8)
regresar to return (PA)
reina, la queen (1)
reiniciar to reboot (**5**)
reino, el kingdom (1)
reliquia, la relic (8)
relleno, el filling (4, 7)
relleno/a filled (8)
reloj de pulsera, el wristwatch (**7**)
remar to row (**2**)
remate, el auction; sale (7)
remedio casero, el home remedy (11)
remo, el rowing (**2**)
remodelar to remodel; to renovate (**3**)
renovable renewable (**10**)
renovar (o → ue) to remodel; to renovate; to renew (**3**, **5**)
renunciar (a) to resign; to quit (**8**)
reñir (i) to scold (1)
reparar to repair (**3**)
repasar to review (5)
repaso, el review (PA)
repetir (i) to repeat (PA)
Repite/a, por favor. Repeat, please. (2)
reportaje, el report (1)
reportero/a, el/la reporter (**8**)
representar to represent; to perform (**9**)
reproductor de MP3, el MP3 player (5, **9**)
requerir (ie) to require (10)
requisito, el requirement (8)
rescatar to rescue (**10**, **11**)
resolver (ue) to solve (**1**)
respirar to breathe (**11**)

responder to respond (5)
respuesta, la answer (1)
restaurar to restore (5)
resultado, el result; score (**2**, **11**)
resumen, el summary (1)
retraso, el delay (11)
retrato, el portrait (**9**)
reunirse to get together; to meet (PA)
revista, la magazine (3)
revolver (o → ue) to stir (**4**)
rey, el king (1)
riesgo, el risk (**10**)
rinoceronte, el rhinoceros (**10**)
río, el river (**10**)
rivalidad, la rivalry (2)
robar to rob (5)
robo, el robbery (5)
rodar (o → ue) (en exteriores) to film (on location) (**9**)
rodear to surround (10)
rodilla, la knee (**11**)
rogar (o → ue) to beg (2, 9)
romper to break (**1**)
ropa, la clothing (**7**)
ropa interior, la underwear (**7**)
rosado/a pink (4)
rubio/a blond (**1**)
ruido, el noise (2)
ruinas, las ruins (3)
ruleta, la roulette (PA)

S

saber to know (3)
Sabes... You know . . . (11)
sabotear to hack (**5**)
sacar to obtain (3)
sacar fotos to take pictures / photos (**5**)
sacar la mala hierba to weed (**3**)
sacar la sangre to draw blood (**11**)
sala, la living room (**3**)
salario, el salary (**8**)
salchicha, la sausage (**4**)
salir (con) to leave (PA); to go out (with) (**4**)
salón, el living room (1)
saltamontes, el grasshopper (**10**)
saludar to greet; to say hello (1, **11**)
saludo, el greeting (**1**, 8)
Saludos a (nombre) / todos por su / tu casa. Say hi to (name) / everyone at home. (1)
salvaje wild (10)
salvar to save (10)
sanarse to heal (11)
sandía, la watermelon (**4**)
santo/a, el/la saint (4)
sarampión, el measles (**11**)
sardina, la sardine (**4**)
sartén, la skillet; frying pan (**3**)
sastrería, la tailor shop (7)
saxofón, el saxophone (**9**)
saxofonista, el/la saxophonist (**9**)
¡Se rueda! Action! (**9**)
secadora, la dryer (**3**)
secretario/a, el/la secretary (**8**)
seguidores/as, los/las fans; groupies; followers (**9**)
seguir (i) to follow; to continue (doing something) (PA)
seguir derecho to go straight (7)
según according to (PA, 1, 10)
seguridad, la confidence (5)
seguro del coche, el car insurance (**5**)
selva nubosa, la cloud forest (5)
semejanza, la similarity (3, 6)
seminario, el seminar (1)
sencillo/a modest; simple (**1**, 3, PB)
sendero, el path (4)
¡Sensacional! Sensational! (8)
sensible sensitive (**1**)
sentarse (e → ie) to sit down (PA)
sentido, el sense (2)
sentir (e → ie → i) to regret (3, 9)
sentirse (e → ie → i) to feel (PA)
separarse to separate; to get separated (**1**)
sequía, la drought (**10**)
ser to be (PA, **7**, **8**)
ser buena gente to be a good person (1)
ser bueno / malo to be good / bad (3, 9)
ser dudoso to be doubtful (3, 9)
ser humano, el human being (5)
ser mala gente to be a bad person (**1**)
ser probable to be probable (3, 9)
ser una lástima to be a shame (3, 9)
Sería mejor... It would be better to . . . (11)
serie, la series (4)
serio/a serious (**1**)
servicio, el room service (**5**)
servicios, los public restrooms (**7**)
servidor, el server (**5**)
servir (e → i) to serve (PA)
si if (PA, 9)
SIDA, el AIDS (**11**)
sierra, la mountain range (**10**)
Siga/n derecho / todo recto. Go straight. (4)
siglo, el century (6)
significado, el meaning (1)
significar to mean (6)
signo, el sign (8)
siguiente following (PA)
¡Silencio! Quiet everybody (on the set)! (**9**)
simpatía, la sympathy (**8**)
Sin duda. Without a doubt.; No doubt. (10)
sin embargo nevertheless (**10**)
sin fines de lucro nonprofit (**8**)
sin que without (**7**)
sinfónica, la symphony orchestra (**9**)
sino but rather (**10**)
síntoma, el symptom (**11**)
sobre, el envelope (**5**)
sobre todo above all (3)
sobrepoblación, la overpopulation (**10**)
sobrevivir to survive (**10**)
sobrino/a, el/la nephew / niece (**1**)
¡Socorro! Help! (10)
soler (ue) to be accustomed to (4)
solicitar to apply for (a job); to solicit (**8**)
solicitud, la application form (**8**)
solista, el/la soloist (**9**)
soltero/a single (not married) (**1**)
soltero/a, el/la single man; single woman; bachelor(ette) (1)
sombra, la shadow (6)
sombrilla, la umbrella (**5**)
sonar (ue) to seem familiar; to sound (2, 5)
sonido, el sound (7)
sonreír (i) to smile (5)
sonrisa, la smile (2)
soñar (ue) to dream (4)
sopera, la soup bowl (**3**)
sorprendido/a surprised (**1**)
sorpresa, la surprise (10)
sostener (ie) to sustain (**10**)
sótano, el basement (**3**)
Soy... This is . . . (7)
su/s his / her / its / your (*form.*) / their (PA)
suavemente smoothly (2)
subtítulos, los subtitles (**9**)
suceso, el event (1)
suegro/a, el/la father-in-law / mother-in-law (**1**)
sueldo, el salary (**8**)
suelo, el ground (1)
sueño, el dream (3, 6)
sufrimiento, el suffering (5)
sufrir to suffer (2)
sugerir (e → ie → i) to suggest (2, **3**, 9)
sugerir una alternativa to suggest an alternative (**11**)
Sugiero que... I suggest that . . . (11)
superficie, la surface (11)
supervisor/a, el/la supervisor (**8**)
supuestamente allegedly (3)
sur, el south (1, **5**)
sureste southeast (5)
suroeste southwest (5)
sustancia, la substance (**10**)
sustantivo, el noun (PA)
susto, el scare (PB)
suyo/a/os/as his / hers / yours (*form.*) / theirs (PA)

T

tabla de surf, la surfboard (**2**)
tacaño/a cheap (**1**)
tacón (alto, bajo), el heel (high, low) (**7**)
talco, el talcum powder (**7**)
talentoso/a talented (**9**)
talla, la wood sculpture; carving (**9**)
taller, el workshop; studio (**9**, 11)
talón, el heel (*of the foot*) (**11**)
tamaño, el size (**2**)
tampoco nor; neither (PA)
tan... como as . . . as (9)
tan pronto como as soon as (**7**)
tanto/a/os/as... como as much / many . . . as (9)
tapiz, el tapestry (**9**)
tarjeta, la card; greeting card (**7**)
tarjeta de crédito, la credit card (7)
tasa, la rate (10)
tatuaje, el tattoo (**1**)
Te digo... I'm telling you . . . (10)
teatro, el theater (**9**)
teclado, el keyboard (**5**, **9**)
técnico/a technical (**9**)
tecnología, la technology (**5**)
tejedor/a, el/la weaver (**9**)
tejer to knit (**2**)
tejido, el weaving (**9**)
tela, la fabric (7)
telefonista, el/la telephone operator (**5**)
teléfono celular, el cell phone (**5**)
teléfono de ayuda, el help line (6)
telenovela, la soap opera (4, **9**)
televidente, el/la television viewer (**9**)

televisión, la television (**9**)

tema, el subject; theme (1)

temer to be afraid (of) (3, 9)

temporada, la a while; a period of time (1)

tener (ie) to have (PA)

tener éxito to be successful (2)

tener experiencia to have experience (**8**)

tener miedo (de) to be afraid (of) (3, 9)

tener que ver (con) to have to do with (3, 4)

tener una cita to have a date (**4**)

teñido/a dyed (hair) (**1**)

teñirse (i) el pelo to dye one's hair (1)

terco/a stubborn (**1**)

terminar to finish; to end (PA)

término de la cocina, el cooking term (**4**)

termómetro, el thermometer (**11**)

ternera, la veal (**4**)

terreno, el terrain; land; field (2)

tertulia, la social gathering (3)

tesis, la thesis (PB)

tiburón, el shark (**10**)

tienda, la shop; store (**7**)

tienda de ropa, la clothing store (**7**)

Tierra, la Earth (10)

tierra, la land (10)

tigre, el tiger (**10**)

tímido/a shy (**1**)

tintorería, la dry cleaners (**7**)

tío/tía, el/la uncle / aunt (PA)

tirar to throw (PA, 1, 3)

tirar un platillo volador to throw a frisbee; to play frisbee (**2**)

titulado/a, el/la graduate (8)

título, el title, degree (1, 7)

toalla, la towel (**3**)

tobillo, el ankle (**11**)

tocador, el dresser (3)

tocar (un instrumento) to play (an instrument) (9)

tocino, el bacon (**4**)

tomar to take; to drink (PA)

tomar apuntes to take notes (8)

tomar el pulso to take someone's pulse (**11**)

tomar la presión to take someone's blood pressure (**11**)

tomar la temperatura to check someone's temperature (**11**)

Tome/n un taxi / autobus. Take a taxi / bus. (4)

tono de voz, el tone of voice (1)

torcerse (ue) to sprain (**11**)

torneo, el tournament (2)

tornillo, el screw (7)

toronja, la grapefruit (**4**)

tortuga, la turtle (**10**)

toser to cough (11)

tóxico/a poisonous (**10**)

trabajar to work (PA)

trabajar en el jardín to garden (**2**)

trabajo, el job (**8**)

traducir to translate (8)

traer to bring (PA)

tragedia, la tragedy (**9**)

tranquilo/a calm (3)

Tranquilo. Relax.; Calm down. (8)

transmisión, la transmission (**5**)

transporte, el transportation (**5**)

trasero, el buttocks (**11**)

traslado, el transfer (5)

tratamiento, el treatment (10, **11**)

tratar to treat (4)

trato, el treatment (10)

trenza, la braid (**1**)

trepador/a climbing (11)

trío, el trio (**9**)

trombón, el trombone (**9**)

trompo, el top (toy) (7)

tu/s your (*fam.*) (PA)

turnarse to take turns (PA)

tuyo/a/os/as yours (*fam.*) (PA)

U

ubicarse to be located (4)

último/a last (1)

Un (fuerte) abrazo A (big) hug (8)

uña, la nail (**11**)

usar to use (PA)

utilizar to use; to utilize (1)

V

vacaciones, las vacations (**5**, 8)

vacuna, la vaccination (**11**)

valle, el valley (**10**)

valor, el value (**9**)

vaquero, el cowboy (8)

varicela, la chicken pox (**11**)

Vaya/n derecho / todo recto. Go straight. (4)

vecino/a, el/la neighbor (**3**)

vehículo utilitario deportivo, el sport utility vehicle (*SUV*) (**5**)

vejez, la old age (**1**)

vela, la candle (**3**)

velocidad, la speed (**5**)

vena, la vein (**11**)

venado, el deer (**10**)

vendedor/a, el/la seller; vendor (2)

venenoso/a poisonous (9)

venir (ie) to come (PA)

venta, la sale (6, **8**)

ventanilla, la ticket window (2)

ventas (por teléfono), las (telemarketing) sales (**8**)

ver to see (PA, **1**)

verdadero/a true (PB)

verdura, la vegetable (**4**)

vergüenza, la shame (8)

verruga, la wart (11)

verso, el line; verse (4)

vertedero, el garbage dump (10)

verter (e → ie) to pour (**4**)

vestuario, el costume; wardrobe; dressing room (**9**)

veterinario/a, el/la veterinarian (**8**)

vez, la time (2)

viajar por to tour (**5**)

viajes, los travel; trips (**5**)

viejo/a old (**9**)

violín, el violin (**9**)

viruela, la smallpox (10)

vistazo, el look; glance (1)

visual visual (**9**)

viticultura, la winegrowing (8)

viudo/a, el/la widower / widow (**1**)

vivir to live (PA)

vocero/a, el/la spokesperson (**8**)

volantín, el kite (7)

volcán, el volcano (**10**)

volver (o → ue) to return (PA, **1**)

vomitar to vomit (**11**)

vuelo, el flight (5)

vuelta, la race (2)

vuestro/a/os/as your/s (*fam. pl. Spain*) (PA)

Y

y and (**2**)

Ya lo creo. I'll say. (**10**)

¡Ya no lo aguanto! I can't take it any more! (5)

ya que since; because (**7**)

yerno, el son-in-law (**1**)

yeso, el plaster (**3**)

yoga, el yoga (**2**)

Z

zanahoria, la carrot (**4**)

zancos, los stilts (7)

zapatería, la shoe store (**7**)

zorro, el fox (**10**)

Appendix 6

English–Spanish Glossary

A

A (big) hug Un (fuerte) abrazo (8)
able to, to be poder (o → ue) (PA)
above arriba (5)
above all sobre todo (3)
abroad el extranjero (**5**)
absentminded despistado/a (**1**)
Absolutely. Absolutamente.; En absoluto. (1, 10)
absorb shock, to amortiguar (11)
abuse, to maltratar (1)
accelerator el acelerador (**5**)
accept an invitation, to aceptar una invitación (3)
accomplice el/la cómplice (5)
according to según (PA, 1, 10)
accountant el/la contador/a (**8**)
accustomed to, to be soler (ue) (4)
acquaintance conocido/a (1)
acquainted with, to be conocer (PA)
acquisition la adquisición (**8**)
across from enfrente (de) (3)
act, to actuar (8, **9**)
Action! ¡Se rueda! (**9**)
add, to añadir (PA, **3**, **4**, 8)
address la dirección (**5**)
administrative administrativo/a (**8**)
admit, to reconocer (PA)
admitted, to be ingresar (11)
adobe el adobe (**3**)
adolescence la adolescencia (**1**)
advance, to ascender (e → ie) (**8**)
advertise, to hacer publicidad; publicitar (**8**)
advertisement el anuncio (PA)
advertising la publicidad (**8**)
advise, to aconsejar (1, 2, 4, 9)
aesthetic estético/a (**9**)
affirmatively afirmativamente (1)
afraid (of), to be temer; tener miedo (de) (3, 9)
after después (de) (que) (4, 7, 10)
afterward después (de) (que) (4, 7, 10)
again de nuevo (1)
age la edad (1)
age, to envejecer (**1**)
agency la agencia (**8**)
agent el/la agente (**8**)
aging el envejecimiento (11)
agree, to ponerse de acuerdo (2, **3**)
agreeable agradable (**1**)
agreement el acuerdo; la concordancia (2, 5, **7**, **8**, **10**)
AIDS el SIDA (**11**)
air conditioning el aire acondicionado (**3**)
alcoholism el alcoholismo (**11**)
all of a sudden de repente (5)
allegedly supuestamente (3)
allergy la alergia (**11**)
alligator el caimán (5)
allude, to aludir (4, 7)
almost casi (5)
altar el altar (4)
alternative music la música alternativa (**9**)
although aunque (**7**)
among themselves entre sí (1)
ample amplio/a (3)
and y (**2**)
animal el animal (**10**)
ankle el tobillo (**11**)
annoyed molesto/a (4)
answer la respuesta (1)
answer, to contestar (PA)
antihistamine el antihistamínico (**11**)
apartment el piso (4)
apologize, to disculparse (2)
apparatus el aparato (5)
apparently por lo visto (5)
appear, to parecer (**1**)
appearance la apariencia (**1**)
appendicitis la apendicitis (**11**)
applaud, to aplaudir (**9**)
applicant el/la aspirante (**8**)
application form la solicitud (**8**)
applied aplicado/a (5)
applied arts las artes aplicadas (**9**)
apply for (a job), to solicitar (**8**)
appreciate, to apreciar (5)
appropriate apropiado/a (**2**)
appropriate, to apropiarse (**8**)
architect el/la arquitecto/a (**3**)
argue, to discutir (**4**)
arid árido/a (**10**)
arrangement el arreglo (5)
arrive, to llegar (PA)
arrogant presumido/a (**1**)
arthritis la artritis (**11**)
article el artículo (7)
artisan el/la artesano/a (**9**)
artist el/la artista (**9**)
arts and crafts la artesanía (**9**)
as . . . as tan... como (9)
as much / many . . . as tanto/a/os/as... como (9)
as soon as en cuanto; luego que; tan pronto como (**7**)
ashamed avergonzado/a (**1**)
ask (a question), to preguntar (PA)
ask (for), to pedir (e → i → i) (PA, 2, 9)
ask for clarification, to pedir clarificación (2)
asparagus los espárragos (4)
assemble, to montar (9)
at (*in an e-mail address / message*), @ la arroba (**5**)
at first primero
at least por lo menos (PA, 5)
athlete el/la atleta (**2**)
athletic atlético/a (**2**)
attached adjunto/a (PB)
attachment el archivo adjunto (**5**)
attend, to asistir a (5)
attract, to atraer (10)
auction el remate (7)
aunt la tía (PA)
author el/la escritor/a (**8**)
avocado el aguacate (**4**)
avoid, to evitar (8)
awards ceremony la ceremonia de premiación (1)

B

baby el bebé (**4**)
bachelorette la soltera (1)
back then aquel entonces; en aquel entonces (10)
bacon el tocino (**4**)
bad malo/a (9)
bad, to be ser malo (3, 9)
bad person, to be a ser mala gente (**1**)
bad thing, the lo malo (8)
bakery la panadería (**7**)
bald calvo/a (**1**)
ball la pelota (PA, **2**)
ballet el ballet (**9**)
banker el/la banquero/a (**8**)
banking la banca (**8**)
bankruptcy la bancarrota (**8**)
baptism el bautizo (**4**)
barbecue la barbacoa (3)
barbecued a la parrilla (**4**, PB)
barefoot descalzo/a (11)
bargain la ganga (**7**)
basement el sótano (**3**)
basket la cesta (2)
basket weaving la cestería (**9**)
basketry la cestería (**9**)
bat el bate (2); el murciélago (**10**)
battery la pila (**7**)
bay la bahía (**10**)
be, to estar; ser (PA, **7**, **8**)
be a good person, to ser buena gente (1)
be ashamed of, to avergonzarse (o → ue) de (3, 9)
be lacking, to hacer falta (**1**)
beach la playa (**10**)
beard la barba (**1**)
beat, to batir (**4**)
beauty mark el lunar (**1**)
because porque (2); ya que (**7**)
because of a causa de (5); por (**5**)
become hacerse (**8**)
become (nervous), to ponerse (nervioso/a) (PA)
become quiet, to callarse (PA)
bedroom el dormitorio (3)
bee la abeja (**10**)
beef la carne de res (**4**)
before (*time / space*) antes (de) que (4, **7**)
beg, to rogar (o → ue) (2, 9)
begin, to comenzar (e → ie); empezar (e → ie) (PA)
beginner el/la novato/novata (2)
behave, to comportarse (11)
behave well, to portarse bien (**1**)
behavior el comportamiento (4)
behind detrás de (7, **10**)
belief la creencia (4)

believe, to creer (PA)
bend, to doblarse (**11**)
beneficial beneficioso/a (5)
benefits los beneficios (**8,** 11)
besides además (**10**)
best, the el/la mejor (PA, 9)
best thing, the lo mejor (8)
better mejor (PA, 9)
bid, to ofrecer (7)
bill (*monthly*) la factura (mensual) (3)
biodegradable biodegradable (**10**)
bird/s el ave (*f.*) (5); las aves (4)
birth el nacimiento (**1, 4**)
birth, to give dar a luz (4)
birthday el cumpleaños (1, **4**)
birthday, to have a cumplir... años (4)
black (hair) moreno/a (1)
blame la culpa (4)
blender la batidora (3)
blinds las persianas (3)
block (*city*) la cuadra (1, **3**)
blond rubio/a (**1**)
board la junta (**8**)
body piercing la perforación del cuerpo (1)
boil, to hervir (e → ie → i) (4)
boiled hervido/a (**4,** PB)
bone el hueso (10, **11**)
bonus el bono (**8**)
boot up, to arrancar (**5**)
border la frontera (**5**)
born, to be nacer (**1**)
boss el/la jefe/a (**8**)
both ambos/as (PB)
bother, to molestar (**1**)
bowl el plato hondo (3)
bowl, to jugar al boliche (**2**)
box, to boxear (**2**)
boyfriend el novio (**4**)
bracelet la pulsera (**7**)
braces los frenos (1)
braid la trenza (**1**)
brain el cerebro (**11**)
brakes los frenos (**5**)
brand la marca (5, PB)
brass instruments los instrumentos de metal (**9**)
bread store la panadería (**7**)
break, to romper (1); fracturar(se) (**11**)
breathe, to respirar (**11**)
breeze la brisa (4)
brick el ladrillo (3)
bride la novia (4)
bright llamativo/a (3, **9**)
bring, to traer (PA)
broil, to asar (4)
bronchitis la bronquitis (**11**)
brother-in-law el/la cuñado/a (**1**)
brown castaño/a (1); marrón (4)
browser el navegador (**5**)
brunette castaño/a (**1**)
brush el cepillo (**7**)
brusquely bruscamente (4)
budget el presupuesto (3)
bumper el parachoques (**5**)
burn la quemadura (**11**)
burn, to quemar (3)
(bus) stop la parada (2)
business el comercio; la empresa; el/los negocio/negocios (PB, **8**)
businessman el hombre de negocios (**8**)
businesswoman la mujer de negocios (**8**)
but pero (**2**)
but rather sino (**10**)
butcher shop la carnicería (**7**)
butter la mantequilla (4)
butterfly la mariposa (**10**)
buttocks el trasero (**11**)
buy, to comprar (PA)
by por (**5**)
by means of por medio de (10)
by the way a propósito (4)
by then para aquel entonces (8)
Bye. Chao. (1)

C

cabbage la col (**4**)
called, to be llamarse (PA)
calm tranquilo/a (3)
Calm down. Tranquilo. (8)
camel el camello (**10**)
camera la cámara (**5**)
camera / sound crew el equipo de cámara / sonido (**9**)
Can I take a message? ¿Puedo tomar algún recado? (7)
Can you tell me where . . . is? ¿Puede/n usted / ustedes decirme dónde está...? (4)
canal el canal (5, **9**)
cancer el cáncer (**11**)
candies los dulces (**4**)
candle la vela (3)
candy el bombón (**4**)
canvas el lienzo (**9**)
capable hábil (3)
car el coche (**5**)
(car) horn la bocina (**5**)
car insurance el seguro del coche (**5**)
caramel custard el flan (**4**)
card la tarjeta (**7**)
care el cuidado (2)
cargo la carga (8)
carpenter el/la carpintero/a (**3**)
carrot la zanahoria (**4**)
carry, to cargar (10)
cartoons los dibujos animados (**9**)
carving la talla (**9**)
cash el dinero en efectivo (**7**)
cashier el/la cajero/a (**8**)
castle el castillo (2)
cathedral la catedral (**7**)
cattle el ganado de vacuno / vacas (8)
cauliflower la coliflor (**4**)
cave la cueva (3)
cease, to dejar de (2, 8)
celebrate, to celebrar (4); festejar (6)
celebration la celebración (**4**)
celery el apio (**4**)
cell phone el teléfono celular (**5**)
cement el cemento (**3**)
century el siglo (6)
ceramic tiles los azulejos (3)
ceramics la cerámica (**9**)
certain things ciertas cosas (5)
challenge el desafío (2)
champion (*female*) la campeona (**2**)
champion (*male*) el campeón (**2**)
championship el campeonato (**2**)
channel el canal (5, **9**)
chase, to perseguir (e → i) (PA)
chauffeur el/la chófer (5)
cheap tacaño/a (**1**)
check, to comprobar (o → ue) (11)
check someone's temperature, to tomar la temperatura (**11**)
cheek la mejilla (**1, 11**)
Cheer up! ¡Ánimo! (8)
cheerful alegre (1)
(chemical) engineer el/la ingeniero/a (químico/a) (**8**)
cherry la cereza (**4**)
chicken pox la varicela (**11**)
childhood la niñez (**1**)
chills los escalofríos (**11**)
chimney la chimenea (**3**)
chin el mentón (**1**)
choir el coro (**9**)
choose, to escoger (PA)
chop la chuleta (**4**)
Christmas la Navidad (**4**)
chronicle la crónica (5)
cinema el cine (**9**)
cinematographer el/la cinematógrafo/a (**9**)
citizen el/la ciudadano/a (10)
clarify, to aclarar (5)
clarinet el clarinete (**9**)
class el curso (3)
clay el barro (**9**)
clearance sale la liquidación (**7**)
click, to hacer clic (**5**)
cliff diving el clavadismo (2)
climate el clima (**10**)
climatic climático/a (**10**)
climb, to escalar (**2**)
climbing trepador/a (11)
close, to cerrar (e → ie) (PA)
close by cercano/a (5)
closing (*of a letter*) la despedida (**8**)
clothing la ropa (**7**)
clothing store la tienda de ropa (**7**)
cloud forest la selva nubosa (5)
clue la clave (9); la pista (5, PB)
coach el/la entrenador/a (1, **2**)
coffeemaker la cafetera (**3**)
coincidence la casualidad (5, 7, 11)
collaborator el/la colaborador/a (4)
colleague el/la colega (1, 8)
collect, to coleccionar (2)
collect baseball cards, to coleccionar tarjetas de béisbol (**2**)
cologne la colonia (**7**)
colorful llamativo/a (3, **9**)
comb one's hair, to peinarse (11)
come, to venir (e → ie) (PA)
comedy la comedia (**9**)
coming procedente (8)
commission la junta (**8**)
commission (someone), to encargarle (a alguien) (**9**)
committee la junta (**8**)
common común (4)
compare with, to comparar con (3)
compatible compatible (**5**)
compete, to competir (e → i → i) (**2**)
competition la competencia; la competición (**2**)
competitive competitivo/a (2)
complaint la queja (11)
compose, to componer (**9**)
composer el/la compositor/a (**9**)
compromise el acuerdo (2, **8, 10**)
computer el/la computador/computadora; el ordenador (5)
computer science la informática (**5**)
conceited presumido/a (**1**)
condition la condición (**11**)
confidence la seguridad (5)
confirm, to comprobar (o → ue) (11)
confused confundido/a (**1**)

Congratulations! ¡Enhorabuena!; ¡Felicidades!; ¡Le / Te felicito! (8)
connect, to conectar (**5**)
conserve, to conservar (**10**)
construct, to construir (**3**)
consumption el consumo (**10**)
contain, to contener (e → ie) (PA)
container el envase (**10**)
contaminant el contaminante (**10**)
contest el concurso (5, **9**)
continue (doing something), to seguir (e → i) (PA)
contractor el/la contratista (**3**)
controversial controvertido/a (3)
cook, to cocinar (PA)
cooking term el término de la cocina (**4**)
coral reef el arrecife (**10**)
Cordially Cordialmente (8)
corner la esquina (4)
corporation la empresa (**8**)
corpse el cadáver (9)
correct, to corregir (e → i) (PA)
cost, to costar (o → ue) (PA)
costume el vestuario (**9**)
costume, to wear a disfrazarse (**4**)
cotton el algodón (7)
cough, to toser (11)
Could you (all) tell me how to get to . . . ? ¿Me podría/n decir cómo se llega a...? (4)
counsel, to aconsejar (1, 2, 4, 9)
counselor el/la consejero/a (1, **8**)
count on, to contar (o → ue) (1)
counter(top) el mostrador (**3**, **7**)
country el país (PA)
countryside el paisaje (**5**)
couple la pareja (**1**)
court (*sports*) la cancha (**2**)
courtship el noviazgo (4)
cousin el/la primo/a (PA)
cousin (*little*) el/la primito/a (2)
cover, to cubrir (**3**, **4**)
cover letter la carta de presentación (**8**)
covered cubierto/a (8)
cowboy el gaucho; el vaquero (8)
cozy acogedor/a (4)
crab el cangrejo (**4**, **10**)
crafting of precious metals la orfebrería (9)
crafts, to do hacer artesanía (**2**)
crash, to congelar (**5**)
create, to crear (PA, **9**)
credit card la tarjeta de crédito (7)
criminal justice la justicia criminal (**8**)
cross, to cruzar (5)
crosswalk el paso de peatones (**5**)
cruise ship el crucero (**5**)
crutches las muletas (**11**)
cucumber el pepino (**4**)
cupboard la alacena (**3**)
curative curativo/a (3)
cure la cura (**11**)
curly hair el pelo rizado (**1**)
current actual (**8**)
cursor el cursor (**5**)
customs la aduana (**5**)
cut, to cortar (**5**)
cut the grass, to cortar el césped (**3**)

D

daily cotidiano/a (**9**)
damage, to dañar (**10**)
dance el baile (4); la danza (**9**)
dance, to bailar (PA)
danger el peligro (2, **10**)
dangerous peligroso/a (1)
dark oscuro/a (4)
data los datos (**5**)
date la cita; la fecha (**4**)
daughter la hija (PA)
daughter of a king of Spain la infanta (1)
daughter-in-law la nuera (**1**)
Day of the Dead el Día de los Muertos (**4**)
deadline la fecha límite (8)
Dear . . . Querido/a... (8)
Dear Madam . . . Muy señora mía... (8)
Dear Mr. / Mrs. . . . Estimado/a señor/a... (8)
Dear Mr. . . . Muy estimado señor... (8)
Dear Mrs. . . . Muy estimada señora... (8)
Dear Sir . . . Muy señor mío... (8)
death la muerte (**1**)
debt la deuda (2)
deceive, to engañar (**4**)
decline el declive (10)
decline an invitation, to rechazar una invitación (3)
decorate, to decorar (**2**)
decorative arts las artes decorativas (**9**)
decree el decreto (4)
deed el hecho (11)
deer el ciervo (10); el venado (**10**)
deforestation la deforestación (**10**)
degree el título (1, 7)
delay el retraso (11)
delete, to borrar (**5**)
demand, to exigir (2, 9)
demanding exigente (3)
demonstrate, to demostrar (ue) (PA)
dentist el/la dentista (**8**)
deny, to negar (ie) (3)
deodorant el desodorante (**7**)
depletion el agotamiento (10)
depressed deprimido/a (**1**)
depression la depresión (**11**)
describe, to describir (PA)
desert el desierto (**10**)
design el diseño (**9**)
designer el/la diseñador/a (**3**)
desired deseado/a (5)
dessert el postre (**4**)
destroy, to destruir (**10**)
detail el detalle (3)
detain, to detener (e → ie) (11)
devil el diablo (5)
diabetes la diabetes (**11**)
dialogue el diálogo (1)
diamond el diamante (**7**)
diaper el pañal (10)
die, to morir (o → ue → u) (PA, **1**)
digital digital (**5**)
digital camera la cámara digital (**5**)
digitalize, to digitalizar (**5**)
diminish, to disminuir (11)
dinner, to have cenar (3)
dinosaur el dinosaurio (**10**)
directions las indicaciones (4, 7)
director el/la director/a (**9**)
dirt road el camino (**5**)
disagreement el desacuerdo (**10**)
disappear, to desaparecer (**10**)
disappearance la desaparición (2)
disaster el desastre (10)
disbelief la incredulidad (**11**)
discord la discordia (3)
discount la rebaja (**7**)
discover, to descubrir (1)
discuss, to discutir (**4**)
disguise oneself, to disfrazarse (**4**)
disgusted asqueado/a (**1**)
dislike someone, to caer mal (**1**)
disorganized desorganizado/a (**1**)
displaced desplazado/a (10)
display, to lucir (7)
distracted, to get distraerse (4)
diva la diva (**9**)
diving el buceo (2)
divorce, to divorciarse (**1**)
divorced divorciado/a (**1**)
divorced, to get divorciarse (**1**)
dizziness el/los mareo/mareos (**11**)
do, to hacer (PA, **1**)
Do you like the suggestion? ¿Le / Te parece bien? (5)
Do you mind? ¿Le / Te importa? (5)
Do you mind (if . . .)? ¿Le / Te importa (si...)? (5)
doctor's office el consultorio (**7**)
Don't even think about it! ¡Ni lo sueñes! (10)
Don't worry. No se / te preocupe/s. (8)
Don't you think that . . . ? ¿No cree(s)(n) que...? (11)
donut la dona (**4**)
doorman el/la portero/a (**5**)
dosage la dosis (**11**)
dot (*in a URL*) el punto (**5**)
doubt la duda (3)
doubt, to dudar (3, 9)
doubtful, to be ser dudoso (3, 9)
dough la masa (7)
dove la paloma (**10**)
download, to descargar (**5**)
drama el drama (**9**)
draw, to dibujar (PA, **9**)
draw blood, to sacar la sangre (**11**)
drawing el dibujo (PA, **9**)
dream el sueño (3, 6)
dream, to soñar (o → ue) (4)
dream house la casa de tus sueños (PB)
dresser el tocador (3)
dressing room el vestuario (**9**)
drink, to beber; tomar (PA)
driver el/la chófer (5)
drought la sequía (**10**)
drug addict el/la drogadicto/a (**11**)
drug addiction la narcomanía (**11**)
dry árido/a (**10**)
dry cleaners la tintorería (**7**)
dryer la secadora (**3**)
duck el pato (**10**)
dull pesado/a (**1**)
dye one's hair, to teñirse (e → i) el pelo (1)
dyed (hair) teñido/a (**1**)

E

each cada (PA)
ear (*inner*) el oído (11)
ear of corn el elote (4)
earn a living, to ganar la vida (2)
earrings los aretes (**7**)
Earth la Tierra (10)
east el este (**5**)
Easter la Pascua (**4**)
eat, to comer (PA)
ecological ecológico/a (**10**)
ecosystem el ecosistema (**10**)
edit, to editar (**9**)
education la formación (5, **8**)
effort el esfuerzo (6)

elbow el codo (**11**)
elderly anciano/a (**1**)
electric razor / shaver la máquina de afeitar (**7**)
electrician el/la electricista (**3**)
e-mail el correo electrónico (4, 5); el e-mail (**5**)
embarrassed avergonzado/a (**1**)
employ, to emplear (7, 8)
employee el/la empleado/a (**8**)
enclose, to encerrar (e → ie) (PA)
encourage, to animar (2)
encrypt, to cifrar (**5**)
end, to terminar (PA)
end, at the al final (4)
end, in the por fin (PA, 4, 5)
endangered species los animales en peligro de extinción (**10**)
engaged, to be estar comprometido/a (**4**)
engagement el compromiso (4); el noviazgo (4)
engineering la ingeniería (3, **8**)
enjoy, to disfrutar (2)
enjoy oneself, to divertirse (e → ie → i) (PA)
entertain, to entretener (e → ie) (7)
entrance la portada (4)
envelope el sobre (**5**)
environment el medio ambiente (5, **10**)
erase, to borrar (**5**)
erosion la erosión (**10**)
essential imprescindible (7)
establish, to establecer (9)
etching el grabado (**9**)
etiquette la etiqueta (8)
even if aunque (**7**)
even when aun cuando (**7**)
event el suceso (1)
everyday cotidiano/a (**9**)
evil malvado/a (4)
Exactly. Exactamente.; Exacto. (7, 10)
exchange el intercambio (5)
exchange, to intercambiar (5)
excitement la emoción (2)
exciting emocionante (5)
Excuse me. (***fam.***); (***form. pl.***); (***form.***) Con permiso.; Disculpa. / Discúlpame.; Disculpen. / Discúlpenme.; Disculpe. / Discúlpeme. (2)
executive el/la ejecutivo/a (**8**)
exhausted agotado/a (**1**)
exhibit, to exhibir (**9**)
existing existente (3)
expensive caro/a (2)
experience, to have tener experiencia (**8**)
explanation la explicación (6)
express good wishes, to felicitar (8)
extend an invitation, to invitar a alguien (3)
exterminated exterminado/a (**10**)
extract, to extraer (3)
extravagant gastador/a (**1**)
extroverted extrovertido/a (**1**)
eyebrow la ceja (**1, 11**)
eyedrops las gotas para los ojos (**11**)
eyelashes las pestañas (**1, 11**)

F

fabric la tela (7)
face la cara (**1, 11**)
facing enfrente (de) (3)
factory la fábrica (**7**)
fail, to fallar (11)
faint, to desmayarse (3, **11**)
falconry la cetrería (10)
fall la caída (3)
fall in love (with), to enamorarse (de) (4)
fame la fama (3)
family la familia (PA, **1**)
fan/s el/la aficionado/a (1, 2, 4); los/las seguidores/as (**9**)
farewell la despedida (**1**)
farmer el/la granjero/a (**8**)
fascinate, to fascinar (**1**)
fashion la moda (3, 8)
father-in-law el suegro (**1**)
Father's Day el Día del Padre (**4**)
fax machine la máquina de fax (**5**)
fed up harto/a (**1**)
feel, to sentirse (e → ie → i) (PA)
feel ashamed of, to avergonzarse (o → ue) de (3, 9)
feeling down agobiado/a (7, 10)
fence la cerca (**3**)
fertilizer el fertilizante (**10**)
fever la fiebre (7)
field el campo (2); el terreno (2)
fifteenth birthday celebration la quinceañera (**4**)
fight, to pelear(se) (**2, 4**)
figure la cifra (10)
file el archivo (**5**)
file, to guardar (3, **5**)
filled relleno/a (8)
filling el relleno (4, 7)
film, to; film (on location), to filmar; rodar (o → ue) (en exteriores) (**9**)
films el cine (**9**)
finally finalmente (4); por fin (PA, 4, 5)
financial financiero/a (**8**)
find, to encontrar (o → ue) (PA)
find out, to averiguar (PA)
finish, to terminar (PA)
fire el fuego (3)
fire (*from a job*), to despedir (e → i → i) (**8**)
firefighter el/la bombero/a (**8**)
fireplace la chimenea (**3**)
firmness la firmeza (7)
first al principio; primero (3, 4)
first, at al principio (3, 4)
First Communion la primera comunión (**4**)
first day / month, the el primer día / mes (4)
fish el pescado (**4**)
fish, to pescar (**2**)
fish store la pescadería (**7**)
fit, to ajustarse (3)
fix, to arreglar (1, 8)
fix an object, to componer (**3**)
flamenco el flamenco (**9**)
flea market el mercado de pulgas (7)
flight el vuelo (5)
flight attendant el/la asistente de vuelo (**8**)
flirtatious insinuante (1)
floating flotante (2)
flour la harina (**4**)
fly a kite, to hacer volar un volantín (7)
focus el enfoque (4)
focus (on), to enfocarse (en) (PB)
follow, to seguir (e → i) (PA)
followers los/las seguidores/as (**9**)
following a continuación (2); siguiente (PA)
food la comida (**4**)
for para; por (**5**)
for example por ejemplo (3)
for this reason por eso (5, **10**)
forehead la frente (**1, 11**)
forward (*soccer*) delantero (2)
fountain la fuente (**7**)
fox el zorro (**10**)
fracture, to fracturar(se) (**11**)
freckles las pecas (**1**)
free gratis (2)
freedom la libertad (2)
freeway la autopista (5)
freeze, to congelar (**5**)
frenzy el frenesí (6)
fresh water el agua dulce (5)
fried frito/a (**4**, PB)
frightened asustado/a (**1**)
from bad to worse de mal en peor (11)
front (of), in enfrente (de) (3)
fruit la fruta (**4**)
fruit store la frutería (**7**)
fry, to freír (e → i → i) (**4**)
frying pan la sartén (**3**)
fuel el combustible (**10**)
full-time workday la jornada completa (**8**)
fun, to have divertirse (e → ie → i) (PA)
funds los fondos (9)
funny chistoso/a (**1**)
fur; fur, made of la piel; hecho de piel (**7**)
furious furioso/a (**1**)

G

game el partido (2)
game show el concurso (5, **9**)
garbage dump el vertedero (10)
garden el jardín (3)
garden, to trabajar en el jardín (**2**)
garden hose la manguera (**3**)
gardener el/la jardinero/a (**3**)
gardening la jardinería (3)
gargle, to hacer gárgaras (**11**)
garlic el ajo (**4**)
garment la prenda (**7**)
gas pedal el acelerador (**5**)
generate, to engendrar (11)
generous generoso/a (**1**)
geographical geográfico/a (**10**)
gesture el gesto (8, 10)
get, to conseguir (PA)
get a job, to; get a position as . . . , to conseguir un puesto de... (**8**)
get in(to), to meterse (**11**)
get involved, to involucrarse (10)
get lost, to perderse (e → ie) (**5**)
get off, to bajar de (2)
get ready, to preparar (PA)
get up, to levantarse (PA)
giraffe la jirafa (**10**)
girlfriend la novia (**4**)
give, to dar (PA); regalar (3)
given that puesto que (**7**)
glance el vistazo (1)
go, to ir (PA)
go away, to irse (PA)
go camping, to ir de camping (**2**)
go cycling, to practicar ciclismo (**2**)
go on a cruise, to hacer un crucero (**5**)
go on strike, to hacer una huelga (**8**)
go out (with), to salir (con) (**4**)
go straight, to seguir derecho (7)
Go straight. Siga/n derecho / todo recto.; Vaya/n derecho / todo recto. (4)
go waterskiing, to practicar esquí acuático (**2**)
goal la meta (3, **8**)
goat la cabra (**10**)
goblet la copa (**3**)
goddaughter la ahijada (**1**)
godfather el padrino (**1**)

godmother la madrina (**1**)
godson el ahijado (**1**)
go-kart racing el karting (5)
gold, made of hecho de oro (**7**)
golf club el palo de golf (**2**)
golf course el campo de golf (**7**)
Good! ¡Bueno! (8); ¡Qué bueno! (5)
good, to be ser bueno (3, 9)
Good afternoon. (Muy) Buenos / Buenas. (1)
Good morning. (Muy) Buenos / Buenas. (1)
good quality de buena calidad (**7**)
goods los bienes (7)
gorilla el gorila (**10**)
government el gobierno (3)
GPS el navegador personal (**5**)
graduate el/la titulado/a (8)
graduation la graduación (**4**)
granddaughter la nieta (**1**)
grandfather el abuelo (PA)
grandmother la abuela (PA)
grandson el nieto (**1**)
grapefruit la toronja (**4**)
graphic gráfico/a (**9**)
grass el césped (3); la hierba (3)
grasshopper el saltamontes (**10**)
grateful agradecido/a (3)
gray hair las canas; el pelo canoso (**1**)
great-grandfather el bisabuelo (**1**)
great-grandmother la bisabuela (**1**)
greenhouse effect el efecto invernadero (**10**)
greet, to saludar (1, **11**)
greeting el saludo (**1**, 8)
greeting card la tarjeta (**7**)
grilled a la parrilla; asado/a (**4**, PB)
groom el novio (**4**)
ground el suelo (1)
ground beef la carne molida (**4**)
groupies los/las seguidores/as (**9**)
grow old, to envejecer (**1**)
guess, to adivinar (PA, 1, 8)
guest el/la huésped; el/la invitado/a (2, 4, **5**)
guide el/la guía (**5**)
guide, to guiar (4)
guilty culpable (7)
gum el chicle (**7**)

H

habitat el hábitat (**10**)
hack, to sabotear (**5**)
hair el pelo (**1**)
hairstylist el/la peluquero/a (**8**)
half la mitad (PB)
half sleeve media manga (**7**)
hall el pasillo (**3**)
Halloween el Día de las Brujas (**4**)
hammer el martillo (7)
hand la mano (PA)
hand embroidery el bordado a mano (7)
handbag el bolso (7)
handheld beater la batidora (**3**)
hang, to colgar (o → ue) (**3**)
Hang in there! ¡Ánimo! (8)
happy alegre (1)
happy (about), to be alegrarse (de) (3, 9)
hard drive el disco duro (**5**)
hardware store la ferretería (**7**)
harm el daño (**10**)
harm, to dañar (**10**)
harmful dañino/a (11)
harp el arpa (7)
harvest, to cosechar (**10**)
have, to tener (e → ie) (PA)
have a date, to tener una cita (**4**)
have to do with, to tener que ver (con) (3, 4)
He / She is not home. No está.; No se encuentra. (7)
head la cabeza (**1**)
headache el dolor de cabeza (**11**)
headlight el faro (**5**)
heal, to sanarse (11)
hear, to oír (PA)
heart attack el ataque al corazón (**11**)
heat (*low, medium, high*) el fuego (*lento, mediano, alto*) (**4**)
heat, to calentar (e → ie) (**3, 4**)
hectare (*2.471 acres*) la hectárea (4)
heel (*high, low*) el tacón (*alto, bajo*) (**7**)
heel (*of the foot*) el talón (**11**)
height la altura (5)
Hello. Aló. (7)
Hello? Bueno.; Diga. / Dígame. (7)
helmet el casco (**2**)
help la ayuda (3)
Help! ¡Socorro! (10)
help, to ayudar (5)
helpline el teléfono de ayuda (6)
her su (PA)
herb la hierba (11)
here acá (1)
heritage la herencia (PA, **1**)
hers suya (PA)
Hey . . . (*fam.*) Oye... (7)
Hey . . . (*form.*) Oiga... (7)
hide, to esconder; ocultar (3)
high / low (blood) pressure la presión alta / baja (**11**)
high blood pressure la hipertensión (**11**)
high school la escuela secundaria (1)
highway la autopista (5); la carretera (**5**)
hiker el/la excursionista (**2**)
hip la cadera (**11**)
hire, to contratar (**8**)
his su; suyo (PA)
hit, to pegar (1)
hockey stick el palo de hockey (**2**)
home el hogar (**3**)
home remedy el remedio casero (11)
homemaker el amo/a de casa (**8**)
homepage la página principal / inicial / de hogar (**5**)
honest honesto/a (**1**)
honesty la honradez (4)
honey la miel (**4**)
honeymoon la luna de miel (**4**)
hope, to esperar (PA, 2, 9)
horseback riding, to go montar a caballo (**2**)
host el anfitrión (7, 12)
hostess la anfitriona (7, 12)
hot caluroso/a (7)
hotel management la administración de hoteles; la gerencia de hotel (8)
housing materials los materiales de la casa (**3**)
How are you doing? ¿Cómo andas? (PA)
How are you this morning? ¿Cómo amaneció usted / amaneciste?; ¿Qué tal amaneció usted / amaneciste? (1)
How awful! ¡Qué barbaridad! (5)
How cool! ¡Qué emoción! (5)
How do I go / get to . . . ? ¿Cómo voy / llego a...? (4)
How exciting! ¡Qué emoción! (5)
How extraordinary! ¡Qué extraordinario! (8)
How marvelous! ¡Qué maravilloso! (8)
How nice to see you! (Qué) Gusto en verlo/la/te! (1)
How stupendous! ¡Qué estupendo! (8)
hug, to abrazar (2, **11**)
Hugs Abrazos (8)
human being el ser humano (5)
human body el cuerpo humano (**11**)
humble humilde (4)
hummingbird el picaflor (**10**)
hunting, to go cazar (**2**)
hurry, to darse prisa (PA)
husband el marido (**1**)

I

I agree. Estoy de acuerdo. (7, 10)
I can't take it any more! ¡Ya no lo aguanto! (5)
I don't agree. No estoy de acuerdo. (10)
I don't believe it No lo creo. (11)
I don't think so. No lo creo. (11)
I doubt it. Lo dudo. (11)
I hope so ojalá (que) (2)
I propose that . . . Propongo que... (11)
I recommend that . . . Recomiendo que... (**11**)
I suggest that . . . Sugiero que... (11)
I will call you later. Lo / La / Te llamo más tarde. (**7**)
I would like to invite you (all) . . . Quisiera invitarte/le/les... (**3**)
I would love to (but) . . . Me encantaría (pero)... (3)
I'll say. Ya lo creo. (**10**)
I'm lost. Estoy perdido/a. (4)
I'm really sorry but . . . Me da mucha pena pero... (3)
I'm sorry. Lo siento. (8)
I'm sorry, but I can't this time. I have another commitment. / I have other plans. Lo siento pero no puedo esta vez / en esta ocasión. Tengo otro compromiso. (3, 8)
I'm telling you . . . Te digo... (10)
ice-cream store la heladería (**7**)
icon el icono (**5**)
if si (PA, 9)
iguana la iguana (**10**)
illness la enfermedad (**11**)
image la imagen (**5, 9**)
Imagine! ¡Figúrate! (10); ¡Imagínate! (**10**)
immediately (after) en seguida (4)
imminent inminente (8)
impolite maleducado/a (**1**)
important, to be importar (**1**)
improve, to mejorar (2, **10**)
improvement el mejoramiento (3)
improvise, to improvisar (**9**)
in addition encima (3)
in case en caso (de) que (**7**)
in charge encargado/a (7)
in love enamorado/a (**1**)
in order to para (**5**)
In other words . . . En otras palabras... (9)
in spite of a pesar de que (**7**)
in the beginning al principio (3, 4)
in the open air al aire libre (2)
including incluso (5)
Independence Day el Día de la Independencia (**4**)
indicate, to indicar (PA)
indignant indignado/a (4)
inflammation la inflamación (**11**)
inform, to informar (**9**)
information los datos (8)
infrastructure la infraestructura (**10**)
ingredient el ingrediente (**4**)

inheritance la herencia (PA, **1**)
inn el parador (3)
innovative innovador/a (**9**)
insecticide el insecticida (**10**)
inside adentro (3)
insist, to insistir (en) (2, 9)
inspect, to inspeccionar (**9**)
integrity la honradez (4)
intention el intento (3)
interest, to interesar (**1**)
Internet el Internet (**5**)
interview la entrevista (PA, **8**)
interview, to entrevistar (2, PB, **8**)
introverted introvertido/a (**1**)
invest, to invertir (e → ie → i) (**8**)
invite someone, to invitar a alguien (3)
Is ___ there? / at home? ¿Está ___ (en casa)? (7)
island la isla (**10**)
isolated aislado/a (11)
isolation el aislamiento (10)
It can't be! ¡No puede ser! (5, 10, 11)
It is essential that . . . Es imprescindible que... (**11**)
It is important that . . . Es importante que... (2, 9, **11**)
It would be a pleasure! ¡Con mucho gusto! (3)
It would be better to . . . Sería mejor... (11)
It's a shame / pity but . . . Lástima pero... (3)
It's all the same to me. Me da igual. (12)
It's alright. Está bien. (10)
It's better that / than . . . Es mejor que... (2, 9)
It's hard to believe. Parece mentira. (11)
It's necessary that . . . Es necesario que... (2, 9, **11**)
It's not true. No es verdad. (PA)
It's preferable that . . . Es preferible que... (2, 9)
It's that . . . Es que... (9)
It's true. Es cierto.; Es verdad. (PA, 10)
item el artículo (7)
itinerary el itinerario (**5**)
its su (PA)

J

jealous celoso/a (**1**)
jewelery las joyas (7)
jewelery store la joyería (4)
job el empleo (1); el puesto; el trabajo (**8**)
jog, to hacer jogging (**2**)
joint la articulación (11)
joke la broma (3, 4)
joke around, to bromear (5)
jot down apuntar (11)
journalist el/la periodista (**8**)
just justo/a (4)

K

keep, to guardar (3, **5**)
keep quiet, to callarse (PA)
keyboard el teclado (**5, 9**)
kilogram (***2.2 pounds***) el kilogramo (4)
king el rey (1)
kingdom el reino (1)
kiss; kiss (***little***) el beso (4); el besito (2)
kiss, to besar (**11**)
kitchen la cocina (**3**)
kitchen sink el fregadero (**3**)
kite el volantín (7)
knee la rodilla (**11**)
knife el cuchillo (1)
knit, to tejer (**2**)
know, to saber (3)
known conocido/a (1)

L

labyrinth el laberinto (1)
lack, to faltar (**1**)
lake el lago (5)
lamb la carne de cordero (**4**)
land el terreno (2); la tierra (10)
landlord el/la propietario/a (**8**)
landscape el paisaje (**9**)
language la lengua (PA)
last último/a (1)
last (in a list) por último (4)
later más tarde (4)
law la ley (5)
lawn el césped (**3**)
lawyer el/la abogado/a (**8**)
layer la capa (7)
lazy flojo/a (**1**)
learn, to aprender (PA)
leather la piel (**7**)
leather, made of hecho de piel (**7**)
leave, to irse; salir (con) (PA)
left undone, to be quedarse sin hacer (10)
Let's see . . . A ver... (**11**)
letter la letra (1)
letter of recommendation la carta de recomendación (**8**)
letters (***literature***) las letras (1)
level el nivel (2, **4**)
librarian el/la bibliotecario/a (5)
lie la mentira (2)
lie, to mentir (e → ie → i) (PA)
life event el evento de la vida (**4**)
lift weights levantar pesas (**2**)
light ligero/a (2)
lightbulb la bombilla (**7**)
lightweight liviano/a (7)
like, to gustar (3, 9)
like someone, to caer bien (**1**)
like very much, to encantar (**1**)
likes los gustos (1)
limousine la limusina (**5**)
line el verso (4)
link el enlace (**5**)
lip el labio (**1, 11**)
lipstick el pintalabios (**7**)
little mirror el espejito (1)
little piece of paper el papelito (PA)
little spot la manchita (11)
little stool el banquito (4)
little while el rato (3)
live, to vivir (PA)
live in, to habitar (3)
living room la sala (3); el salón (1)
loan el préstamo (**3**)
lobster langosta, la (**4**)
located, to be ubicarse (4)
log on , to hacer la conexión (**5**)
long largo/a (**11**)
long hair el pelo largo (**1**)
long sleeve la manga larga (**7**)
long walk la caminata (1)
look el vistazo (1)
Look . . . Mire... / Mira... (7)
loose interpretation la paráfrasis (8)
lose, to perder (e → ie) (PA)
lose weight, to perder (e → ie) peso (**11**)
lotion la loción (**7**)
love, to encantar (1); querer (e → ie) (PA, 2, 9)
luckily por suerte (PA)
luggage el equipaje (**5**)
lunch, to have almorzar (o → ue) (PA)
lung el pulmón (**11**)
lurker el mirón (**5**)
luxury el lujo (2, 11)
luxury hotel el hotel de lujo (**5**)

M

magazine la revista (3)
maid el/la camarero/a (**5**)
mail carrier el/la cartero/a (**8**)
mailbox el buzón (8)
main dish el plato (4)
maintain, to mantener (e → ie) (PA, 2)
majority la mayoría (2)
make, to hacer (PA, 1); fabricar (**8, 10**)
make by hand, to hacer a mano (**9**)
make noise, to hacer ruido (**10**)
mammal el mamífero (10)
manager el/la gerente/a (4, **8**)
manatee el manatí (**10**)
mango el mango (**4**)
manufacture, to fabricar (**8, 10**)
map el mapa (5)
mariachi el mariachi (**9**)
mark, to marcar (8)
market el mercado (4)
marketing el mercadeo (**8**)
married casado/a (**1**)
married, to get casarse (**1**)
marry, to casarse (**1**)
marsh el pantano (**10**)
martial arts las artes marciales (2)
martial arts, to do practicar las artes marciales (**2**)
mask la máscara (2)
masterpiece la obra maestra (**9**)
masters (degree) la maestría (8)
material la materia (**9**)
matter, to importar (**1**)
maybe quizás (2)
mean, to significar (6)
meaning el significado (1)
means los medios (9)
measles el sarampión (**11**)
meat la carne (**4**)
mechanic el/la mecánico/a (**8**)
medical attention la atención médica (**11**)
medical test la prueba médica (**11**)
medicine el medicamento (**11**)
meet, to reunirse (PA)
melt, to derretir (e → i → i) (**4**)
menu la carta (4)
merchant el/la comerciante (**8**)
merengue el merengue (**9**)
methane el metano (5)
middle el medio (1)
migraine la jaqueca (**11**)
milkshake el batido (**4**)
mind la mente (4)
mine mío/a/os/as (PA)
mirror el espejo (**3**)
misbehave, to portarse mal (**1**)
mix, to mezclar (**4**)
mixer la batidora (**3**)
mixture la mezcla (1)
modest sencillo/a (**1**, 3, PB)
mole el lunar (**1**)
mom la mamá (PA)
monkey el mono (**10**)

mononucleosis la mononucleosis (**11**)
monument of national importance el monumento nacional (**5**)
more than ever más que nunca (4)
mortar el mortero (3)
mortgage la hipoteca (**3**)
mosque la mezquita (**7**)
mother-in-law la suegra (**1**)
Mother's Day el Día de la Madre (**4**)
motif el motivo (**9**)
motorcycle la moto (PA)
mountain range la sierra (**10**)
mouse el ratón (**5**)
moustache el bigote (**1**)
move, to mudarse (**3**)
movies el cine (**9**)
MP3 player el reproductor de MP3 (**5, 9**)
multitasking la multitarea (**5**)
mumps las paperas (**11**)
mural el mural (**9**)
muralist el/la muralista (**9**)
muscle el músculo (**11**)
mushrooms los hongos (**4**)
music la música (**9**)
musical piece la pieza musical (**9**)
Muslim musulmán/musulmana (7)
must deber (+ inf.) (PA)
my mi/s (PA)
My most heartfelt condolences. Mis más sinceras condolencias. (8)
myth el mito (2)

N

nail el clavo (7); la uña (**11**)
nail polish el esmalte de uñas (**7**)
naive ingenuo/a (11)
named, to be llamarse (PA)
national monument el monumento nacional (**5**)
nature la naturaleza (**10**)
nausea las náuseas (**11**)
navigate, to navegar (**5**)
navigation system el navegador personal (**5**)
near cerca de (10)
necklace el collar (**7**)
need, to necesitar; (PA, 2, 9); faltar (1); hacer falta (**1**)
negotiate, to negociar (**8**)
neighbor el/la vecino/a (**3**)
neighborhood el barrio (2, 3)
neither tampoco (PA)
nephew el sobrino (**1**)
nerve el nervio (**11**)
never jamás (2, 11)
Never in my life. En mi vida. (10)
nevertheless sin embargo (**10**)
news program el noticiero (**9**)
nice amable (**1**)
Nice to see you. Gusto en verlo/la/te. (1)
niece la sobrina (**1**)
nightmare la pesadilla (7)
No doubt. Sin duda. (10)
No way! ¡No me diga/s! (5, 7, 10, 11); ¡Qué va! (10)
No way. De ninguna manera. (10)
noise el ruido (2)
nonprofit sin fines de lucro (**8**)
nor tampoco (PA)
north el norte (**5**)
northeast noreste (5)
northwest noroeste (5)
not ever (*emphatic*) jamás (2, 11)
not to believe no creer (3, 9)
not to think no creer; no pensar (e → ie) (3, 9)
notable characteristics las características notables (**1**)
notwithstanding no obstante (**10**)
noun el sustantivo (PA)
novice el/la novato/novata (2)
now that ahora que (**7**)
number la cifra (10)
nursing la enfermería (**8**)
nylon nilón (**7**)
nylon, made of hecho de nilón (7)

O

obesity la obesidad (**11**)
obtain, to obtener (e → ie) (PA); ocupar (2); sacar (3)
octopus el pulpo (**10**)
Of course! ¡Claro!; (1, 3); ¡Por supuesto! (3, 5, 7, 10)
Of course. Claro que sí. (3, 7, 10); Cómo no.; Desde luego. (7, 10)
Of course not. Claro que no.; Nada de eso. (10)
offer (*special*) la oferta (5, **7**)
offline desconectado/a (**5**)
often a menudo (PA)
oil painting el óleo (**9**)
OK . . . Bueno... (11)
Okay. Estoy de acuerdo.; Está bien. (7, 10)
old viejo/a (**9**)
old age la vejez (**1**)
olive la aceituna (**4**)
on board a bordo (5)
On / To the contrary. Al contrario. (10)
on the other hand por otro lado (**10**)
on top of encima de (5, 10)
oneself mismo/a (2)
online conectado (**5**)
only child el/la hijo/a único/a (**1**)
open, to abrir (PA, **1**)
operate, to operar (**11**)
opposite opuesto/a (1)
or o (**2**)
orange anaranjado/a (4)
order el pedido (2, 5)
organ el órgano (**9**)
organist el/la organista (**9**)
organize, to organizar (**9**)
organized organizado/a (**1**)
otherworldly extraterrestre (5)
our/s nuestro/a/os/as (PA)
outskirts las afueras (7)
oven el horno (**3**)
overpopulation la sobrepoblación (**10**)
overwhelmed agobiado/a (7, 10)
own propio/a (PA)
owner el/la dueño/a (**3**); el/la propietario/a (**8**)

P

pack up, to empaquetar (12)
package el paquete (5); el envase (**10**)
pageant el concurso (**5, 9**)
paint, to pintar (**2, 3**)
paintbrush el pincel (**9**)
painted pintado/a (5)
painter el/la pintor/a (**9**)
painting la pintura (**9**)
pair el par (2)
pancake el panqueque (**4**)
pantry la despensa (**3**)
papaya la papaya (**4**)
paper el papel (5, 9)
parade el desfile (4)
paradise el paraíso (2)
paragraph el párrafo (1)
Pardon. (*fam.*) Perdón. / Perdóname. (2)
Pardon. (*form.*) Perdóneme. (2)
Pardon, do you (all) know how to get to . . .? Perdón, ¿sabe/n usted / ustedes llegar al...? (4)
parking lot el estacionamiento (11)
parrot el loro (**10**)
partner la pareja (**1**)
part-time workday la jornada parcial (**8**)
pass, to pasar (2)
password la contraseña (**5**)
past el pasado (3)
paste, to pegar (**5**)
pastimes los pasatiempos (**2**)
pastry shop la pastelería (**7**)
path el sendero (4); el camino (**5**)
patient el/la paciente (**11**)
patron el/la patrocinador/a (9)
pay attention to, to fijarse en (4)
peace la paz (10)
peach el durazno (**4**)
peas los guisantes (**4**)
peel, to pelar (**4**)
penguin el pingüino (5, **10**)
penicillin la penicilina (**11**)
pepper el pimiento (**4**)
percent por ciento (PB)
perform, to representar (**9**)
performance art el arte dramático (**9**)
perfume el perfume (**7**)
period of time la temporada (1)
personal characteristics las características personales (**1**)
personal letter la carta personal (**8**)
personality la personalidad (**1**)
personnel el personal (**8**)
pesticide el pesticida (**10**)
pharmacy la farmacia (**7**)
Phenomenal! ¡Fenomenal! (5, 8)
phone call la llamada (2)
photo la foto (PA)
physical appearance el aspecto físico (**1**)
physical exam el examen físico (**11**)
physically / psychologically handicapped discapacitado/a (**1**)
pick up, to recoger (1)
pictures / photos, to take sacar fotos (**5**)
piece el pedazo (**4**)
pigeon la paloma (**10**)
Pilates el pilates (**2**)
Pilates, to do hacer pilates (**2**)
pillow la almohada (**3**)
pillowcase la funda (de almohada) (**3**)
pilot el/la piloto/a (**8**)
pineapple la piña (**4**)
pink rosado/a (4)
pitcher la jarra (**3**)
place el lugar (**7**)
place, to poner (PA, **1**)
place an order, to hacer un pedido (7)
plain la llanura (**10**)
plan, to planear (**9**)
plantain el plátano (**4**)
plaster el yeso (**3**)
play la obra de teatro (**9**)
play, to jugar (o → ue) (PA)
play (an instrument), to tocar (un instrumento) (9)

play cards, to jugar a las cartas (2)
play charades, to hacer mímica (PA, 9)
play checkers, to jugar a las damas (2)
play chess, to jugar al ajedrez (2)
play frisbee, to tirar un platillo volador (2)
play hangman, to jugar al horcado (PB)
play hockey (*ice; field*), to jugar al hockey (sobre hielo; sobre hierba) (2)
play poker, to jugar al póquer (2)
play the role, to hacer el papel (3, 9)
play video games, to jugar a videojuegos (2)
play volleyball, to jugar al voleibol (2)
playwright el/la dramaturgo/a (9)
pleasant agradable (1)
please por favor (5)
plug el enchufe (5)
plug in, to enchufar (5)
plum la ciruela (4)
plumber el/la plomero/a (3)
pocket el bolsillo (7)
poisonous tóxico/a (10)
poisonous venenoso/a (9)
police station la comisaría (PB, 7)
polite educado/a (1)
(political) science las ciencias (políticas) (8)
politician el/la político/a (8)
pond el estanque (3)
poor quality de buena / mala calidad (7)
popcorn las palomitas de maíz (4)
popular music la música popular (9)
pork la carne de cerdo (4)
port el puerto (5)
portrait el retrato (9)
position el puesto (8)
post to a blog, to comentar en un blog (2)
poster el cartel (12)
pot la olla (3)
potter el/la alfarero/a (9)
pottery la alfarería (9)
pottery making la alfarería (9)
poultry las aves (4)
pour, to verter (e → ie) (4)
power el poder (PA)
powerful poderoso/a (1)
Precisely. Precisamente. (10); Efectivamente. (10)
predict, to predecir (i) (1)
prefer, to preferir (e → ie → i) (PA, 2, 9)
pregnancy el embarazo (4)
pregnant embarazada (1)
pregnant, to be estar embarazada (4)
preparations los preparativos (PB)
prepare, to preparar (PA)
present (*adj.*) actual (8)
present el regalo (4)
preserve, to preservar (10)
pretend, to fingir (5)
prevent, to prevenir (e → ie) (10)
pride el orgullo (5)
priest el cura (4)
prince el príncipe (1)
princess la princesa (1)
print, to imprimir (5)
printer la impresora (5)
prison la cárcel (11)
prize el premio (1)
probable, to be ser probable (3, 9)
procedure el procedimiento (11)
produce, to fabricar (8, 10)
production la función (9)
profession la profesión (8)
professional profesional (8)
profile el perfil (1)
profit el lucro (8)
prohibit, to prohibir (2, 9)
project el proyecto (3)
promenade el paseo (1)
promote, to ascender (e → ie) (8)
promoted, to be ascender (e → ie) (8)
proof la prueba (10)
property la propiedad (3)
proud orgulloso/a (1)
provided that con tal (de) que (7)
psychologist el/la psicólogo/a (8)
psychology la psicología (8)
public restrooms los servicios (7)
publicize, to publicitar (8)
puddle el charco (11)
puma el puma (10)
pumpkin la calabaza (4)
purpose el propósito (11)
put, to poner (PA, 1)
put a cast on, to enyesar (11)
put away, to guardar (3, 5)
put on (one's clothes), to ponerse (la ropa) (PA)
put on makeup, to maquillarse (PA)
put your foot in your mouth, to meter la pata (9)
pyramid la pirámide (1)

Q

qualification la calificación (8, 11)
quality la calidad (5)
quarter (*one*) el cuarto (PB)
quartet el cuarteto (9)
queen la reina (1)
quiet callado/a (1)
Quiet everybody (on the set)! ¡Silencio! (9)
quit, to renunciar (a) (8)
quit smoking cigarettes, to dejar de fumar cigarrillos (11)

R

race la carrera (2); la vuelta (2)
race car driver el/la piloto/a de carreras (5)
rack la pista (5, PB)
racket la raqueta (2)
raise, to criar (10)
rate la tasa (10)
raw crudo/a (4, PB)
razor la navaja de afeitar (7)
reach an agreement, to ponerse de acuerdo (2, 3)
read, to leer (PA)
real estate los bienes raíces (3)
Really? ¿De veras? (11)
rearview mirror el espejo retrovisor (5)
reason la razón (PA)
reboot, to reiniciar (5)
receive, to recibir (PA)
recently recién (PB)
receptacle el receptáculo (8)
receptionist el/la recepcionista (5)
recipe la receta (4)
recognize, to reconocer (PA)
recommend, to aconsejar (1, 2, 4, 9); proponer (2, 9); recomendar (e → ie) (PA, 2, 9)
recreational recreativo/a (2)
red-haired pelirrojo/a (1)
reduce, to reducir (10)
referee el/la árbitro/a (2)
reflect, to reflexionar (1); reflejar (9)
regret el pesar (8)
regret, to sentir (e → ie → i) (3, 9); arrepentirse (e → ie → i) de (4, PB)
reheat, to recalentar (ie) (4)
relative el/la pariente/a (1)
Relax. Tranquilo. (8)
relic la reliquia (8)
remain, to quedarse (PA)
remember, to acordarse (o → ue) de (PA); recordar (o → ue) (PA, 1)
remind, to recordar (o → ue) (PA, 1)
remodel, to remodelar (3); renovar (o → ue) (3, 5)
renew, to renovar (o → ue) (3, 5)
renewable renovable (10)
renovate, to remodelar (3); renovar (o → ue) (3, 5)
rent el alquiler (3)
rent, to alquilar (3)
rent a car, to alquilar un coche (5)
repair, to reparar (3); componer (9)
repeat, to repetir (e → i) (PA)
Repeat, please. Repite/a por favor. (2)
replace, to reemplazar (10)
report el reportaje (1); el informe (3)
reporter el/la reportero/a (8)
represent, to representar (9)
request el pedido (2, 5)
request, to pedir (e → i → i) (PA, 2, 9)
require, to requerir (e → ie) (10)
requirement el requisito (8)
rescue, to rescatar (10, 11)
resign, to renunciar (a) (8)
respond, to responder (5)
rest el descanso (1)
restore, to restaurar (5)
result el resultado (2, 11)
résumé el currículum (vitae) (C.V.) (8)
retire, to jubilarse (8)
retirement la jubilación (1, 8)
return, to regresar (PA); volver (o → ue) (PA, 1)
return (an object), to devolver (o → ue) (PA)
review el repaso (PA)
review, to repasar (5)
rhinoceros el rinoceronte (10)
rib la costilla (11)
right justo/a (4)
right-click, to pulsar el botón derecho (5)
ring el anillo (7)
rink la pista (2)
risk el riesgo (10)
rivalry la rivalidad (2)
river el río (10)
roast, to asar (4)
rob, to robar (5)
robbery el robo (5)
role el papel (5, 9)
rookie el novato (2)
room el cuarto (3); la alcoba; la habitación; la recámara (3)
room service el servicio (5)
rooster el gallo (10)
roots las raíces (1)
roulette la ruleta (PA)
route el camino (5)
row, to remar (2)
rowing el remo (2)
royal real (1)
rude grosero/a; maleducado/a (1)
rug la alfombra (4)
ruin, to arruinar (8)
ruins las ruinas (3)

rule la regla (8)
run, to correr (PA)
running water el agua corriente (3)

S

sail, to pasear en barco (de vela) (**2**)
saint el/la santo/a (4)
salary el salario; el sueldo (**8**)
sale la venta (6, 8); la rebaja (7); el remate (7)
same igual (1)
same thing, the lo mismo (8)
sand la arena (**5**)
sardine la sardina (**4**)
saucepan la cacerola (**3**)
saucer el platillo (**3**)
sausage la salchicha (**4**)
save, to guardar (3, 5); ahorrar (8); salvar (10)
savings el ahorro (**8**)
sawdust el aserrín (4)
saxophone el saxofón (**9**)
saxophonist el/la saxofonista (**9**)
say, to decir (PA, **1**, PB)
say exactly, to precisar (11)
say goodbye, to despedirse (e → i → i) (1, **11**)
say hello, to saludar (1, **11**)
Say hi to everyone at home. Saludos a todos por su / tu casa. (1)
Say hi to (*name*) at home. Saludos a (*nombre*) por su / tu casa. (1)
scan, to escanear (**5**)
scanner el escáner (**5**)
scar la cicatriz (**1**)
scarcity la escasez (**10**)
scare el susto (PB)
scarf la bufanda (**7**)
scatterbrained despistado/a (**1**)
schedule el horario (1, **8**)
school (*adj.*) escolar (2)
scold, to reñir (i) (1)
score el resultado (2, 11); la calificación (8, 11)
screen la pantalla (2, **5**)
screenwriter el/la guionista (**9**)
screw el tornillo (7)
script el guión (**9**)
scriptwriter el/la guionista (**9**)
scuba dive, to bucear (**2**)
sculpt, to esculpir (**9**)
sculptor el/la escultor/a (**9**)
sculpture la escultura (**9**)
sea el mar (**10**)
seafood los mariscos (**4**)
seal la foca (**10**)
search la búsqueda (2)
seatbelt el cinturón de seguridad (**5**)
secretary el/la secretario/a (**8**)
security guard el/la guardia de seguridad (**5**)
see, to ver (PA, **1**)
See you. Nos vemos. (1)
seem, to parecer (**1**)
seem familiar, to sonar (o → ue) (2, 5)
selfish egoísta (**1**)
self-portrait el autorretrato (**9**)
seller el/la vendedor/a (2)
seminar el seminario (1)
Sensational! ¡Sensacional! (8)
sense el sentido (2)
sensitive sensible (**1**)
sentence la oración (PA)
separate, to separarse (**1**)
separated, to get separarse (**1**)
series la serie (4)
serious serio/a (**1**)
Seriously? ¿En serio? (11)
serve, to servir (e → i) (PA)
server el servidor (**5**)
set el decorado (**9**)
severe headache la jaqueca (**11**)
sew, to coser (**2**)
shadow la sombra (6)
shame la vergüenza (8)
shame, to be a ser una lástima (3, 9)
shampoo el champú (**7**)
share, to compartir (PA, 1)
shark el tiburón (**10**)
shave, to afeitarse (11)
shaving cream la crema de afeitar (**7**)
She is not home. No se encuentra. (7)
sheep la oveja (**10**)
shelf el estante (2)
shoe store la zapatería (**7**)
shop la tienda (**7**)
shopkeeper el/la comerciante (**8**)
shopping basket la cesta (2)
short corto/a (**11**)
short (film) el cortometraje (**9**)
short hair el pelo corto (**1**)
short sleeve la manga corta (**7**)
short-story writer el/la cuentista (9)
should deber (+ inf.) (PA)
shoulder el hombro (**11**)
show el espectáculo; la función (**9**)
show, to enseñar (PA); mostrar (o → ue) (PA); lucir (7)
show for the first time, to estrenar (1)
shower, to ducharse (11)
showy llamativo/a (3, **9**)
shrimp los camarones (4)
shy tímido/a (**1**)
sidewalk la acera (**3**)
sign el signo (8); el letrero (11)
sign (papers), to firmar (los documentos) (PA, **5**)
silver, made of hecho de plata (**7**)
similarity la semejanza (3, 6)
simple sencillo/a (**1**, 3, PB)
since pues (2); ya que (**7**)
Sincerely (Muy) Atentamente (8)
sing, to cantar (PA)
singer el/la cantante (PA)
single (*not married*) soltero/a (**1**)
single man el soltero (1)
single woman la soltera (1)
sister-in-law el/la cuñado/a (**1**)
sit down, to sentarse (e → ie) (PA)
size el tamaño (**2**)
skateboard, to patinar en monopatín (**2**)
skates los patines (**2**)
skeleton el esqueleto (4)
ski, to esquiar (**2**)
ski pole el bastón de esquí (**2**)
skill la destreza (**8**)
skillet la sartén (**3**)
skin la piel (**1**, **11**)
skull la calavera (4)
slash (*in a URL*), / la barra (**5**)
sleep, to dormir (o → ue → u) (PA)
sling el cabestrillo (**11**)
slogan el lema (3)
small truck la camioneta (**5**)
smallpox la viruela (10)
smile la sonrisa (2)
smile, to sonreír (e → i) (5)
smog el esmog (**10**)
smoke el humo (**10**)
smoothly suavemente (2)
snack la botana (**4**)
so that de manera que; de modo que; para que (**7**)
soap el jabón (**7**)
soap opera la telenovela (4, **9**)
social gathering la tertulia (3)
software el programa de computación (**5**)
solicit, to solicitar (**8**)
soloist el/la solista (**9**)
solve, to resolver (o → ue) (**1**)
something left, to have quedar (**1**)
sometimes a veces (11)
son el/la hijo/a (PA)
son-in-law el yerno (**1**)
soon pronto (4)
sorrow el pesar (8)
soul el alma (2)
soulmate la media naranja (9)
sound el sonido (7)
sound, to sonar (o → ue) (2, 5)
soup bowl la sopera (**3**)
source la fuente (8)
south el sur (1, **5**)
southeast sureste (5)
southern austral (5)
southwest suroeste (5)
souvenir el recuerdo (**5**)
space el ámbito (7)
speak, to hablar (PA)
specialty la especialidad (7)
specify, to precisar (11)
speech el discurso (9)
speed la rapidez (5); la velocidad (**5**)
spend, to gastar (2, **3**)
spinach las espinacas (**4**)
spokesperson el/la vocero/a (**8**)
sport utility vehicle (*SUV*) el vehículo utilitario deportivo (**5**)
sporting equipment el equipo deportivo (**2**)
sports los deportes (**2**)
sports-loving person deportista (**2**)
sports-related deportivo/a (**2**)
sporty deportista (**2**)
sprain, to torcerse (o → ue) (**11**)
square el cuadro (PA)
squash la calabaza (**4**)
squirrel la ardilla (**10**)
stadium el estadio (2)
stage el paso (PA); el escenario (**9**)
stage fright el miedo de salir en escena (**9**)
stage manager el/la director/a de escena (**9**)
stages of life las etapas de la vida (**1**)
staging el montaje (**9**)
stand out, to destacar(se) (3)
stand up, to levantarse (PA)
star la estrella (4)
start, to prender (**5**)
start up, to arrancar (**5**)
state el estado (PA)
station la estación (4)
station wagon la camioneta (**5**)
stationery shop la papelería (**7**)
stay, to quedarse (PA)
step el paso (PA)
step on, to pisar (2)
stepbrother el hermanastro (**1**)
stepdaughter la hijastra (**1**)
stepsister la hermanastra (1)
stepson el hijastro (**1**)
stew el guisado (4)
still life la naturaleza muerta (**9**)
stilts los zancos (7)

stir, to revolver (o → ue) (**4**)
stock market la bolsa (**8**)
stone la piedra (3)
stop, to dejar de (2, 8)
store la tienda (**7**)
store clerk el/la dependiente/a (**7**)
store window el escaparate (**7**)
story la historia (4)
stove la estufa (4)
straight hair el pelo lacio (**1**)
straighten up, to arreglar (1, 8)
strange raro/a (**1**)
strawberry la fresa (**4**)
stream el arroyo (**10**)
stress el estrés (2)
stretch, to estirarse (**11**)
stretcher la camilla (**11**)
strike la huelga (**8**)
strike, to hacer una huelga (**8**)
striking llamativo/a (3, **9**)
string instruments las cuerdas (7, **9**)
strings las cuerdas (7, **9**)
strong fuerte (**11**)
stubborn terco/a (**1**)
studio el taller (**9**, 11)
study, to estudiar (PA)
style el estilo (1)
subject el tema (1); la materia (**9**)
substance la sustancia (**10**)
subtitles los subtítulos (**9**)
successful, to be tener éxito (2)
suffer, to sufrir (2)
suffering el sufrimiento (5)
sugar cane la caña de azucar (5)
suggest, to proponer (2, 9); sugerir (e → ie → i) (2, **3**, 9)
suggest an alternative, to sugerir una alternativa (**11**)
summary el resumen (1)
sunglasses los lentes de sol (**5**)
Super! ¡Formidable! (5)
supervisor el/la supervisor/a (**8**)
support el apoyo (1)
Sure! ¡Claro! (1, 3); ¡Por supuesto! (3, 5, 7, 10)
surf, to hacer surf (**2**); navegar (**5**)
surface la superficie (11)
surfboard la tabla de surf (**2**)
surprise la sorpresa (10)
surprised sorprendido/a (**1**)
surround, to rodear (10)
surroundings los alrededores (**3**)
survey la encuesta (11)
survive, to sobrevivir (**10**)
sustain, to sostener (e → ie) (**10**)
sweep, to barrer (3)
sweet el bombón (**4**)
sweet (*adj.*) dulce (3)
sweet roll el pan dulce (**4**)
swell, to hincharse (**11**)
swimming pool la piscina (**3**)
sympathy el consuelo (8); la simpatía (**8**)
symphony orchestra la sinfónica (**9**)
symptom el síntoma (**11**)

T

tailor shop la sastrería (7)
take, to tomar (PA)
Take a bus. Tome/n un autobus. (4)
Take a taxi. Tome/n un taxi. (4)
Take care. Cuídese. / Cuídate. (1)
Take care. Que le / te vaya bien. (1)
take notes, to tomar apuntes (8)
take off (*one's clothes*), to quitarse (*la ropa*) (PA)
take over, to apropiarse (**8**)
take someone's blood pressure, to tomar la presión (**11**)
take someone's pulse, to tomar el pulso (**11**)
take turns, to turnarse (PA)
talcum powder el talco (**7**)
talented talentoso/a (**9**)
talk la charla (PB)
tapestry el tapiz (**9**)
tattoo el tatuaje (**1**)
teach, to enseñar (PA)
teacher el/la maestro/a (**8**)
teaching la pedagogía (**8**)
team el equipo (**2**)
technical técnico/a (**9**)
technology la tecnología (**5**)
tedious pesado/a (**1**)
(telemarketing) sales las ventas (por teléfono) (**8**)
telephone operator el/la telefonista (**5**)
television la televisión (**9**)
(television) network la cadena (de televisión) (PA)
television viewer el/la televidente (**9**)
tell, to decir (PA, 1, PB); contar (o → ue) (1); informar (**9**)
terrain el terreno (2)
testify, to declarar (7)
text message el mensaje de texto (**5**)
Thank you for calling (me). Gracias por haber(me) llamado. (7)
that que (2, 5); quien(es) (5)
That is . . . O sea... (9, 11)
That's it. Así es.; Eso es. (7, 10)
That's to say . . . Es decir... (9)
thaw, to descongelar (**10**)
The fact is that . . . Es que... (9)
The truth is . . . La verdad es que... (11)
theater el teatro (**9**)
their/s sus / suyos/as (PA)
theme el motivo (**9**)
theme el tema (1)
therefore por lo tanto (5)
There's no doubt No cabe duda.; No hay duda. (10)
There's no other solution. No hay más remedio. (10)
There's no other way. No hay más remedio. (10)
thermometer el termómetro (**11**)
thesis la tesis (PB)
thief el/la ladrón/ladrona (5)
thigh el muslo (**11**)
think, to pensar (e → ie) (PA)
This can't be! ¡No puede ser! (5, 10, 11)
This is . . . Es...; Soy...; Le / Te habla... (7)
This will soon pass. Esto pasará pronto. (8)
threat la amenaza (10)
threaten, to amenazar (**10**)
through por (**5**)
throw a frisbee, to tirar un platillo volador (**2**)
thus así (**2**)
ticket window la ventanilla (2)
tie (*game*) el empate (**2**)
tied atado/a (8)
tiger el tigre (**10**)
tight apretado/a (**7**)
Till the next time. Hasta la próxima. (1)
time la vez (2)
timetable el horario (1, **8**)
tip la propina (3)
title el título (1, 7)
throw, to tirar (PA, 1, 3)
to the left of a la izquierda de (7)
to the right of a la derecha de (7)
To whom it may concern A quién corresponda (8)
together junto/a (PA)
together, to get reunirse (PA)
toilet paper el papel higiénico (**7**)
tolerate, to aguantar (9)
tone of voice el tono de voz (1)
tongue la lengua (**11**)
too much / many demasiado/a/os/as (1)
tool la herramienta (3)
toothbrush el cepillo de dientes (**7**)
toothpaste la pasta de dientes (**7**)
top (*toy*) el trompo (7)
torch la antorcha (4)
tour la gira (5)
tour, to viajar por (**5**)
tourism office la oficina de turismo (**5**)
tournament el torneo (2)
towel la toalla (**3**)
toy el juguete (1, 5)
toy store la juguetería (**7**)
track and field el atletismo (**2**)
traffic jam el atasco (**5**)
tragedy la tragedia (**9**)
train, to entrenar (**2, 8**)
trainer el/la entrenador/a (1, **2**)
training la formación (5, 8); el entrenamiento (11)
transfer el traslado (5)
translate, to traducir (8)
transmission la transmisión (**5**)
transportation el transporte (**5**)
travel los viajes (**5**)
travel agency la agencia de viajes (6)
tray la bandeja (11)
treat, to tratar (4)
treatment el trato (10); el tratamiento (10, **11**)
trio el trío (**9**)
trip el recorrido (5)
trips los viajes (**5**)
trombone el trombón (**9**)
true verdadero/a (PB)
try, to intentar; probar (o → ue) (1)
turkey el pavo (**4**)
turn, to doblar (7)
Turn right / left. Doble/n a la derecha / izquierda. (4)
turn . . . years old, to cumplir... años (**4**)
turnpike la autopista (5)
turtle la tortuga (**10**)
twins los gemelos (**1**)

U

Um . . . Este...; Pues... (11)
umbrella la sombrilla (**5**)
umpire el/la árbitro/a (**2**)
uncertain, to be no estar seguro (de) (3, 9)
uncle el tío (PA)
uncomfortable incómodo/a (5)
underestimate, to menospreciar (11)
understand, to comprender; entender (e → ie) (PA)
underwear la ropa interior (**7**)
undo, to deshacer (**5**)
unforeseen imprevisto/a (11)
unforgettable inolvidable (1)
unknown desconocido/a (5)

unless a menos que (**7**)
unplug, to desenchufar (5)
unsurpassable insuperable (9)
until hasta (que) (**7**)
up arriba (5)
update, to actualizar (**5**)
use, to usar; utilizar (PA, 1); emplear (7, 8)
utilize, to utilizar (1)

V

vacations las vacaciones (**5**, 8)
vaccination la vacuna (**11**)
Valentine's Day el Día de San Valentín (**4**)
valley el valle (**10**)
value el valor (**9**)
van la camioneta (**5**)
vase el florero (**3**)
veal la ternera (**4**)
vegetable la verdura (**4**)
vein la vena (**11**)
vendor el/la vendedor/a (2)
verse el verso (4)
veterinarian el/la veterinario/a (**8**)
violin el violín (**9**)
visual visual (**9**)
visual arts el arte visual (**9**)
voicemail el correo de voz (**5**)
volcano el volcán (**10**)
vomit, to vomitar (**11**)

W

wait for, to esperar (PA, 2, 9)
walk, to andar (1)
wall (*around a house*) el muro (**3**)
wallet la billetera (**7**)
want, to querer (e → ie) (PA, 2, 9)
wardrobe el vestuario (**9**)
wart la verruga (11)
wash oneself, to lavarse (PA)
washing machine la lavadora (**3**)
waste el/los desperdicio/desperdicios (5, **10**)
waste, to gastar (2, 3); desperdiciar (**10**)
waste products el/los desperdicio/ desperdicios (5, **10**)
wasteful gastador/a (**1**)
water the flowers, to regar (e → ie) las flores (**3**)
watercolor la acuarela (4, **9**)
waterfall la catarata (**10**)
watermelon la sandía (**4**)
wave la onda (10)
We would love to (but) . . . Nos encantaría (pero)... (3)
wear out, to gastar (2, **3**)
weather report el pronóstico del tiempo (2)
weaver el/la tejedor/a (**9**)
weaving el tejido (**9**)
web camera la cámara web (**5**)
wedding la boda (3, **4**)
wedding anniversary el aniversario de boda (**4**)
weed, to sacar la mala hierba (**3**)
weighed down agobiado/a (7, 10)
weights las pesas (**2**)
well pues (**2**)
Well . . . Bueno...; Este...; Pues... (11)
well done bien hecho/a (5)
west el oeste (**5**)
whale la ballena (**10**)
What? ¿Cómo? (2)
What a pity! ¡Qué pena / lástima! (5, 8)
What a shame! ¡Qué pena / lástima! (5, 8)
What do you say? ¿Qué me cuentas? (1); ¿Qué dice/s?; ¿Qué dijiste / dijo? (5)
What do you think? ¿Qué opina/s? (5)
What do you think (about the idea)? ¿Qué le / te parece? (5)
What does . . . mean? ¿Qué quiere decir...?; ¿Qué significa...? (2)
(What) I mean . . . (Lo que) quiero decir... (9)
What's new? ¿Qué hay de nuevo? (1)
What's up? ¿Qué me cuentas? (1)
when cuando (**2**, **7**)
When you get to . . ., turn . . . Al llegar a..., doble/n... (4)
which que (**2**, 5)
while mientras (que) (PA, **7**, **10**)
while, a la temporada (1)
who quien(es) (2); que (**2**, 5)
Who shall I say is calling? ¿De parte de quién? (**7**)
whom que (2, 5); quien(es) (5)
wide ancho/a (**11**)
widow la viuda (**1**)
widower el viudo (**1**)
wife la mujer (**1**)
wig la peluca (**1**)
wild salvaje (10)
win, to ganar (**2**)
wine glass la copa (**3**)
winegrowing la viticultura (8)
wisdom teeth los dientes de juicio (8)
wisdom tooth la muela de juicio (8)
wish el deseo (2)
wish, to querer (e → ie) (PA, 2, 9); desear (2, 9)
With love Con cariño (8)
with you contigo (2)
With your permission. Con permiso. (2)
without sin que (**7**)
Without a doubt. Sin duda.; No cabe duda.; No hay duda. (10)
wolf el lobo (**10**)
wood la madera (**3**)
wood instruments los instrumentos de viento / madera (**9**)
wood sculpture la talla (**9**)
woodwinds los instrumentos de viento / madera (**9**)
woodworking, to do hacer trabajo de carpintería (**2**)
work la obra (3)
work, to trabajar (PA)
worker el/la obrero/a (**3**)
work-related laboral (**8**)
workshop el taller (**9**, 11)
world mundial (*adj.*) (2)
worse peor (9)
worst, the el/la peor (9)
worst thing, the lo peor (8)
wrapping paper el papel de envolver (**7**)
wrestle, to practicar lucha libre (**2**)
wrist la muñeca (**11**)
wristwatch el reloj de pulsera (**7**)
write, to escribir (PA, **1**)
writer el/la escritor/a (**8**)
wrong equivocado/a (5)

X

X-ray la radiografía (**11**)

Y

yoga el yoga (**2**)
yoga, to do hacer yoga (**2**)
You don't say! ¡No me diga/s! (5, 7, 10, 11)
You have my sympathy. Mi más sentido pésame. (8)
You know . . . Sabes... (11)
young person el/la joven (9)
your (*fam.*) tu/s (PA)
your (*form.*) su (PA)
You're kidding me. Me estás tomando el pelo. (10)
You're pulling my leg. Me estás tomando el pelo. (10)
you're welcome no hay de qué (2)
your/s (*fam. pl. Spain*) vuestro/a/os/as (PA)
yours (*fam.*) tuyo/a/os/as (PA)
yours (*form.*) suyo/a (PA)
youth la juventud (**1**)

CREDITS

PHOTO CREDITS

p. 3 Cartesia / Getty Images, Inc. Photodisc; Blend Images / Superstock Royalty Free; Rhonda Klevansky / Getty Images Inc. Stone Allstock; ROBIN SMITH / Photolibrary.com; **p. 8** Rufus F. Folkks / CORBIS All Rights Reserved; NY; Odyssey Productions, Inc.; AP Wide World Photos; Nathaniel S. Butler / NBAE/Getty Images, Inc.; AP Wide World Photos; © Keith / CORBIS All Rights Reserved; Munawar Hosain / Getty Images Inc. Hulton Archive Photos; **p. 9** © Ariel Skelley / CORBIS; © Ron Kuntz / Reuters / Corbis; **p. 13** MICHAEL KRASOWITZ / Getty Images, Inc. Taxi; Photolibrary.com; Ariel Skelley / Corbis/Bettmann; ARTHUR TILLEY / Getty Images, Inc. Taxi; **p. 19** Chad Buchanan / Getty Images, Inc.; Paolo Bosio / Getty Images, Inc Liaison; Brian Kersey / Landov Media; Paul Hawthorne / Getty Images, Inc.; **p. 24** Getty Images Stockbyte, Royalty Free; David A. Wagner / Phototake NYC; © Dorling Kindersley; Getty Images Stockbyte, Royalty Free; © Dorling Kindersley; **p. 29** Bob Daemmrich / The Image Works; **p. 33** A/T Media Productions; **p. 39** Image Network, Photolibrary.com; Fisher Thatcher / Getty Images Inc. Stone Allstock; **p. 41 (left to right):** © Andresr/ Shutterstock; © Fatal Sweets/Shutterstock; © liquidlibrary/Getty Images; **p. 43:** © auremar/Shutterstock; **p. 50 (top):** © Petinov Sergey Mihilovich/Shutterstock; **(bottom):** © Yuri Arcurs/Shutterstock; **p. 51** Lalo Yasky / Getty Images; Hector Armando Herrera / Cemex S. A. de C. V.; © Szenes Jason / CORBIS SYGMA; **p. 55 (top, clockwise from left):** © Corbis; © INTERFOTO / Alamy; © Keith Dannemiller / Alamy; **(bottom):** © Ryan McVay/Thinkstock; **p. 56 (left to right):** © Supri Suharjoto/Shutterstock; © CREATISTA/Shutterstock; © Dmitriy Shironosov/Shutterstock; © Stockbyte/ Thinkstock; **p. 57 (top):** © dwphotos/Shutterstock; **(bottom, left to right):** © Gina Smith/Shutterstock; © Blend Images/ Shutterstock; © Monkey Business Images/Shutterstock; **p. 60 (top left):** © Paul Matthew Photography/Shutterstock; **(center):** © iStockphoto/Thinkstock; **(bottom left):** © oorka/Shutterstock; **(bottom right):** © AP Wide World Photos; **p. 61 (top left):** © CHRISTIAN ARAUJO/Shutterstock; **(center left):** © Samuel Acosta/Shutterstock; **(center right):** © Nickolay Stanev/Shutterstock; **p. 69** A/T Media Productions; **p. 74** Angelo Cavalli / AGE Fotostock America, Inc.; **p. 80** David YoungWolff / PhotoEdit Inc.; **p. 82 (clockwise from left):** © Classic Image/Alamy; Matt Trommer/Shutterstock. com; © sportgraphic/Shutterstock.com; **p. 90** AP Wide World Photos; **p. 95 (top):** © Yuri Arcurs/Shutterstock; **(2nd row, left to right):** © Diego Barbieri/ Shutterstock; © Mana Photo/Shutterstock; © Lario Tus/Shutterstock; **(3rd row, left to right):** © Michael Pettigrew/Shutterstock; © pjcross/Shutterstock; **(4th row, left to right):** © Roca/Shutterstock; © pirita/ Shutterstock; © Ilja Mašík/Shutterstock; **p. 97** Robert Fried / robertfriedphotography.com; © 2008 by Eric Futran and Odyssey Productions, Inc.; Getty Images, Inc.; David Hiser / Getty Images Inc. Stone Allstock; **p. 98** © D. Donne Bryant Photography; Robert Fried / robertfriedphotography.com; Corbis / Bettmann; Robert Fried / robertfriedphotography. com; **pp. 100–101** A/T Media Productions; **p. 102:** © maxstockphoto/Shutterstock.com; **p. 103 (top):** © Mike Flippo/ Shutterstock; **(mid):** © ARENA Creative/Shutterstock; **(bottom left):** © Elinag/Shutterstock; **(bottom right):** © Digital Vision/ Thinkstock; **p. 106 (top left):** © CREATISTA/Shutterstock; **(center left):** © D. Heining-Boynton, HBPHOTOPRO.COM.; **(center right):** © D. Heining-Boynton, HBPHOTOPRO.COM.; **(bottom):** © Rich Carey/ Shutterstock; **p. 107 (top left):** Humberto Ortega/Shutterstock; **(top right):** © Steve Heap/Shutterstock; **(bottom left):** ©Dalayo/Shutterstock; **(bottom right):** © Steve Estvanik/Shutterstock; **p. 107** Gavin Hellier / Nature Picture Library; **p. 108** A/T Media Productions; **p. 115** © 2008 / Granangular / Odyssey; **p. 117** © Jimmy Dorantes / Latin Focus.com; **p. 125** Yellow Dog Productions / Getty Images Inc. Image Bank; **p. 131:** © Dmitriy Shironosov/Shutterstock; **p. 133** Alan Kearney / Viesti Associates, Inc.; Arcaid / Alamy; Linda Whitwam © Dorling Kindersley; **p. 134:** © BortN66/Shutterstock; **p. 135 (top):** ©Brooke Becker/ Shutterstock; **(bottom):** ©Comstock Images/ Getty/Thinkstock; **p. 138 (top left):** © AVAVA/Shutterstock; **(center left):** ©Glen Allison/Stone/Getty Images; **(center right):** ©Medioimages/Photodisc/ Thinkstock; ©Aguilarphoto/Shutterstock; **p. 139 (top left):** ©Somatuscan/Shutterstock; **(top right):** ©D. Heining-Boynton, HBPHOTOPRO.COM; **(center left):** ©D. Heining-Boynton, HBPHOTOPRO.COM; **(center right):** ©F.C.G./ Shutterstock; **(bottom):** ©D. Heining-Boynton, HBPHOTOPRO.COM; **p. 142** Museum of Modern Art, New York, USA / The Bridgeman Art Library; Christie's Images / SuperStock, Inc.; **p. 147** A/T Media Productions; **p. 155:** ©Jose Gil/ Shutterstock; **p. 164 (top):** ©ifong/ Shutterstock; **p. 169:** ©AISPIX/Shutterstock; **p. 170** © Reuters / Corbis; **p. 173 (top):** ©D. Heining-Boynton, HBPHOTOPRO.COM; **(center):** ©D. Heining-Boynton, HBPHOTOPRO.COM; **(bottom):** ©michaeljung/ Shutterstock; **p. 176 (top left):** ©mangostock/Shutterstock; **(center):** ©Sandra A. Dunlap/ Shutterstock; **(bottom left):** ©D. Heining-Boynton, HBPHOTOPRO.COM; **(bottom right):** ©D. Heining-Boynton, HBPHOTOPRO.COM; **p. 177 (top left):** ©Sandra A. Dunlap/Shutterstock; **(top right):** ©Adeliepeng/Dreamstime LLC; **(center):** ©D. Heining-Boynton, HBPHOTOPRO.COM; **(bottom):** ©D. Heining-Boynton, HBPHOTOPRO.COM; **p. 185** Joel Sartore / National Geographic Image Collection; **p. 197** Photolibrary.com; **p. 199** Alex S. MacLean / Landslides Aerial Photography; Spencer Grant / PhotoEdit Inc.; **p. 202** Prentice Hall School Division; Wagtail / Creative Eye/MIRA. com; Don Goode / Photo Researchers, Inc.; Suzy Benett/ Alamy; **p. 213** © Reuters / Corbis; **p. 215 (top):** ©steve estvanik/ Shutterstock; **(bottom):** ©Dallas Events Inc/ Shutterstock; **p. 218 (top left):** ©Photos.com/ Thinkstock; **(center left):** ©rj lerich / Shutterstock; **(center right):** ©charles taylor/ Shutterstock; **(bottom left):** ©Matt Ragen/ Shutterstock; **(bottom**

right): ©rj lerich/Shutterstock; **p. 219 (top left):** ©hagit berkovich/Shutterstock; **(top right):** ©tonisalado/ Shutterstock; **(bottom left):** ©CREATISTA/Shutterstock; **(bottom right):** ©Tony Northrup/Shutterstock; **p. 230** MICHAEL SHAY / Getty Images, Inc. Taxi; **p. 232** Photofest; Arsenault Photography, Inc., Daniel E. / Getty Images Inc. Image Bank; **p. 240** Erich Lessing / Art Resource, NY; Prado, Madrid, Spain / The Bridgeman Art Library; Fundacion Guayasamin

INDEX

Q

R

S

T

U

V

W

Z

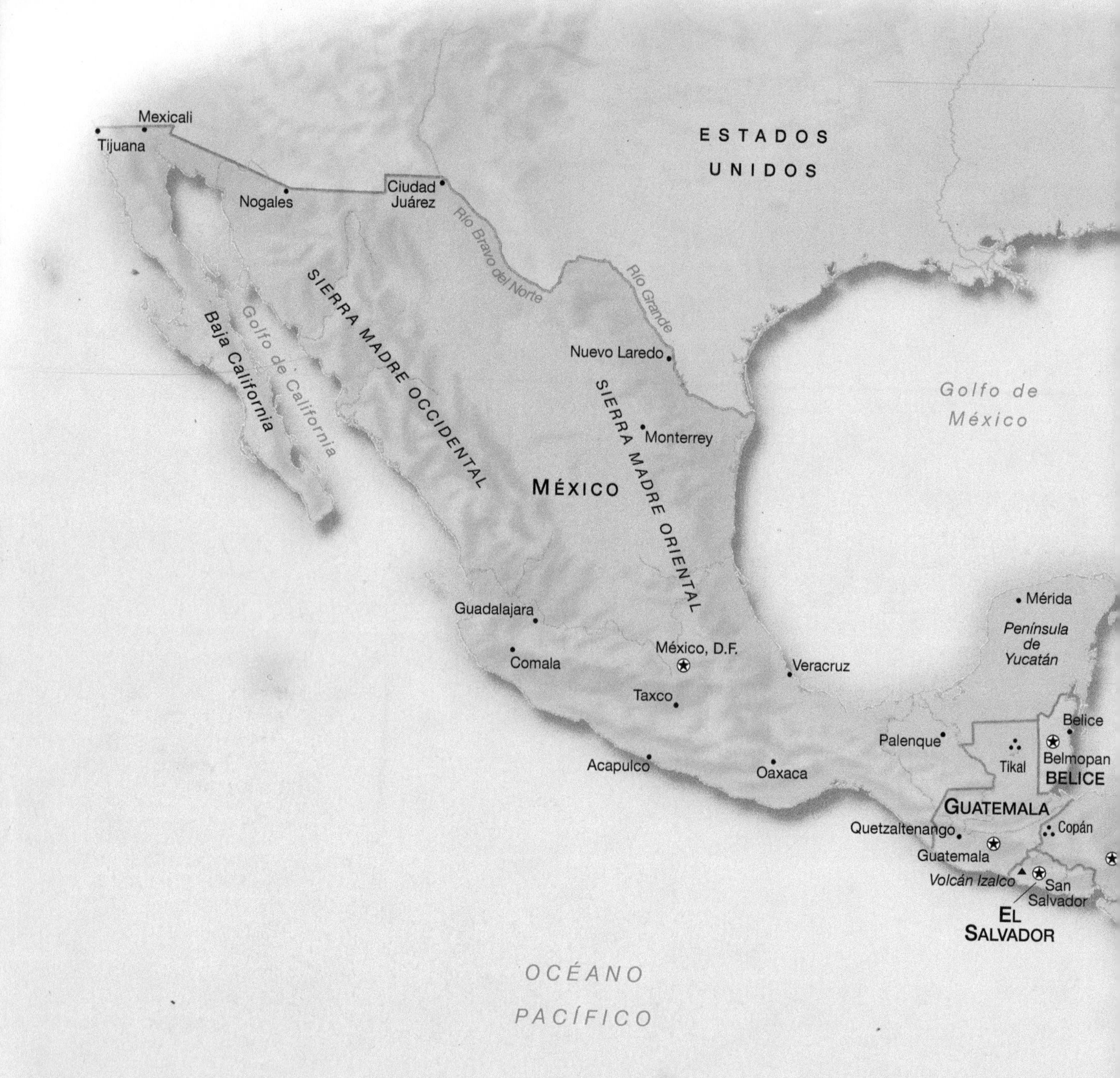

México, América Central y el Caribe